PRÉSENCE DE L'HISTOIRE

COLLECTION
dirigée par ANDRÉ CASTELOT

UNE HISTOIRE
DE
LA FRANCE

DU MÊME AUTEUR

JEAN-FRANÇOIS CHIAPPE

UNE HISTOIRE
DE
LA FRANCE

PERRIN
12, avenue d'Italie
PARIS

Pour Marie-Catherine.

«Pour un jour de synthèse
il faut des années d'analyse.»

FUSTEL DE COULANGES.

REPÈRES CHRONOLOGIQUES

1098   Fondation de l'ordre de Cîteaux.
1122   Suger, abbé de Saint-Denis.
1137   Avènement de Louis VII qui épouse Aliénor d'Aquitaine.
1146   Saint Bernard prêche la deuxième croisade.
1152   Divorce de Louis VII. Aliénor se remarie avec Henri Plantagenêt, duc d'Anjou et de Normandie, bientôt roi d'Angleterre, et lui apporte l'Aquitaine.
1163   Début de la construction de Notre-Dame de Paris.
1179   Couronnement de Philippe-Auguste.
1189/1192   Troisième croisade à laquelle participent Philippe-Auguste et Richard Cœur de Lion.
1208   Début de la croisade contre les Cathares du Midi.
1211   Début de la construction de la cathédrale de Reims.
1214   Bataille de Bouvines.
1226   Avènement de Louis IX.
1239   Début de l'Inquisition en France.
1244   Bûcher de Montségur mettant fin à la résistance des Cathares.
1270   Huitième et dernière croisade. Mort de Louis IX devant Tunis.
1271   Le comté de Toulouse rattaché à la Couronne.
1285   Philippe le Bel, roi de France.
1302   Premiers états généraux.
1305   Le pape Clément V s'installe à Avignon.
1307   Arrestation des Templiers.
1320/1322   Les Juifs sont chassés du royaume.
1328   Mort de Charles IV, troisième fils de Philippe le Bel. La couronne passe à son cousin germain Philippe de Valois, alors qu'elle était revendiquée par Isabelle, fille de Philippe le Bel pour son fils Édouard III d'Angleterre.
1345   Épidémie de peste, dite «peste noire».
1346   Débuts de la guerre de Cent Ans. Défaite de Crécy.
1356   Défaite de Poitiers. Jean II le Bon, prisonnier des Anglais.
1356/1357   Révolte d'Étienne Marcel.
1358   Écrasement de la Jacquerie.
1360   Traité de Brétigny (Calais et le Sud-Ouest à l'Angleterre).
1364   Avènement de Charles V. Du Guesclin vainqueur à Cocherel.
1380   Avènement de Charles VI. Mort de Du Guesclin au siège de Châteauneuf-de-Randon (Lozère).
1415   Défaite d'Azincourt.
1420   Traité de Troyes. Charles VI reconnaît comme son héritier le roi d'Angleterre.
1429   Jeanne d'Arc délivre Orléans.
1431   Jeanne d'Arc brûlée à Rouen.

1449	Charles VII crée les impôts permanents (taille, aides, gabelle).
1450	Défaite des Anglais à Formigny. La Normandie reconquise.
1453	Charles VII vainqueur à Castillon. Fin de la guerre de Cent Ans.
1461	Louis XI, roi de France.
1475	Traité de Picquigny. Édouard VI s'engage à se retirer totalement du territoire français.
1483	Début des guerres d'Italie.
1491	Mariage d'Anne de Bretagne avec Charles VIII.
1499	Conquête du Milanais par Louis XII (perdu en 1512).
1515	Victoire de François Ier à Marignan. Reprise du Milanais (perdu en 1521).
1523	Trahison du Connétable de Bourbon dans la guerre contre Charles Quint.
1525	François Ier vaincu à Pavie.
1534	Jacques Cartier découvre le Canada. Affaire des «Placards».
1536	Invasion de la Provence par Charles Quint. Alliance de François Ier avec Soliman le Magnifique.
1539	Ordonnance de Villers-Cotterêts.
1544	Paix de Crépy-en-Valois (François Ier-Charles Quint).
1559	Traité de Cateau-Cambrésis entre Henri II, Philippe II d'Autriche et Elisabeth Ire d'Angleterre. Henri II, mortellement blessé. Début de la régence de Catherine de Médicis.
1560	Conjuration d'Amboise. Début des guerres de religion (1562-1598).
1563	Assassinat de François de Guise.
1572	Massacre de la Saint-Barthélemy.
1576	Formation de la Ligue catholique, dirigée par Henri de Guise pour abattre le protestantisme.
1585	La Ligue s'allie à l'Espagne.
1588	Assassinat du duc de Guise, à Blois, à l'instigation d'Henri III.
1589	Henri III assassiné. Le trône revient à Henri de Navarre, de la branche des Bourbons, qui est protestant.
1594	Henri IV, roi de France, qui a abjuré le protestantisme, est couronné à Chartres.
1598	Édit de Nantes.
1607	La Navarre réunie à la France.
1610	Assassinat d'Henri IV. Avènement de Louis XIII. Régence de Marie de Médicis.
1624	Richelieu entre au Conseil du roi Louis XIII.
1627	Siège de la Rochelle.

1629	Édit de grâce d'Alès.
1630	Journée des Dupes. Louis XIII maintient sa confiance à Richelieu et fait arrêter sa mère.
1635	Les Français à la Martinique et à la Guadeloupe. Début de la période française de la guerre de Trente Ans. Fondation de l'Académie française.
1641	La France occupe l'Alsace.
1642	Mort de Richelieu.
1643	Mazarin au pouvoir, régence d'Anne d'Autriche. Victoire de Rocroi sur les Espagnols.
1648	Début de la Fronde des Grands. Traité de Westphalie (La France a l'Alsace, sauf Strasbourg). Fin de la guerre de Trente Ans.
1659	Traité des Pyrénées.
1661	Début du gouvernement personnel de Louis XIV.
1664	Fondation de la Compagnie française des Indes orientales.
1667	Début de la «guerre de Dévolution» contre l'Espagne.
1678	Traité de Nimègue avec la Hollande et l'Espagne.
1681	Occupation de Strasbourg.
1682	Le roi s'installe définitivement à Versailles.
1685	Révocation de l'Édit de Nantes.
1667-1697	Guerres contre la Ligue d'Augsbourg.
1697	Traité de Ryswick. La France conserve Strasbourg et reconnaît Guillaume d'Orange comme roi d'Angleterre.
1701/1713	Guerre de Succession d'Espagne.
1713/1715	Traités d'Utrecht.
1715	Mort de Louis XIV. Avènement de son arrière-petit-fils Louis XV. Régence de Philippe d'Orléans jusqu'en 1723.
1717	Fondation de La Nouvelle-Orléans (Louisiane).
1745	Victoire de Fontenoy sur les Anglais et les Hollandais.
1748	Traité d'Aix-la-Chapelle.
1756-1763	Guerre de Sept Ans. La France alliée à l'Autriche, la Russie et la Suède contre l'Angleterre et la Prusse.
1763	Traité de Paris. Perte du Canada.
1766	Rattachement de la Lorraine à la France.
1768	La Corse devient française.
1774	Mort de Louis XV. Avènement de Louis XVI.
1778	Entrée de la France dans la guerre d'Indépendance américaine.
1783	Traité de Paris et de Versailles terminant la guerre d'Indépendance.
1789	5 mai Ouverture des états généraux.
	20 juin Serment du jeu de Paume.
	14 juillet Prise de la Bastille.
	26 août Déclaration des droits de l'homme.

1790	15 janvier	Création des départements (83).
	12 juillet	Constitution civile du clergé.
1791		Arrestation de Louis XVI à Varennes (21 juin).
	octobre	Assemblée législative.
1792	22 juin	Déclaration de guerre à l'Autriche et à la Prusse.
	10 août	Suspension du roi.
	2-6 septembre	Massacres dans les prisons parisiennes.
	20 septembre	Victoire de Valmy.
	21 septembre	Abolition de la monarchie; proclamation de la République.
1793	21 janvier	Exécution de Louis XVI.
	10 mars	Début des guerres de Vendée.
	6 avril	Création du Comité de Salut public.
	septembre	La Terreur à l'ordre du jour.
	16 octobre	Exécution de Marie-Antoinette.
1793-1797	Première coalition contre la France.	
1794	Chute de Robespierre (27 juillet/9 thermidor).	
	10 juin	Loi du 22 prairial sur les «suspects».
1795	8 juin	Mort de Louis XVII
	5 octobre	Vote de la constitution de l'an III.
	journée du 13 vendémiaire.	
	26 octobre	Installation du Directoire.
1796	Début de la campagne d'Italie sous la conduite de Bonaparte.	
1797	octobre	Traité de Campo-Formio avec l'Autriche; il garantit à la France la Belgique et la rive gauche du Rhin.
1798	Expédition de Bonaparte en Égypte.	
1799	23 août	Bonaparte quitte l'Égypte.
	18-19 Brumaire (9-10 novembre)	Coup d'État de Bonaparte.
	13 décembre	Constitution de l'an VIII; Bonaparte Premier consul.
1801	juillet	Signature du Concordat avec la papauté.
	septembre	Les Français quittent l'Égypte.
1802	Paix d'Amiens avec l'Angleterre.	
1803	avril	Vente de la Louisiane aux États-Unis.
	mai	Rupture de la paix d'Amiens.
1804	Exécution du duc d'Enghien.	
	Promulgation du Code civil.	
	Proclamation de l'Empire. Bonaparte devient Napoléon Ier (couronnement le 2 décembre).	
1805	mai	Napoléon roi d'Italie.
	août	Troisième coalition (Angleterre, Autriche, Suède, Russie, Naples).

	2 décembre	Victoire d'Austerlitz (sur les Russes et les Autrichiens).
1806	octobre	Victoire d'Iéna.
	novembre	Décret établissant le «blocus continental».
1807	Quatrième coalition (Angleterre, Russie, Prusse, Suède).
	février	Bataille d'Eylau.
	juillet	Traité de Tilsitt (France, Russie, Prusse).
1808	Guerre d'Espagne (jusqu'en 1814).
1809	Cinquième coalition (Angleterre, Espagne, Autriche).
	juillet	Victoire de Wagram.
	octobre	Traité de Vienne.
1810	Mariage de Napoléon et de Marie-Louise (avril).
1811	Après l'annexion de la Hollande, l'Empire compte 130 départements.
1812	Sixième coalition (Russie, Angleterre, Espagne, Suède).
	juin-décembre	Campagne de Russie.
1813	Bataille de Leipzig, dite «des Nations» (octobre).
1814	janvier-mars	Campagne de France.
	avril	Abdication de Napoléon; Louis XVIII roi de France (Première restauration).
	mai	Traité de Paris: la France retrouve les frontières de janvier 1792 (+ Avignon la Savoie, Mulhouse).
	juin	Publication de la charte.
	septembre	Congrès de Vienne.
1815	mars-juin	Retour de Napoléon: les Cent Jours.
	18 juin	Défaite de Waterloo.
	8 juillet	Retour de Louis XVIII à Paris (Deuxième Restauration).
	novembre	Second traité de Paris.
1820	Assassinat du duc de Berry.
1823	Expédition française en Espagne (avril-octobre).
1824	Avènement de Charles X (sacré à Reims en 1825).
1830	5 juillet	Prise d'Alger.
	27-28-29 juillet	«révolution de Juillet»; abdication de Charles X (2 août) Louis-Philippe, roi des Français.
1831		Révolte des canuts lyonnais.
1832	Ministère Thiers, Guizot, Broglie (octobre).
1833	Loi Guizot: une école primaire par commune.
1834	Émeutes ouvrières à Lyon et à Paris.
1837	Premier chemin de fer.
1839	Algérie: début d'une longue lutte contre Abd el-Kader qui se soumettra en 1848.
1848	24-25 février	Chute de Louis Philippe; proclamation

		de la République.
	22-26 juin	Journées de Juin.
	10 décembre	Louis-Napoléon, élu président de la IIᵉ République.
1849		Occupation de Rome par Oudinot pour défendre le pape contre les républicains.
1850		Loi Falloux.
1851		Coup d'État de Louis-Napoléon (2 décembre), confirmé par plébiscite.
1852		Rétablissement de l'Empire (plébiscite du 20-21 novembre) : Napoléon III.
1853		La France prend possession de la Nouvelle-Calédonie.
1854-1856		Guerre de Crimée (prise de Sébastopol le 8 septembre 1855).
1858		Attentat d'Orsini.
1859		La France fait la guerre à l'Autriche pour assister le Piémont (mai-juillet) ; paix de Villafranca en juillet.
1860		La Savoie et le comté de Nice deviennent français.
1862		La Cochinchine devient colonie française et le Cambodge protectorat.
		Guerre du Mexique (jusqu'en 1867).
1869		Inauguration du canal de Suez.
1870	19 juillet	Déclaration de guerre à la Prusse.
	2 septembre	Défaite de Sedan.
	4 septembre	Déchéance de l'Empire ; proclamation de la République.
1871	janvier	Siège de Paris. Guillaume Iᵉʳ proclamé empereur allemand à Versailles.
	17 février	Thiers, chef du pouvoir exécutif puis, le 30 août, président de la République.
	18 mars	Début de la Commune de Paris.
	10 mai	Traité de paix avec la Prusse ; perte de l'Alsace et la Lorraine.
	28 mai	Écrasement de la Commune.
1873		Mac-Mahon, président de la République.
	octobre	Échec de la tentative de restauration de la monarchie.
1875	30 janvier	L'amendement Wallon fonde la République.
1879		Démission de Mac-Mahon ; Jules Grévy président.
1880		Brazza fonde Brazzaville (au Congo).
1881		Protectorat sur la Tunisie.
1882		Loi Ferry sur l'enseignement primaire (obligatoire, laïque gratuit).
		Prise de Hanoï.
1883		Protectorat sur l'Annam.

1885	Défaite de Lang Son au Tonkin.	
1887	Démission de Jules Grévy. Élection de Sadi Carnot.	
1889	Échec des Boulangistes.	
1890	Toast du cardinal Lavigerie à Alger sur le ralliement des catholiques à la République.	
1891	Accord franco-russe. Scandale de Panama.	
1892-1893	Annexion du Dahomey; création de la guinée française; protectorat sur le Laos.	
1894	Assassinat de Sadi Carnot; élection de Casimir Perier (démissionnaire six mois après, remplacé par Félix Faure).	
1894-1899	Affaire Dreyfus.	
1895	Création de l'Afrique occidentale française (A.O.F.). Madagascar, colonie française.	
1899	Mort de Félix Faure; Émile Loubet, président.	
1902	Ministère Combes (jusqu'en janvier 1905) marqué par la politique anticléricale.	
1904	Loi contre les congrégations religieuses; rupture avec le Saint-Siège. Entente avec la Grande-Bretagne. Scandale des «fiches».	
1905	Loi de séparation de l'Église et de l'État.	
1906	Grève générale le 1er mai pour la journée de 8 heures. Loi instituant le repos hebdomadaire de 24 heures.	
1910	Création de l'Afrique équatoriale française (A.E.F.).	
1911	Protectorat sur le Maroc; Lyautey résident général.	
1913	Raymond Poincaré président de la République.	
1914	juillet	Création par Caillaux de l'impôt général sur le revenu.
	31 juillet	Assassinat de Jaurès.
	3 août	L'Allemagne déclare la guerre à la France.
	5-10 septembre	Victoire de la Marne.
1915	Joffre commandant en chef; bataille de Champagne; bataille en Artois; débarquement allié à Salonique.	
1916	21 février	Bataille de Verdun.
	15 décembre	Bataille de la Somme; Nivelle commandant en chef.
1917	Échec de l'offensive Nivelle sur le Chemin de Dames (avril). Pétain, commandant en chef.	
	13 novembre	Clemenceau président du Conseil à la place de Painlevé.
1918	mars-juillet	Grande offensive des Allemands qui parviennent à 65 kilomètres de Paris.

	avril	Foch, généralissime des forces alliées.
	18 juillet	Début de la contre-offensive et, le 26, de la retraite allemande.
	11 novembre	Armistice de Rethondes.
1919	Traité de Versailles (28 juin).	
	novembre	Élections législatives; Chambre «bleu horizon».
1920	janvier	Deschanel président de la République; Clemenceau, le «père la victoire» a seulement 56 voix.
	6 décembre	Congrès de Tours (scission chez les socialistes; naissance du parti communiste).
1923	Poincaré, président du Conseil, fait occuper la Ruhr (évacuée en 1925).	
1924	Élections: victoire du «cartel des gauches».	
	Démission du président Millerand. Élections de Gaston Doumergue.	
	Début de la guerre du Rif (Maroc) qui s'achèvera en 1926.	
1925	Révolte des Druzes en Syrie.	
	Accords de Locarno.	
1926	Retour de Poincaré à la présidence du Conseil pour sauver le franc (juillet).	
1928	avril	Loi instituant les assurances sociales.
	juin	Le «franc Poincaré».
1931	Paul Doumer président de la République (mai); assassiné en mai 1932 et remplacé par Albert Lebrun.	
1934	Affaire Stavisky.	
	6 février	Violentes manifestations antiparlementaires (18 morts, plus de 1000 blessés).
	Démission du gouvernement Daladier.	
1935	Pierre Laval signe avec Staline un pacte d'assistance.	
	Politique de déflation.	
1936	mars	Hitler réoccupe la Rhénanie; la France ne réagit qu'en paroles.
	Élections de mai: victoire du Front populaire.	
	Léon Blum, président du Conseil.	
	Grèves.	
	Accords Matignon; congés payés (2 semaines).	
	Dévaluation du franc de 25 %.	
	Décision de «non-intervention» dans la guerre civile d'Espagne.	
1936-1937	Nationalisation de l'armement, des chemins de fer.	
1938	29-30 septembre	Accords de Munich.
1939	mars	La France garantit son appui à la Pologne.
	3 septembre	A la suite de l'invasion de la Pologne par

		les Allemands, l'Angleterre et la France déclarent la guerre à l'Allemagne.
	septembre 1939-mai 1940	Période dite de la «drôle de guerre».
1940	10 mai	Les Allemands attaquent en Belgique, Hollande et Luxembourg.
	12-14 mai	Bataille sur la Meuse; percée de Sedan; le front français est enfoncé.
	28-31 mai	Dunkerque.
	5 juin	«Bataille de France» sur la Somme et l'Aisne.
	16 juin	Démission du gouvernement Reynaud; le Maréchal Pétain, président du Conseil.
	18 juin	Appel de De Gaulle de Londres.
	22 juin	Armistice franco-allemand.
	10 juillet	A Vichy, vote des pleins pouvoirs à Pétain (par 569 voix contre 80).

Fin de la IIIe République et naissance de l'«État français».

	septembre	Échec anglo-gaulliste devant Dakar.
	octobre	Statut des Juifs.
		Entrevue Pétain-Hitler à Montoire.
	décembre	Ralliement de divers territoires de l'Empire à la France libre.
1941	juin-juillet	Guerre franco-française en Syrie.
	août	Premier attentat contre un Allemand.
		Début du cycle attentats-représailles.

Première exécution d'otages.

1942	avril	Retour au pouvoir de Pierre Laval qui en avait été chassé en décembre 1940.
	juillet-septembre	Grandes rafles de Juifs.
	8 novembre	Débarquement allié en Afrique du Nord.
	27 novembre	Invasion de la «zone libre» par les Allemands.
1943	février	Loi créant le service du travail obligatoire en Allemagne (S.T.O.).
	mai-juin	De Gaulle à Alger; constitution du Comité français de libération nationale (C.F.L.N.).

En France, création du Conseil national de la résistance (C.N.R.).

	novembre	Débarquement en Italie d'un corps expéditionnaire français (général Juin).
1944	avril-mai	Bombardements meurtriers de Paris, Lyon, Saint-Étienne, Amiens, Marseille.

	6 juin	Débarquement allié en Normandie.
	10 juin	Destruction d'Oradour par des SS (642 morts).
	15 août	Débarquement en Provence.
	20 août	Pétain arrêté à Vichy par les Allemands et transféré à Sigmaringen.
	Fin de l'État français.	
	24-25 août	Libération de Paris.
	2 septembre	De Gaulle préside le Gouvernement provisoire de la République française (G.P.R.F.).
	23 novembre	Libération de Strasbourg.
	30 décembre	Création de la Sécurité sociale.
1945	mars	De Lattre et sa Iʳᵉ armée franchissent le Rhin.
	avril	Premières nationalisations.
	mai	Capitulation de l'Allemagne.
	juillet-août	Procès Pétain.
	octobre	Création de l'E.N.A.
1946	janvier	Démission de De Gaulle.
	octobre	Vote d'une nouvelle constitution qui fonde la IVᵉ République.
	décembre	Début de la guerre d'Indochine.
1947	janvier	Vincent Auriol, premier président de la IVᵉ République.
	mai	Paul Ramadier, président du Conseil, révoque les ministres communistes.
1949		Le Laos et le Cambodge et le Vietnam, états indépendants, associés à la France.
1950		Désastre de Cao Bang, Tonkin (octobre); de Lattre envoyé en Indochine avec tous les pouvoirs (décembre).
1951		Traité instituant la Communauté européenne du charbon et de l'acier (C.E.C.A.) (avril).
1952		Mort de De Lattre (janvier); Salan commandant en chef. Gouvernement Pinay (mars-décembre). Terrorisme en Tunisie et au Maroc.
1953	décembre	René Coty élu président de la République.
1954	13 mars-7 mai	Siège et chute de Diên Biên Phu.
	17 juin	Mendès France président du Conseil (jusqu'en février 1955).
	20-21 juillet	Accords de Genève; cessez-le-feu en Indochine.
	novembre	Début de la guerre d'Algérie.
1955-1956		Indépendance de la Tunisie et du Maroc.
1956		Le gouvernement Guy Mollet envoie le contingent

		en Algérie.
	octobre-novembre	Affaire de Suez.
1957	février	La durée du service militaire passe de 18 à 30 mois.
	mars	Traité de Rome créant le Marché commun (et la C.E.E.).
	«Bataille d'Alger»: anéantissement du terrorisme algérois.	
1958	janvier	Arrivée du premier pétrole saharien.
	mai	Insurrection des Algérois pour l'«Algérie française». Création d'un Comité de salut public. Tous pouvoirs au général Salan.
	juin	De Gaulle président du Conseil.
	28 septembre	Référendum adoptant la Constitution fondant la Vᵉ République.
	21 décembre	De Gaulle élu président de la République.
	Gouvernement Debré (janvier 1959-avril 1962).	
1960	Indépendance des colonies françaises d'Afrique noire.	
	janvier	«Semaine des barricades» à Alger.
	juin	De Gaulle annonce «l'Algérie algérienne».
1961	février	Création en Algérie de l'Organisation armée secrète (O.A.S.) pour garder l'Algérie française.
	21-25 avril	Putsch manqué, à Alger, des généraux Challe, Salan, Jouhaud, Zeller.
	mai	Début de la Conférence d'Évian.
1962	Nombreux attentats de l'O.A.S.	
	18 mars	Accords d'Évian comportant le cessez-le-feu et l'indépendance de l'Algérie.
	avril	Georges Pompidou Premier ministre (jusqu'en 1968).
	Arrestation du général Salan, chef de l'O.A.S.	
	A partir de juin rapatriement de quelque 900 000 Français d'Algérie (1 360 000 en tout entre 1960 et 1964).	
	Massacre de milliers de musulmans ayant servi la France.	
	28 octobre	Référendum sur l'élection du président de la République au suffrage universel.
1963	Fin de l'état d'urgence (mai) instauré au printemps 1961 ; il y a eu 2 360 condamnations, dont 41 à mort, pour atteinte à la sûreté de l'État.	
1964	Création de l'O.R.T.F. (5 juin).	
	Loi-programme pour la force nucléaire stratégique.	

1965		Premières élections présidentielles au suffrage universel. De Gaulle l'emporte sur François Mitterrand au second tour.
1967		Présentation en public du premier Concorde.
		Vote de la loi Neuwirth (sur la pilule).
		Ordonnance sur l'intéressement des salariés.
1968	mai-juin	Manifestations d'étudiants et grèves qui ébranlent le pouvoir mais élections triomphales pour ce dernier le 30 juin.
	juillet	Loi d'orientation de l'enseignement supérieur (Edgar Faure).
1969	27 avril	Référendum sur la réforme du Sénat et des régions: 53,18 % de non; de Gaulle démissionne.
	15 juin	Georges Pompidou président de la République.
		Jacques Chaban-Delmas Premier ministre.
1970		Nombreuses manifestations de gauchistes.
		Mort du général de Gaulle (9 novembre).
1971	juin	Congrès d'Épinay fondant un nouveau parti socialiste (P.S.) dont François Mitterrand est élu secrétaire général.
1972	avril	Référendum sur l'élargissement de la C.E.E. Grosse majorité de oui, mais 39,8 % d'abstentions.
	juin	P.S. et P.C. signent un programme commun.
	juillet	Démission de Chaban-Delmas remplacé par Messmer.
1973	octobre	A la suite de la guerre du Kippour, début de la crise pétrolière, porteuse de longues et lourdes conséquences sur l'économie.
1974	2 avril	Mort de Georges Pompidou.
	19 mai	Valéry Giscard d'Estaing l'emporte de justesse (430 000 voix) sur François Mitterrand.
		Jacques Chirac Premier ministre.
	juillet	La majorité civique passe de 21 à 18 ans.
1975	janvier	Loi autorisant l'avortement.
	novembre	1 000 000 de chômeurs (500 000 en 1972).
1976	août	Démission de Jacques Chirac.
		Raymond Barre nouveau Premier ministre.
		Plan contre l'inflation (septembre).
1977		Crise de la sidérurgie (massives suppressions d'emploi).
	mars	Jacques Chirac maire de Paris.
1978	mars	Élections législatives; la majorité

		demeure (291 sièges, 200 pour la gauche).
	mai	Intervention des paras français au Zaïre.
	août	Libération des prix industriels.
	novembre	1 300 000 chômeurs.
	Deuxième «choc pétrolier».	
1979	juin	Premières élections européennes.
1981	10 mai	François Mitterrand élu président de la République avec 15 708 262 voix contre 14 642 301 à Valéry Giscard d'Estaing.
	juin	Élections; la gauche (P.S., P.C.) a la majorité absolue, pour la première fois depuis la naissance de la Vᵉ République.

PROPOS LIMINAIRE

Le sieur Isaac Eudes, chirurgien à Ri, près d'Argentan, sera comblé dans sa postérité; son aîné, Jean, fondera la congrégation des Eudistes et celle des Filles de Notre-Dame de la Charité. En 1925, Pie XI le canonisera. Le cadet de ce saint, François, prendra le nom de Mézeray, hameau voisin de son village natal pour se distinguer des autres membres de sa famille.

Il se montre bon élève à l'université de Caen puis, grâce à l'appui de Des Yvetaux, ancien précepteur de Louis XIII, devient commissaire des guerres et participe aux campagnes de Flandre. Il effectue avec l'académicien Jean Baudoin différents travaux sur les Mérovingiens, rédige des Mémoires pour le cardinal de Richelieu, puis cette activité le conduit à réaliser, grâce à la pension que lui fait verser l'Éminentissime, *l'Histoire de France depuis Pharamond jusqu'à maintenant, œuvre enrichie de plusieurs belles et vraies antiquités, avec les portraits des rois, régentes, dauphins.* Le premier volume paraît en 1643, le deuxième en 1646, le troisième en 1651. Déjà, M. de Mézeray siège parmi les Quarante, occupant le 33ᵉ fauteuil laissé vacant par le poète Voiture, «l'âme du rond» de l'hôtel de Rambouillet. Il est nommé historiographe et, en 1668, publie un abrégé chronologique de l'histoire de France. Il insiste sur l'origine des impôts et taxes pour le plus grand courroux de Colbert. Il promet des modifications dans la deuxième édition mais elles apparaissent tellement insignifiantes que le contrôleur général demeure insatisfait. M. de Mézeray n'écrira plus mais remplacera le silencieux Conrart comme secrétaire perpétuel de l'Académie. Il se montrera d'une rare indépendance à l'égard des puissants. Le personnage ne manque pas de pittoresque. Il affectait d'étranges manies. Son beau portrait, par Maillet, le présente bien vêtu. A la vérité, il portait des hardes de mendiant et se fit arrêter plusieurs fois comme vagabond au sortir d'un cabaret dont il fit le propriétaire son héritier. Il ne travaillait, même en plein jour, qu'à la lumière de force chandelles. M. de Mézeray trépassera, le 16 juillet 1683, deux mois avant son ennemi Colbert. On a rarement critiqué son œuvre en dépit de l'immense succès qu'elle rencontra. Il manquait parfois d'informations et écrivait de manière un peu rocailleuse. Reste qu'il fut le premier à donner une histoire de France et demeure le fondateur d'une discipline globale. On observera qu'à l'instar de ses contemporains, il ignorait tout de la protohistoire, de l'archéologie et même des Gaulois, «l'invention la plus épatante du xixᵉ siècle avec la machine à coudre», dira Gaston Bonheur. La Bruyère n'écrivait-il pas : «Tout est dit depuis le temps qu'il y a des hommes et qui pensent.» De nos jours, l'âge de l'humanité recule sans cesse. La spéléologie des champs de fouille fait remonter l'*homo sapiens* à des centaines de millions d'années. Le carbone 14 nous renvoie l'écho de civilisations englouties.

Il semble que Darwin se soit trompé dans sa théorie évolutionniste des espèces. Le faible volume cérébral de l'hominien ne peut se comparer à celui de l'homme. Pour le professeur Jean de Grouchy, deux grands singes jumeaux homozygotes possédant chacun un chromosome de moins que les autres auraient donné naissance à l'*homo sapiens*. Ainsi retrouverions-nous Adam et Ève sans savoir pour autant où se serait déroulée cette mutation subite. Se pose alors l'origine du langage. Il serait révélé selon Bonald, naturel selon Renan. Quoi qu'il en soit, le berceau de l'humanité ne se situe pas dans la future France. Là, de très petits groupes vont errer à la recherche de leur subsistance. D'où venaient-ils? Nous l'ignorons. Passés de la pierre au bronze, ils ont fait la preuve de leur aptitude à la cueillette avant de se livrer à l'agriculture.

LA NUIT DES TEMPS

Le 12 septembre 1940, quatre enfants jouent sur le plateau boisé dominant la Vézère, à 2 kilomètres de Montignac, en Périgord. Soudain, l'un des petits, Marcel Rovidot, voit son chien disparaître dans une étroite excavation produite par la chute d'un pin foudroyé. Pour retrouver l'animal, les enfants se glissent dans l'ouverture et pénètrent dans une vaste galerie. Rentrés chez eux, non sans avoir récupéré la petite bête, ils se munissent de lanternes et reviennent le lendemain. Le spectacle se révèle fascinant. Sur les parois d'une vaste salle figure une licorne, mais la corne pourrait faire partie d'un autre animal effacé. Alerté, l'abbé Breuil, haut spécialiste des grottes ornées, se rend à Montignac, le 21 septembre. Ses découvertes sont telles que, dès le 27, il obtient que le lieu-dit Lascaux soit classé monument historique. Il date la réalisation des fresques de 15 000 av. J.-C., trouve assez de vestiges pour prouver que les artistes de Lascaux se sont éclairés à l'aide de mèches végétales trempées dans du suif et ont employé des couleurs minérales. Dans la grande salle, figurent quatre taureaux dont l'un mesure 5,50 mètres. Plus loin, sont campées quatre vaches rouges. Dans une autre salle, on dénombre plus de 300 chevaux. Au fond d'un puits, se présente une scène étrange : devant un bison perdant ses entrailles, un personnage filiforme, bras en croix, doigts écartés, gît sur le sol. Un long trait, peut-être une lance, barre l'arrière-train de l'animal ; près de l'homme, un autre trait se termine par un oiseau. Selon l'abbé Breuil, « l'art figuré est parti de représentations *dramatiques*, où l'acteur imitait son modèle dans ses attitudes et complétait sa ressemblance dans ses actions par un grimage approprié et une sorte de mascarade animée ; l'illusion était augmentée par l'usage de la peau et des dépouilles des bêtes. Celles-ci ont été remplacées par des éléments qui les imitaient, et la ressemblance, de dramatique devient ainsi physique, elle est le résultat d'une fabrication ». D'après certains spécialistes, cet art pariétal serait un envoûtement à distance du gibier avant une expédition. Pourquoi les rennes sont-ils si peu représentés alors que leurs os abondent dans cette grotte d'accès malaisé ? On a proposé des réponses. Les hommes du xve millénaire ne se préoccupaient nullement de la magie de la chasse, racontaient leurs exploits et commençaient de se mettre en scène. Quoi qu'il en soit, ils ne vivaient plus dans les grottes mais à l'air libre, de préférence à proximité des fleuves ou des mers pour s'adonner à la pêche ou bien à l'orée des forêts pour traquer le gibier. Nous ignorons leur habitat, et il semble que l'établissement de cités lacustres soit largement postérieur. Lascaux, joliment dénommée « la chapelle Sixtine de la préhistoire » conserve ses secrets. A la vérité, ces hommes en petit nombre ne sont pas sédentaires, ils ne cessent de courir, s'évitant ou s'affrontant.

Vers 10 000 avant la naissance du Sauveur, la terre se réchauffe.

Le renne et le mammouth disparaissent de nos contrées au profit du cerf, du sanglier et de la marmotte. Le noisetier et le bouleau se multiplient L'homme découvre, avec l'arc, la flexibilité du bois. Ce sera, observe Carl Grimberg, l'unique énergie jusqu'au Moyen Age. Interviennent la domestication des animaux et la naissance de l'agriculture. A Courthézon, en Languedoc, on trouvera dans un groupement de cabanes les preuves d'une production céréalière de - 4 650. On élève des bœufs, des porcs, des moutons, on vit dans de vastes maisons de bois, plus tard défendues par des fossés. Les poteries sont décorées par l'impression de coque ou cardium (civilisation cardiale).

CARNAC

Les alignements de Carnac, en Morbihan, s'étendant à l'origine sur 8 kilomètres et ayant servi de carrière de pierres, n'occupent plus qu'une lieue. Ils sont constitués par trois ensembles regroupant 2 934 menhirs d'une hauteur de 0,50 mètre à 6,40 mètres. Orientées d'ouest en est, les files, dont le nombre varie de 10 à 13, ne sont pas rigoureusement parallèles. «Les groupes de Menec et de Kerlescan sont précédés de cromlechs dont les lignes de menhirs sont les profilés où se tenait sans doute le peuple pendant que les prêtres procédaient aux sacrifices» (Michel de Mauny). Si l'on sait que les dolmens étaient des tombeaux, la destination des menhirs offre un problème plus complexe. Les alignements sont exactement à l'aplomb des courants telluriques à peu près parallèles dont ils épousent fidèlement l'étendue, les sinuosités, la direction mais pas toujours le nombre. A l'instar des sépultures, les alignements sont orientés mais de façon plus nette. Les plus grands menhirs se trouvent placés à l'occident, les autres, à leur suite, forment une ligne s'abaissant vers l'orient. En outre, cette direction ouest-est n'est point approximative. Elle correspond à des positions très précises. Ainsi, les alignements de Sainte-Barbe-en-Plouharnel et ceux de Saint-Pierre-Quiberon indiquent le lever du soleil à distance égale de l'équinoxe et du solstice d'hiver, ceux d'Erdeven le lever intermédiaire d'été. Au Menec et à Kerlescan on trouve la direction de la ligne équinoxiale, au Petit-Menec et à Kermario, celle du lever et du coucher solsticial d'hiver. Les dates correspondantes — 8 novembre, 4 février, 6 mai, 8 août — jalonnent le calendrier agricole: semailles, premières pousses, floraisons et moissons. Datés de 3 500 avant notre ère, les alignements pèsent parfois plus de 30 tonnes. On compte dans l'ensemble de la France 4 500 dolmens et 6 000 menhirs. Une expérience, pratiquée en juillet 1979 à Bougon, dans les Deux-Sèvres, a montré que de tels blocs pouvaient être maniés à bras. 200 hommes ont déplacé, à l'aide de cordages de lin, une dalle de 32 tonnes sur des rouleaux de chêne, puis, à l'aide de 3 leviers engagés sous le plus petit des côtés, ils ont pu, en une seule fois, élever la masse de 50 centimètres. Ainsi, dolmens et menhirs prouvent l'existence de groupes nombreux et organisés, du moins dans certaines parties de notre territoire.

LES BRUMES SE DISSIPENT

L'homme découvre la métallurgie, passe de l'âge du bronze à l'âge de fer, utilise les attelages et la charrue.

A la fin du IIIe millénaire apparaissent les Ligures, peut-être ancêtres des Ambrons. On a longtemps cru qu'ils tinrent la majeure partie de la future Gaule. Peut-être n'élirent-ils domicile qu'au Sud-Est, et encore. Au Sud vivent les Ibères installés en Europe depuis les temps néolithiques. Leur civilisation s'était développée jusqu'en Irlande et en Sicile. Ils posséderont un alphabet dont les caractères seront phéniciens, grecs ou d'origine inconnue. Ils ne sont pas aryens, viennent d'Espagne et probablement d'Afrique. Certains spécialistes voient en eux les ancêtres des Basques. L'oppidum d'Ensérune, non loin de Béziers, est, en France, le mieux conservé de leurs hauts lieux. Ils sont, selon certains, de hardis navigateurs.

De savantes comparaisons ont permis d'établir des rapports entre nos ancêtres et les peuplades d'Afrique avant la colonisation. Comment fonctionne l'exercice du pouvoir? Depuis la hutte, la femme prend-elle un ascendant particulier, se donnant le temps de réfléchir pendant que le chasseur va traquer le gibier? Ce sera le cas des découvreurs américains aux XVIe et XVIIe siècles. On est en droit de considérer que l'homme assurera les responsabilités lorsqu'il deviendra laboureur.

Première partie

DES GAULES À LA FRANCE

1

LES CELTES ET LES GAULOIS AVANT LA CONQUÊTE

Les Celtes, arrivant de Bohême et de Bavière, auraient pénétré au cours du IIe millénaire en Alsace, Franche-Comté, Bourgogne et Champagne. Leur présence aurait été d'abord assez clairsemée. Vers l'an mille, ils se heurtent aux Ligures. Vers -600, certains groupes se mêlent aux Ibères occupant avec eux l'Hispanie. Ils détiennent un immense territoire, allant des îles Britanniques à la mer Noire. Extrayant et traînant les minerais de Lorraine, ils poursuivent leur avance par le fer et par le feu. Sur la pression des Belgi ils vont jusqu'en Galicie.

En -620, les Phocéens, Grecs d'Asie Mineure, fondent Massalia (Marseille), Agathé Tuké (Agde), Niké (Nice), Antipolis (Antibes). Ils remontent le Rhône et la Durance, pratiquent des échanges avec des cités plus au nord. Ainsi retrouvera-t-on à Vix, près de Châtillon-sur-Seine, en Bourgogne, le corps intact d'une princesse morte à l'âge de 33 ou 35 ans. Elle était parée d'un diadème d'or d'origine gréco-scythique. La tombe contenait, en outre, un vase criméen en bronze, haut de 1,65 mètre, pesant 209 kilogrammes, accompagné de tous les instruments nécessaires pour filtrer et servir le vin. Vers le même temps, l'olivier, jusque-là croissant à l'état naturel, fait l'objet de plantations systématiques, et l'usage de l'huile se répand dans la future Narbonnaise.

Les Celtes pénètrent en Italie dès 400 av. J.-C., non par la Gaule mais par l'Europe centrale.

En -390, sur les bords de l'Allia, 30 000 Sénons, autre rameau des peuplades de Sens, affrontent victorieusement une armée romaine inférieure en nombre. Le même soir, les Gaulois menés par leur chef Brennus campent sous les murs de l'Urbs. Le lendemain, ils pillent et incendient la ville. Les habitants se sont réfugiés dans la citadelle érigée sur la colline du Capitole. Par une nuit sans lune, les assaillants accèdent en silence au sommet. C'est alors que les oies sacrées de Junon, par leurs cris et leurs battements d'ailes, éveillent les sentinelles. Ce sommeil paraît contraire à la discipline romaine mais la légende s'est imposée, sans doute pour inculquer aux soldats le sentiment de leur devoir. Bref, les Gaulois sont repoussés. Ils ruinent le pays mais, guère habitués aux chaleurs de l'été du Latium, sont victimes de la dysenterie, doivent brûler leurs morts par milliers.

VAE VICTIS

Les envahisseurs font entendre qu'ils se retireront en échange d'un tribut relativement modeste : mille livres d'or. Les Romains acceptent, puis protestent lorsqu'ils constatent que leurs ennemis utilisent de faux poids. Malgracieux, Brennus jette alors sa lourde épée dans l'un des plateaux de la balance en s'écriant : *Vae victis !* — Malheur aux vaincus ! Pour autant, Lingons (venant de Champagne) et Sénons n'évacuent pas l'Italie. Ils occuperont le nord de la péninsule jusqu'à -222, portant un coup fatal à la civilisation étrusque. On parlera d'une Gaule cisalpine englobant le Piémont, la Ligurie et la Lombardie.

Hannibal, appuyé sur la conquête de son père, fondateur de Barcelone, simple magistrat à Carthage mais monarque en Espagne, part de la cité punique en avril -218, et rencontre une farouche opposition des Celto-Ibères, perd, dit-on, 20 000 hommes avant de franchir les Pyrénées et n'est pas mieux accueilli sur la route des Alpes. Exploit sans précédent, que soulignera Napoléon Ier, il sacrifie la moitié de son effectif pour atteindre le Mont-Genèvre. Le futur suffète désigne ses adversaires sous le nom de Galli. Comme il parle le latin, établit-il un jeu de mots entre *gallus*, le coq, et *Galli*, les adorateurs du coq ? Nouvelle énigme, puisque les Celto-Ibères vénèrent l'alouette. L'important, ce sont les chemins fort bien tracés, la circulation des chars à deux roues pour les voyageurs, à quatre pour les fardiers tirés par des bœufs. Les Gaulois travaillent dur sans présenter des forces militaires cohérentes. Alors que Rome et Carthage ne cessent de rivaliser, perfectionnant sans trêve leur armement et surtout leur flotte, les Gaulois bénéficient d'une terre féconde mais se révèlent incapables de structurer un État.

Par-ci, par-là, s'établit un roi (suffixe: *-rix*). Le plus souvent, il ne fait pas souche et meurt sur un bûcher dressé par ses électeurs de la veille. Tel est du moins ce que des récits, largement postérieurs, semblent indiquer. Les Gaulois, autrefois si menaçants — mais sont-ce désormais les mêmes? — ont recours à Rome pour les aider à repousser de nouvelles incursions.

Déjà les Massaliotes sont sauvés des Saliens (sous-groupe du peuple franc dont on fera plus amplement connaissance) par le consul Sextius Carrius. Aqua Sextiae — Aix — devient la première ville au nom romain.

Il s'agit de se protéger des Allobroges, petit peuple vindicatif, établi depuis le ive siècle au nord de l'Isère et allié des Arvernes, gens du Massif Central. Cette intervention aurait noué des rapports de sympathie entre la République et les neutres, notamment les Volques Tectosages (du Toulousain). Domitius Ahenobarbus, issu de la *gens* dont procédera Néron, fit tracer la voie domitienne menant d'Italie en Espagne. Ainsi naquit la Gaule narbonnaise ou Provincia romana, triangle ayant pour pointes Lyon, Nice et Toulouse. A partir de ce moment, l'écriture se répand, et en échange, les Gaulois du Sud donnent le manteau, la charrue, les petits chemins, l'art de frapper les monnaies.

En -119, des Germains, les Cimbres et les Teutons s'unissent, atteignent le Rhin en -109 et, grave péril, s'allient aux Volques Tectosages pour triompher à Norecia (en Carinthie), puis devant Aurasio (Orange) en -105. Marius, consul en -104, réorganise l'armée. Il recrute des prolétaires nantis d'une pension après seize ans de service. La légion, forte d'environ 6 000 hommes, se sépare en 10 cohortes de 6 centuries de 3 manipules chaque. Disposition étonnante, la cavalerie, le plus souvent, est confiée aux Barbares déjà confédérés.

Marius, s'il est un démagogue forcené, n'en est pas moins un grand capitaine. S'étant assuré des Cimbres, réfugiés en Espagne, il mange tout crus les Teutons à Pourrières, près d'Aix-en-Provence (-102), puis, repassant en Italie, il s'offre une fricassée de Cimbres à Verceil (-101).

Surtout, parlons des Gaules, non de la Gaule. Les habitants se comptaient entre six et vingt millions (!). Quoi qu'il en soit, les Romains de la péninsule n'en approchent pas la moitié. Tous les renseignements que nous possédons sont, rappelons-le, d'origine latine ou procèdent d'analogies avec l'Irlande dont l'écriture, elle, se fixera. A la vérité, comment tracer le portrait d'hommes d'ethnies récemment confondues, ne s'exprimant dans la même langue qu'en Narbonnaise et ne possédant aucun sens de l'État? Un trait demeure certain, c'est le goût prononcé pour l'agriculture déjà très évoluée: assolement, attelage des bœufs, utilisation de la charrue à roue, engraissement des bestiaux. La surface des champs se compte en arpents (*arepennis*). Il s'agit d'un carré dont le côté se détermine par la fin du sillon où l'on retourne la machine. Le négoce de l'ambre, notamment, avec la Grande-Bretagne, est considérable. L'industrie demeure rudimentaire: ustensiles de ménage, armes, vêtements, parures. On retrouvera des fibules, des agrafes. L'émaillage est connu. Méfions-nous, toutefois. César, soucieux de faire valoir ses talents, donnera des «croquis» probablement optimistes de ses adversaires, et le XIXe siècle, avec en tête Napoléon III et Victor Duruy, fournira la plus idyllique version de ces pays. Alors que le Carthaginois Hannon avait touché Gorée (vers -460) et le Massaliote Pythéas Thulé (l'Islande ou la Norvège vers -325), les Celto-Ibères apparaissent tout juste comme de médiocres caboteurs. Tandis que Rome s'est promptement assimilée aux méthodes puniques (trirèmes), les gens des Gaules, en dépit de leur immense surface côtière, ne semblent point avoir navigué brillamment. Le fait demeure surprenant si l'on songe que les druides, un peu médecins de surcroît, s'étaient lancés avec succès dans les recherches astronomiques. Les druides ne formaient pas une caste non plus qu'un clergé bien qu'ils présidassent aux sacrifices. C'étaient des confréries de sages, intermédiaires entre l'humain et le divin. Détenteurs d'une philosophie tenant lieu de métaphysique, ils croyaient en l'immortalité de l'âme, sous une forme ressemblant à la métempsycose, tout en présentant avec celle-ci de notables différences: ils admettaient une survie très proche de la vie réelle, d'où l'usage des chambres funéraires pour les défunts ensevelis avec leurs armes, leurs bijoux, des provisions, et parfois même leurs épouses. Herboristes, ils utilisaient des formules sacramentelles et révéraient les dieux que leur inspiraient le chant des sources et le bruissement des forêts. Ils honoraient une foule de créatures mythiques dominées par Teutatès, Hésus et Tarnis dont il importait d'apaiser les colères par des sacrifices. Bref, il s'agissait de faire tomber les vents ou la pluie au prix de vies humaines. Mais ces sacrifices n'étaient pas d'origine celte et remontaient à la nuit des âges. Il semble que les victimes aient été remplacées le plus souvent par des mannequins d'osier. Les druides se réunissaient annuellement non loin de Saint-Benoît ou de Sully-sur-Loire.

Là, vêtus de robes blanches, ils cueillent à l'aide de faucilles d'or le gui. Ces pratiques ne présentent rien de particulier; elles proviennent tout à la fois des populations du Sud et de celles du Nord-Est. La Gaule, comme Rome, adopte toutes les divinités, et comme elle constitue une aire de passage, elle se donne des dieux dans le grand magasin de l'univers. C'est alors que le Suève Arioviste, venu camper sur le Rhin, obtient l'alliance des Séquanes contre les Éduens dont les pertes sont lourdes. Les Helvètes, alors en Suisse, se sentent à leur tour menacés par ces Germains venus de Bohême et se mettent en tête de gagner les Charentes. Ce n'était pas du goût des Éduens. Ils en appelèrent à Rome, adressant une demande de passage au proconsul en charge de la Cisalpine et de la Narbonnaise. Les Helvètes n'allaient point s'établir sur l'Atlantique. Peut-être cette reculade mit-elle fin à toute vocation maritime des Gaulois. En revanche, tout allait changer puisque le proconsul se nommait Caïus Julius Caesar.

2
CÉSAR ET LA GAULE ROMAINE

Le père spirituel de tous les dictateurs descendait de Vénus par Énée. Patricien, il animait le parti populaire. Depuis Alexandre, Hannibal et Sulla, on n'avait jamais vu créature plus extraordinaire. Il avait gravi toutes les marches du *cursus honorum*. Il aimait les femmes, les hommes, tous les plaisirs et, avant tout, la gloire. C'était un génie tant civil que militaire et le système romain, dont les hautes magistratures réunissaient les deux domaines, lui convenait à merveille. Proconsul en Cisalpine et Transalpine, il refuse aux Helvètes de changer de territoire et les bat à Bibracte (Mont-Beuvray, près d'Autun), les forçant à rebrousser chemin. Arioviste, chef germain des Suèves, inquiétait les Éduens mais entretenait des relations amicales avec Rome. César comprit que ce personnage madré voulait conquérir les Gaules, y compris la Narbonnaise, avant que de se rendre maître de la République. Il fit valoir ses raisons au Sénat et, après une vaine négociation, l'emporta sur Arioviste près de la trouée de Belfort. Il embrassa la situation. Il ne pourrait conquérir le pays qu'en l'isolant de ses voisins. Deux adversaires potentiels se présentaient : les Germains toujours en mouvement, et les gens de Grande-Bretagne. Pour les dissuader, César, avec un sens moderne de l'approche indirecte, commença par neutraliser les flancs nord et est, en occupant la Belgique, puis il se porta vers l'ouest, triomphant des Vénètes. Les Germains — Usipètes et Tenctères — revinrent à l'assaut. Ils furent refoulés. Le grand capitaine mena, sans désemparer, deux campagnes en Angleterre. Les Gaules étaient pratiquement soumises, mais César revint à Rome pour s'opposer au grand Pompée. S'il faut en croire Corneille et Montherlant, cette figure de proue de l'aristocratie manœuvrait habilement. Il renvoya César dans les Gaules. Elles étaient pratiquement perdues. Le duc de Castries fournit une explication : « Il s'était produit un phénomène très proche de notre temps. La conquête n'avait pas été difficile parce que, dans l'ensemble, les classes possédantes avaient collaboré avec l'envahisseur devenu le garant de leurs biens. Or le chef venait de s'absenter et n'avait pu subjuguer Rome. Tous ceux qui n'avaient pas voulu se soumettre ou n'avaient pas tiré d'avantages de l'occupation virent une occasion de rétablir l'indépendance et, par ce biais, de prendre le pouvoir. » Cette analyse se révèle séduisante : cependant les Gaulois ignoraient la lutte des classes. Les plus puissants d'entre eux se croyaient capables de soutirer au profit de l'ensemble de leurs compatriotes quelques avantages face à l'adversaire.

Quand César se retrouva devant les Gaulois, il eut à se mesurer à l'Arverne Vercingétorix. On doit à M. Jean Markale un beau portrait du glorieux jeune homme. Ledit portrait procède d'une information venue du Romain lui-même et des textes écrits plus tardivement lorsqu'une écriture celtique se sera fixée outre-Manche. Vercingétorix, fils du puissant Arverne Cellicos, exécuté pour avoir voulu transformer sa fonction annuelle de vergobret en une autorité viagère, était parvenu, par son prestige et son habileté, à rallier nombre de ses voisins. Certains, dès le retour du proconsul, reviennent sous les aigles ou se réfugient dans la neutralité.

César, soucieux de cerner Vercingétorix, brûle Genabum (Orléans), puis met à sac Avaricum (Bourges) à l'issue d'un long siège. Les affaires tournent moins bien devant Gergovie où l'encerclement se révèle malaisé. Vercingétorix va s'établir dans une place forte, Alésia (Alise-Sainte-Reine ou Alèze), plateau cerné d'une faible chaîne de hauteurs. A tort, l'Arverne — la remarque nous vient de Montaigne — ne prend pas la tête d'une armée extérieure et, assuré de ses vivres et de ses munitions, se laisse enfermer. Le siège sera rude et les colonnes de secours échoueront devant le camp des légions. Alors, Vercingétorix assemble les siens, les harangue, leur assurant qu'il ne s'est point battu pour s'approprier le pouvoir mais pour sauver la liberté des Gaules. Il coiffe son casque aux amples ailes, enfourche sa plus belle monture et galope jusque chez l'ennemi, jetant ses armes étincelantes aux pieds de son vainqueur (52 av. J.-C.). Il passera sept ans dans la prison mamertine, suivra enchaîné le triomphe de l'Imperator et subira la strangulation. Aujourd'hui, cette barbarie nous révolte. Il suffit d'un coup d'œil sur le xxᵉ siècle pour se rendre compte que, hors quelques périodes privilégiées, le monde n'a guère changé. Prendrions-nous pour autant à la légère le supplice du guerrier blond? Assurément pas, face à la guerre civile, vice gaulois par excellence, le fils de Cellicos a manifestement cherché l'unité. Une grande rue de Paris porte le nom de Vercingétorix, une plus petite celui de Jules César. Qu'importe si cela procède des travaux de Napoléon III, César de seconde catégorie mais César tout de même...? Au demeurant, la lutte ne prend pas fin avec la reddition de l'Arverne. Commios l'Atrébate réunira des troupes venues d'un peu partout et tendra de nombreuses embuscades. Il finira par passer en Angleterre. On observera que César, pour assurer sa conquête, s'était fortement appuyé sur des cavaliers germains.

Pour saisir l'assimilation rapide d'un immense pays, il faut comprendre ce qu'était devenue Rome. La République, admirable pour son légalisme, s'était, comme Carthage, trompée de route. Elle était devenue, depuis les guerres Puniques, adoratrice de ses chefs vainqueurs. Après les Scipions, le phénomène n'avait fait qu'empirer. Sulla s'était proclamé *Felix* (heureux), César, lui avait, non sans succès, brigué le grand pontificat. Une certaine forme de religiosité, dégagée de l'Olympe, convenait aux Romains. Les dieux abdiquaient. Ceux du foyer subsistaient, les autres tendaient à se faire remplacer par des hommes, ou plutôt par un homme. Cet état de fait favorise les Gaules, sorties pratiquement de l'obédience du Sénat pour relever du principat. La contribution de guerre est payée. La taxe de 5 % sur les héritages ne s'applique que si le défunt n'a pas eu d'enfant. Le cadastre est si bien établi qu'il subsistera presque jusqu'à nous. Le plus souvent alternés, les droits de douane, et surtout de péage, sont affectés à l'entretien et à l'édification des voies de communication. Rome ne serait pas Rome si elle n'instituait le service militaire. Il importe désormais que les Gaules, toujours menacées par leur situation géographique, assurent leur propre défense avec l'appui technique de moins en moins nécessaire des militaires venus du Latium. La *pax romana* transforme le visage de ces contrées: les cultures, l'élevage, la viticulture, la métallurgie progressent et la poterie devient un article d'exportation. Il fait bon vivre. Qu'on songe que tous les 16 milles (25 kilomètres environ), les routes offrent des gîtes d'étape. Que ce soit en Narbonnaise ou bien en Gaule Chevelue. Des villes, tout juste pourvues de défense, s'épanouissent: non seulement Fréjus,

Narbonne, Nîmes, Vienne, Orange, mais Trèves et Mayence. L'enseignement assez élitiste joue son rôle : bien sûr, l'écriture et la lecture demeurent assez peu pratiquées chez le Gallo-Romain, et cela ne saurait nous étonner en notre xxᵉ siècle où l'illettrisme prend d'effarantes proportions. Les autorités, le plus souvent municipales, font enseigner la grammaire, la poésie, la rhétorique, l'éloquence. En revanche, il semble qu'elles aient refusé la médecine (et c'est très étonnant), le droit et même la philosophie préconisée toutefois par Cicéron. Il n'existe pas de petites écoles mais les fréquents contacts avec les fonctionnaires et la circulation font régresser les idiomes locaux au profit du latin. Les questions religieuses ne se posent pas, en dépit d'une survivance druidique ; Romains et Gaulois s'uniront d'abord contre le christianisme dont l'immense métropole de Lyon sera la capitale.

Les Gaulois siègent au Sénat ; l'un d'eux, le Nîmois Antonin le Pieux, accède à la magistrature suprême en 138 et fonde une dynastie. Déjà, les tentatives d'invasion recommencent après les Sévères. Sous Valérien Iᵉʳ (vers 225), les Goths se déplacent de la Baltique vers le sud-ouest, les Alamans passent de Franconie en Souabe, cherchent à soumettre les Helvètes tandis que les Francs, occupant le Rhin de Mayence aux Pays-Bas, envahissent temporairement la Gaule et poussent l'aventure jusqu'à s'installer un moment en Catalogne. Le remarquable Probus sauve l'Empire que son successeur, Dioclétien, réorganise en tétrarchie. La machine gouvernementale est devenue trop lourde. On distingue désormais l'Occident et l'Orient coiffés respectivement par un empereur (Auguste) et un vice-empereur (César) (293). L'un des Césars, Julien, obtient une victoire écrasante sur les Alamans près de Strasbourg (357), puis proclamé par les légions au palais de « sa chère Lutèce », marche contre Constance II, mort avant l'affrontement, et se donne l'Empire tout entier. Ce prince, grand écrivain, virtuose de la rhétorique, laissera en Gaule, outre une description en grec de la ville des Parisii, le souvenir de l'édification des thermes de Lutèce, de la promptitude de ses ripostes et une campagne étincelante. Il tient les chrétiens pour de mauvais sujets sans pour autant les persécuter. De tradition polythéiste, il demeure cependant monothéiste. Il adore Mithra, le soleil, et tente de reconstruire le temple de Jérusalem pour faire mentir la prédiction du Christ. La tentative n'aboutit pas, et Julien, avant tout préoccupé de l'Orient, finit à Ctésiphon (Irak) sous la flèche d'un Parthe. Les Français, malgré les anathèmes de l'Église, retrouveront le souvenir de ce jeune souverain à la barbe longue et aux pieds chaussés de sandales. Il représentera, à quelques nuances près, le visage de la tolérance. Théodose, au IVe siècle, pour la dernière fois, réunifie l'Empire à son profit puis le scinde définitivement. Arcadius commande à l'Orient, Honorius à l'Occident sous la régence de son beau-père Stilicon, lui-même fils d'un officier vandale. Privé des mines d'argent de Macédoine, l'Occident voit les impôts augmentés, et l'armée, en dépit d'une attribution de 50 % du budget, réduite à la moitié de son effectif. Les rapports avec les Barbares deviennent mauvais. Stilicon, pour reprendre les gisements macédoniens, tente de s'entendre avec le général wisigoth Alaric. Il est massacré par ses propres soldats. Alaric, comme tant d'autres, respecte Rome sans estimer les Romains. Parlant le latin le plus classique, portant la cuirasse ou la toge, il se refuse à servir en sous-ordre alors qu'il se juge apte à figurer dans les premiers rangs. Ce sera désormais le drame constant entre Rome et ses alliés. L'Empereur se réfugie à Ravenne sans défendre sa capitale. Triomphant, le Wisigoth prend l'Urbs, le 24 août 410 — la laissant piller mais interdisant le viol des femmes et la destruction des édifices religieux. Il meurt alors qu'il préparait une expédition en Sicile, est enterré dans le lit du Borentino, précédemment détourné pour l'abriter avec ses chevaux et ses armes. Son beau-frère Athaulf, proclamé roi, enlève la sœur d'Honorius, Galla Placida, et veut s'installer en Narbonnaise. Un de ses lieutenants le tue. Galla revient mais Vallia, l'assassin, s'est fait concéder les pays entre Loire et Garonne. Ce n'est qu'un début. La partie sud de la Gaule est pour deux ans aux mains des Vandales passés ensuite en Afrique. Les Burgondes obtiennent l'actuelle Bourgogne et la Savoie. On affirmera que le partage des terres ira sans trop de discussions.

LA RELIGION GALLO-ROMAINE

Rome introduit ses dieux et ouvre la Gaule aux cultes d'origine orientale, celui de Cybèle au Ier siècle, celui de Mithra, dès le IIe. C'est de l'Orient encore qu'arrive le christianisme, au commencement peu distinct du judaïsme pratiqué par certaines collectivités dans les régions de Marseille et d'Arles. Le christianisme se signale nommément à Lyon, vers la fin du règne de Marc-Aurèle, en 177. L'activité d'Irénée, deuxième évêque de la grande cité rhodanienne, marque les véritables débuts de l'évangélisation.

Originaire de Smyrne et de langue grecque, il apprend les dialectes locaux afin de porter la bonne parole. A sa disparition, la présence chrétienne a légèrement progressé. On la rencontre dans la région d'Autun et dans le Var. Au IIe siècle sainte Blandine est martyrisée à Lyon. Au IIIe siècle, se poursuivent les persécutions ; à Paris, est décapité saint Denis ; à Toulouse, saint Saturnin est éventré par un taureau ; au Puy-de-Dôme, saint Victorien est mis à mort. La renaissance classique et païenne du Bas-Empire trouve son foyer à l'école de rhétorique d'Autun. En 321, le *Panégyrique de Constantin*, rédigé par Nazarius à Bordeaux, se réfère encore à la religion des anciens Romains mâtinée de référence orientale.

Constantin, avant de se convertir, connaît dans les Vosges une vision d'Apollon, en 310. Son passage à la vraie foi favorise l'évangélisation. Déjà, trois évêques arbitrent les conflits théologiques d'Afrique. En 314, on en compte 13 présents au concile d'Arles pour condamner le donatisme, schisme consistant à nier la validité des sacrements administrés par des pécheurs. En 356, les chrétiens de Poitiers, menés par saint Hilaire, luttent contre l'arianisme, négation de la consubstantialité. En 360, le concile de Lutèce se prononce à son tour contre la thèse d'Arius. A la fin du IVe siècle, l'aristocratie est largement christianisée. L'incessant effort de saint Martin, évêque de Tours, produit l'évangélisation des campagnes et la création du monachisme avec l'abbaye de Noirmoutier. Cet appel à la vie ascétique est importé d'Orient par Athanase, métropolitain d'Alexandrie contraint de se réfugier à Trèves. Au Ve siècle, toutes les anciennes Gaules, moins le nord du pays belge, sont passées au christianisme malgré la survivance de rituels d'origine druidique ou gréco-romaine dans les milieux ruraux. Le donatisme est mort mais l'arianisme subsiste, il prendra bientôt un nouvel essor avec les envahisseurs mais il est faux de prétendre qu'il n'existait pas dans nos contrées avant l'arrivée des Burgondes et des Vandales. L'unité sera tardive et temporaire. Sans doute, l'Église, par la science de ses clercs, va-t-elle devenir la dépositaire de la tradition antique mais elle éprouvera le plus grand mal à conjurer les vieux démons de l'individualisme celtique.

3

ATTILA

Attila, le roi des Huns, venus d'Asie centrale, dont se réclame encore la Hongrie, rappelle le grand Alaric par sa mentalité, non par ses méthodes. Dans son palais de bois qu'il fait transporter selon son humeur, il ne s'entretient qu'en langues classiques avec ses secrétaires grecs et latins. Sa taille est celle d'un nain, mais son cheval va comme le vent. On affirme que ce prince cultivé ne laisse rien sur son passage. Corneille le croyait arien, les historiens contemporains le tiennent, comme les siens, pour un sans-Dieu. Le chef des Huns enlève Metz, menace Paris protégé par sainte Geneviève, et Orléans défendu par saint Aignan. En face de lui se dresse alors un ancien otage des Huns, Aétius. Vainqueur des Vandales et des Wisigoths, dont il s'est fait des alliés, il combine les opérations entre son armée gallo-romaine — les Francs de Mérovée et les Wisigoths de Théodoric — et chasse les ennemis aux champs Catalauniques, non loin de Troyes (20 juin 451). La joie déferle sur le pays. Aétius rentre à Ravenne, nouvelle capitale de l'Occident puis, ayant demandé pour son fils, Gaudentius, la main de la fille aînée de Valentinien III, est assassiné (21 septembre 454) par ce triste personnage et vengé par deux de ses lieutenants (16 mars 455). Genséric, chef des Vandales, vient piller Rome, les Wisigoths s'ouvrent la route de l'Espagne, les Burgondes s'adjugent Lyon. L'Armorique se donne l'indépendance. Un prince hérule, Odoacre, petit-fils d'un secrétaire d'Attila, retire les insignes impériaux à Romulus Augustule et les renvoie au basileus Zénon (476). Ce n'est pas un défi. Odoacre, barbare et arien, ne méprise ni ne quémande, simplement, il est roi, bon roi d'ailleurs, et d'humeur conciliante. Grand capitaine, il se laisse cependant prendre dans une négociation avec Théodoric le Grand et trouve la mort. Avec lui ne disparaît pas le dernier lambeau de l'Empire. Syagrius, investi de la dignité de patrice par Constantinople, défend encore l'honneur des aigles romaines contre le nouveau chef des Francs, Clovis. Ces Francs, originaires d'Asie, puis parvenus dans la vallée du Main, encore appelée Franconie, s'étaient donné des établissements entre Rhin et mer du Nord. La plus importante tribu, celle des Ripuaires, était demeurée sur le Rhin, de Mayence à Nimègue. D'autres moins conséquentes avaient essaimé dans la Flandre et la Wallonie. On leur donnait pour conducteur un personnage mythique — les écoliers du xviie siècle apprendront dans leur mnémotechnie:

Le premier qui fut roi se nommait Pharamond
Il règne sur ce prince un silence profond

Vinrent Clodion le Chevelu, Mérovée, Childéric Ier puis Clovis. On dirait que les Gaules ne veulent pas mourir. Elles n'étaient pas une colonie, avaient bataillé dur et travaillé ferme pendant plus de trois siècles pour obtenir le bonheur sur cette terre dont la position et la richesse avaient sans trêve attiré les envahisseurs de l'Est, et plus rarement du Midi. Hors leurs avant-gardes menaçantes, ces groupes n'étaient parfois formés que de malheureux pâtres armés d'un bâton. Ils s'étaient souvent plus infiltrés qu'ils n'avaient envahi, s'insérant au plus vite dans des vallées fécondes et, labourant et chassant, se mettaient à l'école des populations conquises. Montesquieu l'a bien vu. Il en est advenu de ces peuplades comme des Romains de la République devant les Grecs. Seuls, les Alains, et dans certaines contrées, les Francs, se montrent intraitables. Encore faut-il distinguer des dynastes, d'une cruauté sans nom (si l'on en croit les chroniques toujours rédigées pour complaire aux princes suivants) et les sujets, apaisés par le climat et pas mécontents de travailler la terre.

LA LUTTE CONTRE L'ARIANISME

C'est vers 250 que la Gaule s'était christianisée. Depuis lors, la Religion avait sans cesse progressé, faisant reculer le paganisme en composant avec ses coutumes; adaptation des mêmes lieux de pèlerinage, construction de temples sur des ruines druidiques ou transformation d'édifices romains en églises. Seul Julien avait réagi sans trouver un large écho parmi ses sujets. Les persécutions de Dioclétien et de quelques autres avaient conféré la foi, une foi des plus ardentes, à des gens de toutes conditions, et l'on n'évoquait pas sans une horreur mêlée d'admiration le supplice de Blandine. Les évêques se montraient courageux et humains, sans transiger sur les hérésies, agnostique, pélagienne, arienne. Le gnosticisme (prétendue connaissance complète et transcendante des attributs de Dieu) comporte, comme le pélagisme — négation de la grâce — une réduction d'un mystère. Quant à l'arianisme, il s'attache à la thèse la plus simple : assurément, Dieu ne se discute pas mais il n'a point existé de tout temps en trois personnes. N.-S.J.-C. et le Saint-Esprit ne siègent au firmament que depuis leur manifestation sur la terre. Cette réduction des mystères apparaît schismatique pour l'épiscopat romain. Or, si les envahisseurs sont en majeure partie chrétiens à l'exception des Francs, ils ont embrassé l'arianisme. Les Wisigoths, les Burgondes et autres peuples — car on ne peut plus parler de peuplades — ont «rattrapé» les Gallo-Romains. Ils ne construisent pas encore mais ils vivent à peu près comme leur conquête contrairement aux Francs du petit-fils de Mérovée, Clovis, que ne tempère aucune croyance. En bonne logique, l'Église orthodoxe peut cohabiter sans heurt avec les demi-civilisés. Elle va, sous l'impulsion de saint Remi, archevêque de Reims, adopter la position adverse. Ne serait-ce pas plus aisé de transformer un païen en chrétien que de ramener un hérétique au bercail ? Ce calcul paraîtra bientôt suprêmement habile. Il est, à l'époque, d'une folle témérité. Clovis s'allie à ses cousins, le roi de Cambrai, Ragnachair, et le roi de Saint-Quentin, Chararic, pour détrôner le patrice Syagrius, maître de Soissons. Le dernier général romain doit se réfugier chez les Wisigoths. Le vainqueur ignore la pitié, se fait livrer le fugitif par le jeune Alaric II et met à mort le vaincu. Cette fois, c'en est fini, pour le temporel, de Rome et de Constantinople. La nostalgie subsiste mais nul, dans les Gaules, ne se réclamera plus de l'Empire. Seule, l'Église demeure ; elle pourrait s'indigner et s'en garde bien.

C'est dans l'horreur du sang et de la parole violée que Clovis va, l'infortuné Syagrius tombé sous le glaive, ses cousins mis à mort, inaugurer un règne d'épouvante dont nul «politologue» des temps barbares n'aurait supputé la réussite.

4

CLOVIS (481-511)

Clovis figure au nombre des inconnus célèbres. Il n'a naturellement laissé ni Mémoires, ni correspondance. Nous ne savons rien de sa chancellerie. Tout nous vient d'une apologie rédigée dans la seconde moitié du vi^e siècle par l'évêque de Tours, Grégoire. En dépit de la bienveillance de ce religieux pieux et cultivé, le caractère du roi des Francs ne sort pas grandi. Le guerrier puissant, valeureux, probablement stratège éclairé, règne par la terreur. Après avoir tué Ragnachair et Chararic, il provoque, défait et, naturellement, assassine leur frère Rigomaire, se rendant maître des Gaules sises au nord de la Loire. Décidément, l'archevêque Remi n'a point tort; ce roitelet est en passe de devenir roi. Clovis est veuf d'une arienne et père d'un nommé Thierry. Saint Remi fait valoir les charmes d'une autre arienne, la splendide Clotilde, princesse burgonde, nièce du puissant Gondebaud, assez politique pour avoir massacré ses parents avant de les inhumer en grande pompe. On le voit, nous sommes en bonne compagnie. Face à ce délire, l'archevêque de Reims poursuit sa route, saint Avit instruit la princesse dans l'orthodoxie. Très fine, inspirée peut-être, elle embrasse le catholicisme et fait promettre à Clovis d'élever leurs enfants dans la religion révélée. Attaqué par les Alamans — ou les ayant attaqués —, Clovis discerne une croix dans le ciel.

C'était à Tolbiac, en 496. Le Sicambre s'écrie:

— Dieu de Clotilde, si tu me donnes la victoire je me ferai chrétien.

Il l'emporte et tient sa promesse, récupérant ainsi les seules structures subsistantes, celles mises en place par l'Église catholique.

Cette même année, le roi des Francs, entouré de 3 000 guerriers, reçoit le baptême sur l'injonction de saint Remi, tonnant sous les voûtes de sa cathédrale de Reims :

— Courbe-toi, fier Sicambre, brûle ce que tu as adoré et adore ce que tu as brûlé.

Baptisé, élevé, semble-t-il, à la dignité d'évêque du dehors, marié, comme on dira bientôt, en légitime mariage, le Franc, comme tous ses successeurs, prend ce caractère sacerdotal dont l'a paré Remi. Il ne s'agit pas de reconstituer la liturgie non plus que les fêtes, encore moins les obscures tractations entre guerriers et moines. Que veut l'archevêque ? En finir avec les ariens, nous le savons, mais dans cette lutte il abandonne toute conception de l'Empire. La doctrine arienne assure que le fils n'est pas identique (*homoiousios*) au père mais seulement semblable (*homoousios*), terme mal recopié d'une version grecque du Nouveau Testament — c'est de cette différence que provient l'expression «se disputer pour un iota». Remi voit dans cette théorie la négation de la divinité du Christ et la menace d'un retour au polythéisme. Certes, l'archevêque se montre fidèle au pape mais le sachant privé, pour l'instant, de domaine temporel, s'insinue dans l'art politique. Croit-il à la consubstantialité ? C'est probable, car il faut être animé d'une ardente foi pour mener pareille action ; Clovis frappe, Remi bénit, Clovis massacre, Remi commande des prières publiques. L'an 500, le Sicambre attaque les Burgondes. Gondebaud, en difficulté devant Fleury-sur-Ouche près de Dijon, préfère négocier avec les Wisigoths que Clovis défait au village de Vouillé, près de Poitiers. Les Francs, intimidés par Théodoric II, n'osent pas pousser jusqu'à Ravenne mais se donnent l'Aquitaine. Compensation : en remontant vers le nord, le sauvage s'arrête, dit-on, devant Tours où les ambassadeurs du basileus Anastase lui décernent le titre de consul. Ivre de joie, il adopte Lutèce pour capitale. La charmante petite ville, tant aimée de Julien, a bien perdu de son prestige mais continue d'attirer les conquérants et les «colons» par sa position stratégique et la douceur de son climat. Clovis était salien, les autres tribus franques, les Ripuaires, l'élisent roi (509). La nouvelle puissance atteint le Rhin, englobe, hors la Burgondie et la Septimanie, la *provincia romana* réduite à la Provence et au Languedoc maritime ; le domaine du fier Sicambre épouse pratiquement les contours de la France actuelle. Cette constatation présente peu d'importance car Clovis ne nourrit aucun projet politique, sinon celui d'établir ses enfants. Il n'est point assuré qu'il ait possédé de près ou de loin la conception de frontières naturelles. Il se fait législateur avec l'appui du clergé qu'il réunit en concile, maintient le système wisigothique pour l'Aquitaine, venue de l'Ostrogoth Théodoric et des Romains, et instaurera pour les autres contrées la loi salique dont on reparlera.

L'Église fut comblée de bienfaits. C'est au cours de ce concile d'Orléans (511) que Clovis Ier rendit l'âme à Dieu. Il atteignait 45 ans.

5

LA POSTÉRITÉ DE CLOVIS

Le royaume franc est partagé sans idée de suprématie entre les quatre fils de Clovis. Thierry, l'enfant du premier lit, reçoit l'Auvergne, le Limousin, la Champagne, la Lorraine, le pays de Bade. Clodomir hérite le Poitou, le Berry, l'Orléanais, Childebert, la vallée de la Seine et la future Normandie, Clotaire, le pays des Saliens et le sud de l'Aquitaine. Contre toute attente, les premières années sont paisibles à l'intérieur. Les rois conquièrent une partie de la Burgondie, se distinguent en Germanie, descendent en Vénétie. Ils échouent toutefois face aux Wisigoths et ne peuvent réduire la Septimanie.

Le tumulte intérieur reprend. Les partages ne sauraient être indéfinis. Dès que trépasse Clodomir (524), ses fils sont assassinés par leurs oncles. Il en va de même pour la postérité de Thierry (534). Maintenant, Clotaire et Childebert s'affrontent un quart de siècle. Le second meurt (558) et le premier reconstitue ce qu'on ne saurait appeler l'unité. Cela dure trois ans. Les petits-fils s'entr'égorgent à leur tour. Chilpéric, bâtard du défunt roi, va se distinguer. Comment ne pas évoquer le meurtre de Galswinthe? Elle était l'épouse de Chilpéric et la sœur de Brunehaut, conjointe elle-même de Sigebert, aîné de Clotaire et roi d'Austrasie (Champagne, Lorraine, Rhénanie). Une servante, Frédégonde, organisa le meurtre de cette princesse. Chilpéric, le bâtard, époux de Frédégonde, s'offre une belle campagne. En l'an 613, Brunehaut, octogénaire, connaît les pires tourments; son neveu Clotaire, fils de Frédégonde, fait torturer la reine durant trois jours. On la juche sur un chameau, avant qu'attachée par les cheveux à l'un des chevaux les plus fougueux du palais, elle soit piétinée jusqu'à la mort.

Il se trouve aujourd'hui des historiens pour rendre hommage à cet étonnant Clotaire II. Il ne se reconnaissait ni pour gallo-romain, ni pour franc (les Germains se dénommeront Francs jusqu'à Frédéric Barberousse), il est mérovingien et en porte, comme Clovis, les qualités et les tares. Sa *Constitutio Cloteriana* présente un semblant d'unité. Le royaume comportera désormais des divisions dont les plus considérables deviendront la Neustrie, l'Austrasie, providence des envahisseurs, et la Bourgogne qu'administrent viagèrement des maires du palais. De son vivant, Clotaire II installe sur le fief d'Austrasie son fils Dagobert (629-639). C'est un prince heureux, le premier des bâtisseurs. Aidé de son fidèle Éloi, il ne recourt pas aux méthodes de son père. Guerrier de haute race, il paraît timide dans les tractations. De fait, il aime la paix et il semble bien que ses peuples aient apprécié son action. Hélas, il ne règne que dix ans et s'en va dormir à Saint-Denis dont il a commencé l'édification. Sa douceur, sans doute relative, lui vaut une popularité venue jusqu'à nous. Après lui, la dynastie, ou plutôt la pluri-dynastie issue de Mérovée s'en retourne vers la boue et le sang.

On a soutenu que les peuples aimaient leurs chaînes, trouvant l'ordre dans le confort de la servitude. Ainsi les Gaules se seraient-elles prêtées aux Francs. A la vérité, les guerriers s'assimilent assez vite et laissent des responsabilités aux Gallo-Romains. Mais ils n'apportent rien sinon la conception d'une race royale, même si l'accession au pouvoir est tempérée par l'élection. Le droit dynastique provient de la tradition germanique. Encore faut-il considérer que Rome était passée de l'adoption à l'hérédité. Les Francs se contentent de protéger, dans leur intérêt, les restes d'une civilisation à demi effondrée. Héritiers d'une tradition confuse, ils ont trouvé dans l'orthodoxie non seulement un rien de morale mais des hommes capables, localement, de remplacer les grands administrateurs de jadis. Ce sont les clercs. L'alliance nouée par Clovis et Remi se révèle fructueuse. Les représentants de la royauté franque sont sacralisés tandis que les abbés et les évêques, exempts d'impôts, aident à maintenir un minimum de vie civique. Si l'État franc n'existe pas, les clercs, soumis spirituellement au pape, intègrent son sanglant fantôme à la romanité. Demeure-t-il une société? Hors les officiers du palais, en voie d'accéder à l'hérédité, donc à la noblesse, nous croyons savoir que les classes dites moyennes, sans cesse renouvelées durant la *pax romana* et les premières invasions, ont cessé d'exister. Le petit peuple ne s'exprime pas. On n'entend même plus parler des

Bagaudes, ces miséreux assez redoutables au bon vieux temps. Les monastères jouent un rôle considérable. Ils luttent pour reprendre sur la nature à l'abandon le terrain perdu, sans dénoncer le système servile encore en usage, ils assistent les esclaves et les serfs, assemblent les mendiants chaque dimanche afin de les nourrir. Les échanges approchent la nullité. Devant les caprices des princes, les villes se sont réduites et, bientôt, se ceintureront de remparts. La dégradation des routes, l'effondrement des ponts empêchent le transport des matières lourdes; ainsi le bois remplace-t-il la pierre. Seule, la terre conserve son prix. Ses produits présentent une valeur réelle d'échange alors que la circulation métallique devient rare en raison de l'altération des monnaies. Ainsi peut-on assister au regain d'une aristocratie domaniale. Le grand commerce avec le *limes* africain, si longtemps en symbiose avec l'Empire, s'arrêtera complètement avec l'expansion de l'Islam. La suppression des écoles met fin à la vie littéraire et artistique. Deux écrivains se détachent du lot: saint Grégoire de Tours (538-594) et précédemment Sidoine Apollinaire (432-480). On les consulte avec profit mais sans plaisir. Encore sauvent-ils le latin. Maintenu comme langue officielle, il deviendra le roman, idiome assez rudimentaire dont procédera le français. Du ive au xe siècle, à l'époque où les Byzantins, puis les Arabes, rivalisent en architecture, le pays gallo-romain, paré sous les Césars des plus prestigieux monuments du monde occidental, se donne quelques cryptes de chétives dimensions (sauf les travaux de Dagobert). Les baptistères, en souvenir de Clovis, sont honorables. Enfin, quelques pièces d'orfèvrerie méritent l'admiration. C'est peu.

La vieille coutume franque se révèle plus forte que l'expérience. Au décès de Dagobert, son fils aîné, Sigebert, dispose de l'Austrasie, son cadet, Clovis II, de la Neustrie. Ils laissent, l'un et l'autre, des enfants en bas âge. Le cycle infernal reprend. Les maires du palais sont rétablis et s'approprient les pouvoirs toujours dispersés en exhibant parfois des enfants royaux, très jeunes ou malades, dans des chariots tirés par un couple de bœufs, animaux sacrés chez les premiers Francs. On parlera des rois fainéants. Peut-être cette promenade insolite ne s'est-elle déroulée qu'une fois. En Austrasie, dès la disparition de Sigebert, Grimoald, fils de Pépin de Landen, tente vainement, avec l'appui de l'évêque de Metz, saint Arnoul, de transférer la couronne à son fils. Résultat: la Neustrie, pourtant plus faible, profite de la confusion sous la conduite d'un être infernal, le maire du palais,

Ebroïn. L'assassinat (683) de ce redoutable personnage plonge la Neustrie dans le désordre. Pépin, marquis d'Herstal, petit-fils de Pépin de Landen, défait les gens du royaume rival à Tertry, non loin de Laon : les trois mairies du palais de Neustrie, Austrasie et Bourgogne sont réunies en une seule. Aux côtés des successeurs de Thierry III, Clovis III (691-695), Childebert III (695-711), Dagobert III (711-715), Pépin d'Héristal exerce la réalité du pouvoir avec la résolution de léguer sa charge à son petit-fils et, peut-être même, de le faire accéder au trône. Les Neustriens, face à cette perspective, reprennent leur agitation.

LA MONTÉE DES PIPINNIDES

Un bâtard de Pépin, Charles, qu'on nommera Martel, réduit ces malheureux Neustriens à néant, va quérir dans l'ombre d'un cloître un Mérovingien oublié, Thierry IV, qu'il «donne» aux trois royaumes. L'homme au marteau — entendons à la hache de guerre — gouverne autant qu'il est possible et se bat en toute occasion. Soudain, la chrétienté prend conscience d'un péril sans précédent. Les Arabes, venus du fond de leur désert, sont parvenus jusqu'en Aquitaine et marchent sur Tours pour s'emparer, au nom du Prophète, des trésors de la plus prestigieuse abbaye des Gaules. L'Église se montre peu coopérante, guère enthousiaste surtout. Elle s'est vu confisquer passablement de domaines par des bénéficiaires partis en campagne. Selon le mot d'un historien du xviiie siècle : «La mitre n'aime point à casquer.» Charles estime qu'un soldat doit être soldé. Il remplit ses caisses et passe la Loire (732), empruntant le chemin du sud. Sachant ses ennemis très mobiles, il a su réunir une puissante cavalerie. La rencontre se déroule à Vouillé, près de Poitiers, en ces clairières où, déjà, Clovis avait réduit Alaric II. L'affaire dure six jours. Au septième, les légions musulmanes, affolées par le désordre mis dans leurs rangs, crient à la trahison et se jettent les unes contre les autres. L'Aquitaine est libérée. La Septimanie reste alliée aux sectateurs de Mohammed. Quelques-uns d'entre eux tiennent les cols des Maures mais, en dépit de ces accrocs, le plus grand danger depuis les Huns est passé. Certes, il demeure une différence. L'incroyant Attila se présentait comme le fléau de Dieu, alors que le pieux Abd al-Rahman, d'ailleurs en sous-ordre, ne se voulait rien qu'un serviteur des Croyants. Aux yeux des Sarrasins, Jésus conservait une place mais inférieure à celle de Mohammed dans la théorie des prophètes. L'Évangile n'avait été qu'un prologue au Coran.

Charles Martel, mort en 741, auréolé d'une gloire universelle, n'a point remplacé Thierry IV et laisse le pouvoir à ses propres fils, Carloman et Pépin le Bref. Les Pipinnides et leurs conseillers ouvrent la porte d'un moustier à Childéric III. La chronique nous affirme qu'il était simple d'esprit. Par grâce, méfions-nous ; il se portait peut-être à merveille mais, telle une chauve-souris égarée dans la lumière, il ne pouvait que se heurter aux murailles.

En 747, Carloman se retire au mont Cassin. Pépin le Bref, maire du palais des trois royaumes, va-t-il, après des siècles d'anarchie, mettre en forme ce que l'on nommera un jour «un pays, une nation, un État»?

6

L'IRRÉSISTIBLE ASCENSION
DES CAROLINGIENS

Si les Arabes, ou du moins les populations déchristianisées et passées au Croissant avaient échoué dans leur entreprise, ils laissaient néanmoins une situation des plus préoccupantes. L'Église ne pardonnait pas les confiscations de Charles Martel. Pépin déclara qu'il ne s'agissait nullement d'une spoliation mais d'un usufruit précaire éteint par le décès du bénéficiaire. Les tenants provisoires verseraient une consolation annuelle aux dépossédés, le cens. L'affaire fut menée au synode de Soissons. L'Église, et c'était bien le moins, accepta. Le *précaire* devint définitif puisqu'il fut permis aux titulaires de le transmettre aux héritiers sans l'obligation de régler le cens réduit bientôt à quelque versement symbolique (un mouton annuellement remis à l'économe d'une abbaye). Pépin pouvait craindre une révolution de palais ; un bâtard de Charles Martel, Griffon, se donnait une politique personnelle. Pépin le priva de ses pouvoirs, en profitant pour mettre hors jeu le fils de Carloman, Drogon. Ces ambitieux allèrent méditer loin du confort des résidences princières. Les supplices passaient de mode, et le nouveau maître abandonnait les vieilles méthodes.

En 750, il dépêche, auprès du pape Zacharie, le chapelain Fulrad et l'évêque de Wurtzbourg, Burchard. Leur mission : poser à Sa Paternité la question suivante : « Chez les Francs, les rois n'exercent plus le pouvoir. Est-ce un bien, est-ce un mal ? » Le pape répondit « qu'il valait mieux appeler roi celui qui exerçait le pouvoir ». Il est moins certain qu'il tint ces propos consignés par l'annaliste :

— Que Pépin soit fait roi pour que l'ordre ne soit point troublé.

Tout donne à croire que la déclaration ne fut pas aussi nette mais que les légats recueillirent un témoignage de bienveillance. Alors, Pépin fut élu selon la *coutume des Francs* et hissé sur le pavois en présence d'une assemblée d'importants et d'évêques réunis à Soissons, en novembre 751. Après quoi, le nouveau roi fut oint, peut-être, par saint Boniface, plus probablement par les prélats des Gaules, et couronné non sans l'assentiment pontifical (752). Le Pipinnide n'était plus simplement roi, mais chef religieux, civil et militaire. C'était beaucoup plus que Clovis dont la consécration s'était confondue avec le baptême. Ainsi, après deux siècles et demi, la dynastie mérovingienne s'écroulait. Childéric III fut tondu, reclus dans une cellule du monastère de Saint-Bertin. On aimerait à connaître les impressions de ce souverain devenu moine. Hélas, l'Histoire ne s'attache point aux vaincus sauf s'ils savent se colorer une légende. Ce ne fut point le cas de Childéric, ultime rameau de cette dynastie mérovingienne illustrée par Clovis et Dagobert mais morte de sa folie des partages et de ses cruelles contradictions.

LA FILLE AÎNÉE DE L'ÉGLISE

A la Noël de 753, le pape Étienne II, successeur de Zacharie, annonça sa venue. Il venait demander au roi des Francs son appui contre les Lombards. Ces hommes, assez farouches, occupaient le nord de l'Italie depuis que Justinien en avait chassé les Vandales et tenait la plaine du Pô (572). L'Empire n'avait conservé pratiquement dans la péninsule que l'exarchat de Ravenne, chef-d'œuvre entre les chefs-d'œuvre, la Vénétie et les territoires situés au sud de l'Arno. La faiblesse de Byzance, encore amenuisée par une nouvelle querelle, celle des Iconoclastes, hantait les rêves du pontife privé de tout domaine temporel. Seul Pépin pouvait lui conférer des terres — ce fut l'origine du pacte. Si l'empire d'Orient perdait encore de sa puissance, les Lombards profiteraient de la situation. Afin que d'escorter le pape Étienne II, Pépin envoya son fils Charles, alors âgé de 12 ans. Le pontife fut reçu par le Roi, à Ponthion, en Champagne, le 6 janvier 754. Carloman, tiré de son mont Cassin, se vit chargé d'une négociation avec le roi lombard Aistolf. Il en rapporta, semble-t-il, un traité suspect, et se retrouva dans un moustier de Vienne. Avant qu'on se mît en campagne, Sa Paternité sacra Pépin, la reine Berthe au Grand Pied — une Mérovingienne —, et leurs deux fils, Charles et Carloman. Aistolf s'inclina. Le Roi, à cette époque de rançons, laissa tout au pape. A peine Étienne II savourait-il sa joie qu'il mourut cependant que son frère, Paul Ier, lui succédait et se voyait attaqué par le roi des Lombards. Pépin fit marcher un de ses lieutenants et maintint les affaires en l'état. Cette seconde intervention fit décerner à notre futur pays le titre venu jusqu'à nous de «fille aînée de l'Église».

Pépin se multipliait; il s'empara du Languedoc méditerranéen où les Goths se tenaient pour inexpugnables depuis que Charles Martel, lui-même, avait échoué devant Nîmes, ne parvenant qu'à incendier les arènes, tenant plus ou moins lieu de citadelle. Il entreprit la conquête de l'Aquitaine, étendant son autorité des Pyrénées à la Saintonge. Les voyages lui plaisaient. Il mena son armée jusqu'en Bavière, imposant ses volontés au duc Tassilon III. Soldat infatigable, il présentait du goût et de la compétence pour la diplomatie. Ainsi parvint-il à maintenir, malgré la déchirure italienne, de bonnes relations avec Byzance, ainsi noua-t-il des rapports fructueux avec El-Mansour, calife de Bagdad, pour immobiliser le dernier des Omeyades, Abd al-Rahman II, chassé de Damas mais se tenant prêt, depuis l'Ibérie, à reprendre l'offensive contre les Francs.

Ce que l'on sait de Pépin le Bref laisse percer les traits d'un prince d'une haute valeur : premier roi d'une nouvelle dynastie, nullement grisé par sa position, sévère sans cruauté, il apparaît comme un souverain presque moderne. Il traite avec les papes, et la rectitude de son comportement lui vaut le respect. Il n'est pas une «invention» du clergé local comme Clovis, non plus qu'un conservateur éclairé tel Dagobert. Les vieux Gallo-Romains du sud-est, même attachés à la légitimité des Mérovingiens, considéraient les rois comme peu de chose. Seuls existaient la République et, plus tard, son chef, l'Empereur. Depuis le partage, la faillite de l'Occident et le maintien de l'Orient, seul comptait le basileus. Il incarnait la légitimité. Pépin s'était donné toutes les armes pour contrebalancer cette étrange supériorité que s'accordaient les Néo-Grecs de Constantinople. C'était un jeu difficile.

Les Francs ne disposaient pas d'une flotte. Toutes leurs interventions révélaient un caractère terrestre, donc moins rapide et plus fatigant. Pépin menait son monde avec prudence. Connaissant l'économie de ses moyens, il en tenait compte. Tout en lui respire l'équilibre. Certes, il respecte encore la loi du partage mais il a pris la précaution de faire préciser par le pape que les Francs ne pourraient choisir d'autres rois que ses fils Charles et Carloman. La qualité des rapports royaux avec Rome a changé. Le prince n'est plus le fauve dont l'Église se sert pour déclencher des guerres ou pour pacifier, en vertu de critères le plus souvent honorables mais d'ordre exclusivement théologique. Pépin appartient lui-même au domaine spirituel et s'en tient pour coresponsable. Son œuvre demeure considérable tant par son étendue que par sa variété.

Il meurt, à Saint-Denis, le 24 décembre 768.

7

CHARLEMAGNE

Le drame des partitions va-t-il recommencer? Il s'esquisse lorsque Carloman II embrasse la cause des Lombards, mais l'imprudent meurt, et Charles demeure seul roi des Francs. Le nouveau monarque, qu'on nommera bientôt Carolus Magnus, Charles le Grand et Karl der Grosse, rompt avec les Lombards de Didier dont il répudie une parente, Désirée, les contraint à lever le siège de Rome. Il ceint la fameuse couronne de fer, le 5 juin 774, et renouvelle au pape la «donation de Pépin». Spolète et Bénévent échappent à l'emprise franque comme la partie septentrionale des Gaules et l'est de la Germanie. Avec une suprême habileté, Charles érigera l'Aquitaine, demeurée de tradition wisigothique, en royaume pour son fils Louis mais conservera la Bavière sous sa coupe. En Espagne, il appuie les chefs sarrasins en faveur de l'émir de Cordoue, cependant l'expédition, d'ailleurs limitée, de 778, se termine avec l'anéantissement de l'arrière-garde à Roncevaux sous les rochers que précipitent sur l'armée des montagnards basques. Par le capitulaire de 779, il institue la dîme, impôt de 10 % sur les récoltes, perçu par le clergé. Le danger dominant menace l'Austrasie. Sur 53 campagnes, 18 auront pour objet de soumettre les Saxons. Après la destruction de l'idole Irminsul, les opérations seront constantes, et la prise d'armes de Witikind va mettre Charles en difficulté (défaite du mont Sunthal, 782). Il utilise des méthodes mérovingiennes, massacre 4500 otages à Verden. Enfin, Witikind se soumet et se convertit. La lutte se poursuivra contre les Frisons et même les Avars installés sur le Danube. Entre-temps s'est produit un événement considérable — Léon III, pontife de 22 ans, se voyait mis en accusation par des Romains. Charles déchargea le pape de ses prétendues erreurs. Les accusateurs furent destinés aux bourreaux. Léon III les gracia.

L'EMPIRE D'OCCIDENT RENAÎT DE SES CENDRES

La nuit de Noël de l'an 800, tandis que le Carolingien priait au pied de l'autel, Sa Paternité lui décernera la couronne impériale. Le Roi fut surpris, mécontent même, selon Éginhard, car le couronnement n'avait pas été précédé par l'*acclamatio*. Était-ce un simple témoignage de reconnaissance, était-ce une visée plus haute? Seul le Sénat de Byzance disposait, en théorie du moins, d'un insigne par définition universel. Le pape, pourtant, avait vu juste. Pour sauver la chrétienté d'Occident, dont Constantinople se désintéressait, il importait de réunir les pouvoirs acquis par les Francs. Charlemagne par là même, pour aplanir les difficultés diplomatiques, demanda la main de «la basileus» — et non basilissa — Irène, intéressante personne, connue surtout pour avoir fait crever les yeux de son fils. La gracieuse dame fut déposée (802), et son successeur, Michel, consentit à désigner Charles sous le nom de «mon frère».

La question principale continue de se poser. Que voulait le roi des Francs? Il a souvent répété qu'il n'avait pas désiré l'*Imperium*. Comme tous les chefs d'État, il n'a point hésité à se contredire. Cette coiffe de contrebande a-t-elle modifié sa mentalité? Rien n'est moins sûr; son attachement à la couronne de fer, acquise dès 774, en constitue une preuve. Les situations politiques varient peu. Un royaume stable (à peu près) se dirige naturellement vers l'expansion. S'il stagne, il meurt. Charles Martel a pratiquement résolu la question musulmane, Pépin le Bref a mis de l'ordre en Italie. Pour Charlemagne, il faut verrouiller l'Est. Ici, les affaires se compliquent. L'empereur, même issu d'une dynastie franque, n'en est pas moins, comme les Francs eux-mêmes, un Germain d'origine. Il gouverne avec plaisir les Rhénans et leurs voisins. Au-delà, en Saxe et sur la Frise, il ne se sent plus chez lui. A la terreur il répond par la terreur. Il a décidé, toutefois, de déplacer sa puissance. Il quitte Compiègne puis Laon pour se constituer une manière de «poste de commandement» dans la ville d'Aix-la-Chapelle. Il règne de la mer du Nord à la Toscane, de l'Elbe et du Danube aux Pyrénées. Ne disposant pas d'une administration véritable, il crée les fameux *missi dominici*. Ces hommes dévoués vont toujours de pair, un clerc et un laïc inspectant les grands domaines confiés à de hauts personnages dont le pouvoir n'est pas héréditaire... mais le deviendra. Charlemagne se montre assez fort, assez rapide surtout dans ses interventions, pour prévenir ou conjurer les désordres. Vers la fin de sa vie, il ne quitte plus Aix-la-Chapelle, assombri par les incursions normandes et la disparition de deux de ses fils. Il avait, en leur faveur, réglé un partage, considérant toujours à la manière franque que le royaume constituait sa propriété. Ces deuils modifient-ils sa conception, le rapprochent-ils du concept d'*Imperium* ? Il consulte les grands, puis, en présence de tous les comtes et de tous les évêques, il couronne Louis et assiste à l'*acclamatio*.

Ce farouche guerrier s'est constamment entouré d'hommes de savoir, l'Anglais Alcuin, le Lombard Paul Diacre, l'Espagnol Théodulfe, et surtout l'Allemand Eginhard, son biographe. Dans son palais même se trouve une école. Nul n'a perdu la mémoire de l'image représentant l'empereur tançant les mauvais élèves, fils de riches, qu'il place à sa gauche, et complimentant les bons élèves, fils de pauvres, qu'il met à sa droite. Il ne suffit pas de lire et d'écrire, il faut bâtir et décorer. L'architecture et les arts s'inspirent avant tout de Ravenne mais préfigurent le roman. La chapelle d'Aix en porte témoignage comme les mosaïques, les fresques, les ivoires travaillés et les miniatures. On peut critiquer Charlemagne, évoquer ses naïvetés condamner ses fureurs, on peut aussi disputer pour savoir s'il fut plus français qu'allemand. Il ignorait ces concepts et se montrait simplement rude avec les païens ou les renégats. On notera pourtant qu'il est aussi populaire, peut-être plus, chez les gens de souche germanique qu'ailleurs. Cela s'explique moins par son génie que par son origine. Né dans un monde gallo-romain à peine sauvé de la dérive, il demeurait un Germain et il l'est resté. Il constitue néanmoins un puissant trait d'union entre les deux grandes puissances européennes. Il n'est pas indifférent de se souvenir que, pour repousser la barbarie stalinienne, une division Charlemagne, portant nos couleurs à l'épaule et l'uniforme de nos voisins, alla jusqu'au sacrifice suprême. Aujourd'hui, on décerne à Strasbourg une médaille à l'effigie de Charlemagne aux artisans de la construction du vieux continent.

Quatre mois après le couronnement de Louis, son père chasse le fauve en Ardenne lorsqu'il contracte une pleurésie. Après six jours, le mal triomphe. Charles meurt pieusement, le 28 janvier 814. Il atteignait 72 ans. Le jour même, il est inhumé dans sa chère église d'Aix-la-Chapelle. Canonisé par l'antipape Pascal III pour complaire à Frédéric Barberousse, il n'est peut-être pas un saint mais il demeure l'un des êtres les plus puissants qu'animèrent jamais l'argile humaine et la volonté de Dieu.

8

LA SECONDE MORT DE L'EMPIRE

Parmi les personnages ayant forgé notre histoire, il en est peu d'aussi déconcertants que Louis le Pieux surnommé, peut-être par dérision, le Débonnaire. C'était un prince instruit et un homme de guerre averti. Son père lui laissait une gloire ineffaçable mais des coffres à demi vides. Pour sortir de l'impasse, il confisqua de nombreux biens d'Église, s'attirant de solides inimitiés. Bernard, fils de Pépin, héritier de Charlemagne tout comme un autre, commandait en Italie. Il s'insurgea contre l'*Ordinatio imperii*. Pépin, fils de Louis, recevait l'Aquitaine, Louis la Bavière, tous deux subordonnés à leur aîné Lothaire associé directement au trône. Bernard, après un procès dans la citadelle d'Aix-en-Provence, fut condamné. Le Débonnaire commua la peine. On se contenta de crever les yeux du coupable mais il en mourut. Les bâtards de Charlemagne, que pouvait attirer le mauvais exemple, furent tonsurés, relégués dans des cloîtres. C'est alors que tout changea; saint Benoît d'Aniane acquit une très forte emprise sur le souverain et le convainquit de faire une pénitence publique devant les évêques à l'assemblée d'Attigny. Cette démarche intempestive n'empêcha point l'Empereur d'obtenir — pour un temps — le droit de contrôle sur les élections pontificales. Louis s'était remarié. La ravissante Judith, fille du comte Welf de Bavière, prenait de l'ascendant et demandait une dotation territoriale pour son fils, le futur Charles le Chauve. Les aînés n'admirent pas un nouveau partage et, sous la conduite de Lothaire sacré co-empereur, s'emparèrent par trahison de leur père au Lugenfeld, près de Colmar. Le 7 octobre 833, ils le firent déposer par l'archevêque de Reims, allant jusqu'à faire instruire un procès en adultère contre l'Impératrice. Les racines de la dynastie étaient solides, et les rebelles ne s'entendaient pas. Judith fut lavée de toute accusation, les témoins à charge échappèrent à la peine capitale mais furent cloîtrés. Louis reprit son trône et se remit à ses dispositions testamentaires. Lothaire, mécontent, entra de nouveau dans le conflit, s'assurant le soutien du pape Grégoire IV. Louis n'osa point attaquer et reperdit sa couronne et sa liberté. En était-ce fini ? Non point. Il reconquit un rôle d'arbitre et se fit couronner à Metz. Il revint sur son partage, provoquant l'ire des aînés. Les tumultes recommençaient lorsque l'Empereur mourut dans son palais d'Ingelheim, le 20 juin 840.

On s'interrogea longtemps sur la personnalité de ce souverain et, plus encore, sur la mentalité de l'époque. Sans doute Louis le Pieux disposait-il de plus d'argent que ses adversaires et, partant, de plus de guerriers, pourtant cela ne suffisait point ; toutes les fidélités ne s'achètent pas. Si Benoît d'Aniane remplit politiquement un rôle fâcheux, il a contribué puissamment, avec son maître, à la grande réforme ecclésiastique *capitulare monasticum*. Comme Charlemagne, Louis porta son intérêt à la renaissance carolingienne, faisant travailler érudits et architectes. Enfin, et le détail n'est pas mince, il parvint, en dépit des guerres intestines, à maintenir l'intégrité de l'Empire. Trop rude à ses débuts, trop incliné vers la mansuétude dans la suite, il fut néanmoins plus malheureux que coupable. Nombre d'érudits se font encore ses défenseurs.

STRASBOURG ET VERDUN

Lothaire, n'acceptant point le testament paternel, reprit la guerre civile. Charles le Chauve et Louis le Germanique signèrent un pacte (14 février 842) — le serment de Strasbourg —, premier document en langue romane venu jusqu'à nous. Lothaire finit par accepter une division du *Regnum* étudiée par quelque 120 commissaires réunis à Verdun (vers le 10 août 843). Trop nombreux, ils commirent des sottises. Charles le Chauve héritait tout l'Ouest, de l'Atlantique au Vivarais et au Lyonnais, de l'embouchure de l'Escaut à Barcelone. Louis le Germanique obtenait tout l'est du Rhin : Saxe, Austrasie, Bohême, Bavière, Réthie, Carinthie. Entre ces deux groupes, Lothaire recevait une manière de long couloir de la Frise à la vallée de l'Arno :

Hollande, Lorraine, vallée de la Saône, Provence, Lombardie, Vénétie et Toscane. Était-il raisonnable de créer un «État» tampon entre deux puissances dont les caractéristiques ethniques se différenciaient assez peu? Le fait que l'empereur Lothaire fût maître de territoires si disparates qu'à la génération suivante ils se distinguèrent par son nom présentait-il un intérêt?

CHARLES LE CHAUVE ET ROBERT LE FORT

Charles le Chauve défendra ses frontières avec habileté, repoussant ses domaines jusqu'au Rhin. On l'a souvent désigné comme le premier souverain français. C'est vrai parce qu'il veilla sur nous avec des bonheurs divers, c'est faux parce qu'à la fin de ses jours, il se fit décerner le diadème (875). Pourquoi le condamner? Il annonce la lutte constante pour le contrôle de Rome. Devenue une petite ville, elle continue d'exercer une fascination absolue sur tous les tenants du pouvoir. Le déclin de Byzance ne fera que l'accentuer. Si Charles le Chauve ne parvient que dans ses dernières années à son but, c'est qu'il lui faut faire face aux Normands. Lors de la première attaque, ces robustes navigateurs, aptes à remonter les fleuves avec une science consommée, pillent Étaples, Rouen, puis Paris, à Pâques 845. Charles doit réunir 7 000 mille livres d'argent pour les décider à s'en aller. Ils n'en ont garde. Robert le Fort, créé comte d'Anjou, fait merveille, conduisant un parti de Vikings contre les Bretons puis reprenant la lutte contre les envahisseurs, jusqu'au jour où, en 866, il succombe sous le porche de l'église de Brissarte après une ultime victoire. Charles négocie. Le pays a subi les pires ravages, de la mer du Nord à Melun. Si valeureux que soit Charles il ne peut seul conduire partout son ost. Certains fonctionnaires ont réussi très vite à transmettre leurs gouvernements. Ils deviendront des fiefs. Ainsi s'instaure la féodalité. Le système se révèle simple et relativement équitable. C'est une société pyramidale. Tandis que le clergé conserve sa place, le *vassus* (futur feudataire) prête serment au Roi, recevant lui-même l'allégeance de moindres *fideles*. Enfin, le laboureur s'engage contre protection à nourrir son maître. Cette succession de contrats permet la défense contre l'envahisseur et la répression du brigandage. Ces devoirs réciproques évolueront avec les techniques. Néanmoins, on peut considérer le capitulaire de Quierzy, promulgué le 14 juin 877, comme un code de recommandation à l'égard des grands.

Charles le Chauve mourut à Modane, trois mois après le couronnement de l'impératrice Richilde par Jean VIII, le 6 octobre 877. Gardons-nous d'anticiper. Le Roi-Empereur n'est pas le premier roi de France. En revanche, grâce au partage de la Lotharingie au décès de Lothaire II (869) et en dépit de l'attribution de territoires à Louis le Germanique, se dessine une contrée préfigurant la nôtre, avec la Catalogne en plus, la Provence, le Dauphiné, la Savoie et la Corse en moins. Si l'on tient compte de l'unification progressive de la langue, de la poursuite de «l'acculturation», force est bien de considérer que le pays prend une forme, et que de cette forme pourrait se dégager une nation. Arrêtons-nous un instant; le concept de nation n'a jamais existé, du moins en Occident. Des peuplades — admettons même des peuples — se sont définies en fonction de l'empire romain, puis de ses deux branches. Pour le reste, les chefs barbares n'ont recherché que la domination. Notre vision de leurs entreprises procède des interprétations théâtrales des xvie et xviie siècles. Mis à part Clovis, création de l'Église, et encore que fier de sa dignité de patrice, tous les rois venus de l'Est ont agi sans projet politique. Seul Pépin le Bref, le plus subtil des Carolingiens, s'est prononcé nettement. Il manque à tous ces princes le sens du droit. S'ils légifèrent parfois heureusement, leurs décisions ne modèlent pas un État. Tout se rapporte à leur propre personne. Ils ne se considèrent pas comme des monarques tels que nous les comprendrons plus tard. Ils se tiennent pour des propriétaires, d'où leur manie du partage entre leurs enfants.

LA FÉODALITÉ S'AFFIRME

A cet égard, la féodalité va jouer un rôle pondérateur. Les petits seigneurs ne possèdent point assez de terres pour lotir tous leurs enfants. Ainsi va se constituer une primauté du premier né, plus tard un véritable droit d'aînesse. L'esclavage disparu, les serfs attachés à la glèbe ne disposeront pas de la possibilité de tester, mais nul n'aura le droit de les déplacer.

En revanche, les hommes libres, dont tout recensement demeure impossible, prendront l'habitude de veiller à la préservation du patrimoine.

Une autre modification commence de s'accuser, celle-là dans la société supérieure; de Clovis à Charles le Chauve, sauf l'intermède peut-être légendaire des rois fainéants, on veut un maître fort par crainte des désordres. Avec la montée des grands — enrichis par des dons dissociés du domaine — et l'hérédité des fiefs le mouvement s'inverse, on désire des rois pauvres et effacés. L'infortuné Louis le Bègue éprouve du mal à se faire reconnaître et meurt à l'orée d'une campagne contre Bernard de Septimanie.

On élit Louis III et son frère Carloman, tandis que l'Empire passe à Charles le Gros, fils de Louis le Germanique. Chargé de se défaire des Normands, le César paie rançon, livre la Bourgogne au pillage et, sous l'effet de l'indignation, se voit déposer et remplacer par son demi-frère Arnoul.

«EN ATTENDANT UN ROI»

Le 29 février 888, à Compiègne, Eudes, fils de Robert le Fort, devient roi des Francs. Pour la première fois, l'élection prime l'hérédité. S'il a déjà sauvé Paris lors du retrait de Charles le Gros, Eudes ne parvient pas à mettre les Normands à raison. Il se ruine à tenir des armées en campagne et, contrairement à la légende, perd des fiefs au lieu d'en gagner. Les Grands ne lui portent pas tous allégeance. Certains élisent le Carolingien Charles le Simple. «Ce surnom, écrira le duc de Lévis-Mirepoix, ne visait pas l'esprit mais la netteté de caractère.» Eudes était touché par la mélancolie, sa santé déclinait, il reconnut le Carolingien et pria son frère Robert d'adopter le même comportement. Grand politique, Charles défend ses droits sur la Lorraine et, à la faveur d'un avantage sur les Normands, concède à leur chef Rollon, devenu chrétien, le duché (Neustrie du Nord) que chacun nommera la Normandie (911). On n'en allait pas moins vers la guerre civile. Robert, congédié par le Roi, se fait pourtant couronner à Reims, le 30 juin 922. Il ne portera pas longtemps les attributs royaux; il est tué l'an suivant. On tourne à la folie, ses partisans déçus le remplacent par son gendre, Raoul de Bourgogne. Charles le Simple méritait mieux que sa fin misérable: attiré par trahison à Péronne par le comte de Vermandois, il meurt chez ce félon après une période de libération dont nous ne savons rien.

L'épisode de Raoul apparaît assez lamentable. Cet ambitieux n'est qu'un Robertinien par alliance et ne touche point à la maison carolingienne. Il régnera, pourtant, jusqu'en 936 non sans avoir repoussé les Hongrois (926) et les Normands (930).

C'est l'époque où nombre de chartes ne portent plus la date du règne mais seulement: «En attendant un roi.» La formule montre l'incroyable désarroi des sujets. Jamais, peut-être, les Gaules ne sont tombées si bas. Sous un roi tel que Raoul, pris en dehors de la ligne légitime déterminée par le pape, que devient, outre l'obédience directe, le lien féodal? Lorsque Raoul trépasse, le Robertinien Hugues le Grand, «fils de roi, père de roi, jamais roi» son beau-frère, juge préférable d'accueillir l'héritier carolingien Louis IV, qu'on nomme «d'Outre-Mer», parce qu'il a vécu chez le souverain de Grande-Bretagne, son oncle Athelstan. Louis IV et Hugues sont tous deux beaux-frères du roi de Germanie, Othon Ier, et recherchent, l'un comme l'autre, son appui. Le Roi reprend Laon, mais Hugues manœuvre les Normands et met en difficulté son souverain. La partie devient très délicate et un mouvement de l'armée ottonienne jette l'émoi chez les hauts seigneurs. On se dirige vers de nouveaux déchirements, lorsque Louis IV, après dix-huit ans de règne d'une haute dignité, meurt d'un accident de cheval.

Hugues, en dépit des inconvénients d'une telle position, se garde de briguer la couronne et la fait donner, contre la Bourgogne et l'Aquitaine, à l'héritier légitime, Lothaire. Hugues le Grand connaît-il les dégoûts de son aïeul Eudes? Cherche-t-il une combinaison bicéphale, comme les consuls de Rome ou les suffètes puniques, avec les Carolingiens? Se rend-il compte qu'Othon va, lui, rencontrer une fortune inégalée en ce siècle d'épouvante? Les Hongrois, peut-être descendants des Huns, affrontent la Germanie, mettant en péril l'Europe entière. Othon les écrase sur les rives du Lech, au sud d'Augsbourg, le 10 août 955, puis il taille en pièces les Suèves à La Recknitz, le 16 octobre, s'appropriant la Souabe, l'Helvétie et le royaume d'Arles, vaste possession comprenant la Provence et le Jura.

Othon ceint la couronne de fer, puis se fait donner l'*Imperium* par Jean XII, pape de 18 ans et point particulièrement avancé pour son âge.

Cette extension de la puissance germanique déplaît à Lothaire, belliqueux de nature, prétendra-t-on, mais surtout soucieux de reprendre la Lorraine et de s'assurer les marches rhénanes. Il projette de capturer Othon II, séjournant alors dans sa bonne place d'Aix-la-Chapelle en compagnie de son épouse Théophano, fille du basileus. L'entreprise échoue.

LE SORT S'ACHARNE SUR LES DERNIERS CAROLINGIENS

Hugues le Grand, duc de France, n'est plus. Son fils Hugues Capet, ainsi nommé parce qu'il porte la chape de plusieurs abbayes dont celle de Saint-Martin-de-Tours, s'est abstenu de prendre position quant au projet d'enlèvement mais réagit lorsque Laon est livrée par Charles de Basse-Lorraine, frère de Lothaire. Tandis que le Roi gagne Etampes pour se refaire, Othon II vient camper à la butte de Montmartre. Hugues défend Paris contre les Germains et, à l'exemple de son aïeul Eudes face aux Normands, obtient l'évacuation, grâce au concours de ceux qu'on nommera bientôt les feudataires.

L'indomptable Lothaire associe son fils Louis V, âgé de 13 ans, à la Couronne.

A nos yeux, l'héritier apparaît, tel Charles de Basse-Lorraine, courageux, intelligent, carolingien jusqu'au bout des ongles.

Hugues, comme lui, a besoin de l'Empereur. Il va le saluer à Rome, mettant beaucoup de tact à l'honorer sans lui rendre directement hommage. Au retour, il apprend que des serviteurs de Lothaire et de la reine Emma vont tenter de s'emparer de sa personne. Il emprunte une tenue modeste et se fond parmi les valets, pansant les chevaux, transportant les bagages. Une nuit, l'hôtelier s'aperçoit que ce voyageur aux mains soignées est l'objet de prévenances. Sous les pires menaces, on fait taire l'indiscret; s'il tient sa langue, elle ne lui sera point arrachée.

Lothaire et Emma ne sont pas méchants. Ils appartiennent à leur siècle où se mêlent la sauvagerie franque et la ruse byzantine mâtinée de légalisme romain. Lothaire fait appréhender l'archevêque de Reims Adalbéron qu'il soupçonne de le trahir au profit des Impériaux. Sans doute l'action n'est-elle pas encore commencée lorsque le souverain meurt à Verdun, d'autres disent à Compiègne, le 2 mars 986. Le nouveau roi, Louis V, réputé sottement fainéant (du latin *nihil fecit*, il n'a rien fait, parce qu'il n'a régné qu'un an) par la propagande robertinienne, en impose : il entend traduire Adalbéron et son inquiétant secrétaire Gerbert, écolâtre, retour des universités arabes, devant ce que nous nommerions une haute cour. Pour éviter une manœuvre attentatoire à son autorité, il emmène Hugues Capet à Reims. L'autre se laisse faire et s'en trouve bien : Louis V, le 22 mai de 987, comme il croyait enfin se dégager de cette multiplicité d'intrigues, s'opiniâtre contre un loup et meurt d'une chute de cheval. C'est le moment où se réunit l'assemblée de Compiègne destinée à juger Adalbéron. L'archevêque, dont les notes sont fort bien préparées par Gerbert, repousse l'accusation qu'aucun juriste n'ose soutenir, maintenant que le dernier roi n'est plus en ce monde pour porter sa fougue, son allant et, à n'en pas douter, nombre de preuves. Hugues préside, écoute avec sympathie ce secrétaire si habile qu'on le retrouvera précepteur du futur Othon III avant de ceindre la tiare sous le nom de Sylvestre II. Adalbéron, hors de cause, propose de confier la régence à Hugues et incite chacun à ne prendre aucun engagement avant une nouvelle réunion qu'on tiendra dans la cathédrale de Senlis où Charles, craignant un guet-apens, ne se rendra point. Jusque-là, le duc de France assurera «l'intérim». A la vérité, Adalbéron et Gerbert le savent : Othon II ne veut pas du concurrent, oncle du roi défunt, Charles de Basse-Lorraine. Ce prince, constamment préoccupé des affaires de l'Empire, nous apparaît bien comme légitime, mais en cette période incertaine où tendent à se former des États, Charles recrute avec difficulté des barons. Situation paradoxale, l'Empereur soutient un Franc contre un Germain (mais les Francs ne sont-ils pas eux-mêmes d'origine germanique?). Ne nous hâtons pas d'entrer dans le jeu des *nationalismes*. Eudes, tige des Robertiniens, descendait, selon certains, d'un boucher de Düsseldorf. Cette théorie est aujourd'hui tenue pour fautive; les Robertiniens, déjà grands seigneurs en Lorraine, se seraient implantés sur les bords du Rhin avant que de gagner l'Orléanais. Reste que Charles de Basse-Lorraine, soldat valeureux et sûr de son droit, devait, semble-t-il, assez mal s'y prendre à l'égard des gens de Senlis qu'il n'honorait pas de sa présence.

Bref, il faut l'avouer, c'est avec la bienveillante neutralité d'Othon II que les barons francs élirent Hugues Capet. Le duc de Lévis-Mirepoix écrira : «Laisser le trône vacant, nul n'y songeait. Cette suprématie était nécessaire pour mettre, du moins au sommet, une limite à la confusion. C'est l'un des secrets de la féodalité que d'abriter ses multiples pouvoirs derrière un pouvoir suprême qui la dérange le moins possible mais l'empêche de se dissoudre.»

Deuxième partie

LA CONSTRUCTION
DE LA FRANCE

1

L'AURORE CAPÉTIENNE

HUGUES CAPET

Le 3 juillet 987, à la cathédrale de Noyon préférée à celle de Senlis par crainte d'une embuscade, Hugues prononce un serment:

« Je, Hugues, qui dans un instant vais devenir roi des Francs par la faveur divine, en ce jour de mon sacre, en présence de Dieu et de ses saints, je promets à chacun de vous de lui conserver le privilège canonique, la loi et la justice qui lui sont dus, de vous défendre de tout mon pouvoir avec l'aide du Seigneur comme il est juste qu'un roi agisse en son royaume envers chaque évêque et l'Église qui lui est commise. Je promets de distribuer au peuple qui nous est confié selon ses droits. »

La justice inspirée par la foi, tel nous apparaît bien le serment de Noyon. Hugues, bon capitaine, se garde bien d'évoquer ses conquêtes. Il se veut seulement arbitre et protecteur. Comment son avènement est-il accueilli? Comme un autre. Depuis un siècle, la couronne va des Carolingiens aux Robertiniens; malgré l'ultime tentative de Lothaire, l'hérédité cesse d'être reconnue. Étrangement, dans ce pays de droit salique, les alliances féminines comptent; les chroniqueurs trouveront toujours du sang mérovingien chez les Carolingiens et du sang carolingien chez les Capétiens qu'on nomme encore les Robertiniens. La science généalogique prend une ampleur dont elle ne se départira plus.

On l'a dit, la maison robertinienne, si puissante un siècle plus tôt, s'est ruinée plus qu'à demi dans sa lutte feutrée contre la descendance de Charlemagne. Hugues ne crée pas l'unanimité.

Il fait couronner son fils Robert, et cette cérémonie d'Orléans constitue une double précaution, puisque, remettant au pied des autels les serments d'allégeance, elle montre que les Robertiniens ne veulent plus «passer par le trône» mais l'occuper. Une lutte simultanément diplomatique et militaire s'engage. Le Carolingien prend Laon. Hugues et Robert le font excommunier. Les intérêts de Charles sont défendus par l'impératrice Théophano. Hugues est contraint de lever le siège. A la mort d'Adalbéron, le Roi fait évincer Gerbert de la succession rémoise au profit d'Arnoul, fils de Lothaire. Le nouveau prélat, demeuré lié secrètement à Charles, lui livre Reims. Gerbert, de son côté, proclame la légitimité du Carolingien. C'est là que se dénoue la méchante affaire. Hugues se fait ouvrir nuitamment les portes de la ville, parvient jusqu'à la chambre de son rival et le mène captif jusqu'en sa bonne ville d'Orléans. Il y meurt, semble-t-il, le 21 mai 992. Il laisse un fils, Othon de Basse-Lorraine, dont les préoccupations s'écarteront des questions franques, et deux filles mariées selon leur rang; l'une épouse le comte de Hainaut. C'est d'elle que descendra la tendre Isabelle, première femme de Philippe Auguste et aïeule de tous les Capétiens...

PORTRAIT D'UN FONDATEUR

On a parfois présenté Hugues Capet comme un médiocre et l'on a même trouvé dans ses défauts les raisons d'une élection qu'il défendit, toutefois, avec une indiscutable habileté. En dépit de la famine de texte, il est possible d'y voir clair. Hugues se présente d'abord comme un chrétien austère. Plus que ses prédécesseurs, sauf Pépin le Bref, il connaît parfaitement les arcanes de la diplomatie. Pour devenir roi des Francs, il s'est appuyé sur l'Empire avant de prendre des distances face aux Othoniens. Il donne un exemple à tous ses successeurs. Il se veut justicier sans passion, non plus qu'excessive indulgence. Pour autant, il se montre homme de guerre averti, n'hésite point à pénétrer chez un vassal s'il s'agit de redresser un tort. Il n'a guère à cheminer beaucoup pour sortir du domaine royal, ne possédant en propre, outre Paris, qu'Orléans, Étampes, Melun, Dreux, Poissy, Compiègne et Montreuil-sur-Mer, encore qu'au milieu de cette modeste région — c'est le cas pour Dreux —, il existe des enclaves parfois rebelles. Au total, Hugues n'est réellement chez lui que sur un territoire équivalent à la superficie moyenne d'un de nos actuels départements.

Sa position est triple. Petit seigneur, nous l'avons vu, il dispose de féaux directs, les comtes de Blois, d'Anjou, du Maine, et les comtes du Mans et de Rennes pour arrière-vassaux. Huit grands fiefs se partagent le reste du pays des Francs : Flandre, Normandie, Bourgogne, Guyenne, Gascogne, Toulouse, Gothie (Narbonne, Nîmes) et Barcelone. Avec d'infinies précautions, Hugues, puis Robert, feront reconnaître leur titre pour esquisser une réalité bien lente à venir.

Non, Hugues n'est pas un souverain de raccroc comme certains de ses sujets le pensent. Il possède un projet politique : unir sans détruire. Il sait que la route sera longue mais cette connaissance des lenteurs et des périls reflète une volonté farouche. Ayant écarté du trône le premier de ses fils survivants, Eudes, inapte à régner, il meurt saintement près de Chartres le 24 octobre 996.

ROBERT, LE SAINT EXCOMMUNIÉ

La carrière de Gerbert laisse toujours planer un doute sur les intentions de ce sorcier du ciel. Précepteur de Robert avant d'exercer les mêmes fonctions auprès du futur Othon III, pouvait-il, hors la religion, leur inculquer les mêmes principes ? Robert cherchait à construire une maison pour ceux qu'on ose à peine nommer ses sujets, Othon tendait à forger l'Empire universel. Concilier les deux entreprises a toujours constitué une recherche délicate. Il semble qu'à la vérité, Gerbert n'ait pas trahi les premiers Capétiens, il a seulement rêvé plus haut.

Selon la chronique, Robert nous apparaît fortement éduqué. Il sera l'auteur des paroles et de la musique de quelques hymnes latines et les interprétera lui-même, paré de ses ornements royaux que son père Hugues n'avait voulu revêtir qu'au jour de son sacre. Qu'il chante ou qu'il lève la lance, Robert met une fougue raisonnée dans ses activités. Pour une fois, l'une des premières, nous sommes bien renseignés sur la vie privée du prince. Marié trop jeune à la fille du comte de Flandre, Béranger, une dame Rosana, il la répudie pour convoler avec Berthe de Bourgogne, veuve du comte de Chartres. Ils étaient trop proches parents selon des canons d'une sévérité plus qu'excessive. Colère du pape Grégoire V, fulminant l'excommunication. Robert résiste quatre ans, mais Gerbert, devenu Sylvestre II, réussit à le convaincre. Berthe ne lui donnerait pas de postérité. Le chagrin du Roi laisse les Grands dans l'indifférence mais émeut le petit peuple. Trois ans passent et Robert épouse Constance, fille du comte de Provence, Guillaume. Elle dissimule mal, sous une charmante enveloppe, un caractère acariâtre, et ses cours d'amour irritent les compagnons du souverain. Elle réclame un poème à son mari. La réponse vient : *Constancia Martyrum.* La bonté de Robert, sa générosité sont telles qu'on ne saurait, pour le plaisir, se priver de quelques exemples :

« Un jour qu'il revenait de faire sa prière, où il avait, comme à l'habitude, répandu une pluie de larmes, il trouva sa lance garnie par sa vaniteuse épouse d'ornements d'argent. Tout en considérant cette lance, il regardait s'il ne verrait pas dehors quelqu'un à qui cet argent fût nécessaire, et, trouvant un pauvre en haillons, il lui demanda prudemment quelque outil pour ôter l'argent. Le pauvre ne savait ce qu'il devait faire, mais le service de Dieu lui dit d'en chercher un au plus vite.

« Cependant, il se livre à la prière. L'autre revient, le Roi et le pauvre s'enferment ensemble et enlèvent l'argent de la lance. Le Roi le remet lui-même de ses saintes mains dans le sac du pauvre, en lui recommandant, selon la coutume, de bien prendre garde que sa femme ne le voie.

« Lorsque la Reine vint, elle s'étonna fort de trouver la lance ainsi dépouillée et Robert jura par plaisanterie le nom du Seigneur qu'il ne savait comment cela s'était fait. »

Au château d'Étampes, construit sur l'ordre de Constance, Robert fit ouvrir les portes à tous les déshérités :

« L'un vint se mettre aux pieds du Roi qui le nourrissait sous la table. Mais le pauvre ne s'oubliant point découpa un ornement d'or de six onces qui pendait aux vêtements et s'enfuit au plus vite. Lorsqu'on se leva de table, la Reine vit son seigneur dépouillé, et, indignée, se laissa emporter contre le saint à des paroles violentes.

— Quel ennemi de Dieu a déshonoré votre robe d'or ?

— Personne ne m'a déshonoré, cela était sans doute nécessaire à celui qui l'a pris plus qu'à moi. »

Un autre voleur (il en existe encore dans les cours aux temps nucléaires) lui coupe la moitié de la frange de son manteau. « Va-t'en, va-t'en, contente-toi de ce que tu as pris. Un autre aura besoin du reste. »

« Un jour qu'il priait dans sa chapelle, il vit un clerc appelé Ogger qui montait furtivement à l'autel, posait un cierge à terre et emportait le chandelier dans sa robe.

« Les clercs se troublent qui auraient dû empêcher le vol. Ils

interrogent le seigneur, et il proteste qu'il n'a rien vu. Cela vient aux oreilles de la reine Constance. Enflammée de fureur, elle jure sur l'âme de son père qu'elle fera arracher les yeux des gardiens, s'ils ne rendent ce qu'on a volé au trésor du saint et du juste. Dès qu'il le sut, "ce sanctuaire de pitié", il appela le larron et lui dit:
— Ami Ogger, va-t'en d'ici que mon inconstante Constance ne te mange pas. Ce que tu as suffit pour arriver au pays de ta naissance. Que le Seigneur soit avec toi!

«Il lui donna même de l'argent pour faire sa route, et quand il crut le voleur en sûreté, il dit gaiement aux siens:
— Pourquoi tant vous tourmenter à la recherche de ce chandelier? Le Seigneur l'a donné à son pauvre.

«Une autre fois aussi, comme il se relevait la nuit pour aller à l'église, il vit deux amants couchés dans un coin: aussitôt il détacha une fourrure précieuse qu'il portait au cou et la jeta sur ces pécheurs.

«Puis il alla prier pour eux.»

Il nourrissait, nous apprend la chronique, de nombreux indigents dans ses châteaux et, en certains jours de fêtes carillonnées, il leur lavait les pieds et les servait lui-même. Cette habitude, on le sait, devait traverser les siècles.

Constance opposait vainement le cadet à l'aîné. De dépit, elle ligua les fils — Hugues, Henri, Robert — contre le père. N'y tenant plus, il se rendit à Rome pour que fût dissoute cette malheureuse union dans le but de reprendre Berthe. Il n'y parvint pas. Un autre chagrin l'attendait. Son premier fils, déjà sacré, mourut; il se hâta de conférer la dignité royale au second. Par grâce, n'allons pas imaginer un souverain toujours au chœur; Robert, en dix ans de lutte, obtient la Bourgogne. Elle sera l'apanage de l'un de ses fils. Le système, préférable au partage mérovingien, n'en présente pas moins des périls — dont la Bourgogne justement sera par deux fois l'illustration, puisque le fief ne retourne à la Couronne — entendons au domaine — qu'en cas d'extension de la descendance du bénéficiaire. Robert ne se disperse pas. En vain lui propose-t-on l'Italie. Son affaire, c'est le pays franc. Pour y faire régner la justice — très rude à l'égard des rares hérétiques — dans l'ensemble du royaume, il faut, dans le même temps, pacifier l'intérieur du domaine. La légende de la féodalité présentée comme un adversaire du pouvoir est, de nos jours, dissipée. Reste que la malhonnêteté de certains seigneurs appelle une sanction, et pas toujours des moindres. Le duc de Lévis-Mirepoix écrira:

«Les châteaux se multipliaient et prenaient cette ampleur imposante que l'on trouve encore à leurs ruines, hérissaient les collines, commandaient les vallées. C'étaient des armes à double tranchant. Indispensables à la sécurité des petits groupements en lesquels se répartissaient et se concentraient les exigences humaines, ouverts en cas d'alerte aux populations des campagnes et à leurs troupeaux, ils ont inspiré à Michelet ces fortes paroles : "C'est à leur ombre que se sont assemblés les premiers fragments de la patrie." Mais aussi, ils favorisaient les instincts de pillage de ces natures frustes et entières, promptes à la violence comme au crime et au repentir. On peut retenir que le pieux Robert, compositeur d'hymnes, inaugura ces expéditions punitives où devaient s'illustrer son fils et son petit-fils.»

En 1023, Robert alla rencontrer l'empereur ; c'était Henri II, le Saint, successeur d'Othon III. Les deux princes s'inquiétaient de la décrépitude du clergé séculier. Tout était à vendre. Les prêtres, à l'exemple des évêques, se mariaient, négociaient et rachetaient des cures. La simonie était devenue courante. L'Église romaine, aux mains des Crescenti, des comtes de Tusculum et autres individus, voyait se succéder leurs candidats à la papauté. On dit qu'une Crescentia, après s'être donnée à l'étincelant Othon III, l'aurait empoisonné en lui faisant absorber, avec force caresses, le contenu d'une coupe. Henri le Saint, plus puissant que Robert, réussit mieux dans son entreprise.

Le roi des Francs s'était montré simple et doux sans perdre de son autorité. Constance détruisit une partie de son travail en faisant accorder la Bourgogne à son troisième fils. Il n'importe, c'est dans le domaine que le fils de Hugues Capet avait montré le chemin de l'ordre et de la justice. Lorsqu'il mourut à Melun, le 20 juillet 1031, le peuple le pleura.

LE ROYAUME CHANGE DE VISAGE

Henri Ier et Philippe Ier devaient frôler la catastrophe. Henri s'unit à la fille du grand-duc de Kiev, Anna. Du même coup, parce que le Russe prétendait descendre des rois de Macédoine, on fit pénétrer le prénom de Philippe dans la maison de France. Veuve, Anna fila d'autres amours mais la politique ne s'en trouva point bouleversée. On ne sait même pas si elle retourna dans le monde glacé d'où elle était venue. Constance, mère de Henri Ier, en revanche, déchaîna le tumulte ; au lieu de s'en remettre à la loi, elle proposa ses deux fils survivants au choix. La primogéniture n'est pas encore établie. Seul le sang compte mais pas forcément celui de l'aîné. On retrouvera cette conception jusqu'au complot tramé contre Charles IX au profit de son frère Alençon et même dans l'accession de Louis-Philippe. Une guerre s'ensuivit, d'autant plus périlleuse qu'elle se déroulait au cœur du fief capétien. Philippe Ier, affirme-t-on, s'en alla, entouré de 12 compagnons, réclamer de l'aide à Robert le Magnifique, duc de Normandie. Fidèle à sa vassalité, le duc accepte, remet de l'ordre, et obtient le Vexin pour récompense. La Bourgogne passe au frère du Roi. Elle ne changera plus de branche de 1032 à 1361.

Robert le Magnifique (ou Robert le Diable), partant pour la croisade, confie à Henri le soin de reconnaître le petit Guillaume, fils de la belle Arlette, elle-même issue d'un tailleur. Jolie occasion pour les Normands de montrer de l'humeur. Robert trépasse sur le chemin du retour, mais les partisans du bâtard sollicitent le souverain. Henri manque périr à la bataille de Val-des-Dunes, impose toutefois le jouvenceau contre un collatéral. Cela n'empêchera point Guillaume de s'opposer par la suite à son suzerain. Avec l'Empereur, les relations sont tendues et Henri fait revivre les prétentions franques sur la Lorraine. Le César cherche à détacher l'Église de notre communauté, du moins dans les obligations séculières. Réaction très vive de Henri ; son pauvre argent lui vient des clercs et il en a bien besoin. Ces démêlés, sans gravité pour l'instant, montrent bien que les conséquences du traité de Verdun et l'inepte création de la Lotharingie n'ont pas fini d'endeuiller l'Europe.

CLUNY, LES VILLAGES, LES SERFS

Le monde monastique s'amende sous l'impulsion des abbés de Cluny. Désormais, les Bénédictins abandonnent les travaux de défrichage pour s'adonner à la vie contemplative, au service divin, aux activités intellectuelles. La «mère bourguignonne» ne possédera pas moins de 1 600 «filles» dont 815 pour le pays franc. Ces établissements jalonnent parfois les routes de pèlerinage, notamment celle de Saint-Jacques-de-Compostelle. Cluny, forte de son extraordinaire expansion, assure souvent la paix entre les princes chrétiens. C'est d'elle que viendra l'idée de la croisade. Elle développe l'art roman. Son influence baissera lorsque saint Bernard (1090-1153) défendra, contre Pierre le Vénérable, un ascétisme qu'il opposera, non sans vigueur, à «l'humanisme» clunisien.

L'usage de la pierre se généralise. Voici que se dressent des donjons, puis des châteaux. A leur abri, les villages s'organisent, la seigneurie s'instaure. Si elle est foncière, elle comporte aussi des droits banaux, conséquence de l'exercice de la justice, bientôt en régression au profit des grands feudataires puis du Roi lui-même. La banalité porte sur l'obligation d'utiliser les fours, les moulins à blé, les pressoirs, les brasseries. Les forêts, les garennes, les pêches ressortissent à cette même banalité. C'est un moyen pour le tenant du fief de subvenir à ses besoins et à ceux de sa famille. En échange, les paysans sont protégés. Que survienne un danger, ils se précipitent dans l'enceinte avec leurs bêtes. L'esclavage a dès longtemps disparu, sauf dans les pays méditerranéens. Subsiste le servage. Les serfs sont attachés à la terre mais ne peuvent être déplacés. C'est la notable différence de condition entre les déshérités occidentaux et celle des Slaves et, bien entendu, des Arabes.

NAISSANCE DE LA CHEVALERIE

Tandis que le monde monastique tend à s'amender face à la dégradation séculière, se développe une institution nouvelle: la chevalerie. Elle confère au siècle une physionomie très différente des précédents. Jusqu'ici, de vagues codifications féodales ne concernaient que les propriétaires. L'homme d'armes méritant n'était tenu — hors du combat — que par l'obéissance à son seigneur. Désormais, sous l'influence des clercs et avec l'appui du souverain, apparaît une nouvelle catégorie. Il s'agit d'un homme opposant une violence volontairement domptée à la violence aveugle. Exemple: on attaque l'adversaire de front sans chercher à tuer son cheval. On fait payer rançon — il faut bien vivre — mais on assiste les femmes et les enfants. Beaucoup plus tard, la chevalerie deviendra, par un majestueux contresens, une qualification nobiliaire destinée à distinguer les gens nés des roturiers acquéreurs de fiefs nobles. Ainsi, les parlementaires de bonne maison se donneront de l'écuyer ou du chevalier devant leur marquisat ou leur comté de récente acquisition. Mieux — ou pis — les cadets de famille seront désignés par ce mot. A l'origine, et ce n'est guère plus brillant, le chevalier romain était un contribuable assez à l'aise pour payer le prix d'un cheval... mais il ne le montait pas. Sous Henri Ier, la chevalerie n'est pas héréditaire. Elle ne requiert pas non plus la noblesse, toutefois elle y conduit et l'on cite des paysans adoubés pour comportement exceptionnel.

Dans l'Empire, les chevaliers formeront une classe. Goetz de Berlichingen, Florian Geyer en seront l'illustration. En Angleterre, l'institution demeurera longtemps stable. Dans les Italies, il faudra composer avec le condottiere. Partout, en Occident, on comptera assez strictement avec une règle de vie laïque que le chef-d'œuvre de Cervantes ne doit point détourner de ces constatations. Le grand don Miguel de Saavedra s'est moqué des lecteurs des *romanceros* dépassés par les pastorales, il n'a pas ridiculisé la chevalerie, au contraire.

Au vrai, la littérature française est née avec l'amour courtois. «Servir sa dame», tel est l'idéal du chevalier. Bientôt, il portera ses couleurs et, lorsqu'il quittera le harnois, ce sera pour chanter sa belle dans des termes excluant la passion physique.

Dans le même temps, la monarchie et l'Église instaurent la paix puis la trêve de Dieu (Toulouse 1027). On ne se battra plus du mercredi soir au lundi matin afin de respecter la Cène, la Passion, les Ténèbres et la Résurrection.

Henri Ier meurt, le 4 août 1060, à Vitry-aux-Loges, près d'Orléans, à l'âge de 52 ans, laissant un fils mineur : Philippe Ier, dont la tutelle est assurée par le comte de Flandre. C'est tout à l'honneur du roi défunt. «Celui qui, en 1033, écrira M. Dhont, devait fuir ses États, a pu sans inconvénient laisser sa succession à un enfant de sept ans.»

Les dates n'amusent jamais. Elles furent même souvent présentées de façon désastreuse par les régents de collège. Elles sont toutefois les béquilles de l'histoire ; tandis que la France marche à petits pas vers un semblant d'unité, la Normandie va très vite en besogne. En 1054, l'an de la rupture religieuse entre Rome et Byzance, celle-ci refusant l'usage des azymes pour l'eucharistie, le jeûne des samedis de carême, la consommation des viandes rouges d'animaux suffoqués, etc., Robert Guiscard s'est implanté en Campanie, puis dans les Deux-Siciles. Il sortira de cette conquête le premier État moderne, celui d'un héritier par sa mère Constance de la maison de Hauteville, Frédéric II de Hohenstaufen. Autre affaire : Guillaume le Bâtard, à la suite d'intrigues assez déshonorantes, profite d'une invasion norvégienne pour attaquer le noble roi d'Angleterre, Harold. Vainqueur au nord, le souverain arrive à Hastings. Guillaume invente la célèbre approche indirecte. Il fait tirer, non point droit, mais demi verticalement, et détruit ainsi le centre adverse. Harold tué, son armée se débande. Le duc de Normandie demeure vassal du Capétien pour la Normandie mais il est roi d'Angleterre (25 décembre 1066).

Pour parvenir à l'unité catholique, il est nécessaire d'engager des forces spirituelles. Il faut revenir à Cluny. La fondation du monastère remonte au siècle précédent. Le territoire est donné par Guillaume le Pieux à l'abbé Bernon. Les quatre abbés successifs accéderont aux autels, Odon, Maïeul, Odilon et Hugues. Avec ses «filles», nous l'avons dit, apparaît le style roman : voûte en plein cintre, berceau brisé, coupole, élimination des couvertures, proies fréquentes des incendies. Saint-Philibert de Tournus et Saint-Sernin de Toulouse constituent des exemples achevés de cet art, à la fois neuf et renouvelé des techniques anciennes. On prie et l'on travaille. On sauve de la destruction les débris du savoir antique, tandis qu'un trouvère élabore la *Chanson de Roland*. La campagne, sous l'impulsion des clercs, retrouve, ou presque, la physionomie de la Gaule romaine. On a redécouvert la jachère triennale. Le collier de force et le perfectionnement des attelages font leur apparition. Les forêts sont défrichées. Les routes redeviennent praticables. De nouveaux ponts sont jetés par ceux qu'on appelle joliment les «frères pontifes». Les marchands se déplacent et s'assembleront bientôt en foires. Les châteaux servent de relais sans oublier d'imposer des péages parfois abusifs. Le royaume connaît-il une expansion démographique? C'est vrai quant à certains lieux, faux pour d'autres. Les tentatives de recensement demeureront trop parcellaires.

PHILIPPE Iᵉʳ DEVANT LA CROISADE

Le caractère de Philippe Iᵉʳ se dessine malaisément. Combattant habile, négociateur d'une extrême finesse, il ne suscite point l'admiration. La raison en est simple. Il ne participa point à la première croisade. N'était-il pas excommunié par Urbain II pour avoir répudié Berthe de Hollande et enlevé Bertrade de Montfort, épouse de Foulques d'Anjou? Avec lui se pose pour la première fois la grave question des Flandres. L'Angleterre voudrait y faire peser son influence pour assurer son commerce. Ainsi se dessine un conflit, dont seule la création de la Belgique verra la fin.

Défait au mont Cassel (1071) par Robert le Frison, il dresse Robert Courteheuse contre son père Guillaume. Le Bâtard répond par l'invasion du Vexin mais trépasse sans l'avoir emporté. Poursuivant ses annexions, Philippe réunit à la Couronne le Gâtinais (1068), le Vexin (1082) et la vicomté de Bourges (1100). Il meurt à Melun en juillet 1108.

LES PREMIÈRES CROISADES

En 1078 s'était déroulé l'un des événements les plus graves pour la chrétienté; les Turcs Seldjoukides ayant occupé Jérusalem. Selon Guillaume de Tyr, les pèlerins furent torturés, vendus comme esclaves. Il s'agissait de s'unir pour reprendre ces territoires. Eudes de Châtillon, clunisien devenu pape sous le nom d'Urbain II, vint à Clermont-Ferrand, accompagné d'un moine doté d'une fulgurante éloquence, Pierre l'Hermite. Pourquoi Clermont-Ferrand? Sans doute parce que le pontife, en pleine querelle des investitures (désignations des évêques), ne voulait pas s'en remettre à l'Empire et qu'il tenait à recueillir d'abord des informations d'Aymar de Montreuil, retour de Terre Sainte. Le pontife souhaitait refouler les Turcs Seldjoukides d'Anatolie contre quoi le basileus Alexis aurait tenté de réunir les deux Églises. Lorsqu'on vient se placer à l'endroit même d'où s'exprima Sa Paternité, on s'aperçoit — André Malraux pratiquera l'expérience — que les paroles du pape et de son acolyte ne portaient pas loin mais que l'enthousiasme de la foule constituait un réceptacle fabuleux. Chacun crut entendre: «Prenez la route de Jérusalem pour expier vos péchés; une gloire impérissable vous attend dans le royaume de Dieu. Souvenez-vous de la parole du Christ: "Renonce à toi-même, prends ta croix et suis-moi."» La foule hurla: «Dieu le veut!» Chacun se coud une croix d'étoffe rouge au côté. Certains, par crainte de se renier, se font marquer au fer. D'autres voulurent partir tout de suite. Ils s'assemblèrent autour de Pierre l'Hermite et du chevalier Gauthier sans Avoir et rejoignirent, à Cologne, une immense troupe. Il fallait se nourrir sur l'habitant et les représailles ne tardèrent point. En route, on massacra des juifs sous le prétexte qu'il était plus grave d'avoir tué le Christ que d'interdire sa sépulture. L'antisémitisme, selon passablement de chercheurs, trouverait là son origine. En dépit des privations, souvent mortelles, les gueux se comptaient encore 100 000 en atteignant le Bosphore. Le basileus Alexis Comnène les fait transporter en Asie Mineure où les gens du cru les exterminent. C'en est fini de la croisade de Gauthier sans Avoir et de ce Pierre l'Hermite dont Mgr Loutil reprit le pseudonyme pour enchanter notre enfance par ses prônes, ses romans et ses nouvelles. Comment rayer de notre souvenir ces pauvres hères ? Ils avaient voulu se dispenser des enseignements militaires et ils n'étaient tombés que pour le salut de leur âme.

Vint la vraie croisade. Elle se composait de 4 armées. La première regroupait le Nord, sous le duc de Basse-Lorraine, Godefroy de Bouillon. La seconde, recrutée au-dessus de la Loire, obéissait au comte de Vermandois, frère de Philippe Iᵉʳ, assisté de Robert Courteheuse, duc de Normandie. Raymond de Saint-Gilles, comte de Toulouse, prit la charge de la troisième. La quatrième fut normande sous Bohémond, fils de Robert Guiscard. L'absence d'une unité pouvait faire appréhender une défaite. Il n'en fut rien. Les Turcs, après une fière défense, furent chassés. Le 15 juillet 1099, Jérusalem tombait. Les chrétiens ne connaissaient ni le pardon ni l'oubli. Les pauvres avaient trop souffert, et l'Évangile ne dispensait pas de la revanche. Hommes, femmes, enfants furent passés au fil de l'épée.

Godefroy de Bouillon, refusant, par humilité, la dignité royale, se déclara simplement «avoué du Saint-Sépulcre». La couronne ne sera prise que par Baudouin Iᵉʳ, en 1100. En attendant, on créa la principauté d'Antioche et les comtés d'Édesse et de Tripoli. Hélas, on n'appliqua point la transmission de mâle en mâle. Ce fut une catastrophe pour ces nouveaux États dont l'organisation eût pu servir de modèle.

Très vite, des échanges commerciaux vont s'établir, connaissant des prolongements en Europe. Avec cette stupéfiante rapidité des transports médiévaux, on vit décharger dans les ports méditerranéens des objets nouveaux, des soieries, des travaux d'orfèvrerie. Si les Turcs apparaissaient mal dégrossis, ils occupaient des territoires arabes dès longtemps acquis à la civilisation dans ses formes les plus raffinées. Les barons francs, ainsi nommait-on les tenants de Jérusalem — adoptaient, pour partie, un style de vie nouveau. Ils l'exportèrent avec l'aide, jamais désintéressée, des flottes normandes et italiennes. Les deux premières croisades avaient créé, en dépit des victoires de la seconde, de très lourdes saignées. En Occident, bien des châteaux étaient à demi vides, nombre de chevaliers étaient morts et le petit peuple de Gauthier sans Avoir avait payé très cher. Il se crée une place pour les marchands. Privés de statut social, ils se mirent à l'œuvre. Sans les favoriser outre mesure, Philippe Iᵉʳ, et surtout son fils Louis VI le Gros, laissèrent agir. Les villes, confinées depuis la fin de la Gaule romaine à l'artisanat, reprenaient une fonction commerciale. Elles se prêtaient à de nouvelles structures, ces fameuses communes assimilées par les annalistes à nos syndicats. Ce furent les *amitiés*, les *conjurationes* nouées parfois contre les seigneurs. Il existe deux courants. Au sud, les gens de négoce retrouvent la tradition romaine que n'avait point détruit l'usage wisigothique. Au nord, on s'appuie sur les lois septentrionales, germaniques ou normandes. Prenons garde, si le Roi encourage les communes à l'extérieur, il se montre plus circonspect, et quelquefois hostile lorsqu'il s'agit du domaine intérieur. La commune souvent dangereuse, parfois cruelle — souvenons-nous de l'assassinat de l'évêque de Laon, Gaudry — a souvent été présentée comme un adversaire de la féodalité. De là, bien sûr, à prétendre que le Roi cherchait à détruire la société pour s'appuyer sur une puissance financière, le pas a prestement été franchi. Or la commune est moins une anti-féodalité qu'une féodalité collective. Elle offre un progrès économique et concourt à la création d'une société nouvelle. Elle présente, toutefois, un péril. En favorisant l'émiettement, elle peut engendrer des petites républiques à l'italienne présentant des factions. Sans véritable administration, la monarchie éprouve de fortes difficultés à négocier ce nouveau statut. Petites à leurs débuts, les villes affranchies ne deviendront pas des États dans l'État. Elles tendront moins à diminuer les fiefs qu'à les ouvrir aux négoces et, paradoxalement, à les enrichir par un jeu de redevances d'une extrême complication. Elles permettront bien l'organisation de milices rarement assemblées mais utiles en cas de conflit extérieur.

Ces considérations un peu terre à terre ne doivent pas faire oublier l'épopée des croisades.

LOUIS VI LE GROS

Louis, encore qu'initié très tôt aux affaires, entretient de mauvaises relations avec sa marâtre Bertrade, assez habile pour avoir réconcilié ses deux maris, le comte d'Anjou, Foulques le Réchin, et le roi Philippe Iᵉʳ. La dame voudrait la couronne pour l'un de ses fils du second lit. Le Roi, pour éviter les menées de sa redoutable épouse, évite de faire sacrer Louis — dont le nom procède comme celui de Louis le Pieux de la déformation de Clovis (Chlodoveg puis Hlodovicus) — mais réunit une assemblée solennelle où l'on déclare le jeune homme *roi désigné.* Il reçoit l'investiture du Vexin et obtient, par ses exploits, d'être armé chevalier.

Philippe l'avait promis à la fille du seigneur de Montmorency, possesseur du trop fameux donjon de Montlhéry. Cette famille constitue un clan redoutable parmi les vassaux du domaine. Louis rompt ses fiançailles et trouve désormais des ennemis farouches chez les Montmorency, alliés à Bertrade.

La situation apparaît si précaire que le jeune souverain ne peut gagner Reims et se fait couronner à Chartres. Afin de marquer la continuité, il intitulera quelque temps ses chartes: «Moi, Louis, fils du roi Philippe, par la grâce de Dieu constitué roi des Francs.» C'est assez dire combien il fallait ménager, par légalisme, les importants proches ou lointains. Observons-le: Philippe Iᵉʳ avait nommé Louis «le jeune prince», le reliant à la tradition mérovingienne. L'intéressé prend le quantième de VI. C'est se rattacher à Louis V, et par conséquent aux Carolingiens, lesquels ne manquaient pas de souligner leurs alliances avec «les fils de Pharamond». C'est toujours le souci de la légitimité.

Louis regagne, à Paris, le vieux palais de Julien. Il organise un marché pour développer le commerce mais aussi pour satisfaire sa gourmandise bientôt légendaire. A 27 ans, enseigné par le moine Suger, ancien serf, qu'il élève à la tête du chapitre de Saint-Denis, il est plaisant à regarder. Ses traits sont magnifiques, mais s'empâteront vite. A 46 ans, sa corpulence l'empêchera, lui, cavalier de légende, d'enfourcher un destrier.

UN BON MARIAGE

Les Capétiens n'avaient cessé, malgré leur attachement à la religion, de s'embarbouiller avec les papes pour des affaires nuptiales. Les prescriptions de l'Église, on l'a dit, touchaient à la plus intransigeante des minuties, quant à nos maîtres, ils conservaient un penchant germanique pour la polygamie. Le malheur consistait à ne pas distinguer la reine des favorites. Il fallait une reine, deux, trois, mais jamais plusieurs à la fois. C'était une pratique que les papes, souvent démentis par les évêques, n'aimaient pas. Louis VI honore les dames avec discrétion, en trouve une parfaite, Adélaïde de Savoie, dont le physique n'apparaît pas comme la première qualité. En revanche, elle aide le Roi dans ses travaux. Louis lui donne un véritable droit de regard s'étendant jusqu'aux finances. Sans doute ferme-t-elle les yeux sur les passades de son époux, car la chronique, en général indiscrète, ne consigne pas d'esclandres. Adélaïde se méfie des hommes trop prompts à s'élever et, surtout, à systématiser l'hérédité de leurs charges et, par conséquent, leurs titres. Ainsi procède la tribu des Gallerande: Anseau, sénéchal, Étienne, archidiacre de Paris, Gilbert, bouteiller. A la disparition d'Anseau, un autre de ces démons, Guillaume, s'intitule sénéchal avant d'avoir reçu l'agrément de son maître. Encore qu'indulgente, Adélaïde conseille et obtient le congé de l'encombrante famille... prendra les armes durant cinq années, sera battue... demandera, par l'intercession de la Reine, le pardon du Roi, recouvrera pour l'un des siens la charge de chancelier. Louis n'a point oublié les anciens services. Une telle révolte de fonctionnaires souligne la situation encore précaire du royaume. Le Roi, qu'on répute impulsif, se révèle calculateur. Inquiété par deux puissances, l'Angleterre et l'Empire, il entend mettre de l'ordre dans le domaine pour se faire écouter de ses feudataires. Voilà pourquoi, en dépit de son obésité, il mène une répression constante contre les seigneurs pillards et détrousseurs de pèlerins. Pour qu'il maintienne la parole haute, il faut d'abord que son domaine devienne exemplaire, qu'on puisse se rendre, sans être molesté, de Paris jusqu'à la lointaine ville d'Orléans. Louis conduit donc des actions le plus souvent favorables contre les tenants de Montmorency, de Montlhéry, de Coucy, de Crécy, forteresses vertigineuses, annonciatrices des kraks hiérosolymitains.

LA BATAILLE MÉDIÉVALE

La bataille médiévale apparaît simple. Le chef, monté sur un cheval qu'on commence de caparaçonner, reconnaissable à son casque couronné, aux pavillons flottant sur la lance de ses écuyers, conduit la charge. Ses chevaliers vont à sa suite, et souvent le serrent de près pour protéger sa personne. Parfois, le monarque demeure seul. Un jour, un insurgé croit le capturer. «Le Roi est pris!» La masse de Louis tombe. On ne prend pas le Roi aux échecs. Il s'encolère aussi vite qu'il revient à sa bonne humeur. Est-il sage comme Hugues, mystique comme Robert, politique comme Henri, prudent comme son père Philippe? Il est tout à la fois. Il serait, dit-on, moins réfléchi. C'est ce qu'affirment les annalistes agacés par les apologies de l'abbé Suger. Que le Roi soit d'un tempérament plus vif que ses prédécesseurs est probable, toutefois il ne s'entête pas, respecte la féodalité même si elle lui pèse quelquefois. On ne saurait douter, cette fois, de Suger lorsqu'il nous rapporte l'affaire de Clermont dont le comte guerroyait contre l'évêque. Louis VI prend parti pour le prélat en oubliant (?) que le duc de Guyenne est suzerain de Clermont. Le grand feudataire s'avance à la tête de ses gens et tient ce discours:

«Seigneur Roi, ton duc d'Aquitaine te souhaite santé, gloire et puissance. Il t'offre ainsi qu'il doit son hommage et son service comme tu dois être pour lui un suzerain équitable. Le comte tient de moi l'Auvergne comme je la tiens de toi. S'il s'est rendu coupable, je dois le présenter au jugement de ta cour et je te donnerai tous les otages que croiras nécessaires pour garantie de ma fidélité.»

La belle leçon de droit féodal entendue, Louis s'inclina.

La fortune se montre parfois inconstante. Ainsi le Roi ne peut-il imposer son candidat en Flandre, mais la partie la plus importante se joue avec les Anglais et les Impériaux. Un jour, Louis connaît la défaite à Brémule devant Henri Ier, premier fils du Conquérant. Il y perd même ses chartes enfermées dans un coffre. Désormais, on n'emportera plus à la guerre les «papiers d'État» et sera créée au palais une chancellerie. Louis voit s'en aller la suzeraineté directe du Maine et de la Bretagne. L'affrontement se termine-t-il? Non, l'empereur Henri V déteste le rôle joué par nous dans l'éternelle querelle des investitures, n'admet pas l'intransigeance de Bernard de Clairvaux, rénovateur de la vie monastique et ami du roi Louis. En 1120, les deux fils de l'Anglais périssent dans le naufrage de la *Blanche Nef*. Il ne reste qu'un enfant au malheureux, c'est Mathilde, épouse du César. L'Empereur se veut chez lui partout? A sa menace de marcher sur Paris, Louis répond: «Trop Allemand.» C'est alors qu'on peut mesurer les étapes parcourues depuis les débuts de la dynastie. Le Roi se rend à Saint-Denis et lève l'oriflamme. Ses vassaux s'assemblent, la rencontre devrait se dérouler en Champagne. Henri V se retire sous le prétexte d'une insurrection à Worms. Elle devait être sérieuse puisque l'auguste souverain y trouva la mort. L'attitude de Louis le Gros a provoqué le rassemblement de toutes les forces vives. Peut-on parler d'une coalition d'intérêts si l'on se souvient que le comte du Maine est fort ami du roi d'Angleterre, que le duc de Guyenne, d'ailleurs confus de s'être présenté tardivement à la confrontation, ne saurait être présenté pour proche de Louis VI ? Non, il s'est produit avec les féodaux, les chevaliers, les gens des milices, un événement capital, le royaume des Francs est en passe de devenir le royaume de France. Louis VI, retournant à Reims, sous les vivats, «avait fait briller, dit Suger, l'éclat qui appartient à la puissance du royaume lorsque tous ses membres sont unis».

Nouvelle satisfaction, le duc d'Aquitaine, Guillaume X, meurt sans enfant mâle en 1137, ne laissant qu'une fille, Aliénor, qu'épouse l'héritier de la Couronne, le futur Louis VII. L'immense fief va-t-il entrer dans le domaine ? Sur cet ultime coup d'éclat Louis VI meurt à Paris, le 1er août 1137. Il laisse un souvenir magnifique dans le cœur de ses sujets.

LOUIS VII ET ALIÉNOR

L'Aquitaine ne forme pas un apanage concédé mais, duché préexistant à la consécration capétienne, il demeure donc la propriété d'Aliénor et ne passe pas dans le domaine royal. Si le couple formé par Louis VII et Aliénor n'obtient pas de postérité, cet immense territoire ira, en pur droit féodal, à l'un des collatéraux de la Reine.

Le jeune souverain et son épouse s'entendent mal. Tout entier aux mains des clercs, Louis VII bâille aux cours d'amour et n'aime pas trop les atours féminins devenus bien suggestifs. Aliénor, elle, supporte mal Suger et ses religieux. Le Roi, amoureux de la paix, procède à quelques déplacements d'évêques. Le climat s'assombrit encore lorsque 1300 malheureux périssent dans l'incendie de l'église de Vitry lors d'une expédition punitive contre Thibaut de Champagne en révolte pour une affaire matrimoniale. Louis VII se sent mal à l'aise. La reprise d'Édesse le détermine à se croiser pour expier ses péchés. A Vézelay (Pâques 1146), il convainc le pape Eugène III, et saint Bernard, d'abord réticent, entraîne du même coup l'empereur Conrad III et son étincelant neveu qu'on commence de nommer Frédéric Barberousse. Ainsi la France et l'Empire veulent ensemble préserver les Lieux saints, avec quelque 70 000 combattants. Conrad, victime de la trahison de guides grecs, est battu.

Louis VII, victime des mêmes Hellènes, durant la pénible traversée de l'Anatolie, se conduit en mauvais stratège mais en bon cavalier. Aussi rude que ses ancêtres, il donne de la hache, de la lance... Raymond de Poitiers, le prince d'Antioche, oncle d'Aliénor, propose de l'abriter dans sa ville pendant que l'armée, au commandement de Louis, se portera sur Alep pour tourner Édesse. Refus du souverain, il trouve le prince d'un empressement suspect auprès de sa femme. Finalement, on attaque Damas dont le régent entretenait avec les Francs de bonnes relations. L'opération se révèle sans résultat. Antioche est tué, la Reine ne dissimule pas son désespoir. On affirme qu'un esclave maure a reçu ses faveurs. Cette croisade aura tout de même impressionné les musulmans, mais augmenté la tension entre gens du royaume et de l'Empire, développé l'aversion pour les Grecs. Baudouin III redressera vite une situation rendue moins délicate par l'intervention.

Suger réclamait le retour du Roi. S'il s'était démené pour assurer la stabilité du royaume, il n'en rencontrait pas moins des difficultés. Le comte de Dreux, propre cadet de Louis VII, avait devancé son aîné pour susciter une révolte. Suger, à la fois patient et redoutable, fit échouer la tentative. Il travaillait inlassablement, subvenant de ses deniers à la marche des affaires et même au financement de la croisade. Abbé de Saint-Denis, il reconstruit l'église, trésor de la statuaire, de l'orfèvrerie, de l'art du vitrail et dont le chœur présente l'une des premières manifestations du gothique. Le Roi décerne à l'abbé le titre de Père de la Patrie. Aurait-il empêché la rupture du couple? Quand il meurt (janvier 1151), Louis et Aliénor arguent d'une ancienne réserve de saint Bernard et d'une proximité familiale: ils descendaient tous les deux de Robert le Pieux, bisaïeul de Louis et quadrisaïeul d'Aliénor. Le 21 mars 1152, le concile de Beaugency prononce la nullité, sans retirer la légitimité des deux filles des requérants. Aliénor épouse un garçon riche de promesses: Henri Plantagenêt, comte d'Anjou. Par héritage de sa mère, l'impératrice Mathilde (1154), il devient roi d'Angleterre. On pourra parler d'un empire anglo-angevin. Louis voit clair. Il a compris, il lui faut un descendant mâle; si de son mariage avec Constance de Castille il n'obtient pas satisfaction, il trouve enfin la joie d'être père avec Adèle de Champagne. Elle lui donne Philippe, dit Auguste, parce qu'ayant vu le jour au mois d'août (21 août 1165). Longtemps abattu par les inconstances d'Aliénor, Louis VII reprend la politique de son père. Il rend la justice en faveur de l'Église tant en Champagne qu'en Bourgogne. En 1166, il défend Vézelay contre le comte de Nevers, soutient Cluny contre Chalon, dont il confisque le comté. Le comte de Mâcon et le vicomte de Polignac doivent s'incliner devant l'évêque du Puy. Il s'agit, en outre, d'empêcher la création d'une frontière commune entre les possessions anglo-angevines et l'Empire. Pour ce faire, Louis VII obtient l'hommage des sires de Bourbon et de Beaujeu. Allant plus au sud, il reçoit le serment du comte de Forez, renforcé par la soumission de l'évêque de Mende. Infatigable, il vient assister Raymond V de Toulouse, menacé par Plantagenêt. Bien entendu, il réussit à monter les terribles fils de Henri contre leur père. Autre affaire très profitable : Frédéric Barberousse relance la querelle des investitures, et le pape Alexandre III vient se réfugier à Sens. Sa médiation présentera la plus grande utilité lorsque Frédéric, souverain fascinant par ses vertus et sa grandeur mais redoutable par son intransigeance, voudra se réunir au Plantagenêt pour nous attaquer.

On se souviendra que Louis VII, sans être le premier à légiférer par actes, édits ou diplômes, avait publié les premières ordonnances royales. Ce prince inégal mérite mieux que sa réputation de mari trompé. Aliénor a fait rêver les troubadours et suscite toujours des biographes, mais le Roi, lui, malgré ses erreurs, a développé l'œuvre de son père, évité les plus graves embûches. Il trépasse le 18 septembre 1180, à Paris.

2

PHILIPPE AUGUSTE

Le 14 août 1179, au plus profond de la forêt de Compiègne, un jeune cavalier fait retentir en vain les appels de son olifant. Il saute de cheval pour, l'oreille au sol, recueillir le moindre bruit. Depuis des heures, il n'entend plus ses chiens. Il invoque Madame la Vierge et Monsieur saint Denis. Soudain, le fourré bruit. Serait-ce le sanglier ? Quel bon combat en perspective ! L'adolescent serre son épieu. Stupeur ! Un géant armé d'une hache apparaît. L'enfant prend peur... Il ne connaît pas les hommes des bois, craint seulement les créatures démoniaques évoquées à la veillée. La terreur l'envahit, le paralyse... Le géant est un solide bûcheron. Le chasseur s'en rend compte et se nomme en dépit de son effroi. Le brave homme demeure confondu puis ramène au château le téméraire. Il faut l'aliter, ajourner son sacre. Louis VII, si heureux de posséder ce garçon, se désespère, va-t-il le perdre ? Non, l'imprudent chasseur retrouve ses esprits. A la Toussaint de 1179, il reçoit l'onction du sacre au palais épiscopal jouxtant les chantiers de Notre-Dame de Paris. Avec un stupéfiant esprit de décision, il a commencé de gouverner, façonnant son domaine, intervenant en France et à l'étranger. A la disparition de Louis VII, Philippe, bien qu'aimant sa mère, Adèle de Champagne, n'accepte pas sa tutelle. La dame ira se réfugier, pour un temps, chez Aliénor d'Aquitaine. Le prince cherche femme. Le comte de Flandre, pair de France, comme le frère d'Adèle, et dans le même temps vassal de l'Empire, et donc plus puissant, n'a point de fils ; il laisserait une partie de ses biens à sa nièce Isabelle de Hainaut, la demoiselle d'Hermengarde, fille de Charles de Lorraine, dernier des Carolingiens. Elle reçoit en dot une seigneurie qu'on nommera l'Artois, et constituera les marches septentrionales du royaume. Le mariage se déroule à l'abbaye de la Sainte-Trinité. La Reine mère fomente une agitation, en appelle à Henri Plantagenêt, comme premier pair. A défaut de l'archevêque de Reims, frère d'Adèle, on recourt aux services de celui de Sens. C'est alors que meurt Louis VII. Henri rend hommage à Philippe et signe le traité de Gisors. «Si quelque personne a l'audace de vouloir faire quelque mal à l'un ou à l'autre d'entre nous, moi Henri, j'aiderai selon mon pouvoir Philippe, roi de France, mon seigneur contre tous les hommes, et moi Philippe j'aiderai de tout mon pouvoir Henri, roi d'Angleterre, mon homme et mon fidèle, contre tous les hommes, sauf la foi que nous devons à nos hommes, autant qu'ils nous la conservent eux-mêmes.» L'attitude du Plantagenêt donne à réfléchir. Il tenait pratiquement son jeune adversaire à sa merci. Pourtant, ses fils — Henri, Richard, Geoffroy — (comme la terrible Aliénor) sont au plus mal avec lui. Seul le dernier, Jean, lui paraît attaché. Le vieux souverain, en proie à la plus folle des passions, est allé jusqu'à séquestrer la fiancée de l'un d'entre eux. Le meurtre, dans sa cathédrale de Cantorbéry, de Thomas Becket, ancien compagnon de débauche devenu défenseur de l'Église, lui pèse. Il règne sur cet Empire anglo-angevin qu'il ne tient pas pour menacé. Un certain fatalisme habite désormais le *lion en hiver*.

Le traité de Gisors, renforçant le pouvoir du Capétien, indispose les feudataires. Au décès de la comtesse de Flandre, son mari conteste la part d'héritage revenant à la reine de France. Si la féodalité se comprend aisément, les féodaux, eux, ne sont pas toujours déchiffrables. Flandre convoitait, en vain, une place privilégiée à la *Curia regis*, tout comme Champagne l'avait voulue. Du coup, ils s'allient et entraînent Bourgogne. Henri Courmantel, fils aîné du roi d'Angleterre, se met dans la partie adverse. La guerre dure peu, entrecoupée de mille et une intrigues. Au traité de Boves, Philippe devient suzerain du Vermandois, rattache Amiens au domaine, se fait confirmer la dot de sa femme, et donner, par Bourgogne, Châtillon-sur-Seine. En outre, grâce à son beau-père, Hainaut, il rencontre le prestigieux Barberousse. Les deux souverains s'apprécient et décident de ne point se mêler réciproquement de leurs affaires.

ISABELLE

Isabelle tient bien sa maison, s'entoure de lettrés, tels l'historiographe Rigord et le chroniqueur Guyot de Provins. Les trouvères se mêlent aux troubadours. Cette cour naissante satisferait Philippe si lui venait un héritier.

En mars 1184, tandis qu'on se transporte à Senlis, la Reine, logée loin du Roi, apprend qu'une assemblée de prélats et de seigneurs va rechercher quelque consanguinité pour obtenir la dissolution.

Alors, s'étant dépouillée de ses parures, en tunique de bure et pieds nus, elle va d'église en église, emmène les miséreux, les infirmes, tous les déshérités dès longtemps attachés par son attention d'une constante délicatesse. Elle s'arrête devant l'hôtel du Roi. Il apparaît, descend les degrés dans sa robe rehaussée de joyaux, et prend les mains de celle dont il entend se séparer.

— Dame, je veux que tous sachent que vous ne partez pas de votre méfait, mais sans plus, parce qu'il me semble que je ne puis avoir lignée de vous. Et, s'il y a baron en mon royaume que vous vouliez avoir pour seigneur, dites-le-moi et vous l'aurez quoi qu'il doive m'en coûter.

— Sire, à Dieu ne plaise qu'homme mortel entre dans le lit où vous avez dormi.

Elle s'effondre. Le Roi la serre dans ses bras :

— Certes, bien avez dit, car vous ne vous en irez jamais !

Tel est Philippe Auguste, génial à ses heures, autoritaire mais capable de tendresse, enthousiaste ou «déprimé», mais apte à dominer ses passions dès que la construction de la France entre en jeu. Cette fois, il a certainement oublié la dot, et la postérité.

Le 8 novembre 1187, vient au monde le futur Louis VIII. Il était dit, toutefois, qu'Isabelle connaîtrait peu de bonheur sur cette terre. Le 15 mars 1189, elle mourut en couches, et deux jumeaux disparurent, la rejoignirent au ciel. De son passage si court, si fragile sur le trône, est issue toute la lignée de nos rois et de la plupart des souverains d'Europe.

LA FRANCE DEVANT LA CROISADE

Philippe, parce qu'il a du cœur, prend le temps de pleurer et, très vite, celui de sécher ses yeux, pour considérer son royaume. Comme son grand-père Louis VI, il s'applique, sans trêve, à mettre la paix sur ces terres toujours ravagées par les grands et les petits seigneurs. Ce point d'honneur, que nous verrons se développer tout au long de l'Ancien Régime, coûte beaucoup de talent et pas moins d'argent. Avec une habileté qu'une plume distraite qualifierait de machiavélique, le prince réduit tantôt par l'astuce, tantôt par la rudesse ces perpétuelles guerres privées. Cependant, un instinct d'uniformité, représenté par le Roi, cherche à se faire jour. C'est l'art de Philippe de puiser pour légiférer dans les mouvements spontanés de son peuple, d'exercer un pouvoir régulateur sans étouffer la sève. Il soutient les villes, les paie pour organiser leur défense. Bon professeur, il leur apprend à détruire ce qu'on nommera plus tard les grandes compagnies. En 1183, 7 000 de ces routiers sont attaqués, encerclés, occis. 7 000, c'est l'équivalent de la population d'une ville florissante.

Philippe n'en finira jamais avec ces bandits, mais au moins aura-t-il entamé la lutte contre ces diables dont La Varende donnera l'un des plus puissants portraits dans ses *Contes amers*.

Le souverain, tel son grand-père Louis, aime Paris. Il construit des aqueducs, des hôpitaux. Dès 1185, commence le pavage. Le Louvre et son fabuleux donjon, aujourd'hui restauré, sortent de terre. La ville est protégée par une enceinte dont nous admirons encore une portion de remparts éminemment dissuasifs. Cette florissante période voit tout de même des guerres ; Henri II, battu, doit restituer le Vexin, céder Issoudun et la seigneurie de Fréteval. Son deuxième fils, Richard Cœur de Lion, entré dans le Languedoc, refuse de comparaître devant la cour. Philippe suscite une bonne vieille révolte des vassaux aquitains contre les Plantagenêts dont il profite pour enlever Châteaudun et Argentan. Il menace la Touraine. Richard fait hommage pour la Normandie, les comtés d'Angers, de Poitiers et du Maine. Henri II mène une existence sans espoir. Les maladresses de Richard ont compromis son action ; par le traité d'Aizay, il rend un nouvel hommage au Capétien, renonce à toute souveraineté sur l'Auvergne, paie une contribution considérable et meurt, abandonné de tous les siens, le 6 juillet 1190. Richard, désormais maître de l'Angleterre car son aîné Courmantel n'est plus, vit alors à la cour de France et ressent peut-être par remords une vive douleur. Philippe, de son côté, est mal remis de la disparition d'Isabelle.

NOUVELLE CROISADE

Devant la chute de Jérusalem, enlevée par le sultan Saladin, les deux rois, encouragés par le pontife, décident d'aller à la délivrance des Lieux saints. Philippe et Richard ne sont pas des fourbes, mais ils sont animés de sincérités successives. Ils partent bons amis sans trop savoir, ni l'un ni l'autre, s'ils le resteront, d'autant que leur trait d'union, Barberousse, vétéran de la croisade et vainqueur partout, vient de se noyer dans les eaux du Cydnus (Tarsous-Tchai), le 10 juin 1190. A Tyr, le marquis de Montferrat organisait une résistance d'où pouvait partir toute la reconquête, et Guy de Lusignan, son souverain et rival, tentait de racheter sa défaite de Hattin (juillet 1187) en mettant le siège devant Saint-Jean-d'Acre. Saladin possédait, outre une générosité demeurée légendaire, un art consommé tant de la défense que de l'attaque. Philippe, hors ses heures noires, manœuvrait aussi bien. Ce n'était pas le cas de Richard; quelques instructions données, il se jetait dans la mêlée à la manière de temps révolus.

A quelques jours près, les deux rois sont atteints de la suette. Richard, à peine guéri, Saint-Jean-d'Acre tombe. Philippe, lui, en proie aux effets d'une «dépression», ne songe qu'à rentrer. Est-ce pour ravir des territoires à Richard? On l'a souvent affirmé. Il est vrai, en tout cas, que la mort du comte de Flandre le détermine à s'en aller prendre possession de son héritage du traité de Boves: l'Artois et le Vermandois. Reste que le «gentil roi de France» encourage les menées de Jean sans Terre, dernier des fils Plantagenêt.

Aux alentours de la Noël, Philippe arrive à Fontainebleau dans un état moral que rend désastreux la nouvelle de l'assassinat du marquis de Montferrat, perpétré dans une rue de Tyr par des sicaires du Vieux de la Montagne, chef de la secte des Hashashin. Le Roi reçoit une lettre l'avertissant qu'il est lui-même menacé. En proie à la panique, il s'entoure d'une garde veillant sur lui nuit et jour, ne voit que ses intimes, dont l'archevêque de Reims devenu son meilleur serviteur. Il se réveille de sa torpeur pour agiter la Normandie, qu'il veut sienne, et l'Aquitaine, dont les barons se plaignent des exigences de leur suzerain.

Et Richard? Il l'avait emporté sur Saladin à la bataille d'Arsuf, puis avait passé le compromis de Jérusalem. Le sultan en restait le maître mais les Lieux saints étaient libres, et les fiefs des Poulains (Francs natifs d'Orient) demeuraient. En route, Richard fut arrêté par le duc d'Autriche, dont il avait indignement fait traîner l'étendard dans la boue des fossés de Saint-Jean-d'Acre. D'autres prétendirent, et l'intéressé le premier, que Philippe avait demandé ce service à l'empereur Henri VI. Pauvre Richard, si bien chanté par Sedaine et Grétry, il était incarcéré dans la redoutable forteresse de Trifels, bâtie sur un piton de la Haard, au-dessus de Landau. Il trépigna, négocia, finit par se reconnaître vassal du César, versa rançon et jura par les saints et les démons de tirer vengeance du roi de France. Henri VI écrivit à Philippe «que le diable était déchaîné».

INGEBURGE

Tandis que Richard se dépite à Trifels, Philippe, ayant recouvré la santé, songe que son héritier est affecté d'une complexion délicate. Pourquoi ne pas rechercher une nouvelle épouse? Il s'agit d'inquiéter le Plantagenêt par le nord. Le roi de Danemark, Kanut VI, entretient d'heureuses relations avec Paris. Ses étudiants disposent d'un collège sur la montagne Sainte-Geneviève, et il nous vend des chevaux réputés. C'est un souverain assez audacieux pour avoir tenu tête à Barberousse lui-même. Ingeburge, sœur de Kanut, soulève l'enthousiasme des plénipotentiaires, l'évêque de Noyon, le comte de Nevers, le sire de Montmorency. La rencontre se déroule aux portes d'Amiens. Ingeburge sourit, scintillante comme une étoile du Nord. Philippe, sans se départir de sa courtoisie, ne se montre guère empressé. Selon ses volontés, le mariage est béni le jour même, et le sacre déroulera ses fastes dès demain. Pauvre sacre! Philippe se met à trembler comme dans la forêt de Compiègne, comme après le meurtre par les Hashashin du marquis de Montferrat. Le soir, alors que la ville est en liesse, le souverain déclare devant les grands assemblés qu'il est ensorcelé, cependant que, dans le petit peuple, on commence d'affirmer que «l'aiguillette du Roi est nouée». L'archevêque de Reims, ne voulant pas desservir un neveu naguère combattu, amène les juges à se prononcer pour la nullité. Nous ne savons rien de la nuit suivant le mariage et précédant le sacre. Tout porte à croire que Philippe, paralysé par la beauté septentrionale de sa nouvelle épouse, n'a point su l'honorer.

Ingeburge fait appel à Rome. La lutte va durer fort longtemps.

AU BORD DU PRÉCIPICE

Richard bat Philippe à Fréteval, le 3 juillet 1194, puis couvre la Normandie par une forteresse formidable, Château-Gaillard, construite en deux ans à l'image des kraks syriens. La situation anglo-angevine redevient favorable. Le nouvel empereur, Othon IV de Brunswick, élevé chez les Plantagenêts, soutient Cœur de Lion. Des vassaux normands abandonnent les lis pour les léopards. Philippe a laissé son armée en Orient, et elle ne rentre que petit à petit. Sa position n'est plus numériquement tenable. Quelles que soient ses qualités manœuvrières, il ne peut s'opposer à l'offensive perpétuelle conduite non par des Anglais mais par des Aquitains.

Le pape Innocent III passe pour un grand politique. Le choisir pour médiateur apporterait un répit, mais le souverain est en conflit avec le Latran. L'appel d'Ingeburge entendu par le pontife, le nouveau mariage du Roi n'est pas reconnu. Philippe, après quelques déboires dans ses recherches, avait trouvé l'amour, le mariage, le bonheur en la personne d'Agnès, fille de Berchtold IV, duc de Dalmatie, de Croatie et de Méranie, apparenté à la maison d'Andec. Elle tenait l'épieu aussi bien qu'elle filait. Lorsqu'elle rencontra le Roi, on appréhenda quelque trouble. Il n'en fut rien. Innocent III s'acharne, accuse Philippe de bigamie. Les conversations traînent. Finalement, le pape jette l'interdit sur le domaine royal. Désormais, les églises sont fermées, les sacrements proscrits, sauf le baptême et l'extrême-onction. Les corps pourrissent sans sépulture, livrés aux oiseaux de proie. Philippe, se tenant pour indignement persécuté, fait transporter Ingeburge en un endroit secret et conserve Agnès auprès de lui, démet les religieux ayant transmis l'interdit. Le peuple gronde et les princes rivaux se divertissent. Alors, le Roi se prête au hideux chantage. Il accepte le retour d'Ingeburge, dès lors comblée d'égards trop appuyés pour ne pas être offensants. Il se sépare tendrement d'Agnès, avec l'espoir que Sa Paternité lui rendra la princesse dalmate. Il n'en sera rien. La petite mourra de douleur, avec pour seule consolation la reconnaissance de ses deux enfants, Philippe et Marie.

Ingeburge redevient reine de France.

Il semble que Philippe va tout perdre. Richard l'emporte dans une série de petits combats et s'allie au nouvel empereur Othon IV de Brunswick, neveu de l'Anglais — une coalition semble se dessiner. Le pape Innocent III impose la trêve de

Vernon, suivie du traité de Péronne. Le Roi doit restituer au comte de Flandre Douai, Saint-Omer, Béthune, il ne recevra plus l'hommage pour le comté de Guines et ne conserve que Gisors, en Normandie.

Le 11 juin 1199, Richard, assiégeant le château de Chalus en Limousin, pour, dit-on, se saisir d'un trésor, rencontre une flèche mortelle.

LA SUCCESSION DE RICHARD

Arthur de Bretagne, fils de Geoffroy, donc héritier légitime, s'oppose à son oncle Jean sans Terre. Philippe prend parti pour le neveu dont il s'adjuge la tutelle. A cette manœuvre, Aliénor réplique en donnant l'Aquitaine à Jean et l'incite à se faire reconnaître par les barons anglais. L'opération réussit et le Plantagenêt s'empare de la Normandie. Philippe, ne disposant pas des moyens de l'arrêter, négocie au Goulet (mai 1200), accordant l'investiture à Jean pour l'Anjou tout entier. Si le Plantagenêt n'était pas aussi coléreux que son frère défunt, il pourrait s'en tenir à ces conquêtes aisément obtenues. Non. Pour établir son autorité ducale sur l'Aquitaine, il attaque les Lusignan, confisquant leurs fiefs, occupant leurs châteaux. Les descendants de la fée Mélusine, dont une branche règne sur Chypre, portent leurs doléances à Philippe. Il cite le coupable devant sa cour, en avril 1202. Jean dédaigne de comparaître. Il est déchu de ses fiefs repris en main en vertu d'un jugement de commise. La sentence est injuste puisqu'elle s'étend à des territoires non concernés par les spoliations incriminées. Le Roi le sait si bien que, renonçant à pratiquer un tel agrandissement du domaine, il réserve le sort de l'Aquitaine, et déclare sienne la Normandie tandis qu'Arthur se voit dévolus Anjou, Maine, Poitou, Toulouse.

Arthur bloque Mirebeau, place occupée par sa grand-mère Aliénor. Le fils fait plier le petit-fils et l'interne à Falaise avant de le faire tuer à Rouen (avril 1203).

En un hiver, Philippe prend Château-Gaillard, récolte la Normandie et, le 24 juin 1204, reçoit la soumission de Rouen, tandis que Jean sans Terre repasse la Manche.

Le roi de France s'empare de l'Anjou, puis, avec l'appui des Lusignan, des places principales du Poitou.

Malgré un verdict hautement discutable et des menées souterraines, Philippe, en ces temps où l'honneur le dispute à la brutalité, l'emporte sur Jean, perfide et déséquilibré.

LE REDRESSEMENT DE BOUVINES

Le roi de France devient inquiétant. Voisins et feudataires ne sont-ils pas menacés? Jean, que le plus impartial des historiens éprouve du mal à défendre, organise toutefois, avec habileté, une terrifiante coalition: la Flandre, les seigneurs des Pays-Bas, le comte de Boulogne et Othon IV. En tenaille, les uns monteront d'Aquitaine, les autres descendront des provinces belgiques. Brunswick est contesté; le fils de Philippe, notre futur Louis le Lion, va s'entretenir à Vaucouleurs avec Frédéric de Hohenstaufen. Que le roi de France gagne contre l'empereur Othon et Frédéric disposera des moyens nécessaires pour reprendre la Sainte Lance. Déjà, l'armée germanique est atteinte.

Louis va couvrir l'Aquitaine, car Jean a contraint les navires français de se sacrifier aux Dunes, et a forcé le passage. Selon la tradition, une chapelle sera construite à l'endroit même où se rencontreront les deux porteurs de bonnes nouvelles: la victoire de La Roche-aux-Moines, où le prince Louis contraint Jean sans Terre de repasser à Londres, la victoire de Bouvines (dimanche 27 juillet 1214) où l'aigle d'Othon IV est envoyé diligemment au Hohenstaufen. Le retour revêt un aspect triomphal. Les barons de Philippe, ses chevaliers, ses hommes de milice représentent l'unité française et ils sont salués comme tels. A Paris, monte le délire et Ferrand de Portugal, comte de Flandre, s'entend crier: «Ferrand, tu seras ferré!» Ces slogans, on le sait, ne naissent jamais de la foule. Ils proviennent du souverain ou de ses entours.

LA LUTTE EN ANGLETERRE

Le prince Louis envahit l'Angleterre, mais Jean, vaincu, trouve une nouvelle défense. Il se déclare vassal du pape: Richard était demeuré, comme son père, plus qu'à demi Français, couvrant l'Anjou, le Poitou, le Maine d'édifices religieux, tel Cunault, tel Toreilles. Jean ne se préoccupe pas d'honorer Dieu, il se contente de flatter son pontife. La Grande-Bretagne, devenue «terre d'Église», retrouve, grâce à cette farce religieuse, la souveraineté de ce prince perfide mais ses barons se font payer et la *magna carta* vient limiter, et pour jamais, l'absolutisme des rois d'Angleterre (1215). Le texte précise : « Il y a des lois de l'État, des droits appartenant à la communauté. Le Roi doit les respecter, s'il les viole, le loyalisme cesse d'être un devoir et les sujets ont le droit de s'insurger. » C'est sans doute, après Bouvines, l'événement le plus considérable de ce xiii° siècle commençant. La mort de Jean (1217) verra les seigneurs anglais se rallier à son fils Henri III. Louis le Lion se trouve contraint de regagner le continent. Aliénor, avant de disparaître à 80 ans passés, vient de réaliser la meilleure action de son existence, donnant au Lion une épouse qu'elle ira chercher elle-même, Blanche de Castille.

LE DRAME CATHARE

Tandis que, des frontières du Nord à l'Aquitaine, ce n'est qu'une succession d'affrontements, l'ancienne Septimanie vit le plus souvent en paix. C'est le comté de Toulouse avec ses prolongements, tels que le comté de Foix ou bien au-delà des terres de France le marquisat de Provence, notre actuel comtat Venaissin.

La civilisation est, elle, à l'orée du xiii° siècle, supérieure à celle des contrées septentrionales. On l'a souvent répété. En fait, on parle une langue plus proche du latin, et les rapports féodaux tirent leur particularisme d'une imprégnation romaine plus forte qu'en d'autres contrées. La poésie est florissante, les magistratures élues sont nombreuses. Contrairement à la légende, il ne saurait s'agir d'une forme de démocratie. La maison de Saint-Gilles, se prétendant antérieure à Charlemagne, sait fort bien faire reconnaître ses droits. À la vérité, la douceur du climat, la fécondité de la terre, en bien des lieux, confèrent une qualité réelle à l'existence. Là, depuis un siècle s'était répandue l'hérésie manichéenne transmise par les Bogomiles ou Bulgares. Comme la chanson de la croisade commence par le mot *albiges*, désignant les campagnes blanches, on donnera plus tard à la ville d'Albi le privilège d'avoir été le centre de ce curieux foyer. Ces albiges se dénommaient les cathares, entendus les *purs*, par réaction contre une Église catholique laxiste et parfois corrompue. Les cathares et leurs directeurs spirituels, les *parfaits*, gens souvent de haut lignage, répudiaient la chair et haïssaient la vie. Ils allaient jusqu'à prôner l'extinction de l'étincelle humaine. La terre appartenait au diable, le ciel à Dieu. Il importait donc de faire disparaître le monde. A ce vœu s'ajoutait une disposition des plus graves; le *consolamentum* remplaçait tous les sacrements et tenait lieu d'absolution générale au moment du trépas. Insuffisant pour les parfaits, cela constituait un risque colossal pour le comportement du petit peuple. Le clergé est très largement minoritaire et certains seigneurs soutiennent le mouvement dans l'espoir de s'adjuger les biens des catholiques et surtout ceux de l'Église.

Dès 1179, le concile de Latran avait dépêché des missionnaires cisterciens pour éteindre le mal tandis qu'on créait une inquisition épiscopale. Ces mesures donnèrent des résultats dérisoires. Les cathares méritaient l'estime du pays pour leur dignité, les parfaits suscitaient même l'admiration et trouvaient l'hospitalité dans les milieux savants si, par hasard, ils étaient inquiétés.

En 1208, Pierre de Castelnau, légat pontifical en Languedoc, est assassiné devant l'église de Saint-Jean-du-Gard. Malgré l'amende honorable de Raymond VI, comte de Toulouse, sur le même lieu, Innocent III décrète la croisade «contre les Albigeois». Le jeu de Rome change peu. On s'accorde avec les indifférents et l'on condamne plus sévèrement des hommes moins séparés de la Foi. Se croiser pour la Palestine est toujours héroïque et comporte des avantages mérités : remise des péchés, terres «en proie», c'est-à-dire à discrétion. Une attaque d'une province française ne vaut point cela. Philippe Auguste se refuse à guerroyer contre l'un de ses vassaux mais ne peut empêcher certains seigneurs de l'Ile-de-France de se jeter dans l'aventure. L'un d'entre eux, Simon de Montfort, prend la tête de l'expédition et marche sur Béziers, fief du vicomte Trencavel. La ville est mise à sac. Le légat Arnaud Amalric aurait lancé :

— Tuez-les tous, Dieu reconnaîtra les siens.

Le vicomte est indignement traité. La population demeurée dans l'orthodoxie ne voit dans ces croisés que des envahisseurs. Le roi d'Aragon, Pierre II, vainqueur des Almohades à Las Navas de Tolosa, couronné par le pape en personne, tente une médiation. Elle échoue, il rejoint l'armée de Raymond VI et se fait vaincre et tuer à Muret (12 septembre 1213). Simon n'a point gagné pour autant. Les affrontements se succèdent, il obtient en proie le comté de Toulouse tandis que Raymond VI et son fils se voient rencognés dans le marquisat de Provence. La ville rose ne plie pas. Ses habitants manient la barbacane assez adroitement pour s'offrir la peau du seigneur de Montfort (1218). Son fils Amaury ne présente pas les mêmes qualités militaires. Philippe Auguste hésite sur la manière de s'y prendre. Il ne peut se laisser arracher le Languedoc par la papauté. Pour le conserver, il lui faut satisfaire à certaines exigences du Latran. Il facilite l'envoi de contingents aux croisés commandés par Louis le Lion. Insatiable, la papauté réclame plus, c'est-à-dire la présence du Roi lui-même et de son ost sur cette terre déjà ravagée. Le Roi vieillit. Il n'aime point à verser le sang sans utilité. Prince catholique profondément croyant, il discerne aisément le prétexte. Bien sûr, il se fait instruire des événements et constate que les procédés de Simon, très à court de soldats s'en revenant par chez eux dès la quarantaine libératrice accomplie, n'ont pas été conformes à l'idéal chrétien. Que peut-il faire pour préserver son royaume? Les rois espagnols sont trop occupés de la Reconquista, n'aiment pas trop ce prince éloigné d'eux. Henri III d'Angleterre voudrait assouvir la haine inextinguible portée aux Capétiens. Seul l'empereur Frédéric II entretient de bonnes relations avec la France, toutefois sa curiosité philosophique l'éloigne, pour l'instant du moins, d'une opération conjointe avec la papauté. Un moment, les cathares lui réclament même de l'aide. Le Roi pourrait-il maintenir sa suzeraineté, en se portant de sa personne sur ces terres profondément éprouvées et obtenir la paix? Il y songe, lorsqu'il meurt à Mantes, le 21 août 1165. Quand il a pris la France en charge, le domaine avait en deux siècles doublé. Il est désormais quarante fois plus considérable qu'au temps de Hugues Capet.

LOUIS VIII LE LION, PRINCE ÉTINCELANT, ROI MALHEUREUX

Diplomate remarquable, souvenons-nous de Vaucouleurs, chef militaire de premier rang, gardons à l'esprit La Roche-aux-Moines, Louis le Lion n'a point été sacré du vivant de son père, pas même associé comme Louis le Gros. Philippe Auguste a délibérément mis fin à la consécration du fils aîné du Roi du vivant du souverain lui-même. La France cesse d'apparaître comme une république consulaire. On ne discute plus la monarchie, du moins de l'intérieur. C'est l'une des plus hautes victoires capétiennes. Cela ne signifie point que la France soit formée. L'Anglais Henri III refuse de paraître à la cérémonie pour prêter l'hommage comme duc de Guyenne et comte d'Anjou. Il sera châtié. Le Roi groupe ses forces à Tours, fonce sur Niort, Saint-Jean-d'Angély, s'empare de La Rochelle, menace Bordeaux. Le prendrait-il que le feu ne serait pas éteint en Languedoc. Philippe Auguste avait déclaré :

— Les gens d'Église engageront mon fils à faire la guerre aux hérétiques albigeois. Il ruinera sa santé dans cette expédition, il y mourra, par là le royaume demeurera entre les mains d'une femme et d'un enfant.

Louis VIII, il est vrai, avait hérité du tempérament délicat de la charmante Isabelle de Hainaut et professait pour le clergé une déférence incompatible avec sa dignité. Il n'allait guère montrer de mansuétude à l'égard des hérétiques. Il va donc se croiser contre les cathares et y mettra le prix. Il est vrai que l'hérésie flambe de nouveau. Il est non moins vrai que le Latran n'accorde aucune confiance à Raymond VII rétabli. Enfin, à la tête de ses frères prêcheurs, saint Dominique, relevant l'inquisition épisco-pale, malgré la puissance de sa parole et l'exemple de sa pauvreté, n'enregistre que des succès partiels. Louis VIII se retrouve donc dans une situation analogue à celle de Philippe Auguste. Il ne peut ni ne veut laisser opérer les autres, même s'il s'agit de barons français. Au demeurant, Amaury de Montfort se déclare incapable de poursuivre la tâche de son père et obtiendra, en se retirant, l'épée de connétable. Le Roi doit revêtir son haubert; il réclame et obtient — en position de force — une trêve avec l'Angleterre conclue après la reprise du Poitou. Il lui faut le soutien du pape, l'aide matérielle du clergé, l'excommunication de Raymond VII. Désormais, la situation est nette; le souverain intervient chez lui. De nombreuses villes accueillent son étendard: Nîmes, Carcassonne, Albi, Castres, Pamiers. Devant Avignon, il faut mettre le siège. C'est doublement fâcheux. La ville, pas plus cathare qu'une autre, a manifestement accumulé les rancunes provenant de la première expédition et, en outre, elle appartient à l'Empire. Frédéric II, ayant reçu des lettres de respectueuses garanties, admet qu'on manœuvre devant chez lui. La fortune tourne en faveur de Louis VIII mais au prix de lourdes pertes.

L'armée s'avance jusqu'à quelques lieues de Toulouse, hérissée de fabuleuses défenses.

Le Roi ne veut pas s'aventurer. Il a contracté des fièvres lors de son succès d'Avignon, et nombre de ses gens éprouvent eux aussi les effets de la maladie. Remontant vers le nord, Louis doit s'arrêter à Montpellier et s'aliter le jeudi précédant la Toussaint de 1226. Il recommande de faire sacrer son fils aîné, déclare que jusqu'à la majorité royale il sera sous «la garde et tutelle de sa mère». Il meurt le 8 novembre.

4

INDOMPTABLE
BLANCHE DE CASTILLE

Le désespoir s'empare de Blanche de Castille, mais cette grande âme est façonnée pour défendre les justes causes. Elle apanage, selon la volonté du défunt, ses fils cadets et le fils d'Agnès de Méranie, Philippe Hurepel, nanti des comtés de Boulogne, Domfront, Mortain, Aumale et Clermont. Ce système produira toujours de fâcheux effets, mais il n'est point temps d'y mettre fin. Déjà, certains féodaux s'agitent; Pierre Mauclerc, duc de Bretagne, et Philippe Hurepel ne se montrent pas les derniers à se rebeller, le premier pour le plaisir, le second pour arracher la régence. Il ne l'obtiendra point, la mère d'un enfant noble étant baillistre de droit. La Reine Mère, tantôt indulgente tantôt sévère, apaise le différend. Elle est toutefois confrontée au plus assidu des travaux de Pénélope. Louis VIII n'a qu'à demi réglé l'affaire languedocienne. Par ses victoires, il a fait ressortir deux faits essentiels : les Languedociens ne sont pas tous des patarins, déformation du mot cathare, les sujets de Raymond VII ne sont pas tous, et bien loin de là, hostiles au roi de France. En 1229, Blanche offre un compromis à l'héritier de la maison de Saint-Gilles. Alphonse de Poitiers, cadet de Louis IX, épouse la fille du comte de Toulouse. Il dotera l'enfant de l'Agenais, du Rouergue et du Quercy. A défaut d'héritiers, le comté fera retour à la Couronne. Le reste, Carcassonne et Beaucaire, passerait au domaine royal. Pour la première fois, la France possède en outre un accès à la Méditerranée.

L'hérésie est presque éteinte. Elle va tout de même donner quelques exemples de faits d'armes qu'il faut saluer bien bas. Demeuraient des catholiques toujours prêts à protéger leur «pays». Ils défendirent les parfaits et leurs amis contre les dernières troupes françaises engagées dans les vallées profondes. Ils firent mieux. Certains d'entre eux, parfaitement à l'abri des sanctions inquisitoriales, passeront à l'hérésie pour être sûrs d'être brûlés. Ce fut l'honneur du champ des *cramats* au pied de Montségur. Vingt ans plus tard, Quéribus tenait encore...

Des historiens exalteront les cathares, leur désintéressement, leur courage, puis conféreront une curieuse portée politique à ce drame, verront dans les parfaits et leurs soutiens des précurseurs de libertés communales, au vrai bien antérieures à leur mouvement. Depuis, l'ésotérisme a fait recette. Assurément, les plaies seront assez longues à cicatriser mais le Languedoc ne perdra point sa personnalité, tout en prenant sa place dans l'unité française.

LES DÉBUTS D'UN SAINT ROI

L'éducation de Louis paraît bien austère et la tutelle va se prolonger longtemps. La jolie Marguerite de Provence, issue de l'illustre race des comtes de Barcelone, apanagée pour partie de notre côté des Pyrénées, supporte malaisément sa belle-mère. Sait-elle que la reine Blanche a dit à son aîné :

— J'aimerais mieux vous voir mort qu'en état de péché mortel.

Pour embrasser sa femme, le jeune roi doit se cacher dans les escaliers de Pontoise. Un jour que Marguerite est dolente, il est surpris au chevet de son épouse. Blanche en conçoit un fort courroux. Alors, la jeune femme de s'écrier :

— Ha ! Madame, ne me laisserez-vous mon seigneur ni morte ni vive ?

Louis, sans être rustre, manque parfois d'attentions. Serait-il plus craint qu'aimé ? Il offre pourtant à son épouse une bague où s'entrelacent lys et marguerites avec ces mots : « Hors cet anneau pourrions-nous trouver amour ? » Dieu leur donnera dix enfants, mais il est à remarquer que Marguerite ne témoignera point lors du procès de canonisation, par pudeur, sans doute.

Louis prend le pouvoir à l'âge de 28 ans. La transmission se révéla-t-elle facile ? Peut-être Blanche, empreinte de légalisme, entendit-elle sans se désoler cette phrase ouvrant les conseils :

— La foi que vous me devez...

La Reine Mère, dont nous connaissons le rigorisme, était assez bien vue des bourgeois de Paris mais si mal considérée par les

étudiants qu'ils soutinrent une grève de quatre-vingt-trois ans.
Ils accusaient Blanche de s'être donnée au légat Frangipani,
cardinal de Saint-Ange.

Que la Castillane, jolie au point d'attacher à ses pas le
turbulent Thibaut de Champagne, bientôt roi de Navarre, ait
bénéficié d'un physique agréable, ne lui ralliait pas toutes les
populations. Dans une période d'instabilité, elle œuvrait en
utilisant des armes subtiles.

5

SAINT LOUIS

On l'a dit, c'est à 28 ans, âge bien tardif, que Louis IX prit le pouvoir. Il semble qu'il s'y soit longuement initié sous la régente et ses fidèles. Sa piété revêt un caractère d'exception. On le réveille pour les matines. Il assiste quotidiennement à plusieurs messes, son ost s'avance en chantant des cantiques et non des refrains de marche (le pas cadencé, il est vrai, n'existera que sous Louis XIV à l'instigation de l'ingénieur Martinet). Le physique du souverain dément un peu, pour ce que nous en savons, cet aspect de roi-prêtre. Le prince est de haute taille, maigre, un peu voûté, des cheveux assez longs encadrent un visage irrégulier. Son expression traduit une profonde affabilité. Pourtant, son caractère est vif, parfois emporté ; jaloux de son autorité, il ne ménage ni clergé ni noblesse, mais il porte plus haut qu'aucun de ses prédécesseurs le sentiment de la justice. L'image du chêne de Vincennes demeure gravée dans toutes les mémoires. Il dit le droit au risque de créer des mécontents. Une femme furieuse se met à l'invectiver, criant qu'il ferait mieux de se cacher parmi les moines que d'être roi. Il empêche les sergents d'appréhender l'impertinente et lui répond :

— Vous avez peut-être raison.

En dépit de ce trait d'humour, il maintient son jugement. Cette image, encore qu'exacte, ne doit pas rejeter dans l'ombre le Roi-Chevalier. Au début de son règne, il investit son frère Alphonse du Poitou. Henri III soulève les Lusignan et autres arrière-vassaux, mais lorsque les Anglais arrivent sur les bords de la Charente, l'affaire est conclue à Taillebourg et à Saintes (juillet 1242). Henri demande une trêve. L'Agenais et le Poitou sont soumis.

Il ne demeure aux Plantagenêts sur le continent que la Guyenne, de la Dordogne aux Pyrénées.

EN CROISADE

En 1244, Louis IX tombe gravement malade et forme le vœu de se croiser. La situation des chrétiens d'Orient n'a fait qu'empirer. Les Français ne sont point réapparus depuis la triste odyssée de Philippe Auguste. De la IVᵉ croisade (1202-1204), Innocent III fut le promoteur. Elle ne comprenait pas de têtes couronnées. Prêchée par Foulques de Neuilly, elle comptait pour chefs l'illustre Boniface de Montferrat, Baudouin de Flandre et Geoffroy de Villehardouin, dont nous tenons les faits principaux. Il s'agissait de se rendre en Égypte, mais l'argent manquait et les navigateurs vénitiens se montraient soucieux de régler leurs comptes avec la ville dalmate de Zara (1202). C'était insuffisant et Constantinople fut prise d'assaut. Baudouin de Flandre en devint le basileus (1204). En 1212, se déroulait la pathétique croisade des enfants. Ils étaient en majorité venus de France ou d'Empire pour mourir le long des routes, être vendus comme esclaves en Algérie. Certains parvinrent à rentrer chez eux. La Vᵉ croisade, réclamée de nouveau par Innocent III, puis par Honorius III, fut menée par le talentueux Jean de Brienne, roi de Jérusalem, et par un solide guerrier, le duc d'Autriche Léopold IV. Dirigée contre l'Égypte, projet stratégique intéressant, elle ne put que se saisir de Damiette, faute de moyens.

Vint la VIᵉ croisade. Elle fut dirigée par un excommunié, Frédéric II. L'Empereur, suivi par ses célèbres moines-soldats, les chevaliers Teutoniques et Porte-Glaives, se conduisit avec une extrême habileté, bataillant moins qu'il ne négociait, il obtint Jérusalem, dont il prit la couronne (18 mars 1229), Bethléem, Nazareth et Sidon. Le scandale fut énorme en Europe mais les Latins demeurèrent sur place et la ville sainte nous resta pour quinze ans. Elle retombe en 1244, et la chute de Gaza n'autorise guère d'espoir. C'est alors que Louis IX s'organise. Il n'est guère stimulé par le pape Innocent IV au plus fort de sa querelle avec l'Empereur mais il s'indigne de la tolérance régnant entre chrétiens et islamistes. Un jour, la flotte du César capture des évêques français en route pour Rome. Le souverain écrit à Frédéric:

«Nous regardons la détention des prélats comme une injure et la majesté royale perdrait de sa considération si nous pouvions nous taire dans un cas semblable [...]. Que votre puissance impériale pourvoie à cette occurrence car le royaume n'est pas affaibli qu'il se soumette à vos éperons.» Un tel langage est bien fait pour séduire le Hohenstaufen. Il libère les captifs. Les rapports entre les deux princes ne se détérioreront jamais. Louis entend respecter Frédéric tant que sa prétendue hérésie n'est pas prouvée. Ainsi refuse-t-il, malgré les instances du pape, de lever son étendard en faveur de son frère Charles d'Anjou contre le dépositaire de la Sainte Lance.

La préparation de cette VIIᵉ croisade dure un an. Comme Jean de Brienne, Louis entend se rendre maître de l'Égypte pour réduire la Syrie et la Palestine. On mesure les efforts accomplis dans l'ordre financier si l'on songe que 36 000 hommes prennent place sur 1 800 bateaux. On part d'Aigues-Mortes où Louis a fait construire la tour de Constance supportant un phare indispensable pour percer la nuit et, de jour, l'opacité de la brume montant des étangs.

Louis IX aborde à Chypre, le 20 septembre 1248, au port de Limassol, accueilli par le roi de Chypre, Henri Iᵉʳ de Lusignan. L'ensemble des troupes et des approvisionnements n'étaient pas réunis. Enfin, on emporte Damiette en deux jours (juin 1249). Après un échec à Mansourah (1250), où Robert d'Artois, le charmant et aventureux frère du Roi, chef de l'avant-garde, compromet l'assaut et se fait tuer inutilement, Philippe de Montfort, seigneur de Thuron, négocie l'évacuation de Damiette contre la possibilité pour nos armées de retraiter librement ; il reçoit un faux message de Louis IX lui donnant l'ordre de se rendre. Le texte, œuvre d'un espion, conduit à la catastrophe. L'épisode demeure contesté. Enfermé dans Mansourah, avec 15 000 hommes, le souverain est rudement traité, menacé de torture et même de mort. Son vainqueur, Touran-Shah, est un mulâtre, descendant de Saladin. L'homme est féroce, finit par indisposer les siens. Ils le jettent à l'eau, écoutent avec dérision ses plaintes, le tuent, présentent son cœur au Roi. Louis se contente de détourner les yeux. Désormais bien traité, il souscrit une énorme rançon et demeure sur place jusqu'à ce qu'elle soit payée. Rien ne l'y contraint mais il veut montrer aux Turcs ce que vaut la parole d'un chef chrétien. Cet acte splendide frappe notre imagination mais nous étonne ; l'ennemi se fût contenté d'une partie de la somme taxant le reliquat d'intérêts. Non, Louis IX a voulu donner l'exemple et vivre au milieu de ses soldats prisonniers. Cette captivité semi-volontaire dure quatre ans et met gravement en péril la sécurité du royaume. Un illuminé qu'on nomme le Maître de Hongrie déchaîne une jacquerie redoutable, l'insurrection des Pastoureaux. Blanche de Castille, reconduite depuis le départ de la croisade dans ses fonctions de régente, montre, une nouvelle fois, sang-froid et habileté.

LE RETOUR

Louis IX, enfin revenu, s'applique à trouver l'équilibre indispensable au développement de la prospérité matérielle. En 1259, à Corbeil, il signe un compromis avec l'Aragon. Son roi, Jacques Iᵉʳ, renonce à ses droits sur les comtés de Toulouse et de Provence ; Louis, en revanche, abandonne toute suzeraineté sur la Catalogne et le Roussillon. Le traité de Paris (1259) nous place dans une situation curieuse face à l'Angleterre. Aux yeux du saint roi, les décisions de Philippe Auguste à l'égard de Jean sans Terre manquaient d'équité, il faut donc restituer, à l'extinction de l'apanage, la Saintonge, le Périgord, le Quercy, une partie de l'Agenais. Plus grave, la Guyenne demeure anglaise mais pour elle, l'Anglais, enfin, prêtera l'hommage lige. Heureuses stipulations : le Poitou, l'Anjou, la Normandie sont tenus pour définitivement annexés. Ces décisions apparaissent peu compréhensibles. Ainsi, nous perdons le Sud-Ouest qu'il était aisé de conserver en dépit des pertes de Mansourah. C'est toujours l'héritage maudit d'Aliénor. Qu'a voulu Saint Louis ? La paix perpétuelle ? Ce n'est pas de son temps. Non, il a, comme toujours, recherché le droit, se réservant d'intervenir en le gardant de son côté. En 1263, le voici chargé d'une médiation entre Henri III et ses barons. Il se prononce, par la mise d'Amiens, en faveur de Henri III, sans mettre fin à la confusion outre-Manche. Il partage en Flandre la succession de la comtesse Marguerite. Les enfants du premier lit auront la Flandre elle-même, ceux du second, Avesnes et le Hainaut. La suzeraineté capétienne amènera victoires et déboires. Il est nécessaire d'intervenir au Midi pour empêcher, provoquée par la faute de Charles d'Anjou, une guerre avec le dauphin de Viennois et le comte de Savoie. Tous les autres frères, comme tous les fils de Louis, seront, tels Alphonse de Poitiers ou Philippe III lui-même, des princes sérieux pénétrés par la grandeur de leur mission et l'exemple du saint roi. En dépit de son austérité, Blanche de Castille avait formé de solides chrétiens. Un seul de ces princes, Charles d'Anjou, devait déshonorer sinon la France et sa dynastie, du moins sa personne. A la mort de Frédéric II, la papauté, voulant en finir avec les Hohenstaufen, lui donna le trône de Sicile. Ce fut une boucherie sans nom. Conradin, fils de l'empereur Conrad IV, ayant tenté de reprendre le sceptre, à l'âge de 15 ans fut décapité. Le lundi de Pâques 1282, les Vêpres siciliennes, préparées par les Aragonais de Pierre III, mari de Constance de Hohenstaufen, devaient délivrer l'île. Saint Louis avait encore grandi son prestige en refusant tout soutien à son frère abominable.

En France, malgré des dépenses militaires ne ressortissant plus au système féodal, la situation économique devient très favorable. Si les villes grandissent, si se multiplient les marchés et les foires, des terres en friche depuis les Gallo-Romains sont mises en culture. La monnaie royale, stable dans sa teneur en métal, prime la monnaie seigneuriale mais perd parfois jusqu'à la moitié de sa valeur à cause de la hausse des prix. Malgré l'opposition de l'Église, le loyer de l'argent intervient fréquemment. Le niveau de vie n'en augmente pas moins.

L'administration devient opérante. La *Curia regis* et la *Curia in parlamento* se séparent. Encore que tout rapprochement soit aventureux, la *Curia regis* préfigure la maison du Roi cependant que l'autre annonce le parlement, nullement antérieur à l'avènement des Capétiens comme certaines longues robes le prétendront sous Louis XV et Louis XVI.

Le Trésor est déposé, depuis Philippe Auguste, au Temple. Les chevaliers de cet ordre perçoivent et distribuent, puis sont contrôlés par la *Curia in compotis*, ancêtre de la Cour des comptes. Les principales dépenses touchent à la guerre, à la diplomatie et aux domaines religieux et sociaux. Les grands fiefs se dotent d'une administration relevant du souverain. En Languedoc, l'impôt est voté par les trois ordres avec doublement du tiers formé par les bourgeois des bonnes villes. La féodalité suit, et parfois précède le mouvement royal. Le servage disparaît un peu partout. Le duel judiciaire est aboli. Thomas d'Aquin, sans tomber dans les pièges d'Averroès (négation de la création et négation de l'identité personnelle de l'âme), qu'il dénonce, restitue le meilleur de la pensée grecque. La Sainte-Chapelle, au cœur du palais, sert d'écrin à la couronne d'épines. Robert de Sorbon, fondateur de notre Sorbonne, exerce les fonctions de chapelain auprès du Roi. C'est assez dire que l'enseignement prend un tour nouveau. Les petites écoles, à la charge du clergé local ou du seigneur, dispensent la lecture, l'écriture et le calcul, puis l'adolescent résidant dans une soupente ou dans un collège accède à l'Université. Cette Université, placée sous l'autorité d'un recteur élu, rendra longtemps les services les plus considérables sans se mêler toujours de problèmes politiques. Rien n'est plus sot qu'une pareille attitude puisqu'elle ne porte tort qu'aux intéressés, mais il faut compter avec le rôle des maîtres assoiffés de pouvoir.

Un pays en bonne santé se juge à ses constructions parce qu'elles constituent un pari sur l'avenir. L'art dit gothique offre d'abord des formes acerbes, puis nous donne des cathédrales dispensant, grâce à leurs vitraux, une lumière incomparable. Ces immenses vaisseaux défieront le temps, parce que tous ont travaillé pour la gloire de Dieu. La littérature pieuse et militaire, la poésie courtoise rivalisent avec les fabliaux où la vie quotidienne se mêle au merveilleux. La naïveté des images, et parfois de la statuaire, ne doit pas faire illusion sur le sens des proportions. La tête est privilégiée aux dépens du corps pour exalter le sentiment. Cette particularité sera longue à disparaître.

Si la chevalerie s'est appauvrie, le négoce, en revanche, n'a cessé de prospérer et l'ordre s'est à peu près établi dans le royaume. Pourquoi Saint Louis renoncerait-il à son plus cher projet : libérer le tombeau du Sauveur ? Voici plus de 170 ans que se poursuivent ces luttes presque toujours terminées par de cruelles désillusions. Les pertes sont telles qu'on ne peut plus compter sur les Poulains. Les moines-chevaliers se conduisent parfois d'une manière troublante. Les Templiers, en majorité français, sont déjà plus qu'à demi repliés et, pour la gloire de leur ordre, jouent avec l'argent et surtout l'or. Les Teutoniques, sous le génial Hermann de Salza, ont considéré que l'évangélisation de la Prusse, encore vouée aux idoles de bois, apparaissait plus urgente que la lutte pour les Lieux saints. Le roi de France n'ignore rien de la situation d'infériorité dans laquelle il va mener la VIIIᵉ croisade. Cette fois, on attaquera par Tunis pour raccourcir le front avant de se porter sur l'Égypte. L'abject Charles d'Anjou s'est mis de la partie. Tunis protégerait la Sicile d'autant mieux que son chérif aurait proposé de se convertir au christianisme.

SA DERNIÈRE CROISADE

Un mystère plane sur l'affaire. Le prince de Tunis avait plus ou moins promis au Roi de se convertir. L'avant-garde française, inquiétante par son nombre, a-t-elle débarqué trop rapidement, provoquant une réplique des Maures? La promesse était-elle fallacieuse? Le combat s'engage et il faut mettre le siège devant l'antique Carthage. Les opérations ne durent pas longtemps. Sous un ciel blanc de soleil, ne trouvant que de l'eau croupie, les troupes contractent la peste. Saint Louis est touché, et son fils Tristan, né durant la captivité d'Égypte, vient à mourir. Le Roi ne s'abandonne point à sa douleur. Il perçoit l'événement «comme, dit Michelet, une attache de moins à la terre». Il écrit à son successeur:

«Cher fils, si tu viens à régner, efforce-toi d'avoir ce qui est affaire de roi, c'est-à-dire qu'en justice et en droiture tenir tu sois raide et loyal envers ton peuple et envers tes gens sans tourner à dextre ni à senestre, mais toujours droit quoi qu'il pût advenir. Et si le pauvre a querelle contre le riche, soutiens le pauvre contre le riche jusques à temps que la vérité soit éclaircie.

«Si d'aucuns ont entrepris querelle contre toi, sois toujours pour lui et contre toi devant ton conseil, sans montrer que tu aimes ta querelle jusqu'à ce que l'on sache la vérité.

«Garde tes bonnes cités en la franchise où tes devanciers les ont gardées, et tiens-les en faveur et en amour. Il me souvient bien que Paris ou les bonnes villes de mon royaume m'aidèrent contre les barons quand je fus nouvellement couronné.

«Cher fils, je t'enseigne que tu regardes d'entrer en guerre contre nul homme chrétien s'il ne t'a trop fortement méfait. Et s'il advenait que tu entres en guerre, commande diligemment que les pauvres, qui t'ont méfait, soient protégés des dommages.

«Sois diligent, beau doux fils, d'avoir bons baillis et bons prévôts dans tes terres, et t'enquiers souvent de leurs faits et savoir s'ils font bien la justice.

«Cher fils, prends garde que les dépenses de ton hôtel soient raisonnables et mesurées et que les deniers soient justement utilisés.»

Il ne peut plus dicter, évoquer son fameux *Livre des métiers*, rédigé de compagnie avec Étienne Boileau non plus que les rapports si délicats entre le spirituel et le temporel.

Non, c'en est fini. L'heure est à Dieu. Louis, qu'on nomme déjà le roi saint, se place les bras en croix. Le 25 août 1270, l'étendard surmontant la tente descend au pied du mât. La foule se précipite. Le cercueil du souverain est embarqué sur une nef mais il se trouvera des Arabes tellement admiratifs pour soutenir qu'il survivra sous les vêtements d'un marabout. La légende est honorable...

Dès 1297, Louis IX sera canonisé par Boniface VIII.

Fut-il un grand capitaine? Non. Un fabuleux entraîneur d'hommes? Oui. Après lui, le futur Édouard Ier Plantagenêt, très versé dans les techniques, se croisera sans parvenir au succès (1271-1272). La prise de Saint-Jean-d'Acre par les mamelouks mettra fin à la domination franque (1291).

Ce que le monde doit à Saint Louis, c'est une fusion entre la morale et l'art politique, c'est une manière incomparable d'administrer la terre dans le but de gagner le ciel.

Notre temps paraît presque l'ignorer; sa fête ne connaît plus l'éclat de jadis. Son ordre royal et militaire, créé par Louis XIV, ne récompense plus les braves depuis les journées de juillet 1830, il demeure toutefois, pour s'en remettre au nom de son église de Rome: Saint-Louis de tous les Français.

6

PHILIPPE LE HARDI
DEVANT LA MÉDITERRANÉE

Philippe III n'annonce pas les qualités de son père. Saint Louis avait été mis au courant d'un étrange pacte. Le futur roi s'était engagé curieusement auprès de sa mère à demeurer sous sa tutelle jusqu'à l'âge de 30 ans. Louis IX avait fait relever son fils de cette promesse par Urbain IV. C'était un mauvais signe. Marguerite de Provence allait se révéler d'une intransigeance comparable à celle de sa belle-mère Blanche de Castille. Philippe termina honorablement la croisade par des succès partiels, conclut une trêve de dix ans, obtenant la protection des chrétiens et une indemnité. Parvenu sur le continent, il mit de l'ordre dans la féodalité, réduisant le terrible Roger-Bernard de Foix. Il joua tout aussi bien sa partie avec la Champagne et la Navarre, prépara, non sans habileté, l'acquisition de Lyon, et se fit concéder Montpellier par le roi de Majorque. Profitant du vide tragique engendré par les croisades, il rachetait des seigneuries.

Il transforma son conseil, se sépara souvent de grands officiers issus du domaine pour choisir des clercs. La cour fut marquée par un événement lugubre ; un favori, Pierre de La Brosse, fit courir le bruit que la reine, l'exquise Marie de Brabant, avait fait empoisonner son fils aîné Louis. Poursuivi pour calomnie, La Brosse se défendit mal. On le rendit responsable d'un échec en Castille et Philippe le laissa pendre.

Les communes régressaient par l'excès de leurs interventions. Cette oligarchie provoqua des insurrections du petit peuple. En bien des endroits, le système seigneurial reprit le dessus car il se montrait moins âpre que les autorités citadines. A Provins, les gens de métier révoltés contre leurs administrateurs massacrèrent leur bayle coupable de les exhorter à la soumission. Dans les provinces septentrionales comme à Cahors, Chalon, Le Puy, où furent tués les receveurs de l'évêque, le sang fut en vain répandu. Philippe III, sans esprit de système, apaisait ces mouvements, aidait au choix des magistrats, permettait les appels jusqu'au parlement de Paris, c'est-à-dire jusqu'à lui-même. L'Échiquier de Normandie, les Grands Jours d'Auvergne, la cour de Toulouse devinrent les «chambres ambulatoires» de sa justice. Il ouvrait, selon l'expression de l'illustre Beaumanoir, «des voies nouvelles de justice».

Le décès d'Alphonse de Poitiers nous apporte enfin le comté de Toulouse mais nous cédons au pape le comtat Venaissin. Le Perche et le comté d'Alençon font retour à la Couronne à la mort de Pierre, cinquième fils de Saint Louis.

La disparition de Frédéric II de Hohenstaufen, de Mainfroi, de Conradin, honteusement décapité, avait réduit l'Empire à rien. La papauté prenait sa revanche et, du même coup, la chrétienté d'Occident ne connaissait plus de contre-pouvoir. Philippe, ayant fait avancer nos frontières en Espagne, voulut nous donner une place en Italie. Favorisé par un pape français, Martin IV, il se jeta, en échange de la promesse de la couronne sicilienne à son second fils, Charles de Valois, dans une aventure inopportune. Rien n'autorisait dynastiquement les prétentions des uns et des autres, sauf celles du roi d'Aragon dont l'un des buts consistait à détrôner au passage son frère, le roi de Majorque. Que recherchait Philippe III? De fortes positions en Méditerranée. Moins impulsif, peut-être, qu'on ne l'a dit, le Roi, les croisades terminées, entrevoyait la reprise et l'accélération du courant économique. Seule la discipline amena le fils du souverain à suivre contre Pierre III une expédition qu'il jugeait funeste.

Après quelques avantages, l'épidémie s'en mêla. Philippe mourut à Perpignan, chez son ami le Majorquin, le 5 octobre 1285. La même année voyait disparaître Martin IV, Charles d'Anjou, Pierre d'Aragon.

En 1261, l'empire de Constantinople, moins une partie de ses dépendances, était retourné sous le pouvoir grec. En 1274, Grégoire X avait manqué, malgré le consentement de 500 évêques, l'union avec les Byzantins refusant, après mille discussions, non seulement la primauté de Rome mais encore la simple citation du pape dans la liturgie. Semblable attitude devait se révéler lourde de conséquences.

7

PHILIPPE LE BEL

On aime Saint Louis. On craint Philippe le Bel.

Son grand adversaire, l'évêque de Pamiers, Saisset, ira déclarant au sortir d'une audience qu'il voulait tumultueuse:

«Il a beau être le plus bel homme du monde, il ne sait que regarder les gens sans rien dire. Si ce n'est ni un homme, ni une bête, c'est une statue.»

Cette statue possède un cœur mais il ne palpite que pour son peuple. Saint Louis s'entourait de légistes, Philippe le Bel est le légiste. Écoutons-le affranchir les serfs du Valois:

«Attendu que toute créature humaine qui est forgée à l'image de Notre-Seigneur doit généralement être franche par droit naturel...»

Sans démagogie, il est l'ami des humbles. Avant lui, il existait un embryon d'états généraux, il leur accorde un véritable statut, les réunit à Notre-Dame (1302). Ses deux prédécesseurs ont beaucoup dépensé. Il ne veut pas être pauvre, mais entend recueillir le consentement du pays. On a pu parler de l'aspect démocratique du gouvernement de Philippe le Bel sans nier sa «majesté foudroyante».

Les légistes, Beaumanoir, Flotte, Nogaret, Plaisians, Marigny sont chevaliers et vivent dans le système féodal. La législation coutumière est trop ancrée pour qu'on songe à la détruire, mais ils cherchent à la faire dépasser, sans l'endommager par la notion de souveraineté romaine. Plus s'élèvera le Roi, plus la situation de ses sujets s'en trouvera rehaussée. Les États font partie de ce même système féodal. Philippe prescrit que le seigneur ne doit ni faire la guerre, ni rendre la justice, ni changer l'état de son fief, sans prendre l'avis de ses vassaux.

Singulièrement, la haute et la petite noblesse, occupées de guerres privées et de diplomatie plus ou moins secrète, se désintéressent de son tribunal. Le Roi en profite, crée le Parcage et prend en main, contre faveurs ou finances, la responsabilité directe. Ainsi vont collaborer un représentant du seigneur et un délégué du souverain. La pratique se révèle féconde, la concurrence pacifique, et, si le litige demeure, il est fait appel à l'arbitrage royal.

LE PARLEMENT

Les grands feudataires laïcs se font excuser, les prélats, avec l'assentiment du pouvoir, demeurent dans leurs diocèses. Seuls les pairs viennent de temps en temps, pour éviter que ne soient prescrits leurs droits.

Le duc de Lévis-Mirepoix raconte plaisamment : « Les prélats et tous les barons se nommaient conseillers jureurs, et les juristes qu'ils s'adjoignaient pour les aider ou les remplacer se nommaient conseillers rapporteurs.

« Ceux-ci se glissèrent peu à peu à la place de conseillers jureurs qui se lassèrent de ces débats, et une véritable cour de magistrats, entièrement abandonnée à la jurisprudence, se forma autour du Roi.

« Le but suprême du parlement déterminé par Philippe Auguste était celui de gardien de la majesté royale. Avec Philippe le Bel, le parlement s'entendit fort bien [...] Il cessa de le suivre dans ses déplacements, et siégeant à Paris, se composa de trois chambres : la Grand-Chambre pour les causes intéressant la Couronne, la Chambre des enquêtes, les procès d'appel, la Chambre des requêtes jugeant directement. »

Certaines juridictions, tels l'Échiquier de Normandie, les Grands Jours de Champagne, le parlement de Toulouse s'activent encore, commissions d'abord temporaires de celui de Paris. Cette immense machine débitant tout à la fois le législatif et l'exécutif se révèle encore bien jeune pour fonctionner parfaitement.

Le Roi, on l'a dit, parle peu, n'agit qu'avec réflexion, prend toujours conseil. Sous sa robe de vair, il porte un cilice. D'esprit profondément religieux, il recherche le bien. Il semble pressentir une notion neuve, la raison d'État. Il explique, sans forcément les excuser, toutes ses actions. Avant tout, il veut « raison garder ».

LES PREMIERS TEMPS

C'est à la réédification du Midi qu'il faut se consacrer. Philippe IV n'a jamais approuvé le projet du pape voulant destituer le roi d'Aragon au profit de Charles de Valois. Il laisse Henri Plantagenêt intervenir en médiateur: la Sicile reste à l'Aragon, Naples aux descendants de Charles d'Anjou. Philippe confie au roi de Majorque, son ami, le soin de conserver les frontières. Voilà pour l'extérieur mais l'intérieur réclame une attention soutenue. Sans doute Alphonse de Poitiers s'était-il montré bon prince mais la guerre cathare demeurait trop proche pour parvenir à la paix civile. Le souverain ménage les coutumes locales, redresse les abus de ses sénéchaux, obtient de Gênes qu'elle maintienne les privilèges commerciaux de Narbonne. Il calme les inquisiteurs mais, en dépit du franciscain Bernard Délicieux, qu'il écoute avec bienveillance, il ne cède pas sur le maintien de l'institution. Il s'ensuit un malentendu. Une poignée de Languedociens, croyant la cause entendue, et dépités de voir les fils de saint Dominique toujours en place, complotent et militent en faveur de l'héritier majorquin. Son père informa Philippe. Les complices de Délicieux tentaient de prendre Carcassonne et Limoux pour en chasser les Dominicains. Délicieux osa se présenter devant le Roi, n'en fut pas entendu. Quelques-uns de ses amis finirent au bout d'une corde. Sa condition de clerc le protégea; il en fut quitte pour la prison perpétuelle. Le souverain gracia plusieurs condamnés et remit partie de l'amende infligée par son sénéchal. A la vérité, Philippe, sans céder, parvenait à réconcilier deux France.

LA GRANDE TENTATION

Les Parisiens aiment les défilés. Ils allaient être servis. L'évêque Raban Çauma conduisit une ambassade dépêchée par le khan de Perse Argoun, issu de la famille de Gengis Khan. Ces voyageurs féeriques proposaient une alliance contre les mamelouks et offraient, pour la nouer, 100 000 hommes.

La papauté souffrait d'une maladie morale et d'une plaie d'argent. L'Empire, depuis l'assassinat des Hohenstaufen, vivotait misérablement. Même Édouard Ier rencontrait des difficultés avec le sombre pays de Galles. Philippe réfléchissait encore lorsqu'une flotte aragonaise, au commandement de Roger de

Loria, vint inquiéter Béziers et mit à sac le port d'Agde. La situation demeurait trop instable dans le Midi. Lorsqu'on mit fin au conflit avec l'Aragon, Saint-Jean-d'Acre était tombée. Ainsi s'évanouit le projet de croisade. Grâce à Saint Louis, les relations avec l'Angleterre étaient acceptables, toutefois on ne s'était point accordé sur le Quercy.

UNE RIXE DE MATELOTS

Depuis la séparation de l'Angleterre et de la Normandie, on constatait une forte émulation entre les deux flottes de commerce. A Bordeaux, un marin anglais frappa, assez fort semble-t-il, un marin normand, lequel porta plainte devant le roi de France. On en était là lorsque 60 navires anglais armés en course coulèrent 200 petits bâtiments de Normandie transportant du vin de Guyenne.

Philippe envoie une citation à comparaître à son vassal. L'autre dépêche son frère Edmond. On décide que la Guyenne sera sous le contrôle français jusqu'à la fin du litige. C'est alors que le souverain, dans des conditions extraordinaires de secret, se donna deux escadres: au ponant, 30 nefs et 30 galères sous Mathieu de Montmorency, au levant, 700 nefs et 100 galères sous Jean d'Harcourt. Quelques tentatives de débarquement se dérouleront sans résultat, mais nous allions détenir l'arme majeure: le blocus. Guy de Dampierre, comte de Flandre, se range aux côtés d'Édouard. Une trêve intervient. Le comte de Flandre est luxueusement incarcéré pour avoir, sans l'autorisation de son haut suzerain, voulu marier sa fille à l'héritier anglais. Guy de Châtillon, envoyé de Philippe, se rend odieux aux commerçants. Alors se déroulent les Matines de Bruges. 3 000 Français sont massacrés à l'aube du 18 mai 1302.

Le futur roi d'Angleterre Édouard II épouse Marguerite, sœur de Philippe, cette Isabelle dont l'histoire retiendra le triste surnom de Louve de France. Édouard récupère la Guyenne sauf Bordeaux. Philippe veut sévir en Flandre. Contre lui: un ouvrier nommé Coninck, tribun et bientôt bon soldat, et l'archidiacre Guillaume de Juliers, petit-fils du comte par sa mère. C'est à Robert d'Artois, déjà vainqueur à Furnes, que revient la responsabilité de l'action avec 50 000 hommes. A Courtray (11 juillet 1302), Robert ne fait pas reconnaître le terrain et se laisse attirer par l'archidiacre. Il charge et mène son armée à la catastrophe, la précipitant dans un canal. Artois est tué et, avec lui, la fleur de sa chevalerie. Outre l'habileté tactique du très brillant Juliers, il faut compter avec le nouvel équipement : les lames de fer ont remplacé, pour partie, la cotte de mailles et elles ne permettent plus de se relever.

La revanche sera-t-elle militaire ou diplomatique ? Le souverain adresse des lettres à ses sujets, promettant la chevalerie aux aînés des familles paysannes et bourgeoises ralliant tout équipés. Un immense mouvement s'empare de tout le pays. Philippe négocie avec les puissances du Nord, jouant avec son blocus, il satisfait les uns et inquiète les autres. Les Flamands ne relâchent pas leurs efforts. Les fils du comte, Guy et Jean de Namur, rejoignent l'archidiacre. Deux années passent en débordements populaires et en tractations secrètes. Les Flamands s'emparent de Lille, Douai, Béthune. Philippe se porte à la frontière. L'amiral Rainier Grimaldi, sire de Monaco, vient annoncer sa victoire navale de Zierikzee sur Jean de Namur et son intention de servir dans une bataille devenue imminente. Les Flamands, ne pouvant plus transformer les laines que voudraient exporter les Anglais, entendent défendre un intérêt vital. Cette fois, c'est l'affrontement à Mons-en-Pévèle (18 août 1304). Le Roi commande de sa personne. Une suspension tacite s'établit au soir, toutefois les paysans et artisans, les *clauwaerts*, comme ils éprouvent le froid et la faim, se jettent sur le camp de Philippe dans le moment qu'il passe à table. Il se dégage à coups de hache tandis que, ralliés sous sa direction, ses chevaliers chassent les agresseurs en hurlant : « Le Roi se combat ! Le Roi se combat ! » Il est vrai qu'on ne l'avait point vu, dès longtemps, à la tête de l'ost.

A la nuit, les Flamands cèdent du terrain quand Guillaume de Juliers se déchausse pour marquer qu'il ne reculera point et se fait tuer dans la contre-attaque. Lorsque Philippe voit cette tête si bien faite promenée au bout d'une pique, il se détourne. La fin de l'archidiacre ne désarme pas l'adversaire, et le Roi, devant un nouveau rassemblement de 60 000 hommes de milice, laisse tomber ces mots :

— Il pleut des Flamands.

Alors recommencent les tractations. Il préfère négocier mais lentement, très lentement. Au traité d'Athis-sur-Orge (23 juin 1305), il reçoit une indemnité pécuniaire et les gages des villes de Lille, Cassel, Douai, Béthune et Courtrai. Le successeur du comte de Flandre, mort entre-temps, renoue ses liens de vassalité. Édouard Ier a découvert une recette dont les Anglais ne se départiront plus : faire se combattre les autres en intervenant le moins possible. Reste que le blocus demeure leur hantise, aussi arment-ils en guerre le plus grand nombre de navires pour couvrir leurs convois marchands. La mesure demeure limitée tant que n'apparaît point l'artillerie mais, au son du canon, elle deviendra diablement efficace.

En outre, la mise en œuvre du blocus demeure malaisée car il faut pratiquer une foule de discriminations afin que la mesure de rétorsion contre l'Angleterre ne soit pas interprétée comme un *casus belli* par certaines puissances, tels le Danemark et la Norvège désireux de commercer en paix. Malgré sa patience et sa sagesse, Philippe le Bel a précédé plutôt que suivi l'expansion du royaume. Nul n'aime à payer l'impôt. Comme il demeure bas, les Français laïcs ne s'agitent guère. Il n'en va pas de même du clergé dont le chef suprême est d'humeur farouche. Son prédécesseur, Pierre de Morrone, avait — fait sans précédent — déposé la tiare pour incompétence ; son conseiller, Benoît Caetani, avait pris la place sous le nom de Boniface VIII. Eût-il été d'un naturel accommodant qu'il lui aurait fallu montrer de la poigne alors que l'interrègne impérial prenait fin et que la France devenait une puissance méditerranéenne. La canonisation de Saint Louis n'empêcha point son petit-fils de poursuivre sa politique financière, prenant des décimes au clergé.

L'ATTENTAT D'ANAGNI

Le conflit s'ouvre sur l'arrestation pour trahison de Bernard Saisset, évêque titulaire du siège de Pamiers. Boniface VIII s'indigne, affirme son droit d'en remontrer aux princes, réclame la libération du prélat. Les évêques sont convoqués à Rome. Philippe leur interdit de s'y rendre, à l'exception de Saisset qu'il enverrait plutôt au diable. La crise, on le voit, éclate au moment où nous sommes en difficulté pécuniaire. Céder sur les taxes serait, faute d'argent, renoncer à la revanche en Flandre. Très habilement, Philippe convoque les états généraux à Notre-Dame. Il leur fait voter, par ordre séparé, la motion selon laquelle « le Roi étant souverain, le pape ne saurait intervenir dans des affaires fiscales intérieures ». La querelle s'envenime. Par une bulle, dont l'existence demeure contestée, le souverain est excommunié. Le péril est extrême et Philippe, sans doute de bonne foi, ne croit point en la légitimité de Boniface VIII. Peut-il vivre les affres de l'interdit de la part d'un pontife parvenu jusqu'au trône de saint Pierre à la faveur du trouble consécutif au «grand refus» de l'ermite Morrone? Si Benoît Caetani continue de se prétendre pape, Philippe peut perdre la couronne. C'est avec un extrême luxe de précautions qu'est montée une opération dans le style de nos contemporains. Il faut enlever le pontife et le traduire devant un concile pour annuler son élection. Guillaume de Nogaret, après mille ruses, parvient en Italie et se met en relation avec Sciarra Colonna, adversaire de la faction soutenant Benoît Caetani. La cité d'Anagni, résidence du Vicaire, est investie. La surprise nocturne est totale, les envahisseurs réclament la renonciation. La réponse fuse, non exempte de dignité:

— Voilà ma tête, voilà mon corps, au moins je mourrai pape.

Sciarra Colonna ne prise guère la réplique. Nogaret arrête le bras du condottiere. Pour autant, le pape jette sa malédiction sur le légiste, le traitant entre douceurs de «patarin et fils de patarins» (cathares). Il est seulement vrai que Nogaret, d'ordre de son maître, s'est toujours montré d'une lucide indulgence à l'égard des anciens hérétiques.

Les archers papalins, descendus de leurs créneaux ou réveillés dans leur salle de garde, se précipitent au secours de Boniface (à moins qu'il ne soit délivré par la population). Nogaret est blessé, rentre en France pour apprendre la mort de Benoît Caetani. Avec l'accord de Philippe, il multiplie les libelles prouvant l'illégitimité du défunt. Le général des frères prêcheurs, cardinal Boccasini, prend le nom de Benoît XI. Il relève le souverain de l'excommunication mais maintient Nogaret hors la communion des saints et convoque les auteurs de l'attentat devant son tribunal avant que de disparaître, le 7 juillet 1304, empoisonné selon les uns, d'une indigestion de figues d'après les autres.

Le conclave de Pérouse s'étend sur dix mois. Il lui faut complaire à la France, renoncer à cette autorité sur le temporel occidental dont Rome avait rêvé depuis qu'elle s'était dégagée de l'Empire. Enfin, est élu le cardinal Bertrand de Got, archevêque de Bordeaux. Il prend le nom de Clément V et reçoit la tiare en présence de Philippe et de son frère Charles de Valois, à la primatiale de Lyon. Le puîné du Roi, prince d'un grand sens, souhaiterait accéder au trône des Césars. Clément joue double jeu, prodigue de bonnes paroles mais incite les électeurs ecclésiastiques allemands à se prononcer pour le comte de Luxembourg, futur Henri VII. Le Roi veut que soit organisé le procès du défunt Benoît Caetani. Le pape se fait attendre puis confirme la légitimité de son antéprédécesseur tout en relevant Nogaret de l'excommunication sous condition d'un pèlerinage lointain. Bref, les rapports sont tendus sans être détestables. Il faut saisir, toutefois, dans son ampleur la déception de Philippe. Le maintien posthume de Boniface VIII demeurait dans sa logique de légiste un attentat, non contre le pape mais contre lui-même. L'installation du Vicaire dans Avignon le rend, encore qu'il soit chez lui, tributaire de la France. Il se montre néanmoins assez indépendant. Et l'on ne saurait encore parler de gallican bien que le Bel veille aux franchises ecclésiastiques de son royaume. Les affaires d'argent et de discipline aussi bien vont entraîner un autre drame.

LES TEMPLIERS

Les chevaliers du Temple, après d'admirables faits d'armes, s'étaient, en Orient, conduits d'une manière aussi rude qu'incompréhensible. Loin de soutenir les rois de Jérusalem, ils avaient compromis toutes leurs actions. Dès 1172, ces moines-soldats s'étaient rendus coupables du massacre d'ambassadeurs ismaéliens et avaient refusé de se soumettre à leur souverain Amaury. En 1200, on les avait vus piller Athènes et multiplier, sous les yeux horrifiés des musulmans, des guerres fratricides. Ils étaient responsables de la chute de Jérusalem par les intrigues du grand maître Gérard de Ridefort. A Saint-Jean-d'Acre, Guillaume de Beaujeu, avant de mourir en héros avec 500 des siens, avait provoqué la défaite en empêchant le regroupement des forces latines sous le commandement de Hugues III. Philippe Auguste, parfaitement au courant de ces menées, n'en avait pas moins laissé rentrer en France ces religieux d'un genre particulier. On s'en souvient, il leur confia le Trésor. La période souffrait d'une famine métallique et le Roi, contraint de lutter contre les espèces aquitaines, se prit à jouer sur la monnaie, augmentant ou diminuant le poids de l'écu. Dans le premier cas, il encolérait les créanciers, dans l'autre les débiteurs. Comme il sortait sans sergents, il fut contraint, à la suite d'une déflation, pour laisser la foule s'apaiser, de passer quelques heures à l'abri de l'enceinte du Temple. On peut s'étonner que Philippe Auguste ait chargé ces hommes étranges du Trésor. A son époque, ils s'étaient remarquablement initiés à la banque.

Depuis lors, ils s'étaient construit des forteresses en France et, hors le pape, ne relevaient que de leur grand maître. Que voulaient ces chefs? Et tout d'abord, n'existait-il pas une hiérarchie parallèle? Premiers au chœur, ne se voulaient-ils pas les véritables gouvernants? Une telle force, si elle venait à s'unir aux Hospitaliers, l'emportait sur l'ost royal, et ce dans une France dont l'unité demeurait précaire. Prendraient-ils exemple sur les Teutoniques pour instaurer un État? Mais lesdits Teutoniques, avec des procédés sauvages il est vrai, reculaient les bornes de la chrétienté. Les Templiers, disséminés dans tout le pays, présentaient un cas qu'il faudrait bien résoudre. Qu'on n'aille point prétendre qu'il s'agissait de saisir leurs biens, puisqu'ils furent, après quelques notables soustractions, remis aux Hospitaliers.

Les chevaliers du Temple sont arrêtés le 22 septembre 1307 sous l'accusation de sacrilège et de sodomie. Sont-ils tous pris à la fois comme on l'affirme souvent? C'est douteux. Se livrent-ils volontairement, comptant sur l'appui du pape? Il les soutiendra dans un procès dont il se dégagera quelques mauvaises impressions. Hélas, le grand maître, Jacques de Molay, son second, Geoffroy de Charnay, reviennent sur leurs aveux et sont brûlés comme relaps dans l'île aux Juifs.

Cette horreur a toujours fait travailler les imaginations et l'on évoque souvent le secret des Templiers. L'ésotérisme ne trouve point de place dans cette affreuse histoire. Seuls les projets de ces moines banquiers et soldats demeurent sujets à caution. Hélas pour Philippe, le bûcher de Molay continue de flamber dans les mémoires.

LA TOUR DE NESLE

Lorsque la reine Jeanne de Navarre disparaît, les mœurs de la Cour, jusque-là fort honnêtes et raffinées, prennent une tournure fâcheuse. L'amour courtois s'efface au profit d'une forme de relations moins éthérées.

Philippe le Bel avait marié ses trois fils, Louis, Philippe et Charles, à trois Capétiennes de la branche de Bourgogne. Marguerite, unie à Louis, était fille du chef de famille, ses belles-sœurs, données respectivement à Philippe et à Charles, procédaient du comte de Bourgogne, suzerain de Franche-Comté.

Elles se comportent avec une gaieté de mauvais aloi, adoptent des modes provocantes. Le Roi ne voit rien jusqu'au jour où sa fille, la Louve de France, l'abominable Isabelle, épouse d'Édouard II d'Angleterre, lui dénonce les trois jeunes femmes. A l'issue d'une enquête, deux amants sont identifiés : les frères Philippe et Gauthier d'Aulnay. Ayant avoué sous la torture, ils subissent l'émasculation avec des tenailles chauffées au rouge, sont traînés nus par des chevaux sur des chaumes. Puis on leur tranche la tête avant d'accrocher leurs corps au gibet par les aisselles.

Les princesses, mises au courant, ne nient pas, sauf Jeanne. Son mari la conserve auprès de lui. Marguerite meurt de froid au Château-Gaillard. Blanche, après une rude captivité, devient nonne à Maubuisson où la légende veut qu'elle ait trouvé quelque tendresse.

LA FIN DE PHILIPPE LE BEL

Demeuré populaire même après le bûcher de Molay, le Roi n'est pas plus critiqué pour le supplice des Aulnay. Dans le premier cas, il a préservé le royaume de la théocratie rétrograde et monacale, dans le second, il a rappelé le caractère sacré du sang de France (n'oublions pas que les étourdies procédaient de la souche capétienne et que Marguerite était déjà mère d'une petite Jeanne).

Blessé dans un accident de chasse, le Roi comprend que c'est la fin. Il s'est montré gardien sévère de l'avenir français. Peu d'hommes d'État, avant comme après, ont contribué si puissamment au rassemblement et à la consolidation de l'hexagone. Dépourvu de sensibilité dans le privé, il n'eut d'entrailles que pour l'État.

En ses derniers moments, il a demandé humblement pardon à ceux qu'il avait offensés, mais il ajoutait qu'il n'entendait nullement retrancher les châtiments qu'il avait infligés pour les fautes contre le droit, l'homicide et autres crimes.

A son aîné, il dit :

— Pesez, Louis, ce qu'est d'être roi de France.

Comme son grand-père, il agonise sur un lit de cendres. Comme son grand-père, il a placé ses bras en croix. Il s'adresse encore à son confesseur :

— Frère Renaud, voyez ce que vaut le monde. Voici le roi de

France. Certes, tout est bien néant qui appartient au faste et à la gloire de ce monde.

C'était à Fontainebleau, le 29 novembre 1314.

8

LES FILS DE PHILIPPE LE BEL

Louis, roi de Navarre depuis le trépas de sa mère, s'était montré très habile et rendu fort populaire en rattachant, d'ordre de son père, la ville de Lyon à la Couronne. Après avoir fait partie du royaume d'Arles, puis de l'Empire, la cité rhodanienne, extrêmement florissante, dépendait de son archevêque et de sa commune, perpétuellement opposée au chapitre. Philippe IV dut envoyer à Mâcon un officier gardiateur. Alors, l'archevêque Pierre de Savoie convainquit les habitants qu'ils laissaient compromettre leur liberté. Ils se dressèrent contre les royaux. Louis fut chargé d'assiéger la ville. Il s'y prit avec tant d'habileté qu'il n'eut pas besoin de recourir aux armes. Il retourna les foules en sa faveur, arrêta l'archevêque, lui demanda fort poliment de céder à la Couronne sa juridiction temporelle et fit avaliser le traité par Clément V.

Le roi de France allait-il justifier les promesses du roi de Navarre? Louis X fut surnommé le Hutin. Cela signifiait-il «le Querelleur» ou «né sous le signe de la querelle»? On ne sait trop. Il s'appuya sur son oncle Charles de Valois. Ce grand prince présentait de petits côtés. Se souvenant que le trésorier Enguerrand de Marigny l'avait défavorisé dans sa candidature à l'Empire, il fit pendre ce fidèle serviteur, pour s'en repentir plus tard et publiquement.

Le royaume bougeait. On formait des ligues mais ni princes du sang ni grands feudataires ne se plaçaient à leur tête. Quelques conseillers du feu roi furent inquiétés puis retrouvèrent leurs charges. L'un d'eux, Raoul de Presle, fut même anobli. Ces mesures n'avaient d'autre objet que d'apaiser les ligues. Comme les grands s'abstenaient, les rébellions n'allaient pas loin, elles pouvaient, toutefois, contaminer certains sujets parfaitement loyaux mais jugeant abusives les charges fiscales. Sans catastrophes particulières, et en dépit d'un allégement des impôts, le climat s'alourdissait. Réapparaissaient les superstitions qu'on croyait éteintes. Le Malin était partout. Certains clercs voyaient leurs doctes travaux confondus avec la sorcellerie.

Malgré les qualités de Louis le Hutin, l'absence de Philippe le Bel se faisait sentir. On baignait dans un surnaturel malsain. C'était le temps que l'on répandait le bruit selon lequel Marguerite de Bourgogne avait subi la strangulation à Château-Gaillard. On s'épiait, on se dénonçait. Un évêque sera même brûlé pour magie. Le Roi mettait tout en œuvre pour remédier à cette étrange maladie frappant l'âme et l'esprit, mais il lui fallait du temps et le temps allait lui manquer. Il avait épousé Clémence de Hongrie, l'attendit pour le sacre. La France avait besoin de repos. Sans doute le Trésor était-il anémique mais, en cas de danger, les goussets s'ouvraient. Un bon système fut celui du rachat de la servitude par les gens du domaine.

Robert de Béthune, comte de Flandre, ayant refusé l'hommage et l'exécution du dernier traité, il fallut préparer la guerre non sans convoquer à Bourges les états généraux. Louis prit grand soin de ravitailler Tournai, clef du dispositif, et de la munir d'une puissante garnison. Le recours aux états s'explique. La chevalerie, ancienne ou plus récente, servait pour l'honneur et l'espoir d'une rançon suffisante afin de réédifier la toiture du manoir familial, mais elle ne payait plus, ou rarement, son infanterie française ou génoise, de ce fait soldée sur les coffres du palais. Louis le Hutin emmena son ost et bien d'autres militaires. Il ne rencontra que la pluie et la boue et dut remettre son expédition. Il rentra dans son château de Vincennes pour y mourir, laissant enceinte la reine Clémence (5 juin 1316). Pour la première fois depuis plus de trois siècles, la France attendait un héritier direct.

PHILIPPE V LE LONG

Le petit garçon vit cinq jours. Est-il assassiné, substitué ? Un Jean Ier tentera de se faire reconnaître par les Anjou de Hongrie, il arguera de sa légitimité par la production d'une charte prétendument signée par le fameux Nicolas Rienzi. Il occupera, dans le haut Languedoc, les villages de Chusland et Codolet, établissant son camp sur l'actuel territoire de Marcoule. Après quoi, il disparaîtra dans les brumes de l'histoire. M. Alain Decaux a soutenu que l'authenticité de Jannino tenait à la charte du héros de Wagner, tout en admettant que ce réformateur se montrait lui-même assez peu sérieux.

Philippe, deuxième frère du Hutin, exerce la régence durant la grossesse de sa belle-sœur et la brève existence de Jean Ier. Il paraît déraisonnable de conférer la couronne à Jeanne, fille de l'infortunée Marguerite de Bourgogne. Elle deviendra comtesse d'Évreux et mère du bien nommé Charles le Mauvais. Elle conserve pourtant des partisans. Philippe le Long couronné (9 janvier 1317) réunit, par la suite, une assemblée pour que soit reconnue sa légitimité. Il fait produire à l'occasion quelques prétendus écrits d'origine mérovingienne proscrivant l'accession des femmes au trône, interprétation captieuse de la loi salique. Tout cela ne trompe quiconque mais Philippe apparaît comme le seul prince désigné par la providence. La Navarre reste à Jeanne de Bourgogne. Une expédition réduit la Champagne. Philippe V ressent la nécessité de mettre fin à la guerre de Flandre. Notre impécuniosité nous laisserait à la merci d'un nouveau Courtrai.

Le métier de roi devient, comme l'avait prévu Philippe le Bel, de plus en plus difficile. Ainsi faut-il compter avec une nouvelle insurrection des Pastoureaux. Comme le premier, à Paris d'abord puis dans le Languedoc, ce soulèvement pseudo-mystique tourne au banditisme. A Verdun-sur-Garonne, 500 juifs, assiégés dans le donjon, se donnent la mort plutôt que de tomber entre les mains de ces hommes féroces. Enfin, le sénéchal de Carcassonne les anéantit en les enfermant dans Aigues-Mortes. Se déchaîne une colère contre les lépreux, accusés d'empoisonner les fontaines. Pour mettre fin à ce nouveau malheur, Philippe le Long fait établir des refuges dont les malades ne devront plus sortir.

Le souverain s'attache avant tout à l'administration, développe les milices au commandement d'officiers royaux. Il règle la frappe des monnaies pour neutraliser l'envahissement des pièces aquitaines. Il décrète, en vain, l'unité des poids et mesures ; les disparités d'habitude et de langage sont encore trop considérables pour qu'il parvienne à ses fins. Il se présente avant tout comme un souverain de la paix même s'il lance des édits peu satisfaisants pour les juifs, d'ailleurs en faible nombre, et les ultimes cathares, redevenus bien arrogants après les témoignages d'indulgence de Philippe le Bel. Roi travailleur, attaché d'instant en instant à coudre et recoudre les mailles du tissu de fer dont la France est composée, il peut espérer que Blanche lui fera don d'un enfant mâle pour ne pas interrompre la lignée. Ils n'ont qu'un fils, prématurément disparu.

Philippe meurt à 29 ans, après six années de règne. Il ne laisse que des filles, Jeanne, mariée utilement au duc de Bourgogne Eudes, et une Marguerite dont l'union avec le comte de Flandre permet l'apaisement avec les gros hommes, grands et roses, dont l'unique souhait est de culbuter la chevalerie française.

CHARLES IV LE BEL

Au temps de la crise de succession, Charles, alors comte de La Marche, avait pris le parti de sa nièce Jeanne contre son frère Philippe et s'était même abstenu d'assister au sacre, puis s'était incliné devant une loi d'État.

Agé de 26 ans lorsqu'il monte sur le trône, il se montre justicier sans considération de rang. Ainsi fait-il pendre, après un pardon dont l'intéressé n'avait pas tenu compte, un seigneur Jourdain de l'Isle, cousin du pape Jean XXII mais n'ayant cessé de désoler les grands chemins.

Les banquiers lombards ne passent pas pour délicats. Ils sont chassés et leurs gains confisqués.

La question d'argent reste lancinante. Le Roi rétablit un cours fixe mais ne peut éviter une dévaluation.

Charles IV, que Jean XXII pousse vainement à l'Empire, s'occupe des chrétiens d'Orient. Un émissaire, Guillaume Bonnes Mains, bourgeois de Nérac, frète un navire portant une belle cargaison et embarque un associé catalan, nommé Maineville. Le soudan songe à rendre Jérusalem au Roi. A l'audience de congé, le prince arabe a complètement changé. Il ne donnera pas Jérusalem, n'enverra point d'ambassadeur et remet seulement une lettre de politesse. Que s'est-il passé? Le Catalan, dans un intérêt qu'on devine mal, a raconté des sottises, d'ailleurs contradictoires: d'une part, le pape et le Roi voulaient agresser le soudan, d'autre part, la correspondance du souverain était fausse. Au retour, l'aventurier poursuit ses méfaits, s'approprie la majeure partie des recettes, oblige Bonnes Mains à relâcher à Barcelone au lieu d'Aigues-Mortes, que le malheureux rejoint en nolisant une barque. L'histoire ne présente pas un caractère anecdotique, elle prouve la responsabilité conférée à des marchands.

Maineville accuse maintenant Bonnes Mains d'avoir fabriqué la missive du soudan. L'enquête remonte au patriarche de Jérusalem et innocente pleinement notre bourgeois de Nérac. Il sera remboursé, mais sans promptitude.

Les rois d'Arménie et de Chypre sont menacés. Charles, en attendant de se croiser lui-même, fait préparer une expédition sous le vicomte de Narbonne. Il va visiter le Languedoc, séjourne six semaines à Toulouse. En 1324, durant son passage, se forme le collège des Sept Troubadours, ancêtre de l'Académie des Jeux floraux. Ce voyage triomphal prend fin à cause d'une affaire dont on avait perdu le goût. Le roi d'Angleterre, le jeune Édouard III, encore entre les mains d'Isabelle, refuse l'hommage. Motif : le seigneur de Montpezat venait d'édifier un château sur un territoire limitrophe et les deux royaumes se disputaient la vassalité directe. Charles de Valois, frère de Philippe Le Bel, rase le château, puis prend possession de toute la Guyenne. L'Angleterre ne réplique pas. Elle vit en pleine crise. Isabelle, avec la complicité de son amant Mortimer, a fait assassiner son mari Édouard II, faible et trop ami des hommes, dans des conditions infâmes. Henri III fera tuer ledit Mortimer et laissera mourir sa mère dans un manoir puissamment gardé, après vingt-cinq années d'expiation.

Charles IV peut, à nouveau, songer à la croisade après avoir réprimé le brigandage d'une troupe de coupe-jarrets qu'on nommait (ou le prétendaient-ils) les Bâtards, parce qu'ils l'étaient de quelques seigneurs gascons. Le Roi semble heureux. Il le serait plus encore s'il obtenait une postérité. Jeanne, qu'il ne persécute pas, n'avait point apporté «le fruit». La deuxième souveraine, Marie de Luxembourg, était morte en couches, et son petit enfant n'avait pas survécu. Grâce à Jeanne d'Évreux, l'espoir renaissait. A la Noël, Charles IV tombe subitement malade. Il s'éteint le 1er février 1328.

LA SUCCESSION

Il faut un régent. En dépit d'une ou deux candidatures sans résonance, l'assemblée des barons porte ses suffrages sur Philippe de Valois, fils de Charles de Valois, le frère de Philippe le Bel.

C'est un prince connu pour la haute valeur de son père, l'importance de ses fiefs et sa propre personnalité. Il tient le Valois, le Maine et l'Anjou. Le 1ᵉʳ avril 1328, la reine Jeanne d'Évreux met au monde une fille. Philippe va-t-il devenir roi ? Il n'existe pas d'entraves à cette disposition, et il n'apparaît pas que, même dans cette France mal rétablie des règnes trop brefs des trois frères, se dessine une opposition, sinon celle des juristes anglais. Ils soulèvent une question de droit à propos d'Isabelle. Ils admettent que la dame ne peut régner mais ils réclament la couronne pour son fils, le jeune Édouard III d'Angleterre. Impossible, répondent les juristes français : on ne saurait transmettre ce qu'on ne peut exercer. Le régent réunit, au bois de Vincennes, une assemblée pour écouter ses arguments. A la vérité, les assistants ne veulent pas d'un roi trop jeune, encore sous la tutelle d'une mère déshonorée (elle n'est pas encore incarcérée), mais surtout ils appréhendent de voir la France traitée en vassale de l'Angleterre par Aquitaine interposée. En la personne de Philippe, on choisit le premier des Français. Le domaine royal se trouve agrandi du Maine et de l'Anjou. En concédant à Jeanne d'Évreux la Navarre et les comtés de Mortain et d'Angoulême, Philippe de Valois, devenu Philippe VI, place dans le domaine la Champagne et la Brie.

L'HÉRITAGE

A 36 ans, le nouveau souverain hérite une situation rare pour un prince de son temps. Alors qu'on s'habille mal dans l'Empire et ailleurs, sauf chez les Flamands, le paysan de chez nous porte un beau sarrau le dimanche, mange du bon pain, de la viande de porc et de la volaille. Certes, il en va selon les régions, les climats et les techniques. L'habitat des campagnes — surtout en montagne — reste très fruste. Les chaumières sont mal bâties. Les baux à terme substitués aux baux à vie favorisent l'ascension des laboureurs assidus. Les villes, surtout depuis Philippe V, ont perdu des libertés mais prospéré considérablement. L'administration, déjà paperassière, nous renseigne sur les us et coutumes. Le commerce doit beaucoup à Philippe le Long. Les confréries, forcément corporatives, assurent la qualité des rapports humains, empêchant les accaparements, assurant à la main-d'œuvre vivant au domicile des maîtres une protection contre la maladie. Hélas, les médecins manquent de pratique. Ils ne touchent pas leurs patients, et les rebouteux et autres empiriques exploitent souvent la crédulité.

Le commerce des vins et des céréales se développe avec une régularité constante. Dans le Midi, comme dans le Nord, les drapiers œuvrent avec goût. Ces forces économiques ne tarderont point à devenir politiques. Les grands bourgeois vivent dans le raffinement, possèdent des maisons bien tenues, aérées, où se déploie un luxe de bon aloi toujours marqué par la table recouverte d'une nappe fine, d'aiguières, de gobelets d'argent...

Combien de petits seigneurs voudraient vivre ainsi... Ils y parviendraient s'ils s'occupaient plus de leurs terres, un peu moins des forêts et des étangs. Sous Charles IV, ils ne procèdent qu'en partie d'anciennes familles. La chevalerie a souvent conduit les paysans à la noblesse. Ces hommes de valeur venaient compenser l'hémorragie de sang bleu qu'avaient occasionnée les croisades : combien de fondateurs et de Poulains n'étaient pas revenus, passant à Rhodes, à Chypre, dans l'éphémère État latin de Constantinople ou même dans le despotat de Morée ou l'empire de Trébizonde ? Loin de demeurer figée, comme nombre de ses voisins, la France médiévale a bougé. La noblesse est tragiquement rajeunie. La grande bourgeoisie gagne en ampleur, les artisans, parfois anoblis, comme certains joailliers, font miroiter les trésors de l'espoir. La France, imparfaite comme toujours, mais mieux équilibrée qu'elle ne le fut jamais, peut affronter l'Angleterre dont le nouveau souverain, Édouard III, va se révéler un ennemi des plus dangereux.

De Hugues Capet à Philippe Auguste s'est reconstituée, avec l'inévitable apport de l'Est et du Nord-Est — Germains et Normands — une société proche du monde gallo-romain. Les disputes avec l'Église n'ont pas altéré la foi, et le clergé vaut ce que pèsent ses évêques. Le royaume a, depuis Saint Louis, gagné le plus incontestable prestige. On décèle un défaut que nous retrouverons bien souvent. L'État est pauvre dans un pays riche. Du même coup, nous ne disposons pas d'armée permanente. Il faudrait la payer trop cher. On a parlé d'une désaffection pour le trône due au changement de branche. Ce mauvais esprit, dont il existe quelques preuves, demeure limité. En dépit de quelques infériorités, notre pays est beau, mais n'est pas à l'abri d'un péril : la présence de l'Angleterre, toujours prête à s'assurer le plus grand nombre de richesses à nos dépens. Elle se veut chez elle en Aquitaine et conquerrait volontiers l'ensemble du Sud-Ouest pour équilibrer ses échanges commerciaux.

9

HEURS ET MALHEURS
DE LA GUERRE DE CENT ANS

PHILIPPE VI

Le souverain présente un physique agréable. Chevalier accompli, il ne se complaît pas dans les fêtes. En y participant, il se prête à la mode du temps. Ce siècle brutal adore le «parage». Il faut le diriger selon ses goûts. Les débuts du règne donnent raison au souverain. Il vient remplir ses devoirs de suzerain à l'égard du comte de Flandre en butte au courroux de ses «métiers» (maîtres, compagnons et apprentis). D'abord surpris par la pugnacité de l'adversaire, il rassemble son monde et remporte une écrasante victoire à Cassel (24 août 1328) sur des gens assez audacieux pour l'avoir traité de *roi trouvé*. Édouard III, dans la cathédrale d'Amiens, chicane pour l'hommage qu'il doit rendre pour la Guyenne et la Gascogne. Il le voudrait simple; après un an de tractations, Philippe obtient que lui soit rendu l'hommage lige, lien de vassalité plus étroit. A la vérité, l'Anglais ne tient pas encore pour sérieux les vastes projets de conquête. Ce qu'il veut, c'est, par petites opérations, reprendre des seigneuries, donner satisfaction aux marchands de Londres, en livrant de la laine brute aux Flamands et en commerçant avec Bordeaux, cité plus opulente que la capitale anglaise. Bientôt, ses intentions vont changer; Robert, comte d'Artois, est passé de son côté pour une trouble affaire. Réduit au comté de Beaumont-le-Roger, suspecté d'avoir fait tuer sa tante Mahaut, il avait soutenu Philippe à son avènement et s'était attendu, naïvement, à meilleure justice. Elle ne paraissait point aller dans son sens. Alors éclata sa haine. Il se mit en relation avec le puissant brasseur flamand Jacques Artevelde, et tous deux soutinrent que l'obédience n'avait point à changer, qu'Édouard III, petit-fils de Philippe le Bel, devait devenir roi de France. Artevelde est assassiné, Artois tombe dans la guerre de Bretagne où, comble de l'ironie, les Anglais soutiennent la loi salique alors que nous la combattons.

Le 24 juin 1340, notre flotte, dont les navires s'étaient liés entre eux, est anéantie devant L'Écluse.

Philippe, fin diplomate, fait passer l'empereur Louis IV dans son camp.

La guerre de Bretagne présente encore un dissolvant de l'unité. Deux femmes, Jeanne la Flamme, flamande et boiteuse, et Marguerite de France, mieux portante, l'une pour Charles de Blois, l'autre pour Jean de Montfort, mènent la bataille, armurées et l'épée en main.

Philippe VI, incité par Jean XXII, prépare une croisade destinée à rassembler tous les princes chrétiens. Prudent, il continue d'inquiéter l'Angleterre par des raids de course, amorce même des tentatives de débarquement. On opère sur des théâtres secondaires. La France ravitaille et secourt l'Écosse. Londres continue d'agiter les Flandres.

La disparition d'Artevelde ramène, un temps, le calme. Édouard tente sans succès une diversion en Bretagne. Le comte de Derby pratique de graves incursions en Angoumois et en Agenais. Philippe descend pour mettre le siège devant Aiguillon-sur-Garonne. C'est alors que, conseillés par un traître, Geoffroy d'Harcourt, les Anglais débarquent à Saint-Vaast-La-Hougue, et, brûlant tout sur leur passage, remontent jusqu'à Poissy. Le retour du roi de France les incite à gagner la Picardie et à se retrancher près de Crécy-en-Ponthieu.

CRÉCY

Philippe a réuni 50000 hommes, Édouard, 25000 et 3 bombardes, ancêtres de l'artillerie européenne. Le Valois apprécie bien la situation. Son armée est recrue de fatigue, celle de l'ennemi est fraîche. Il faudrait attendre le lendemain. Fait inconcevable, notre chevalerie, ivre de gloire et de rancune, charge sans l'ordre du Roi (23 août 1346). Il ne peut que prendre la tête de l'attaque. Les archers anglais, quittant leurs créneaux, décochent leurs flèches avec précision. Les arbalétriers génois au service de la France qu'aurait, selon certains, gênés la pluie, mais nous n'en possédons point la preuve, sont dédaignés, bousculés par les bannerets. 1 500 chevaliers sont tués et plusieurs milliers de fantassins avec eux. Les Anglais ne prennent point à rançon. Au milieu du carnage, Philippe continue de frapper. Il monte un troisième cheval et continue la lutte, une soixantaine de sergents d'armes se groupent encore autour de lui. Le comte de Hainaut finit par prendre la bride de la monture royale et emmène son souverain hors du champ de bataille. A la nuit tombante, les malheureux parviennent au château de La Broie dont la herse est dressée. Alors, Philippe y va de cette injonction pathétique :

— Ouvrez, c'est l'infortuné roi de France !

Édouard est-il le maître de s'emparer de tout le pays ? Le Valois ne dispose plus de marine, du moins au Couchant et ne peut faire remonter celle du Ponant. L'armée de terre est dans un état appelant une longue restructuration. Le Plantagenêt, pourtant, ne dispose pas de puissants effectifs. Il risque de voir les forces de l'Empire, de Bohême, de Hongrie, de Naples et d'Écosse entrer dans la partie. Peut-être sait-il qu'en dépit de graves trahisons — d'Harcourt, Artois —, la féodalité française, stimulée par un message du Roi devant les états généraux, peut se reprendre. Édouard se contenta, pour la satisfaction de ses marchands londoniens, d'investir Calais. La ville tomba, ses glorieux bourgeois furent sauvés par la bonne reine Philippa de Hainaut, et le nom d'Eustache de Saint-Pierre et de ses compagnons mérita la postérité.

Une nouvelle route de commerce, plus courte que celle de Bordeaux, comblait les visées mercantilistes des Anglais. On signa pour dix ans une trêve point trop avantageuse pour les vainqueurs.

EN MÉMOIRE DE PHILIPPE VI

Chef suprême d'une croisade avortée, acquéreur de la seigneurie de Montpellier et de ce Dauphiné du Viennois dont l'un des siens portera le nom, négociateur habile au lendemain de trois défaites — L'Écluse, Crécy, Calais —, Philippe VI, en dépit de ses colères, demeure un grand roi. Il a toujours réparé ses erreurs par sa diplomatie. Il présente un défaut : dans l'ordre militaire il sait comment s'y prendre mais il ignore l'art d'obtenir l'obéissance. Parfois, il ne contient pas sa violence, d'où certaines querelles à propos d'otages ou de légats avec son fils, le futur Jean II. Souvent brutal, doté d'une énergie peu commune, il bénéficie de son temps d'un prestige à l'étranger qu'il perd pour partie chez nous après ses infortunes. Le luxe de son hôtel, qu'on a si souvent évoqué, diminue considérablement aux heures grises. S'il utilise une chevalerie un rien obsolète, c'est qu'il ne dispose pas du temps nécessaire pour en former une autre. Comble de disgrâce, un fléau s'abat sur l'Europe occidentale et parvient en France en 1348 : la peste. Lorsqu'il se sent partir, il appelle ses deux fils à son chevet, il leur redit leur droit face aux Anglais, évoquant les sentences des docteurs et des juristes. Une juste cause ne manque jamais de soutien «et ceux qui combattent de la sorte finissent toujours par vaincre en dépit des échecs momentanés. Vous y parviendrez avec la crainte de Dieu, une bonne entente entre vous et le zèle de la chose publique».

Philippe VI meurt à Nogent-le-Roi, le 22 août 1350. La peste, dont on connaît les retours, avait déjà, en France, fait disparaître plus d'un tiers de la population.

JEAN II LE BON OU LA FRANCE EN PÉRIL

Il est malaisé de définir la personnalité de Jean le Bon — entendez le Brave. On possède de lui, au musée du Louvre, un portrait. C'est le premier d'un souverain français et les traits ne sont guère flatteurs : front bas, yeux globuleux, mais cette effigie est-elle digne de son modèle ? Froissart le répute «lent à s'informer et dur à ôter d'une opinion». Le duc d'Aumale travaillera, pourrait-on dire, à rectifier le tableau. En 1939, un érudit, M. J.-M. Tourneur, voulait ériger une stèle à Poitiers. M. Maurice Druon a publié, voici quelques années, un volume très sévère intitulé *Quand un roi perd la France*. De Philippe VI et de Jeanne de Bourgogne, Jean hérite probablement un tempérament impulsif et une instabilité de caractère. Il est fort possible encore que des mariages consanguins aient été contractés à des degrés proches, en dépit des foudres de l'Église.

Le règne commence mal ; le comte d'Eu, connétable de France, est décapité pour avoir tenté de donner aux Anglais son fief de Guines en échange de sa liberté. Six ans après, se produit un événement de même nature : Charles le Mauvais, gendre du souverain, petit-fils de Louis le Hutin par sa mère Jeanne, roi de Navarre et aspirant au trône, fait assassiner le nouveau connétable, Charles d'Espagne. Jean II est atteint par une telle vilenie. Retenu par ses entours, il attend deux ans. Son fils, bientôt

Dauphin, duc et gouverneur effectif de la Normandie, reçoit Charles le Mauvais et quelques seigneurs moins français que normands. Le Bon surprend les convives ; devant les supplications de son aîné, outré d'être soupçonné d'un guet-apens, il envoie le Mauvais à Château-Gaillard et fait exécuter les autres sur la place voisine. De tels procédés n'attirent pas la sympathie. Les capitaines normands, dépendant de la maison d'Évreux, se donnent froidement au roi d'Angleterre et, avec eux, d'autres seigneurs. Jean le Bon s'efforce de suivre les exemples de son père sans posséder ses qualités. Il voudrait se faire craindre alors qu'il conviendrait de se faire aimer. La trêve expire. A Ploërmel, le combat des Trente inaugure le retour à la bataille. Un peu partout, on reprend les armes mais sans engagements de fortes conséquences. Les Anglais trouvent de l'argent en cautionnant leurs laines auprès des banquiers florentins. Nous ne disposons pas de denrées négociables de la même manière. Seule ressource : l'impôt. Après l'insuccès d'assemblées provinciales, le Roi convoque les états généraux en 1355. Avertie des périls par le chancelier, l'assemblée, incomplète puisque la Normandie, l'Artois et la Picardie n'ont pas députés, consent à voter des taxes sous condition d'en faire percevoir le montant par ses propres agents. Le principe est bon mais inefficace. Passe sur les représentations à la Couronne. Elle veut de l'argent pour son train militaire, l'équipement de ses fantassins, et parfois un secours à sa chevalerie ou bien aux châtelains pour la défense des places, voire des villes. Devant le refus des contribuables, l'assemblée, sans plus de succès, remplace provisoirement les taxes sur le sel et les ventes par un prélèvement sur les revenus. Jean guerroie avec succès en Anjou pour empêcher le duc de Lancastre d'aller rejoindre le Prince Noir, fils d'Édouard III, retour de Languedoc avec un immense butin convoyé par les Anglais de Jean Chandos et les Gascons du captal de Buch.

POITIERS

L'ennemi profite d'une trêve de vingt-quatre heures, obtenue par le cardinal de Talleyrand-Périgord. Il offre même de restituer ses trésors et de ne plus porter les armes contre la France durant sept ans. A Poitiers, l'opinion prévalut selon laquelle il importait de punir une armée de brigands inférieurs en nombre. On ignore le nombre des Français, celui des Anglo-Gascons s'élevait à 10 000 environ. De notre côté, auxiliaires et mercenaires, commandés par le connétable Gautier de Brienne, duc d'Athènes, se rangent en retrait des deux maréchaux dirigeant plusieurs centaines de chevaliers d'élite prélevés sur les bannières seigneuriales. Le Roi se tenait à l'arrière-garde pour emporter la décision.

Au crépuscule du matin, les maréchaux, comme ils voient des ennemis se défiler du côté des bois de Maupertuis vers le gué de l'Omme, adoptent des points de vue contraires ; pour le sire de Clermont, c'est un piège, pour le sire d'Andréhem, il importe d'occuper tout de suite le passage. Ils se querellent et, se défiant, chargent sans cohésion. Ils sont tués par les gens du comte de Salisbury. Le connétable, venu les épauler, connaît le même destin.

Le Roi, qu'entourent ses bannerets, se jette dans la mêlée. Il prend sa hache et la manie de telle sorte qu'un instant les Anglo-Gascons reculent avant de se resserrer. Son fils Philippe, presque un bezot, lui crie :

— Père, gardez-vous à droite, père, gardez-vous à gauche !

Il ne voit plus, n'entend plus, taille encore dans la muraille humaine. Enfin, il rend son gantelet. C'était le 19 septembre 1356.

LA PREMIÈRE RÉVOLUTION FRANÇAISE

Le Roi prisonnier à Londres, le duc de Normandie gagne Paris pour y recueillir le pouvoir. Il est sans appui, sans soldats, sans argent. Âgé de 18 ans, paralysé d'un bras, il fait pâle figure. Un évêque, Robert Le Coq, se dresse contre l'autorité. Le prélat, assez subtil, s'entend avec le prévôt des marchands, Étienne Marcel. Le climat devient effroyable. La capitale, dont on relève hâtivement l'enceinte, grouille de réfugiés répandant l'alarme. Partout, on ne parle que de trahison. Les Anglo-Navarrais désolent les campagnes avoisinantes. Le Roi, depuis Londres, fait savoir qu'il signe une trêve, dispensant de réunir les états. L'assemblée ne servirait-elle qu'à glaner de l'argent ? La cession de Pâques serait annulée ? L'état des esprits ne le permet pas. Charles abandonne de nombreuses prérogatives mais discute la libération du Mauvais. Le roi de Navarre est délivré du Château-Gaillard. Marcel se rend au palais, y fait massacrer, sous les yeux de l'adolescent, les maréchaux de Champagne et de Normandie, puis, en signe de protection, le coiffe d'un chaperon rouge et bleu, couleurs de la ville de Paris. Charles prend la seule décision possible; il quitte la capitale en secret, gagne Compiègne, y réunit les états et, ses 18 ans accomplis, prend les titres de régent et de Dauphin.

Le Coq s'étant habilement retiré, les deux adversaires demeuraient le Mauvais et Marcel. Antérieurement s'étaient formées des jacqueries. Le prévôt s'appuie sur elles, s'aliénant les sujets paisibles. Plus fin, le Mauvais, après une nouvelle trahison, s'empare du «roi des Jacques» et le fait coiffer méchamment d'une couronne ardente. Désormais, Étienne Marcel est perdu. La bourgeoisie parisienne lui reproche sa connivence avec des gens sans aveu. Il se défend, donne au Mauvais le titre de capitaine général de Paris. Démarche inutile, déjà le roi de Navarre tente de négocier avec le Dauphin. Alors Marcel veut ouvrir une porte de la ville aux Anglais et tombe sous le glaive de ses propres amis. En juillet 1358, le Dauphin, grâce à Jean Maillard, rentre dans Paris. Un bourgeois lui lance des accusations. Il répond:

— On ne vous en croira, beau Sire.

LA RECONQUÊTE

Édouard veut la reconstitution de l'Empire anglo-normand. Les états généraux «autorisent» le Dauphin à la repousser. Le roi d'Angleterre reprend l'offensive, paraît même devant Paris. Il ne rencontre quiconque devant lui. Les châteaux se ferment mais aucune armée n'entre en campagne. L'Anglais, très méfiant, s'en retourne à ses bases. Il reste tout de même le vainqueur et nous contraint de passer le traité de Brétigny (8 mai 1360). Nous sauvons la Normandie mais perdons le Sud-Ouest jusqu'à la Loire. Il faut ajouter la rançon du Roi: trois millions d'écus d'or payables en six annuités. Les foules sont privées de conscience. Jean II revient acclamé, laissant le gouvernement à Charles. Il passe son temps à détruire les grandes compagnies. Trois de ses proches, son frère d'Orléans et deux de ses fils étaient retenus en otages. Louis d'Anjou s'évada. Jean s'en retourne à Londres. On a répété que c'était par amour pour la comtesse de Salisbury. Elle était morte depuis dix ans.

Le Roi, il est vrai, ne détestait pas les fêtes, nul ne pouvait toutefois lui contester son extraordinaire esprit de sacrifice dès l'instant que s'imposait le combat. Il n'a point été, semble-t-il, le plus intelligent de nos monarques. La tête était plus petite que les bras. Il serait toutefois inéquitable d'oublier le formidable guerrier, sans doute d'un autre âge, mais dont la hache trace au fil de notre histoire les sillons de l'honneur. Jean II meurt à Londres, le 8 avril 1364.

CHARLES V LE SAGE

Le premier miracle du règne de Charles V sera l'affaire de Cocherel, si bien décrite par M. Jacques Dulud. Sur une terre toute dégoûtante de crimes et de révolutions, il faut un maître. Or seule une consécration d'essence divine peut désigner le prince. Depuis les désastres, la position des Valois se révèle incertaine. Elle n'est pas la seule. L'empire d'Occident apparaît encore comme une impressionnante anarchie. Celui d'Orient, redevenu grec, s'amenuise. Les royaumes ibériques sont incapables de s'unir pour achever la reconquête. Bientôt, la papauté ira jusqu'à se scinder en trois: les obédiences d'Avignon, de Rome et de Pise. L'Angleterre fléchit: la Chambre des communes se sépare des lords et, éternel retour, paralyse le système financier. Les Godons se fussent-ils dégagés des fantaisies parlementaires qu'ils eussent probablement dévoré la France. Ils possédaient une marine, la nôtre pourrissait à L'Écluse. Ils conservaient une armée, la nôtre s'était à demi perdue dans les retranchements de Crécy, de Poitiers où se décomposaient les hommes et rouillait le meilleur métal.

Charles le Mauvais et ses solides Navarrais espèrent se tailler la route en empêchant le Roi de gagner Reims, ou du moins en interrompant le déroulement de la cérémonie. Un personnage hors pair va battre ces ambitieux et permettre au souverain de recevoir l'onction sainte. A Cocherel apparaissent déjà toutes les ruses de Bertrand Du Guesclin. Il simule l'envoi au captal de Buch, lieutenant du Mauvais, des renforts attendus. En réalité, ce sont des royaux jargonnant le gascon. Les rangs ennemis s'ouvrent, l'affaire est gagnée. Seule ressemblance du Breton avec Jean II: il se bat à la hache. Authentique chevalier, issu d'une famille noble, il a compris la nécessité absolue de renouveler les méthodes. Petit, méchant, terrible, il apparaît comme l'instigateur de tous les stratagèmes. Pour prendre une vraie forteresse, il engage de faux bûcherons. Ses troupes? Des bandes recrutées parmi les grandes compagnies. Il emmènera les réfractaires à sa discipline se construire des châteaux en Espagne, c'est-à-dire se faire tuer pour rien dans l'affrontement de Pierre le Cruel et de Henri de Transtamare.

Charles V aime et admire ce serviteur prodigieux. Il ira jusqu'à l'élever à la dignité de connétable. L'extraordinaire, c'est la compréhension entre ce roi souffreteux et cette manière de monstre venu de sa sainte Bretagne. Ils sont, l'un comme l'autre, des calculateurs, détestent les grands affrontements, procèdent par petits coups. Tant que l'armée n'a pas retrouvé sa cohésion, les risques d'importantes rencontres doivent être éliminés. N'allons pas croire qu'il s'agisse de gagne-petit de la guerre. Les opérations sont coordonnées. Les succès, même locaux, renforcent, en dépit des barrières féodales, la camaraderie militaire. On s'en remet au génie d'un grand capitaine aussi bien obéi du farouche routier Alain Taille-Col que du futur connétable Louis de Sancerre. A l'instar des Anglais, les Français vivent sur les rançons. Quant à l'honneur, il vient de l'anoblissement décerné largement par le Roi.

Bertrand Du Guesclin ne connaît pas toujours la victoire. Devant Auray, combattant pour Charles de Blois, il est pris par Jean Chandos (septembre 1364). En Espagne, il lui faut encore se faire racheter après Navarette (1367), mais il se revanche à Montiel (1369). Grâce à cette lutte victorieuse dans la péninsule, le nouveau roi de Castille Henri de Transtamare met ses flottes à notre service. Charles V en construit une et la confie à Jean de Vienne. Il a trouvé l'argent nécessaire grâce aux rançons et aux rentrées d'impôt. Ainsi nos côtes sont-elles à l'abri et pouvons-nous rejouer le jeu des incursions sur le littoral britannique. Le traité de Brétigny dénoncé, la danse s'est accélérée. En dix ans, le connétable chasse les Anglais de la Normandie, de la Guyenne, de la Saintonge et du Poitou. Sous le prétexte que le duc de Bretagne, Jean de Montfort, est passé chez les Anglais, Charles va mettre le siège devant Châteauneuf-de-Randon. Sans secours, la ville doit se rendre à la Saint-Joël. Bertrand meurt de maladie, le 13 juillet 1380, avant l'expiration du délai. Le gouverneur vient déposer les clefs de la place aux pieds du héros. L'œuvre de Du Guesclin demeure admirable et son repos à Saint-Denis légitime.

Charles le Sage — entendons le Savant — aime les beaux livres, encourage les enlumineurs. Il rappelle un peu Saint Louis, et l'on songera, lorsqu'il sera devenu veuf, à le proclamer pape...

Cela ne l'empêche point de prendre parfois de terribles sanctions. Il arrête le fils de Charles le Mauvais, supplicie les familiers de cet être malfaisant. Le méchant prince mourra dans des circonstances atroces : devenu vieux, il faisait bassiner son lit avec de l'alcool et, pour se réchauffer, gardait une fille près de lui. Elle approcha la chandelle et le prince perdit la vie.

Il semble que Charles V excelle dans l'administration et s'entoure à merveille. Hors ses heures de lecture, ses prières et ses méditations d'Aristote, il travaille avec ses chanceliers successifs, le prévôt Hugues Aubriot, constructeur de la Bastille, et surtout son chambellan Bureau de La Rivière. Parfois, il se trompe. Ainsi commet-il l'erreur de confisquer la Normandie dont Jean de Montfort est devenu le légitime possesseur après la mort de Charles de Blois.

Ayant cherché en vain l'alliance de l'empereur Charles IV, fils du roi de Bohême, Jean l'Aveugle, tombé dans les rangs français à Crécy, il veut se rapprocher de Richard II d'Angleterre en lui proposant sa fille avec pour dot quelques territoires reconquis. Enfin, au moment de passer, il déconseille à son fils de prolonger trop longtemps les fouages, impôts extraordinaires dus, dans certaines provinces, par chaque feu roturier :

— Usez-en à votre conscience et les ôtez au plus tôt que vous pourrez car ce sont choses quoi que je aie soutenu qui moult grèvent et pèsent en courage.

C'est un vœu pieux, plutôt qu'un ordre. A la vérité, Charles V voulait la paix tant extérieure qu'intérieure et répugnait à compromettre cette dernière par une fiscalité ne se justifiant qu'en temps de guerre. Dans le Louvre, reconstruit par ses soins, il est le véritable fondateur de notre Bibliothèque nationale. Il fait élever l'hôtel Saint-Pol, la chapelle de Vincennes, le château de Beauté. C'est là qu'il meurt, à 43 ans, deux mois après son prestigieux connétable, le 16 septembre 1380.

LES DÉBUTS D'UN JEUNE ROI

Charles VI atteint 12 ans. Charles V avait désigné pour régent son frère Anjou. Les autres puînés, Bourgogne et Berry, récriminent et viennent s'asseoir au conseil en compagnie du frère de feu la reine Jeanne, le duc de Bourbon. Les conseillers du Sage sont disgraciés. L'administration, réservée désormais à la clientèle des princes, se détraque. Non seulement les fouages sont maintenus, mais la détestable gestion des fonds entraîne une augmentation des taux d'imposition. Des insurrections, parfois d'une gravité extrême, sont fomentées un peu partout, Maillotins à Paris, la Harelle en Normandie, Tuchins en Languedoc. La répression ne se révèle pas trop délicate et l'on peut passer en Flandre où le fils d'Artevelde est défait à Rozebeke (27 novembre 1382).

En 1385, le duc de Bourgogne, Philippe le Hardi, fils de Jean le Bon, ayant hérité la Flandre, se trouve le plus puissant des princes, gouverne pratiquement sans contrôle. Le Roi le suit dans une expédition inutile en Allemagne du Sud et reçoit une Wittelsbach pour épouse, Isabeau de Bavière. Pour l'instant, Bourgogne, repris par le rêve lotharingien, se taillerait volontiers un empire avec l'aide des Français. Français, il l'est toujours, rassemble des troupes et, surtout, une marine, pour envahir l'Angleterre du faible Richard II. Les vents se montrent contraires, l'amiral, duc de Berry, ne paraît point. Voici bien un tournant de l'histoire. En dépit des guerres sans nombre, une réussite de cette nature eût modifié le destin. Il manque à cette opération une volonté délibérée et l'unité de commandement. Charles VI, ayant atteint sa majorité, chasse courtoisement ses oncles sur les conseils de son cadet, l'étincelant duc de Touraine, bientôt duc d'Orléans, sans oublier les services rendus par le duc de Bourbon. Voici de nouveau les marmousets, ancien conseillers de Charles V, le sieur Bureau de La Rivière, le connétable de Clisson, l'amiral de Vienne, Jean Lemercier, Juvénal des Ursins. Charles VI voyage chez Gaston Phoebus, comte de Foix, marque une nouvelle fois la volonté royale d'éteindre les dernières flammèches du Languedoc.

LE DRAME DE LA FORÊT DU MANS

Le souverain est perspicace comme Philippe VI, courageux comme Jean II, consciencieux comme Charles V. Il s'annonce comme un bon roi. Le connétable de Clisson souhaiterait une intervention contre Jean IV de Bretagne en cheville avec les Anglais. Pierre de Craon, fidèle de Jean, tente d'assassiner le connétable, le manque et s'enfuit chez son maître. Charles VI, soucieux de se faire livrer le coupable, réunit une force considérable. Dans la forêt du Mans, l'évadé d'un hospice voisin se jette à sa bride :

— Arrête, noble roi, tu es trahi !

Le jeune prince ne s'arrête pas. La chaleur est écrasante,

chacun somnole. Un sergent s'endort, laisse tomber sa lance sur le casque d'un homme d'armes. Charles, tiré de sa torpeur, se retourne, met l'épée à la main, tue quatre personnes. Il faut le maîtriser, le reconduire en chariot. A Paris, il reprend conscience. A quelque temps de là, au cours d'un bal, de jeunes courtisans apparaissent en satyres recouverts d'étoupe. La flamme d'une chandelle transforme les joyeux danseurs en brasiers. Tel est le Bal des ardents. Une nouvelle fois, le Roi perd la raison et ne la recouvre que sporadiquement. Il se croit en verre et appréhende de se casser. Lorsqu'il se calme, il joue aux cartes avec la charmante Odette de Champdivers.

En Angleterre, Richard II ne se montre pas hostile à la France. Il épouse une fille de Charles VI et, par l'entrevue d'Ardres, négocie une trêve de 25 ans (1396). Richard préfère la paix à la guerre parce qu'il n'aime pas solliciter le parlement qu'il ne convoque que fort rarement. Le duc de Lancastre disparu, il confisque ses biens. L'héritier prend mal la spoliation, revient de France et, après un coup d'État fort réussi, se fait proclamer roi sous le nom de Henri IV. Lui non plus, occupé de sa couronne toute neuve, ne tient pas à reprendre le conflit. Le nouveau drame va procéder chez nous de querelles intestines.

ARMAGNACS ET BOURGUIGNONS

Le duc d'Orléans partage toujours la régence avec son oncle Philippe le Hardi. Ils s'entendent médiocrement. Époux de Valentine Visconti, fille de Jean Galéas, duc de Milan, Orléans inaugure une politique italienne, fait attribuer à Charles VI la seigneurie de Gênes. Cela ne va pas sans embarrasser Rome d'où Boniface X, puis Innocent IV s'opposent à Benoît XIII, résidant en son palais d'Avignon. Philippe le Hardi, et c'est bien son droit, en tient pour Boniface, Louis d'Orléans, et il a raison, soutient Benoît XIII, cet extraordinaire Pierre de Luna qu'on nomme le «pape de la lune».

Depuis 1402, le désaccord vient d'ailleurs; le duc d'Orléans acquiert une partie du Luxembourg et envisage de s'agrandir dans cette région. Voici de quoi séparer Flandre et Bourgogne et compromettre la reconstitution de la partie nord de l'éternelle Lotharingie dont le sud n'est qu'un sujet de dispute.

Philippe le Hardi demeure le héros de Poitiers (Père, gardez-vous à droite, gardez-vous à gauche). Sans doute veut-il augmenter son apanage, mais il reste un prince français et la politique ne l'emporte pas sur la fidélité. Il meurt en 1404, remplacé par son fils qu'on nomme Jean sans Peur en raison de son comportement à la bataille de Nicopolis (1396) livrée contre le sultan Bajazet. Un instant, l'équilibre paraît se maintenir, puis les deux princes se prennent de bec à propos d'opérations locales menées contre les Anglais à Calais et à Bordeaux. Louis, peut-être amant de la Reine, grand, beau, d'une élégance suprême, et dont l'incomparable épouse, Valentine, met tout son cœur à consoler honnêtement le malheureux Charles VI, peut croire au plus glorieux des destins. Certes, il aime le plaisir, mais, pour autant, il voit clair. Il soutient le bon pape contre les aventuriers à *cappa magna*. Il tente, avec droiture, de nous agrandir tant au Nord qu'au Midi. Jean sans Peur n'est pas Philippe le Hardi. Au funeste soir du 23 novembre 1407, à la porte Barbette, il fait assassiner son compétiteur. Il pousse l'audace jusqu'à faire prononcer l'apologie de ce crime révoltant par un docteur en Sorbonne nommé Jean Petit. Le duc tient à commercer avec les Anglais. Après avoir battu les métiers flamands, le 23 décembre 1408 devant Othe, il humilie le jeune Charles d'Orléans par la paix de Chartres puis, s'alliant à la reine Isabeau, fait écarter les autres princes du sang, Bourbon et Berry. C'est compter sans Valentine Visconti. Elle pousse son fils à la revanche et, comme cet admirable poète est encore bien jeune, elle le confie à Bernard VII, connétable d'Armagnac, beau-père de l'adolescent. Les pays de l'Ouest, du Centre et du Midi se déclarent pour les Orléans-Armagnacs, les autres, pour des raisons parfois confessionnelles — ils soutiennent le pape de Rome — embrassent le parti de Bourgogne, lequel, après une compétition serrée, obtient la paix (Auxerre, 15 juillet 1413). Jean sans Peur mène à Paris une démagogie effrénée. Les états généraux, dominés par un nommé Simon Legoustellier dit Caboche, font adopter un projet de réforme intitulé la Grande Ordonnance cabochienne (mai 1413), rappelant les exigences d'Étienne Marcel ; les pouvoirs d'administration et de contrôle sont confiés par élection sans toutefois que soit atteinte la prérogative royale. Certaines dispositions dues aux juristes de Bourgogne ne manquent pas de sagesse. La rue offre un spectacle lamentable. Jean sans Peur, lui-même dépassé dans ses folies, s'inquiète. Les éléments modérés des états négocient le traité de Pontoise avec les Armagnacs (28 juillet 1413). Bernard VII entre dans la capitale, abroge l'ordonnance et se montre d'une effroyable rudesse à l'égard des Bourguignons.

Après quoi, par le traité d'Arras (4 septembre 1417), le connétable croit faire renoncer le duc de Bourgogne à l'alliance anglaise.

AZINCOURT

Quel dommage que Jean sans Peur ait ignoré le sens de la parole donnée au moment où Henri V se décide à tout mettre en œuvre pour saisir la couronne de France ! Le maître de l'Angleterre, après une jeunesse dissolue, vient d'acquérir, sous le manteau brodé de léopards, un sens aigu des responsabilités. Il veut la guerre et il entend la gagner. Il est assuré que l'alliance bourguignonne ne lui manquera pas. C'est vrai pour le méprisable Jean sans Peur, c'est faux pour une partie de sa chevalerie vivant dans le souvenir de Poitiers et nullement prête à favoriser l'invasion. Le 12 août 1415, le roi d'Angleterre débarque sans tirer une flèche au cap de la Hève, puis va établir son camp sur le plateau de Sainte-Adresse avant de s'emparer d'Harfleur, le 22 septembre. Il monte en Picardie, sans hâte, dans le dessein de mettre à son service Flamands et Bourguignons. Il est très maître de lui, conduit des gens bien équipés, possède des archers de premier ordre. L'armée française appréhende de redescendre vers Paris et se porte sur Azincourt. Le terrain est détrempé. Les chevaliers, dont les armures sont très lourdes, sont hissés sur leurs destriers, eux-mêmes caparaçonnés de fer, à l'aide de véritables grues. A peine sont-ils en selle qu'ils naviguent dans la boue. Si Du Guesclin était encore de ce monde, il n'accepterait jamais la bataille. Rien n'oblige à couvrir Paris d'aussi loin. Ce n'est point l'avis du connétable Charles d'Albret, comte de Dreux; il croit toujours à la puissance et à la rapidité de la décision. Il ne verra même pas la fin de l'affrontement. Ses bannerets tombent comme des quilles; Azincourt voit des milliers de morts et la capture de Charles d'Orléans, espoir des Armagnacs (25 octobre 1415). Henri V manifeste une patience étonnante, occupe l'année 1417 à conquérir la Normandie. Il ne veut pas prendre Paris, il préfère qu'on la lui donne. Les Bourguignons sont là pour cela. Un certain Perrinnet Leclerc, bourgeois de la ville, se charge de la besogne. Bernard d'Armagnac est massacré devant la porte du Châtelet, la plupart de ses compagnons connaissent le même sort. Un groupe de fidèles parvient à dégager le Dauphin. Paris est livré à des tueries sans nom. Jean sans Peur et Isabeau, maîtres du pauvre Roi, font leur entrée dans la ville le 14 juillet 1418. Ils sont accueillis par le bourreau Capeluche. Comme ce beau personnage connaît une célébrité un rien excessive, le duc le fait condamner à mort. Capeluche donne des conseils à ses aides pour qu'ils procèdent joliment à sa propre exécution. L'état des esprits demeure très confus, sauf à Paris où l'Université, la corporation des bouchers, les gens de plume mènent le branle en faveur de Bourgogne. Autour du Dauphin, le quatrième depuis le début du règne, les Armagnacs modérés se révèlent partisans d'un rapprochement avec Jean sans Peur. Après tout, qu'a-t-il à gagner dans une entente avec l'Angleterre ? Elle lui suscitera des difficultés avec les Flandres, et il usera sa popularité parisienne. Il se décide, non sans appréhension, à converser avec son rival au pont de Montereau. Une altercation éclate ; les chevaliers du Dauphin abattent le prince. Cette fois, il faudra longtemps pour retrouver l'unité. La capitale mais aussi les provinces du Nord s'enflamment. Le fils de la victime, qu'on nomme Philippe le Bon, passe avec les Anglais la convention d'Arras (2 décembre 1419), prélude à l'abominable traité de Troyes (22 mai 1420) ; le Dauphin est privé de ses droits du fait de ses «énormes crimes et délits». La fille de Charles VI, Catherine de France, épousera Henri V. A la mort du «fol», l'Anglais ou son héritier deviendra roi de France et les deux couronnes seront réunies à titre perpétuel. Le monarque d'outre-Manche exige la charge de régent tant que vivra son beau-père. Il occupe tout le littoral atlantique, moins le Poitou. Seuls échappent le Sud-Est et le Centre. En 1421, les Armagnacs arrachent une estimable victoire à Baugé mais elle n'ouvre pas sur une reconquête. Henri V, comblé de succès, meurt à Vincennes, le 14 août 1422, laissant la régence au duc de Bedford, personnage sévère et consciencieux. Le 21 octobre, trépasse Charles VI. L'héritier, Henri VI, sera sacré plus tard à Notre-Dame aux applaudissements des badauds (1431). Dans l'instant, il faudrait pour le Dauphin, car il ne se dit pas Roi, renouveler le miracle de Cocherel et atteindre Reims mais Charles est mal conseillé, sa petite cour est en proie aux factions. Une seule personne voit très clair, la belle-mère de l'adolescent, Yolande d'Aragon, duchesse d'Anjou. Est-ce à cette femme admirable que l'on doit, pour Jeanne d'Arc, l'autorisation de venir saluer le futur Charles VII ?

SAINTE JEANNE

De toutes les figures qu'offre l'histoire de l'Occident, Jeanne d'Arc demeure la plus exceptionnelle. Elle fut élevée dans un bourg sis aux confins de la Lorraine et du Barrois, Domrémy, dans un ménage de paysans aisés. Était-elle la fille de Jacques et Isabelle Romée ? Certaines de ses réflexions, la composition de ses armoiries donneraient à penser qu'elle touchait de près à la maison de France, sans être pourtant — la chronologie est formelle — le fruit des amours supposées de Louis d'Orléans et d'Isabeau. Sa mission, selon certains, était suscitée par Yolande d'Aragon, désireuse de provoquer un choc psychologique, y compris sur son gendre, pour tirer les Armagnacs de leurs intrigues et souvent de leur léthargie. Dès l'âge de 13 ans, Jeanne avait entendu des voix célestes, notamment celles de l'archange saint Michel, de sainte Catherine d'Alexandrie et de sainte Marguerite d'Antioche, l'exhortant à sauver le royaume «en boutant les Anglais hors de France». Robert de Baudricourt, commandant à Vaucouleurs pour le «roi de Bourges», refuse, puis accepte de faire accompagner la jeune fille, sans doute après avoir consulté la grande Yolande.

Entendue par des clercs, elle reconnaît le Dauphin dissimulé sous le costume d'un simple seigneur, obtient, à Chinon, un entretien secret d'où le prince sort réconforté, probablement assuré par l'étrange visiteuse d'une légitimité niée par les Anglais, les Bourguignons et la malheureuse Isabeau elle-même.

Jeanne, devenue chef de guerre, libère Orléans (8 mai 1429) assiégé depuis sept mois par Salisbury, puis, à la tête de l'armée du Dauphin, défait l'habile Talbot à Patay. Elle prend Auxerre, Troyes, Châlons et, renouvelant la manœuvre de Du Guesclin à Cocherel, permet que le sacre se déroule à Reims.

Elle veut s'emparer de Paris, elle est alors blessée tandis que, s'aidant de fascines, elle jauge la profondeur d'un fossé. L'événement se produisit devant la porte Saint-Honoré, à l'actuel emplacement de la Comédie-Française.

La campagne suivante tourne mal. Malgré l'appui du connétable de Richemont, futur Arthur III de Bretagne, les intentions militaires de Jeanne sont battues en brèche par les seigneurs de Giac et de La Trémoïlle. S'il importe de poursuivre la reconquête contre les Anglais, il faut s'abstenir de prendre l'initiative face aux Bourguignons. Or Jeanne ne partagera pas cette opinion. En bon stratège, elle a compris qu'il faut se débarrasser du secondaire avant le principal. En outre, elle est dotée d'un esprit trop moderne pour entrer dans certaines considérations. Ce qu'elle veut, c'est en finir tout à la fois avec les Bourguignons et les Anglais. La camarilla des sorciers, des hauts politiques se ligue contre Jeanne. Sa campagne de septembre 1429 est marquée par un succès à Saint-Pierre-le-Moustier et un échec à La Charité-sur-Loire. Désormais, le Roi voudrait la voir profiter des honneurs mais ne plus intervenir dans la guerre, et surtout dans la politique. Au printemps de 1430, les soldats de Philippe le Bon investissent Compiègne. Appelée par les habitants, Jeanne, à la tête d'une troupe de routiers, pénètre dans la ville à la faveur de la nuit mais ne peut s'y maintenir, est capturée, livrée par Jean de Luxembourg aux Anglais, à la demande du parlement de Paris. Jeanne tente de s'évader, vainement. On la relève au pied d'une tour. A Rouen, un monstrueux procès de sorcellerie est organisé par l'évêque de Beauvais, Pierre Cauchon, et le vice-inquisiteur Jean Lemaître. Jeanne domine les débats avec un sens voisin du génie, affirme sa mission divine. Menacée de remise au bras séculier, elle se soumet aux volontés du tribunal, consent à revêtir des habits féminins et s'entend condamner à la prison à vie. Lui dérobe-t-on ses vêtements de demoiselle dans sa cellule ? Reprend-elle une tenue masculine pour mieux se soustraire aux entreprises de ses geôliers ? Les juges la retrouvent en homme, proclamant de nouveau sacré le caractère de son entreprise. Cauchon, Lemaître et les 39 assesseurs déclarent Jeanne relapse (29 mai 1431), la livrent au bourreau le 30. Elle est brûlée sur la place du Marché.

Charles VII, dont l'inaction, peut-être apparente, avait été sévèrement appréciée, allait faire ouvrir une enquête à la reprise de Rouen (1440). Un procès à la requête d'Isabelle Romée aboutit à la réhabilitation.

Le pape Calixte III se trouvait dans une position délicate mais l'espoir d'amener Charles VII à se croiser pour délivrer Byzance tombée aux mains des Infidèles, le 29 mai 1453, lui fit annuler en 1456 le verdict infâme. A ces considérations, peut-être faut-il en ajouter une autre : Jeanne serait demeurée fidèle à l'obédience avignonnaise puis péniscolienne. Au temps de l'héroïne, ladite obédience n'avait plus cours, mais Anglais et Bourguignons avaient toujours soutenu les Romains ou les Pisans contre Pierre de Luna.

Aujourd'hui, grâce aux Camelots du Roi, la journée nationale de Jeanne est célébrée. Mieux, la bergère élevée sur les autels fut béatifiée en 1909 par Pie IX et canonisée le 9 mai 1920 par Benoît XV.

Bedford s'était montré mauvais calculateur. Plusieurs seigneurs, le baron de Montmorency, le sire de L'Ours, d'autres encore avaient tenté de se porter sur Rouen. Quand Jeanne subit le supplice, son cœur subsista. Il fallut le jeter à la Seine. Un Anglais s'écria :

— Nous avons brûlé une sainte !

Les compatriotes de cet anonyme se montraient durs et leur arrogance pesait à la population.

Il semble que la France ait souffert plus que jamais. La fiction des deux royaumes conjoints ne prenait pas. Seulement Bedford possédait des troupes et savait s'en servir. Un incident curieux marque cette période troublée. Jean de Grailly, comte de Foix, acceptait et exerçait des pouvoirs délégués à la fois par Rouen et par Bourges. A la mort du pauvre Charles VI, le comte se prononça pour Charles VII.

Le souverain avait été victime, à La Rochelle, d'un violent accident ; le plancher de la salle du conseil s'effondra. Charles ne fut pas blessé mais gravement commotionné. Dans la suite, il s'abandonna tantôt à la mélancolie, tantôt au plaisir. Il pratiquait toutefois une diplomatie attentive. N'avait-il pas obtenu de nos amis écossais et de leur chef, le comte de Dough, la victoire de Baugé ? Il avait renoué des liens précieux avec la Castille, Milan, et la papauté. C'est au palais que s'est tramée l'intrigue des sires de Giac et de La Trémoïlle contre Richemont. Ils vont le payer cher. Le barbu, dans ses robes des Mille et Une Nuits, est tué par le connétable, l'autre, petite tige d'un grand arbre, est exilé. Les responsables de l'affaire de Montereau sont écartés.

Philippe le Bon, après une trêve de deux ans, revient discuter, accompagné des Anglais. Inflexible, il ne concède que le sud de la Loire. Cette conférence de Nevers, menée avec brio par le connétable de Richemont, ne peut donner satisfaction : il faut désavouer l'affaire de Montereau, en échange de la cession de Péronne, de Troyes, de Mâcon, d'Auxerre, en toute propriété, d'Amiens, d'Abbeville et de Saint-Quentin, avec faculté de rachat. Philippe en revanche, refuse de rendre l'hommage à celui qu'il tient, à tort ou bien à raison, pour le meurtrier de son père. Charles VII accepte que l'hommage ne lui soit pas rendu. Il a compris que les Bourguignons, même parlant haut, ne peuvent tenir leur négoce avec les Anglais dans une situation ambiguë.

C'est bien observé. La mort de Bedford permet de rouvrir les opérations : Dieppe tombe, puis l'Ile-de-France. Le 13 avril 1436, moins de cinq ans après le bûcher de Rouen, le connétable entre à Paris sous les vivats. Étrange capitale ; elle se donne à des hommes, constitue des partis et en reforge d'opposés. Toutefois, serait-ce par un sentiment de loyalisme enfin retrouvé par le martyre de la Pucelle et l'épée du connétable, les massacreurs sont redevenus de braves gens. Où sont-ils les universitaires, les jeunes savants si contents de manier le glaive au temps d'Étienne Marcel ou de Caboche ? A cette attitude contradictoire répond une situation particulière. Les Valois, sauf Henri II, résideront rarement à Paris. La Loire demeurera leur boulevard royal.

Les grands capitaines, que ce fussent le Bâtard d'Orléans, comte de Dunois, le duc d'Alençon ou les autres fidèles de Jeanne, les sires de La Hire, d'Aulan, de La Fayette ou de Xaintrailles avaient remis leurs éperons. Les Godons manifestaient une belle fureur en dépit de leur désillusion, reprenant l'offensive trois mois après notre campagne de Guyenne alors que La Réole et le pays landais s'étaient soumis. 1450 fut la grande année. La Normandie, d'où les Anglais avaient attaqué, fut entièrement reconquise à l'issue de la bataille de Formigny.

Dunois, appuyé par une flotte castillane, prit Bordeaux et Bayonne. L'administration se montra déplorable, les Gascons furieux appelèrent Talbot. Il ressaisit toute la contrée. A l'été de 1453, deux mois après la chute de Byzance, Charles VII encercla la Guyenne. Le connétable de Richemont tua le pauvre Talbot, son fils et ses meilleurs chevaliers à Castillon, le 16 juillet. Bordeaux se rendit le 14 octobre. Hors Calais, d'ailleurs enclavée en Bourgogne, la France était de nouveau seule chez elle.

VICTORIEUX ET BIEN SERVI

Charles VII sait se faire bien servir. Non sans conférer les plus larges missions aux militaires, Alençon, Dunois, et surtout Richemont, il travaille avec des financiers comme Jacques Cœur. Il veut cette armée permanente esquissée par Philippe VI et prend des dispositions afin de l'obtenir par l'ordonnance d'Orléans (2 novembre 1439). Trois nouveaux impôts déjà connus s'enracinent : la gabelle, la taille ou taxe sur les biens roturiers, enfin les redevances indirectes sur la consommation.

Les cours souveraines sont restaurées, certains de leurs membres anoblis. C'est un scandale pour les chevaliers, tous entrés dans le deuxième ordre. Ils sont généralement pauvres mais conservent dans leurs rangs quelques personnes assez à l'aise pour financer des troupes. Leur cause mérite attention, sollicitude même. Des croisades à la guerre de Cent Ans, ils n'ont cessé de répandre leur sang. Les dévaluations les ont gravement atteints alors qu'ils ne bénéficient pas de l'immense vague de prospérité déferlant depuis Castillon. Une autre raison les encolère : Charles VII s'entoure souvent d'anciens serviteurs des Anglo-Bourguignons. Le Dauphin, futur Louis XI, se mêle de la Praguerie, ainsi dénommée en souvenir du remuement hussite de Prague. Le Roi désarme l'insurrection en créant des exemptions fiscales pour les membres de la noblesse servant aux armées, ne serait-ce qu'une quinzaine de jours par an. Alexandre, bâtard de Bourbon, instigateur de cette révolte avortée, est cousu dans un sac et précipité dans l'Aube. Une poignée de grands, Jean IV d'Armagnac et son fils, le duc d'Alençon, demeurent rétifs. C'est un peu la famille adoptive de Jeanne d'Arc. Le ténébreux Louis se voudrait XI, il continue de jouer le double jeu. En Dauphiné, il complote avec les Savoyards puis, devant les lances de son père, se sauve chez les Bourguignons. Il y passera son temps, jusqu'à la mort du Roi, à réconcilier Philippe le Bon et le fils de ce prince, Charles, alors comte de Charolais, qu'on surnommera *post mortem* le Téméraire.

Brézé, le grand serviteur, pourrait en attester : on ne trouve plus de terrain à vendre. Il est trop précieux. Les Espagnes sont divisées, l'Empire acquiert un peu de sang neuf avec les Habsbourg. La carte change mais la France est au mieux lorsque Charles VII le Victorieux meurt à Mehun-sur-Yèvre, le 22 juillet 1461. Repoussait-il les mets par crainte d'un empoisonnement préparé par un sbire de son fils... ?

LOUIS XI OU L'UNIVERSELLE ARAGNE

Au début de son règne, Louis XI se fourvoie dans l'affaire des Pragmatiques. A Bourges, en 1461, il abolit celle de Charles VII. La désignation des évêques français revient au pape après avis du souverain. C'est bien confus. Le clergé gronde. Les conseillers du feu Roi sont renvoyés et remplacés par des gens de fort basse extraction, Balue, bientôt cardinal, et le redoutable barbier Olivier Le Daim. Ces personnages sont intolérables parce qu'ils ne s'entendent qu'à faire rentrer l'impôt, parfois multiplié par quatre depuis le règne précédent. Obéissant au souverain, les membres du conseil trouvent les moyens d'obtenir de Philippe le Bon, sur le déclin, la vente des villes du Nord naguère imposée par le traité d'Arras, Saint-Quentin, Corbie, Doullens, Montreuil, Rue, Le Crotoy, Saint-Valéry-en-Caux, et de verser les 400 000 écus.

Louis XI va trop vite en besogne. La prospérité du pays ne le met pas en veine de s'attaquer avec tant d'audace à la Bourgogne, il est vrai, peu coopérante. Les hauts feudataires sous le jeune frère Berry se regroupent : Bretagne, Bourbon, Alençon et l'héritier de Bourgogne, comte de Charolais, fils du vieux grand-duc d'Occident. La majeure partie de la noblesse se ligue contre ce roi tyrannique. Il s'allie avec le pape, le duc Sforza, les Liégeois, prend la tête de son armée, car il manifeste un penchant pour l'épée, descend vers le midi, remonte vers le nord et livre une bataille indécise aux gens de la ligue à Montlhéry ; il faut restituer, sans indemnité, les villes de la Somme acquises en 1463, donner l'apanage de Normandie à Berry, l'épée de connétable à Saint-Pol. Rançon dure, humiliante. Louis XI réunit les états généraux à Tours pour faire répéter, à sa grande satisfaction, que la cession de la Somme est irrecevable, le Roi ne pouvant aliéner une portion de territoire. Dans le même moment, il arme et fait agiter les Liégeois et donne rendez-vous au Téméraire qu'on nommait alors le Hardi pour conférer à propos des états. Devant l'insurrection de Liège fomentée par Louis, Charles, au comble du dépit, fait arrêter le souverain à Péronne puis le contraint de venir en sa compagnie massacrer les malcontents. Nouvelle exigence, celle de Berry : passer de Normandie en Champagne assurant pour Charles de confortables échanges entre Flandre et Bourgogne. Les états l'envoient en Guyenne où le frère du monarque observera, au demeurant, une attitude des plus régulières. Louis XI se trouvant néanmoins dans une position incertaine, prend langue avec l'illustre comte de Warwick, le « faiseur de rois », et favorise Henri VI de Lancastre au détriment d'Édouard IV d'York. Nos côtes à l'abri, Louis attaque toutes les villes de la Somme. Édouard rentre en Angleterre. Redevenu le roi de Londres, ne l'est-il pas de Paris ? Il se vengera des usurpateurs Valois et, avec un bon contingent, interférera les lignes de retraite de la Somme. On escarmouche et Jeanne Hachette s'illustre dans l'affaire de Beauvais. En 1445, l'encerclement des Godons se resserre. C'est alors que Charles s'en va mettre le siège devant la petite ville de Neuss dont les habitants se sont révoltés contre leur seigneur, l'archevêque de Cologne. Louis XI, souvent trop précipité, joue avec la retenue nécessaire et s'entend demander par les Anglais 75 000 écus d'or au comptant et une rente annuelle de 50 000. On signe à Picquigny le 29 août 1475. La guerre de Cent Ans est terminée. Entre les coups d'estoc, de taille, et la mise en place des bombardes, on a beaucoup cherché. De profonds politiques ont entamé des discussions de caractère féodal et financier. Tout s'est terminé comme cela.

Toute la gent éperonnée rêve d'une grande affaire. On dit que le temps est plus beau, plus gracieux pour marcher vers les Lieux saints. D'autres apprennent que nous détenons des droits en Italie tel l'héritage napolitain du Bon roi René d'Anjou. La France s'ennuie-t-elle depuis Castillon? Pour Louis XI demeure une anxiété: le retour offensif du grand-duc d'Occident. Ses deux territoires séparés — les Flandres et la Bourgogne — l'empêchent de réaliser l'empire puissant dont rêvait Philippe le Bon. Alors le Roi, multipliant les intrigues — le rhétoriqueur Mollinet le nomme l'Universelle Aragne — se livre à la plus intense activité de diplomatie et d'espionnage. Il noue ses fils avec une telle adresse que le duc, remettant la conquête de la France à demain, s'attaque aux confédérés helvétiques. Chevalier accompli, il ne tient pas pour très hauts ses adversaires. Sans préparation suffisante, son armée essuie une défaite à Grandson le 22 mars 1476, et à Morat le 22 juin 1476. La politique du Téméraire ne se modifie pas. Il lui faut trouver un passage entre ses deux fiefs. Dans la nuit précédant la bataille de Nancy, l'aigle surmontant son casque s'en détache à grand fracas. Charles fait replacer l'insigne sur son heaume. Le 15 janvier 1477, on retrouve, nu, à demi dévoré par les loups, sur les bords glacés de l'étang Saint-Jean, le corps du grand duc. Cruel, mais pas plus qu'un autre, violent mais généreux, il s'est fourvoyé dans le siècle. C'en est fini des Mollinet, il faudra s'en remettre au réalisme de Commynes. Le Téméraire, malgré ses hauteurs et ses brutalités, avait conservé l'amour de ses peuples. En Franche-Comté, 100 ans plus tard, si dans quelque maison on évoquait une iniquité, un vieux, de son banc, assurait:

— Soyez tranquille, le grand duc va revenir.

Louis XI commet une sottise. Feignant de considérer toutes les possessions du Téméraire comme un apanage, il occupe la Flandre, le Brabant, le Hainaut, le Luxembourg, l'Artois, la

Franche-Comté, l'Alsace et la Brisgau, toutes terres revenant à Marie de Bourgogne, née du deuxième mariage de Charles avec Isabelle de Bourbon. Le Français pille, dévaste, procède à des transferts de populations. Partout se développe contre l'oppresseur une lutte acharnée. Maximilien, fils de l'empereur Frédéric III, défend Marie et l'épouse en août 1477. Elle lui donne un fils, Philippe le Beau. La guerre continue cinq ans. L'exemplaire fille du Téméraire meurt d'un accident de cheval, s'étant refusée par pudeur à recevoir des soins. On signe le traité d'Arras le 23 décembre 1482. Marguerite d'Autriche, fille de Marie, épousera le Dauphin Charles avec pour dot l'Artois et la Franche-Comté. A Philippe le Beau va tout le reste. L'Angleterre dénonce le traité de Picquigny pour ne pas supporter l'enclavement de Calais. La menace sera bientôt écartée par la rupture des fiançailles du Dauphin, mettant hors du jeu l'Artois et, du même coup, la Franche-Comté.

Louis XI, en vieillissant, perd sa nature vigoureuse. Il voyage encore très souvent mais il ne monte plus au créneau du rempart. Pour lui, les princes sont devenus des pions sur un échiquier. Les ambassadeurs doivent prendre trop de masques différents. Si les affaires d'Italie, d'une extrême complexité, marquent certaines préférences de Louis XI — appui aux Médicis et à Sforza, indifférence pour les Durozzo, et les Visconti. On ne saurait en tirer les conséquences pour l'avenir. Il n'en va pas de même avec les puissances ibériques. Le Roi dispute la succession de Navarre, encourage les Catalans révoltés, se brouille avec l'excellent Henri IV de Castille dit sottement l'Impuissant, à demi captif d'une cour d'ambitieux profitant honteusement de ses bienfaits. Résultat : mariage de Ferdinand d'Aragon et d'Isabelle de Castille en 1469. De ces princes naîtra Jeanne la Folle, épouse de Philippe le Beau, mère de Charles Quint. Par grâce, n'accablons point le monarque. Pouvait-il savoir que la Reconquista tirait à sa fin et que les rois catholiques allaient réaliser l'union?

Il serait injuste de voir un dilettante dans ce monarque, d'ailleurs rude, très travailleur mais d'un caractère trop précipité. Son avarice feinte protège le Trésor. Aux cérémonies importantes, il est couvert d'or pour rehausser le prestige de sa dignité. Il se consacre aux marchands et ne les méprise pas. Les états généraux le suivent, permettent une augmentation régulière des impôts largement consacrés aux dépenses militaires. Nous possédons la meilleure artillerie de l'Europe et le service des premières places de guerre est bien assuré. La poste est créée. La baisse des prix agricoles s'explique par les pertes de la peste noire. Elle concourt également à la hausse des produits manufacturés, la famine métallique engendrant une perpétuelle inflation.

Une fille de Marguerite de Sassenage, la favorite (titre inauguré par Charles VII avec Agnès Sorel), Marie, deviendra la grand-mère de Diane de Poitiers. Côté légitime, on rencontrait un Dauphin encore jeunet, Charles, une sœur aînée, Anne, dont le Roi plaisantait la tournure mais vantait le bon sens, l'appelait «la moins folle femme de France, car de sage, il n'y en a point». Elle avait épousé Pierre de Beaujeu, de la maison de Bourbon, procédant du dernier fils de Saint Louis. Jeanne, la cadette, était unie au duc d'Orléans, Louis, petit-fils de l'assassiné de la porte Barbette et fils du poète capturé le soir d'Azincourt. Chef de la gent féodale, il professait un culte pour la France mais dédaignait une femme contrefaite.

Quand vint à se profiler la Camarde, saint François de Paule vint assister le Roi. Il fallut que l'homme de Dieu consolât cet être plus sensible à ses maux qu'à ceux des autres. Louis XI se reprit et transmit au petit Charles VIII «cette couronne, l'honneur et le droit de laquelle nous sommes garde ainsi que nous l'avons juré et promis pour le bien et soulagement de nos bons et loyaux sujets».

Les derniers jours, il n'appelait son fils que le Roi.

Il avait raffolé du Plessis-lez-Tours où ne manquaient ni les fleurs rares ni les oiseaux précieux. C'est de ce paradis qu'il partit pour l'autre, le 30 août 1483.

10

CHARLES VIII FACE À L'ITALIE

Charles, encore petit garçon, rêve de l'Italie, laissant gouverner sa sœur Anne de Beaujeu, et un beau-frère, bientôt duc de Bourbon par l'extinction de ses aînés. Dans un pays où vient de régner une manière d'absolutisme par l'intermédiaire des «fonctionnaires», il est temps de modifier le paysage: les états siégeront en 1484. On parlera très librement jusqu'à recevoir cette injonction de Philippe Pot, seigneur de La Roche:

«La chose publique n'est que le courage du peuple. C'est lui qui l'a confiée au Roi. Quant à ceux qui l'ont possédée d'autres manières, sans avoir eu le consentement du peuple, ils n'ont pu être réputés que des tyrans du bien d'autrui. Or, j'appelle peuple, non point la populace et seulement les sujets du royaume, mais les hommes de tous les états; aussi sous le nom d'états généraux, j'entends que les princes eux-mêmes et que tous ceux qui habitent le royaume aucun n'est exclu à ce titre.»

L'assemblée ne réagit pas, chacun veut fournir une modification, redonner du Charles VII dernière manière en échange du Louis XI à peine effacé. L'Église désire le retour de la Pragmatique — nomination des évêques par le Roi — pour limiter les versements à la cour de Rome et se garantir tant du Latran que du monarque. C'est une montée annonciatrice du ferriérisme et du jansénisme... La noblesse, et on la comprend, entend qu'à la guerre les armées relèvent des châtelains et non plus des baillis. Elle réclame une réduction de l'ost.

Les communes veulent la diminution de leur part dans l'entretien des troupes soldées. On proteste, en outre, contre la présence abusive dans les foires de commerçants étrangers.

La justice souhaite le retour à l'inamovibilité des magistrats, à l'abolition des sentences rendues par commissaires. Les marchands, qu'on nommait «la marchandise», seraient heureux de dispositions particulières amenant l'abrogation des péages récents, la sécurité comme la viabilité des chemins, un renforcement des privilèges de la foire de Lyon en concurrence avec celle de Gênes.

Quelques députés émettent la vieille idée d'un parlement permanent et délibérant. Les provinces tiennent trop à leur particularisme exprimé au sein d'assemblées locales.

Les Beaujeu composent, diminuent la taille, ouvrent le conseil à certains pour le fermer à d'autres.

Anne montre son habileté: le Roi tiendra toujours le conseil, en son absence déclarée exceptionnelle, le duc d'Orléans présidera. Face à ce jeune homme intelligent mais guère appliqué, la belle part reste à Mme de Beaujeu. Elle montre son autorité, refusant au duc l'annulation de son mariage avec la pauvre Jeanne disgraciée par la nature. Selon certaines sources, la régente — elle l'est depuis les états — serait amoureuse d'Orléans et jalouse d'une femme délaissée. Après quelques incidents de plus en plus sévères, Anne, en violation du droit des gens, fait cerner l'hôtel du deuxième personnage du royaume par 100 archers. Les hommes d'armes ne s'exécutent pas. L'intéressé se réfugie chez le duc d'Alençon. De nouveau menacé d'arrestation, il passe chez le duc de Bretagne François II. Leur position se révèle bien différente: Bretagne jouit d'une ancienne autonomie, Orléans est sujet du Roi mais il souhaite épouser Anne, fille de son amphitryon. L'empereur Maximilien et le duc de Lorraine se veulent de la fête. A la suite d'une démonstration militaire d'Anne de Beaujeu contre François, ses vassaux prennent les armes. La coutume féodale leur en donne droit, pas à Louis. Et c'est la décision. Le sire de La Trémoïlle, à la tête de 12 000 hommes, inflige à l'armée bretonne une lourde défaite à Saint-Aubin-du-Cormier (22 juillet 1488). A la vérité, Anne de Beaujeu n'avait organisé toutes les provocations contre Louis que dans le dessein de se débarrasser d'un concurrent. Elle respecte tous les égards dus à François de Bretagne, le privant toutefois de quelques places de sûreté. Pour Louis, il en va bien autrement. Le voici prisonnier d'État, au pain et à l'eau, tenu serré dans le château de Guérande. La fille aînée de Louis XI aurait-elle fait couler le sang d'un Valois si proche? On ne sait. Jeanne obtient de s'enfermer avec son époux à Bourges dans une prison plus accueillante. Pour autant, il refuse de remplir ses obligations conjugales. Une autre union va agiter l'Europe : celle de Charles VIII et d'Anne de Bretagne. L'empereur Maximilien a sujet de s'émouvoir. Il avait fiancé sa fille à Charles et noué des fils secrets entre l'héritière armoricaine et lui-même. Le traité d'union (et non de réunion) n'interviendra pas avant 1537 mais la Bretagne se teinte déjà d'obédience française.

L'ITALIE

Les Beaujeu s'en étaient retournés dans leurs immenses domaines, et Charles gouvernait de son château d'Amboise. Selon la chronique, il contemplait l'épée de Saint Louis, la hache de Du Guesclin et l'armure de Jeanne d'Arc. Il aurait aussi feuilleté nombre de romans de chevalerie. La France possède bien des droits solides sur Naples par les Anjou de la deuxième branche, sur Milan par les Visconti, mais qu'aller faire dans ces pays ? Concentrer des forces pour mener la croisade. L'invasion turque était vieille de moins d'un cinquantenaire et il est vrai qu'elle ne s'arrêtait pas. On était loin des tractations avec les Arabes. C'était « œil pour œil, dent pour dent ». La France, affirmait-on, tant dans notre pays qu'ailleurs, devait prendre l'offensive. Charles VIII passa deux traités, l'un, celui de Barcelone, restituant au roi d'Aragon le Roussillon et la Cerdagne, l'autre, celui de Senlis, avec l'empereur, rendant l'Artois et la Franche-Comté, dot devenue sans objet depuis que ne s'était pas réalisée l'union avec Marguerite d'Autriche. Une formidable armée de 30 000 hommes, ordonnée selon des règles inconnues jusqu'à cette époque, descendit dans la péninsule. La Savoie, le marquisat de Saluces ménagèrent des réceptions délirantes. Seul, le More de Milan, Ludovic, se montra réservé devant l'arrivée de tant d'amis. A Florence, le moine Savonarole, maître des lieux, prétendit justifier ses prédictions : l'envahissement de l'étranger si ses compatriotes ne renonçaient pas à leur vie dissipée. Il se mit à la disposition de Charles, et Pierre de Médicis fut contraint de s'en aller. A Sienne, les portes furent ouvertes avec respect. A Rome, le cardinal Della Rovere soumit au Roi le projet de déposer Alexandre VI Borgia, pontife politique, artiste mais, paraît-il, de moralité douteuse. Charles VIII, très sagement, recula devant la perspective d'un nouveau Grand Schisme. Il se contenta de se faire remettre un prisonnier, le prince Djem, frère du sultan Bajazet. Ce serait un précieux otage pour les premières tractations relatives à l'hypothétique croisade.

A Naples, le piège se ferme : Ludovic le More, devenu beau-père de l'empereur Maximilien, trahit Charles et veut le couper du Nord. Averti par son ambassadeur, Commynes, alors à Venise, Charles repasse les Apennins et rencontre les coalisés groupés autour du marquis de Mantoue. Les Italiens, nombreux mais moins bien équipés, doivent s'effacer à Fornoue (6 juillet 1495).

Ébloui, le roi de France rapporte deux projets : implanter le Quattrocento chez lui, renouer ses alliances face au pape, à la ligue de Milan, à Venise, à l'empereur et à Ferdinand d'Aragon, pour retourner en Italie faire avancer la croisade. Au château d'Amboise en allant jouer à la paume, il heurte le linteau d'une porte basse, boit peut-être trop d'eau fraîche et tombe inanimé. L'agonie dure neuf heures. Il meurt le 4 avril 1498.

L'Amène, tel sera son surnom. D'une éducation soignée, d'un caractère droit, un peu naïf, il effaça la désillusion italienne par cette victoire de Fornoue dont le renom fut tel qu'on ne parla que de la *furia francese*. Avec lui disparaît la branche directe des Valois.

11

LOUIS XII

Le duc d'Orléans complote-t-il avec son beau-frère Bourbon, ancien sire de Beaujeu, dans le but de restaurer l'autonomie d'une Normandie dont il assumait la charge de lieutenant pour le Roi? Le cardinal d'Amboise, membre important du conseil, n'avait cessé d'attirer l'attention sur cette intrigue. Craignant des mesures de rétorsion, Louis s'est réfugié dans son château de Montis-les-Blois. Un écuyer se présente. Est-ce l'ordre d'arrestation? Il annonce :

— Le Roi est mort.

Met genou en terre :

— Vive le Roi!

Louis songe un instant à se faire investir par les pairs ou les états généraux. Son intuition reprend le dessus; sachant les Bourbons de son côté, il vient se prosterner devant le corps de Charles VIII et se fait, à coups de trompes, saluer comme souverain. Lorsque à Charles IV avait succédé Philippe VI de Valois on avait enregistré quelques troubles. Cette fois, il semble que quiconque ne discute la légitimité de Louis. Il montre une habileté du cœur rare chez les chefs d'État. Au sire de La Trémoïlle, dont il avait à se plaindre pour ses duretés de Guérande, il dit :

— Continuez de m'être aussi loyal qu'à mon prédécesseur.

Aux bourgeois d'Orléans peu constants pendant sa captivité, il réserve ce mot sublime :

— Il ne serait pas décent à un roi de France de venger les injures au duc d'Orléans.

Il dispense du don de joyeux avènement. D'autres mesures heureuses sont prises : diminution de la taille, organisation judiciaire, confirmation des privilèges de la Bretagne et de la Provence, création du parlement d'Aix, facilités de négoce. Une triste histoire se déroulait pendant ces temps bénis. C'était le procès en annulation entre Louis et Jeanne. Elle se défendait. On n'évoquait point la lamentable lettre de Louis XI au grand maître Dammartin, soulignant la nécessité de cette union pour qu'il n'y eût pas de nouvelle branche cadette. Jeanne, dans sa candeur, croyait de toute son âme avoir approché son mari. Mariage forcé, non-consommation, rien ne pouvait écarter la décision. L'évêque d'Albi, Louis d'Amboise, président du tribunal, demeura le confident et l'ami de la princesse. La sentence de nullité fut rendue le 17 décembre 1499 et Jeanne reçut le duché de Berry. Elle le gouverna parfaitement. Simultanément, elle consacra ses pauvres jours à la fondation d'un ordre cloîtré, l'Annonciade, et aux rassemblements pour la paix ouverts à tout un chacun. L'Annonciade lui vaudra la béatification immédiatement après son trépas, ses travaux pour la paix, la canonisation par Pie XII. Le cardinal d'Amboise, frère de l'évêque d'Albi, ne se laissait point absorber par le temporel. Il assura dans le sillage de Jeanne une réforme dans tous les moutiers. Cet homme supérieur s'inquiétait-il de mouvements «parallèles», déclenchés tant en Angleterre avec John Wyclif, qu'en Bohême sous l'impulsion de Jan Huss?

A la mort de Jeanne, en 1505, Louis ordonna des funérailles royales, puis vint en secret sur la tombe. Entre-temps, il avait réalisé ses désirs: il était l'époux d'Anne, duchesse de Bretagne, régnante depuis 1488. Mais elle défendait tous les privilèges de son fief, et les hermines ne ployaient pas devant les lis.

Pourquoi Louis XII prépare-t-il une nouvelle campagne outre-monts? Croit-il toujours à la mise en marche de la croisade? Veut-il reprendre le Milanais, lui, l'arrière-petit-fils de Valentine Visconti? Un peu des deux, mais il craint surtout que les puissances n'occupent à nouveau Milan et, s'alliant à l'Empire et à l'Aragon, forment une quatrième force en Europe. Enfin, et ce n'est pas le plus glorieux, les guerres d'Italie sont à la mode.

Le souverain, aidé du cardinal d'Amboise, se livre à des préparations diplomatiques, neutralise Henri VII Tudor, l'empereur, les Aragonais, Florence, Ferrare et Mantoue, s'assure l'alliance du Saint-Siège et de Venise. La charge de la préparation militaire incombe au seul Trésor royal. Louis n'est pas entré dans Milan sous les vivats que ses troupes sont chassées. Revoici

Ludovic. L'infatigable La Trémoïlle réoccupe la cité, envoie à la citadelle de Lys-en-Berry ce prince savant et artiste. Il y périt en 1510.

Le cardinal d'Amboise administre admirablement le Milanais. L'union de la France à la Lombardie interdit les défilés alpestres. C'est l'apothéose. Louis entre en pourparlers avec Ferdinand d'Aragon pour se partager Naples. Philippe le Beau, gendre de Ferdinand et fils de Maximilien, se propose en médiateur. L'Aragonais fait tout échouer, en contraignant l'armée française à se séparer en trois tronçons. Nos capitaines multiplient les traits de vaillance : Louis d'Ars, aussi bien que Pierre de Bayard défendant seul le pont de Garigliano... Notre recul détermine Venise à nous abandonner. Louis fait, sans succès, investir Salses. Ferdinand attaque Narbonne. Le Roi de France signe une trêve. Il tombe alors malade jusqu'à perdre l'esprit. Son épouse en possède pour deux : elle conclut le mariage de sa fille avec le jeune Charles, fils de Philippe le Beau et de Jeanne la Folle. Ainsi, la Bretagne, l'Empire et l'Espagne allaient entourer la France mais la Reine garderait son duché. C'est alors que Louis XII revint à lui ; constatant l'horrible situation, il appela les états généraux le 14 mai 1506. Les députés le supplient de ne pas donner sa fille et la Bretagne à l'héritier des Flandres, de l'Italie du Sud et de l'Autriche, et demandent que Claude de France soit fiancée au neveu du Roi, son successeur éventuel «Monsieur François qui est tout Français». Le Roi s'incline, non sans plaisir, et un porte-parole de l'assemblée, Thomas Briare, déclare :

— Pour avoir réprimé la licence des gens de guerre [...], pour avoir abandonné à son peuple le quart des tailles, pour avoir réformé la justice et appointé partout de bons juges, le souverain doit être appelé le roi Louis XII, Père du peuple.

Parfois, on le chansonne pour la simplicité de son train, il s'en amuse mais enjoint à la trésorerie :

— Je vous montrerai que je veux être servi, non comme le feu roi Charles mais comme le défunt roi Louis.

Il maintient dans l'ordre la turbulente Université sans oublier de lui donner une chaire de grec et d'affranchir le commerce des livres. Sur sa mule, sans escorte, il se rend au parlement ; en public, il ne dira rien, cependant il critiquera les lenteurs et les irrégularités. Par son édit de 1503, il fait interdire à tous officiers royaux et seigneuriaux de se faire élire par les communes. La vie municipale reçoit sa protection. Quand le Roi ne galope pas en

Italie, il s'occupe des voies de transport, faisant vérifier si les seigneurs emploient dûment le revenu de leurs péages. Il développe les mines de cuivre et de plomb, les gisements d'argent du Vivarais et de Bourgogne, favorise les mines d'alun. Un vieux laboureur le guette pour voir et revoir «le Roi qui maintient la justice et nous fait vivre en paix».

La guerre d'Italie va reprendre et l'on s'interroge sur son opportunité. S'agit-il, une nouvelle fois, de trouver les conditions nécessaires au départ pour la croisade? Le Roi le voudrait mais il manifeste, à l'instar de son prédécesseur Charles VIII, une désastreuse naïveté. Après tant d'affrontements, il s'allie, à Savone, avec Ferdinand, veuf d'Isabelle la Catholique, et dont le mariage avec Isabelle de Foix, sœur de Gaston, le héros, ne lui laisse aucun droit sur la Castille. Le Roi mate un mouvement des Génois désireux de donner au fils de Ludovic le More le trône milanais. Maximilien déclare venir à Rome pour son couronnement avec l'intention de conquérir l'Italie du Nord. Louis envoie le maréchal Trivulce appuyer les Vénitiens. Ils en profitent pour conquérir Goritz, Trieste et Fiume avant de signer une trêve avec l'Empereur. Indigné, Louis leur déclare la guerre avec l'appui de Jules II. Le pontife, regroupant la France, l'Empire et l'Aragon (10 décembre 1508), constitue la ligue de Cambrai, négociée par Marguerite, veuve de Philippe le Beau, gouvernante des Pays-Bas, et le cardinal d'Amboise. Piège, sans doute. La journée d'Agnadel (14 mai 1509) voit la victoire des Français commandés par le monarque en personne sur les Vénitiens. Tous les territoires entre le lac de Garde et l'Adda sont à lui. Louis se donne les gants de bombarder la lagune sans grande crainte pour les édifices, en considération de la faible portée des pièces.

Jules II ne peut tolérer un établissement aussi considérable et «retourne» la ligue de Cambrai. Dans le même temps, il «propose» le royaume de France à Henri VII Tudor. Anne s'oppose à cette nouvelle guerre, délie les évêques bretons du serment de fidélité, mais une assemblée réunie à Tours somme le clergé de soutenir la lutte temporelle contre Jules II, agissant non pas en tant que pontife mais comme prince de l'État de Rome.

Les Français, assistés par le duc de Ferrare, se portent aux frontières pontificales, Louis s'efforçant de négocier grâce au concile de Pise. Jules répond négativement par un autre concile, celui de Latran.

Il ne nous restait qu'à combattre. C'est alors que Gaston de

Foix donne sa pleine mesure. Entraîneur d'hommes, stratège dans l'âme, ce fils de la sœur du Roi maîtrise une campagne comme un Du Guesclin. Il atteint 20 ans. Gaston prend Brescia, Bologne et tombe devant Ravenne, pleuré par Bayard. Sans en être forcément la cause, cette disparition marque un renouvellement des alliances. Louis n'a pas voulu forcer les portes de Rome après la disparition de son neveu. Jules II intrigue toujours. Venise revient à nous; tous les autres sont dans le camp opposé, sauf Florence, Ferrare, l'Écosse, dont le souverain, Jacques IV, se fait tuer au cours d'une diversion face aux Anglais. Le fils du More, appuyé par l'Empereur, prend Milan. Une armée bien conduite, pourtant, par La Trémoïlle, est battue à Novare. Il faut repasser les Alpes. Les Anglais ont préparé, depuis Calais, une offensive réussie sur Guines. Ferdinand attaque dans les Pyrénées, les gens des Cantons menacent Dijon.

Il semble que le trépas de Jules II ait calmé l'Aragonais, il faut donc remettre le Tudor à la raison. Anne la Bretonne est morte, Henri VIII Tudor, l'un des êtres les plus savants et les plus répugnants du siècle, propose sa sœur Marie. Elle atteint 19 ans, le Roi 53. Il a voyagé pour redresser l'administration, combattu, casque en tête, devant ses phalanges. Il est ému par la beauté de Marie d'Angleterre, ne cesse de lui donner de l'amusement. Les Français l'aimaient un rien pingre, ils l'adorent plus généreux. Sa cour s'éclaire, elle rit et danse. Est-ce pour cela qu'il va moins bien? Déjà, il avait failli nous quitter au moment de l'affreux traité de Blois.

Il meurt dans la nuit du 1er janvier 1515.

Son souvenir demeure ancré dans la mémoire des Français. Montesquieu le tiendra pour notre meilleur souverain. Profitant d'une heureuse conjoncture économique, il a fait progresser la condition de tous et satisfait ses sujets par le bon pain et la vraie gloire. Il demeure le Père du peuple. Décerné de son vivant, le titre a subsisté. N'est-ce point la plus belle récompense terrestre?

12

FRANÇOIS Iᵉʳ

Qu'on le veuille ou non, une Histoire des France passe par ses rois et se raconte à travers eux. Qu'ils prennent ou non l'initiative, ils combattent toujours quelques usages dépassés tout en respectant la tradition. Le pays demeure le reflet de leurs actions manquées ou réussies. Si le mot *nation* n'existe pas dans le vocabulaire, il a pénétré la réalité depuis Bouvines. La preuve réside dans l'accession au trône de François de Valois-Angoulême, dont le dernier ascendant ayant possédé couronne en tête est Charles V. Il n'existe aucun fief mouvant, sinon celui que se disputeront la mère du Roi, Madame Louise de Savoie, et le connétable de Bourbon. Avant ce drame va se dérouler une comédie. Il est bien établi que François doit épouser Claude de France, or il se met en tête de convoler avec la veuve de son prédécesseur, tandis qu'elle laisse percer un faible pour l'ambassadeur venant la chercher. Bien entendu, elle se prétend enceinte des œuvres de Louis XII, ne sort pas de sa chambre et ne se laisse voir qu'un oreiller sur le ventre. Madame Louise interviendra non sans habileté. La «reine galante», comme la nommera M. André Castelot, deviendra duchesse anglaise.

Cette anecdote éclaire un peu le visage de François Iᵉʳ. Il est, certes, à l'âge des passions mais cette amourette nous eût séparé de la Bretagne, héritage personnel de Claude, en un temps où la reconstitution de l'Empire nous donnait le devoir de préserver nos territoires et, *a fortiori*, de n'en point perdre.

Toute sa vie, «Monsieur François» fera preuve de témérité, quitte à se reprendre avec astuce. Dans le privé, il se révèle jovial, dans le public, majestueux. Il tient une cour, la première, encourage les arts et les lettres, est doté d'un goût et d'un savoir authentiques. Ce géant mesure 6 pieds 4 pouces (2,04 m). Un beau regard jaillit et il faut l'aller chercher sous une paupière de sanglier. Le nez, les bras et les jambes sont à la taille du personnage. La barbe en pointe affine le bas du menton. Ce n'est pas un roi comme les autres mais c'est un roi. Il donne dans son conseil deux places privilégiées, l'une à sa mère, Louise, dont par-dessus les moulins le bonnet vole, l'autre à messire Antoine Duprat, toujours prêt à les accumuler. Premier président du parlement de Paris, il obtiendra l'archidiocèse de Sens et le cardinalat. Quelques dispositions s'imposent. On instruit le procès du trésorier Semblançay que l'on pend, on achète le ministre anglais pour obtenir la neutralité de son pays. On offre au futur Charles Quint la sœur de Charles VIII, Renée de France, avec en dot le Berry mais en dédit les villes de l'Artois. On trouve des aménagements avec Gênes et Venise. François Ier songeait peut-être à la croisade, en tout cas, il veut le Milanais au même titre que Charles convoite la Bourgogne. Les gens des Cantons, comme tout peuple ayant accompli de grands travaux en faveur de la liberté, ne la marchandent pas. A Marignan, les 13-14 septembre 1515, on vit un affrontement gigantesque. Le Roi se multiplia, coucha sur un affût de canon entre les deux journées du combat et, au soir du triomphe, se fit adouber par Bayard.

Le Milanais était à nous et nous pouvions acquérir d'autres avantages. Ce fut le traité de paix perpétuelle avec les Suisses et, grâce à lui, la possibilité de recruter des combattants contre toutes les puissances possibles, sauf la maison d'Autriche. La seconde fut la Pragmatique Sanction : le Roi nomma les évêques, le pape leur accorda l'investiture. Plus d'un quart de la fortune du clergé de France se trouvait récupéré par la Couronne, quant aux nouvelles élévations, elles valaient les annates, reversement des revenus de la première année d'exercice. Restait encore pour le Latran un difficile calcul de conversion en florins, difficile mais applicable avec un peu de bonne volonté. C'était la fin de l'anarchie et un système si solide qu'il durera jusqu'à la fin de l'Ancien Régime.

On entra pour quelques années en mer calme. Le traité de Cambrai (1517) amenait les princes à se garantir mutuellement leurs États.

La mort de Maximilien et de Ferdinand d'Aragon donnait à Charles Quint l'Espagne, la Flandre, et en cas d'élection à l'Empire, les 10 cercles, territoires n'appartenant pas au domaine héréditaire des Habsbourg. Henri VIII se mit un instant sur les

rangs, puis renonça. Sa prudence, en dépit de sa haine à l'égard de la France, l'empêchait de s'appuyer sur Charles, tout en proclamant avec suffisance :
— Qui je soutiens est maître.

L'entrevue du Drap d'Or entre Guines et Ardres (juin 1520) fut la plus ravissante des catastrophes. On se servit mutuellement, on se livra, toujours rieurs, à des pugilats, et Monsieur François connut l'infortune de gagner.

Le gros Godon laissa venir Charles jusqu'à lui. Il ne s'engagea guère, car il préférait accumuler de l'argent qu'en perdre.

Charles a bénéficié, sous la supervision de l'incomparable Marguerite d'Autriche, des seigneurs de Croÿ et de Lannoy, d'une éducation hors pair. Il est acquis à la dévotion moderne et parle un bon latin. Pour les autres langues, il s'exprime à peine en castillan et en allemand. Il lit et écrit en français. Arrière-petit-fils du Téméraire, procédant de Jean le Bon, il ne nous est pas éloigné. Il ne déteste pas notre pays, il le convoite. Pourquoi ? C'est assez simple : il se retrouve dans la position du grand mort de l'étang Saint-Jean, il ne peut vivre qu'il ne détienne des possessions sinon unifiées du moins regroupées. Moins grand, moins élégant que son compétiteur, n'ayant pas un Marignan derrière lui, il manifeste cependant une dilection pour les armes. En dépit d'une réserve héritée de son entourage flamand, il n'a rien oublié de son enfance. Il est taciturne sans se montrer triste.

François multiplie les largesses, donne son or aux Electeurs, *auparavant*, alors qu'il conviendrait de le répandre *après*. Marguerite d'Autriche traite avec les Fugger, leur promettant qu'ils pourront agrandir leurs comptoirs hanséatiques grâce aux ports italiens. Charles accède à l'Empire. Ce n'est pas encore la guerre mais des campagnes partielles, la réponse à l'appel lancé par le duc de Bouillon, menacé par Charles Quint, une intervention en Navarre conquise prestement au profit de l'Albret. Henri VIII proposa sa médiation. Elle se révéla sans succès.

François s'engagea dans le conflit. Succès à Hesdin et à Fontarabie. Là, l'amiral de Bonnivet fit merveille. Hélas, la défaite de M. de Lautrec à La Bicoque nous privait de la totalité du Milanais. Le pape et Venise passent à l'ennemi, Henri VIII aussi sous le prétexte que nous nuisons à ses intérêts en Écosse. C'est le moment où se situe l'affaire du connétable de Bourbon. Chef de nos armées, gendre des Beaujeu, il était l'héritier des biens de sa défunte femme, Suzanne. Louise de Savoie, moins jeune que Charles de Bourbon, voulait-elle régulariser une liaison et essuya-t-elle une rebuffade? C'est probable sans être certain. En tout cas, malgré des lettres émanant de Charles VIII et de Louis XII, autorisant la transmission d'apanage, Louise, guidée par l'âpreté sinon le dépit, fit travailler les commis de Duprat à perdre le connétable et à mettre ses biens sous séquestre : le Bourbonnais, l'Auvergne, la Marche, le Forez, le Beaujolais, et la Dombe, relevant, elle, de l'Empire. Charles de Bourbon, bien que soulignant d'abord cette dernière iniquité, chercha, en toute bonne foi, à retrouver les faveurs d'un monarque sous lequel il avait servi dans un climat d'affection. Ce fut en vain. Hors de lui, il prit contact avec Henri VIII et Charles Quint. Pour son honneur, il ne sortit rien de ses entretiens avec le gros tueur de femmes mais il retint l'oreille de l'Empereur. François Ier tenta de retenir Charles tandis que l'autre jouait les malades dans son château de Chantelle, en Bourbonnais. Mal gardé, il s'évada, appela ses féaux et les trouva si peu nombreux qu'il n'en garda que deux pour rejoindre l'Empereur. Quelques amis du connétable furent arrêtés mais il ne se produisit aucun mouvement dans le pays. Dès lors qu'un grand feudataire était dépouillé, il ne comptait pour rien, et c'était la nouveauté. Seulement, M. de Bourbon restait un vainqueur. François et son cousin, quatrième dans l'ordre de succession au trône, allaient se retrouver devant Pavie. Bayard, mis à mal à La Cosia, aurait vu le connétable venir vers lui pour le consoler et aurait lancé cette réplique :

— N'ayez pas pitié, monseigneur. Moi, j'ai pitié de vous qui servez contre votre prince, votre patrie et votre serment.

Outre le fait que le chevalier souffrait de l'incompréhension instaurée entre son souverain et son ancien premier serviteur, il est formellement démontré que les deux hommes de guerre ne pouvaient se trouver au même endroit.

La retraite de l'amiral de Bonnivet ouvrait la Provence, le connétable s'y jeta sans succès et remonta vers la Ligurie. Dans le même moment, François Ier redescendait en trois colonnes par les cols du Mont-Genèvre, de Larche et de Tende. Au lieu d'aller courre le connétable, il voulut dégager Pavie. La bataille s'annonçait bien mais, sur une fausse communication, le duc d'Alençon fit retraite et détruisit les ponts. Les Français plièrent. Blessé, un cheval tué sous lui, le Roi risquait d'être pris par Bourbon ou le marquis de Pescaro, digne époux de l'érudite Vittoria Colonna. Habile dans son infortune, il parvint à tendre son épée à M. de Lannoy. Il fut reçu non sans courtoisie, put écrire à sa mère : «Madame, tout est perdu fors l'honneur», et envoyer sa bague au sultan Soliman le Magnifique, bientôt vainqueur à Mohacs des Hongrois.

Le potentat oriental et son vizir Ibrahim comprennent le signe. Bientôt, ils iront jusqu'à lancer les pirates d'Alger razzier les côtes espagnoles tandis que les janissaires feront voler les têtes des Européens du Danube. L'alliance de François Ier avec les Infidèles marque la fin du rêve éternellement recommencé de la reprise des croisades encore chères à Charles VIII et même à Louis XII. Malgré des guerres constantes, les princes s'unissaient parfois pour la délivrance du Saint-Sépulcre. Cette fois, c'en est bien terminé. On songe au jugement de Léon Bloy : « La folie des croisades est ce qui a le plus honoré la raison humaine. Antérieurement au crétinisme scientifique, les enfants savaient que le sépulcre du Sauveur est le centre de l'univers, le pivot et le cœur des mondes. »

On ne saurait mettre en balance l'action que l'Empereur va bientôt déclencher contre le pape. Elle ne visera qu'à punir une intrusion dans le temporel.

A Madrid, François Ier subit une captivité douloureuse. Il fut même victime d'un très grave abcès à la tête. Le connétable voulait rentrer en France, doté de ses anciennes dignités. Charles Quint sentait l'impopularité de ses mesures. M. de Lannoy s'attachait à la gloire de son maître, tendait à la réharmonisation pour faire pièce aux Turcs. Finalement, François Ier acheta, pour l'abandon de la Bourgogne et la remise en otages de ses deux fils, François et le futur Henri II, sa liberté. Il ne s'était pas contenté de donner sa parole de roi, mais celle de chevalier.

A peine rentré, il s'appuya sur le parlement et les commissions communales pour faire proclamer qu'un monarque, absent de son royaume, n'en pouvait disposer. Ainsi, ces hommes de toutes catégories s'opposent vigoureusement à la partition du royaume. On trouvait dans ce grand parti des honnêtes gens, le sanguinaire Henri VIII, Clément VII le « pape qui ment », et les dangereuses compagnies des Cantons. Ce conglomérat rendit d'humeur furieuse l'Empereur et le connétable, déjà colère d'avoir perdu la sœur du monarque, Éléonore, veuve de Manuel de Portugal, donnée à François Ier. Seul le vice-roi de Naples, Lannoy, gardait son calme. Il ne pouvait toutefois empêcher une expédition contre Rome. Ce fut la descente dans la folie. L'argent manquait. Un chef de reîtres, Frunsberg, parce qu'on ne lui obéissait pas, mourut d'apoplexie. L'Empereur, enfin conscient de la mauvaise réputation qu'il se donnait, fit savoir à son lieutenant général qu'il le désavouerait s'il poursuivait son raid vers la Ville éternelle. Le hautain transfuge jeta sa vaisselle d'or à ses enragés. Rome céda (1529). Clément alla se réfugier au château Saint-Ange, mais le duc était tombé de l'échelle au premier assaut. Un nouvel adversaire se présenta. Il sévit durant sept mois, c'était la peste. Philibert de Chalon, second du connétable, évacua les débris de ses reîtres et de ses lansquenets. Dix mois plus tard, le «pape qui ment» couronnait Charles. Soliman exerçait sa pression sur Vienne et le maréchal de Lautrec, encore que pestiféré, avait repris le Milanais. Ces images évoquent la troisième campagne. Elles s'achèvent sur la paix des Dames obtenue à Cambrai par Louise de Savoie et Marguerite d'Autriche. Entre-temps, étaient intervenues les 95 thèses de Wittenberg, œuvre de Luther, et François Ier glanait les protestants comme les pachas à trois queues. La crise rebondit avec l'assassinat du seigneur Mariviglia, agent de France auprès de la Sublime Porte, à Milan. Monsieur François manifestait cependant son bon vouloir. Il affectait de conférer à son alliance avec les Ottomans le caractère d'un avantage pour toute la chrétienté : accès au Saint-Sépulcre, sécurité des pèlerins, protection du commerce français, et même quelques services aux dépendants de Tolède. On se trouvait séparé par deux conceptions : la nationalité pour François Ier et l'universalité pour Charles Quint.

L'occasion se présente d'un rapprochement. Certains Gantois s'étaient révoltés, et d'autres appelaient au secours. La situation de l'Empereur ne lui permettait de gagner le Nord qu'en empruntant les routes françaises. François offrit le passage sans demander de concessions territoriales. Charles refusa de réclamer tout otage. Ce fut une succession de fêtes comme seul le Roi savait les donner. La politique en fut absente.

Et, pourtant, comme l'ambassadeur français auprès de la Sublime Porte, M. Rincon fut, en Italie, assassiné par des spadassins aux gages de Charles Quint, le duel reprit. Le Tudor, parce que le Valois s'opposait au mariage de la petite reine d'Écosse, Marie Stuart, avec l'héritier du trône anglais, passa du côté du Habsbourg. Même depuis le trépas du connétable, la haine demeurait d'autant plus chaude qu'elle revêtait ce qu'on nommerait l'idéologie. Très moderne dans les procédés civils ou militaires, Charles prenait deux apparences : celle d'un prince de son temps agrandissant sa maison mais aussi celle du seul intermédiaire entre ses sujets et le ciel. Son rêve s'apparente moins aux pensées lotharingiennes de l'arrière-grand-père qu'aux volontés d'Othon II et d'Othon III.

Malgré l'étincelante victoire de Cérisoles, remportée par le duc d'Enghien, la France demeurait assaillie sur toutes ses frontières. Restaient les combinaisons de Monsieur François avec les luthériens et les Turcs, mais il ne pouvait en user qu'avec parcimonie. Pour passer le traité de Crépy-en-Laonnois, chacun se tenait sur ses positions. Lorsqu'on signa, les envoyés de Charles Quint ignoraient la prise de Boulogne par les Anglais. Ils furent grassement payés par François Ier. La question soulevée par le duché d'Orléans se raccorderait à celle de Milan dans la mesure où le troisième fils de François épouserait une porphyrogénète. Le jeune prince mourut, laissant l'affaire sans effet.

MONSIEUR FRANÇOIS SANS CASQUE

Comment comprendre un homme de 2,04 m sans délacer son armure ou lui retirer ses capes de soie et ses chapeaux à plumail? François Ier n'apparaît pas tout uniment de cette façon. Il se révèle un chef de bureau. Impressionné par les expéditions lointaines pratiquées par les Espagnols, les Portugais et les fougueux Hollandais, il possédait le sens du monde. Dès 1517, il fonde le Havre-de-Grâce d'où Verrazano, capitaine au service de France, part pour reconnaître la côte américaine et stationne dans l'estuaire de l'Hudson où s'élèvera New York. Jean Ango, de Dieppe, nous donne un réseau d'armateurs. De 1534 à 1541, Jacques Cartier explore le Canada, remonte le Saint-Laurent. Il baptisa ces lieux la Nouvelle France, et là s'édifiera Montréal. Jusqu'à François Ier, nous disposions de marins mais pas de navigateurs.

A l'intérieur, la tradition de justice était maintenue. On ne saura jamais si le surintendant Semblançay s'était rendu coupable de prévarications. Si Louise de Savoie fut mise en cause, c'est sans doute pour avoir abandonné son complice. Un fait demeure certain, les magistrats chargés de l'instruction passaient pour consciencieux. Le fils de Semblançay, parfaitement innocenté, devint archevêque de Bourges. La commission de la Tour Carrée, de 1527 à 1536, continue ses poursuites contre les concussionnaires mais sans rendre de sentence capitale.

Dans ce royaume menacé sur trois côtés sinon quatre, on s'étonnera de voir se déployer deux jacqueries, celle de Lyon, dont Monsieur François, avant la mort de ses derniers fils, eût voulu faire sa seconde capitale, et celle de La Rochelle. A Lyon, au cri de «Enfants au blé!», un nommé Jean Musil déclencha, avec une extrême violence, une révolte. La ville refusa le concours de l'armée royale. Elle connaissait les perturbateurs aux ordres de Charles Quint et les punit sévèrement.

A La Rochelle, la cause, plus précise, provenait de la gabelle abaissée à l'intérieur et rehaussée dans les ports. François Ier s'ouvrit la route. On attend sa déclaration. Elle fuse:

— Je veux que vous sonniez vos cloches. Vous êtes pardonnés.

Que l'incident soit advenu dans le grand port doit-il nous étonner? L'affaire de La Rochelle dépasse la jacquerie de Lyon. Un certain état d'esprit de réforme se discerne déjà. Reste que, dans le royaume, après la défection du connétable, bon catholique mais parangon de la désobéissance, François ne rencontre plus de féodalité. Bien sûr, on verra s'en forger une autre, elle rendra beaucoup de services et commettra passablement de sottises, mais le lien sera de nature différente. La féodalité cessera progressivement d'apparaître pyramidale. La notion de vassal disparaît devant la dépréciation de la monnaie, fixe sous Charles VII; il faut bien en venir, devant la pléthore métallique, à faire acheter une foule de charges, voire de faveurs.

L'édit de Villers-Cotterêts nous donne un état civil et officialise l'usage du français dans les actes administratifs (1539). Au Collège de France on va parler aussi le français. On enseignera, bien sûr, le latin et également le grec oublié depuis le Moyen Age. Le système judiciaire s'améliore: accélération des procès, suppression du jugement sur pièces. L'accusé pourra se défendre lui-même.

A l'activité du roi législateur s'ajoute celle du diplomate. Ses ambassadeurs sont partout, à la paix comme à la guerre, rachetant une place, obtenant un avantage. Son immense prestige, même lorsqu'il se trouve en mauvaise position, le sert considérablement. A Soliman, son allié, à Charles Quint, et surtout à Henri VIII, il manque le charme. On s'est trompé gravement, et Hugo ne fut pas le premier, sur le sens du *bon plaisir*. Le duc de Lévis-Mirepoix rappellera: «Le bon plaisir législatif du prince signifie son contentement de ce qui lui semble le bien public.»

POUR PRENDRE CONGÉ DE MONSIEUR FRANÇOIS

François n'avait cessé d'encourager les arts et lettres, édifiant Chambord dont on peut critiquer les surcharges mais dont la grandeur reste saisissante. Il visitait à Clos-Lucé le Vinci, voyait Benvenuto Cellini, affirmant «qu'on pouvait tuer cet assassin, si on lui trouvait un plus grand artiste». Sous l'influence de sa sœur Marguerite, il protégeait des réformateurs, le froid Dolet, l'amusant Marot, le monstre de savoir François Rabelais. Il mettait à l'abri Lefèvre d'Étaples et Érasme. Par tempérament, il affectionnait la nouveauté, toutefois il demeurait, à l'instar de Charles Quint, d'une catholicité profonde. Pour Charles, il était relativement simple et vrai de se poser en défenseur de la religion romaine. Pour François, avec ses alliances turque et luthérienne, l'affaire paraissait moins claire. Jusqu'où le roi de France aurait-il soutenu Soliman? Bien des Occidentaux eurent à souffrir et à mourir pour défendre les marches européennes. A la vérité, Soliman fut moins aidé par François que François par Soliman mais c'était, tout de même, entrer *a contrario* dans l'un de ces conflits entre le Croissant et la Croix dont l'issue demeurait toujours incertaine.

Le Roi se considérait comme assez fort pour jouer avec les musulmans sans mettre la France en péril. A la vérité, il ne croyait plus à l'Occident. Sa manœuvre lui fut profitable, toutefois Charles tint, non sans éclat, son rôle de vicaire temporel du Christ. Il n'avait d'ailleurs pas le choix. A l'inverse de son compétiteur, ses convictions rejoignaient son action.

Le climat se détériorait. L'humanisme, dans sa soif de savoir, de détacher l'homme de la communauté se répandait grâce à l'imprimerie, mettait en cause l'intangible. Le comportement de l'Église ne contribuait pas médiocrement à la crise. Alors que les édifices sacrés grimpaient dans le ciel, il se trouvait maintenant des hommes pour réclamer la simplicité des anciens jours. Bientôt, la France connaîtra l'iconoclastie, notamment dans les régions de l'Ouest. Pour l'heure, on se bat avec des livres. Le parlement et l'Université se tiennent pour propriétaires de tous les domaines de l'esprit. Rien n'est prêt pour une Contre-Réforme opérée dans un climat de liberté. François, enclin à l'indulgence, s'en départit après les placards dénonçant la messe affichés jusque dans ses propres appartements. Venu de l'Empire, le mouvement se heurte aux royaumes du Sud mais gagne dans le Nord. La France, si longtemps déchirée, va-t-elle retourner au déchirement des factions? Dolet, en l'absence du Roi, est finalement brûlé. Autre affaire: sur les instances du parlement d'Aix, les Vaudois de Cabrières et de Mérindol, en majeure partie acquis à la Réforme, sont tous massacrés sous la responsabilité du baron d'Oppède. Les sanctions ne viendront que tardivement. François Ier n'en pouvait plus. Certes, Mme de Châteaubriant, puis la duchesse d'Étampes, avaient réclamé ses soins, mais on ne saurait leur attribuer la responsabilité d'un vieillissement prématuré. Non, le roi de la Renaissance s'en allait d'avoir trop bataillé, connu la captivité, les pires anxiétés pour les Français.

Au hasard des voyages de cour, il séjournait dans le vieux château de Rambouillet. Il avait perdu deux fils et s'entendait mal avec le cadet, Henri. Les deux caractères se heurtaient. François estimait cependant la nature loyale du Dauphin. Il lui tint ce propos:

— Mon fils, bien des gens penseront peut-être que pour abandonner une aussi grande félicité, si toutefois on peut appeler félicité la possession d'un royaume si grand et si riche, que je meurs à regret. En vérité, ils se trompent bien, j'ai déjà vécu ma part. Et maintenant que je sais laisser pour mon successeur un prince aussi sage que vous êtes, puisqu'il plaît à Dieu de me rappeler à lui, je meurs le plus content du monde.

Il lui recommanda certains serviteurs, parla de sa fille Marguerite. Il allait s'affaiblissant. Il dit encore;

— *In manus tuas commendo spiritum meum.* Jésus! Jésus! C'était en 1546, le 3 mars, entre 1 heure et 2 heures.

13

HENRI II ET LE GRAND TOURNANT

Henri II présente une personnalité particulière. Enfant comblé, il a, dans la suite, éprouvé chez les Espagnols une captivité dont il n'a nullement perdu le souvenir. Il n'a jamais oublié, à son départ, le réconfort de Diane de Poitiers dont il fera non seulement une duchesse de Valentinois, mais encore un véritable membre du conseil où le connétable de Montmorency travaillait à la fois aux domaines civils et militaires. Quelques hommes de qualité, dont le maréchal de Saint-André, étaient honorés de l'affection royale. Issus d'une branche collatérale de la maison de Lorraine, le duc François de Guise et son frère, le cardinal, avaient pris beaucoup d'ascendant sous le feu Roi. Après les Montmorencys, les Guises étaient les premiers à porter un titre ducal sans être princes du sang. Chacun était catholique mais les neveux du connétable inclinaient vers la Réforme. Quelqu'un ne comptait pas, dans le cœur de Henri II, mais recevait les hommages empressés de la favorite, c'était la Reine. Les impudents soulignaient qu'elle procédait d'une famille de négociants et oubliaient qu'elle descendait en ligne féminine des La Tour d'Auvergne. Catherine de Médicis, pas plus que son mari, n'avait été destinée à régner. Elle écoutait, lisait beaucoup, et notamment Machiavel. La morale de maître Nicolas, non pas irréligieuse mais prônant un sens politique se passant de Dieu dans les détails pour le mieux servir dans l'ensemble, captivait cette dame un peu ronde, très amoureuse d'un époux auquel elle donnera six enfants. Elle ne manquera pas de se coaliser avec Diane de Poitiers pour faire chasser lady Fleming, suivante de

Marie Stuart et mère du comte d'Auvergne, et précédemment Madame Diane de France qu'on maria fort décemment au fils de Montmorency. A la vérité, Henri II, comme l'a démontré M. Yvan Cloulas, présentait cette caractéristique peu commune de ne sortir de sa dévotion que pour saluer le soleil et la lune. A ses yeux, c'était un hommage légitime à la science et à la beauté, non point du néo-paganisme. C'est pour cette raison et quelques autres que certains historiens l'ont jugé de caractère indécis. Bien sûr, il existait des tendances et le Roi recueillait les avis avant de faire connaître sa volonté. Sa politique se résumait par la formule du ministre Marillac: «Tenir sous mains les affaires d'Allemagne en aussi grande difficulté qu'il se pourra.» Il avait, à son sacre, convié l'Empereur en qualité de vassal de Flandre, et le César avait rétorqué:

— Si je viens, ce sera à la tête d'une bonne armée.

Trois groupes se dessinaient: Montmorency, soutenu par ses puissants neveux, l'abbé de Coligny, futur amiral, et son cadet d'Andelot, colonel général de l'infanterie, souhaitaient un rapprochement avec l'Empereur. Les Guises, influents à Naples, voulaient la guerre. L'ultramontanisme du cardinal de Lorraine répondait au gallicanisme du connétable. Le troisième groupe se compose des *fuorusciti*, protégés italiens réclamant, non sans bon sens, des expéditions plus lointaines.

Le Roi travaillait beaucoup à la marine. Aux grosses nefs laissées par son père il ajouta 36 galères pour naviguer tant en Manche qu'en Méditerranée. 500 petites embarcations portant en totalité 10 000 hommes nous restituaient la possibilité de belles interventions. L'une des plus brillantes et des premières eut L'Écluse pour théâtre et M. de Montalembert pour héros. La veuve de Jacques IV d'Écosse, sœur des Guises, gouvernait très malaisément, pour sa nièce Marie Stuart, un royaume agité tant par les anglicans, créés par une fantaisie de Henri VIII, que par leurs congénères voisins. Lord Somerset, régent d'Angleterre, soucieux de réunir l'Écosse à son pays, tenta d'enlever la petite Marie pour lui faire épouser Édouard VI, fils de Henri VIII; le lord-protecteur fut battu; Marie et sa tante purent, grâce à nos vaisseaux, gagner la France. L'opération permit de racheter Boulogne à bon compte.

Un pape Farnèse avait donné Parme à l'un de ses neveux. L'Empereur, avec l'accord du nouveau pontife Jules III, plaça dans ces lieux de rêve une garnison si peu goûtée par le nouveau titulaire qu'il en appela sur-le-champ à la France. En Piémont, le maréchal de Brissac soutint nos positions.

Henri II allait-il, comme ses trois prédécesseurs, descendre en Italie? Non, parce qu'il jugeait inopportune cette manière d'approche indirecte; non, parce que porter trop de forces dans la péninsule en distrairait d'indispensables au nord et au nord-est. Il vendit sa vaisselle pour mieux équiper ses compagnies d'ordonnance où les maréchaux tenaient à honneur de servir comme capitaines. S'il souhaitait apparaître dans sa puissance, il s'était muni diplomatiquement. A Chambord, il s'était fait reconnaître, en 1552, par Maurice de Saxe, le titre de vicaire de l'Empire, plaçant sous sa protection Metz, Toul et Verdun. Parvenu dans les Trois-Évêchés, il reçut un agréable accueil et s'en retourna chez lui. Pendant ce temps, Saxe marchait sur Innsbruck où Charles Quint séjournait. Surpris, l'Empereur, victime d'un accès de goutte, dut quitter la ville avec armes mais sans bagages, et s'enfoncer nuitamment dans la campagne. Sachant Saxe et les siens soudoyés par le roi de France, il rassembla plus qu'il n'en fallait d'or et d'argent pour signer le traité de Passau (2 août 1552) concédant la liberté du culte à ses vassaux allemands, les conduisit devant Metz où, malgré son état, il se faisait porter dans la tranchée. François de Guise dirigeait victorieusement la défense. Après deux mois d'un affrontement sans nom, il mit beaucoup d'élégance à soigner et à renvoyer les blessés.

Charles Quint veut en finir. En dépit du sacrifice suprême d'André de Montalembert, Thérouanne tombe tandis que Hesdin et Renty brûlent.

A Sienne, M. de Monluc, génie militaire et bientôt extraordinaire écrivain, porte au-delà de l'impossible les bornes de l'honneur militaire puis fait reconnaître les libertés locales avant de s'en aller, toutes enseignes déployées. Le maréchal de Thermes, grâce à l'appui de l'une de ces croisières ottomanes souvent profitables à nos initiatives, débarque en Corse et n'y rencontre pas mauvais accueil. Le maréchal de Brissac reprend le Piémont. Étions-nous sur le point de mettre fin à l'absurde jeu des encerclements réciproques tant en France qu'en Italie? Charles Quint songe à son salut, et Henri, non moins fermement, à celui de son trône. Voilà pourquoi, à la suite d'une médiation anglaise, Coligny vient signer auprès de l'Empereur, non loin de Cambrai, la trêve de Vaucelles (1555). La France conserve le Piémont, les places conquises en Toscane et en Parmesan, la

Corse et les Trois-Évêchés. En revanche, Henri ne peut considérer avec plaisir l'union de Philippe, fils de Charles Quint, avec Marie Tudor. Le pape Paul IV, très inquiet de la présence hispano-germanique en Italie, signe avec la France un traité dénonçant celui de Vaucelles.

Charles Quint s'en va, laissant d'abord les Pays-Bas (25 octobre 1555) et l'Espagne, puis les possessions espagnoles (16 janvier 1556) à son fils Philippe, et enfin (le 12 septembre de la même année), l'Autriche, la Bohême et la Hongrie à son frère Maximilien. Il se retire en Estrémadure, dans une demeure contiguë au monastère de Yuste d'où, durant deux années encore, il éclairera les siens. Avec l'abdication du grand monarque s'écroule la conception de l'Empire universel. Pour avoir vaincu les réformés à Mühlberg, Charles a dû, à Passau, reconnaître la liberté de conscience des princes et non des particuliers. C'est le fameux *cujus regio, ejus religio*. L'Empire est une mosaïque et les Habsbourg devront accorder des centaines de concessions pour conserver, sans trop d'accidents, la couronne dans leur maison. L'équilibre peut-il être maintenu alors qu'aucun accord n'est réalisable avec l'Italie dont chaque parcelle réclame un statut différent? Le duc d'Albe plante la bannière de Castille sur Anagni, Tivoli, Ostie. Le duc de Guise, avec 12 000 hommes, intervient. Durant ce temps, Philippe II, renforcé par les Anglais, car Marie Tudor en bonne épouse nous a déclaré la guerre, donne à Philibert de Savoie, prince dépossédé par François Ier lors de son ralliement à l'Empereur, cinquante mille combattants pour enlever Saint-Quentin, verrou de la route des Pays-Bas à Paris. Coligny parvient à s'introduire dans la place où Montmorency, venant des marais du Sud avec ses gros, devrait rentrer «par un bon tour de vieille guerre». Le tour est trop facile, le temps détestable, le connétable prisonnier. Nous avions perdu 40 000 hommes, le 10 août 1557, fête de la Saint-Laurent. Philippe promet de construire un monastère en forme de gril pour honorer le martyr. Ce sera l'Escurial. De Yuste, Charles Quint s'impatiente: pourquoi son fils ne marche-t-il pas sur Paris? L'autre, se souvenant de l'échec impérial en Provence, se défie à la fois d'une population en colère et de mercenaires mal payés. Il s'attarde à prendre Ham, Noyon, Chauny.

Henri II écrit à Guise qu'il rappelle d'Italie: «Reste à avoir bon cœur et à ne s'étonner de rien.»

Le 6 octobre 1557, le duc lorrain est reçu par son roi. En dépit de ses protestations et de celles du conseil hostile par tradition aux campagnes d'hiver, il s'entend ordonner la reprise de Calais. Depuis 210 ans, les Anglais détiennent la place. Guise tourne le port par les dunes, précédant puis neutralisant la flotte de secours, il remporte, avec en second Coligny, une victoire comme il en existe peu. Marie Tudor, à mi morte, déclare qu'on trouvera, gravé dans son cœur, le nom de Calais. Si Henri, soucieux de tenir Paris, ne s'est pas déplacé de sa personne, il ne s'en révèle pas moins le vainqueur stratégique d'une opération admirablement exécutée (8 janvier 1558). Pour bien marquer l'importance de ce prodigieux succès, il marie le Dauphin François à Marie Stuart, nièce des Lorrains. Guise, décidément au mieux dans ses chausses, s'empare de Thionville. Thermes prend Dunkerque mais doit plier à Gravelines devant le comte d'Egmont. Partout s'annoncent des rassemblements de troupes mais c'est une façade. Le pape Paul IV s'attache profondément à construire une paix. Ses envoyés travaillent bien et vite. Le maréchal de Saint-André représentera la France en compagnie du connétable de Montmorency réclamé, non sans succès, après la défaite de Saint-Quentin. Un ambassadeur, Hébrard de Sulpice, conseille les militaires et renvoie leurs observations au Roi. A l'évidence, on met tout en œuvre mais la résolution du monarque se révèle précise: conserver les Trois-Évêchés. Charles Quint et Marie Tudor viennent de mourir et les liens anglo-espagnols se relâchent. Philippe II demeure attaché fondamentalement à la présence en Italie pour des raisons de prestige et de stratégie. Le prestige présente toute sa valeur mais la stratégie demeure discutable. L'Italie, et l'aventure provençale du connétable de Bourbon le prouve, ne constitue pas une bonne ouverture sur la France.

Nous perdons, et c'est la grande critique, le Piémont où Brissac tient fort bien, et la Corse pour laquelle nous obtenons des promesses d'absence de représailles. Nous gardons Calais contre 500 000 écus d'or. Trois mariages vont sceller une réconciliation: Élisabeth de France épouse le jeune veuf Philippe II, sa sœur Claude le duc de Lorraine, Marguerite, sœur de Henri II, le duc de Savoie. Des fêtes splendides marqueront ces événements. Certains contemporains expriment leur mécontentement. La nostalgie de l'Italie persistera dans les constructions, et même la langue. Il n'en demeure pas moins que le traité de Cateau-Cambrésis reste une œuvre diplomatique des plus honorables. Il permet, outre l'établissement d'une barrière agrandissant et préservant le pré carré, de veiller à la remise en ordre intérieur du royaume.

DE L'HUMANISME À LA RÉFORME

L'humanisme si cher à François Ier, et même à Henri II, glissait vers la Réforme. Elle allait prendre un tour très particulier et un esprit offensif avec Calvin. Luther était un inspiré. Peu s'en était fallu que ce bon vivant demeurât dans l'Église. Cela n'eût point arrangé les affaires de la France car Charles Quint, attaché, on l'a dit, à la dévotion nouvelle, aurait bien accueilli le moine de Wittenberg sans les intrigues d'un clergé simoniaque. Le principe *cujus regio, ejus religio* avait tout sauvé puisque il ne s'agissait pas de la religion de l'Empereur, mais de celle de l'un de ses Électeurs. De plus, les princes protestants, même s'ils avaient osé — Dieu nous pardonne — lever la lance contre Charles Quint, ne s'étaient jamais déterminés à se séparer de la communauté germanique. En France, la révolte de Calvin, établi pour un temps à Strasbourg, puis le reste de sa vie à Genève, va prendre un tour plus fâcheux. Très savant, écrivant le latin comme le français, cet ancien ecclésiastique, de 21 ans le cadet de Luther, commence de s'illustrer par une œuvre grave, *l'Institution chrétienne*, dédiée, en 1536, à François Ier. Calvin, à l'inverse de ses émules germaniques, va très vite engager une guerre sans merci, non seulement contre les catholiques de stricte obédience, mais contre le monde de la pensée dès lors qu'il n'adhère pas à la sienne. Ainsi, fera-t-il brûler l'illustre Michel Servet, découvreur de la circulation pulmonaire. Controversiste très habile, le réformateur de Genève défend une thèse dont le mérite n'est point la simplicité: Adam revit en chacun d'entre nous. Le Christ n'a racheté que certains hommes, qu'importe la foi sans grâce et celle-ci, don surnaturel, n'est distribuée qu'au gré du bon plaisir divin. D'où la prédestination. Peut-on s'en racheter par la prière et les bonnes œuvres? Non, puisque, pour ce faire, il faudrait posséder la grâce refusée d'emblée aux non-prédestinés. La médiation est donc superflue et il importe de lui préférer l'action; si l'on aboutit dans cette voie, on peut se démontrer à soi-même sa supériorité et, du succès remporté, prendre conscience que l'on compte parmi les élus. Ainsi la grâce est-elle retrouvée et la prédestination vaincue.

Cette manière de contourner le problème de la grâce — qu'elle soit actuelle ou sanctifiante — avait affecté bien des théologies et le système se situait en contradiction formelle avec toute la patristique et contre l'équilibre thomiste. On s'étonne de son succès si l'on néglige l'apologie de l'action.

Inquiétante pour les mystiques, cette doctrine était tentante pour les ambitieux et aussi pour tous ceux préférant les réalisations pratiques aux rêveries de l'esprit. Cela explique son succès à tous les échelons de la société depuis les plus humbles où elle donnait prétexte de s'enrichir, jusqu'aux plus élevés qu'elle incitait à conquérir la gloire.

Les premiers disciples de Calvin s'étaient, comme lui-même, recrutés parmi les clercs, il leur était donc aisé de prêcher et de rassembler leur monde. Ailleurs, certains chapelains de cour œuvraient dans la même direction. Le livre, enfin, exerçait une influence, notamment chez les artistes et les bourgeois. Il est pourtant malaisé d'établir une nette répartition, tant sociale que géographique. Bientôt, on trouva des protestants partout, se réunissant pour le culte, comme ils disaient, ou pour des processions rapidement interdites. Ils possédaient déjà leurs martyrs à travers des gens d'autres obédiences, notamment certains sujets de Marie Tudor, mais ils ne les honoraient pas, les saints n'appartenant pas à leur liturgie. Ils répudiaient le latin et toute somptuosité pour leurs assemblées. A une France unie par le catholicisme, gouvernée par le Roi, «évêque du dehors», s'opposait la *république* de Genève et le mot, encore qu'utilisé par l'oligarchie italienne, ne paraissait pas innocent. La réaction allait-elle venir ? Un officier espagnol, Ignace de Loyola, donnait des soldats au pape en fondant à Montmartre la Compagnie de Jésus. Rome, par le concile de Trente (1545-1563) mettait au point la Contre-Réforme : sauvegarde des dogmes et en particulier de l'eucharistie.

Heureusement, Henri II était père de quatre fils, car presque tous les Bourbons, descendants du dernier fils de Saint Louis, le comte de Clermont, et héritiers en seconde ligne, s'étaient convertis au calvinisme.

Comme François Ier, le monarque avait attendu. Profondément catholique, il adorait la violence à la guerre et dans les tournois mais se montrait pondéré dans les affaires religieuses. Ainsi n'avait-il pas absous le juge Guérin, auteur du massacre de Romans. Tenu par son alliance avec les Turcs et les princes protestants, il aurait pu créer, sinon un schisme, du moins une déviation gallicane reconnaissant le pape mais appuyant l'autonomie des autochtones ; il s'en était gardé pour deux raisons, la première c'est qu'aimant à dispenser le désordre chez les autres, il n'en voulait pas chez lui, la seconde c'est qu'il connaissait la profondeur du sentiment catholique chez la majeure partie de ses sujets. S'il s'était résolu, par l'édit de Châteaubriant (1551) à codifier les peines, la chambre ardente du parlement de Paris envoyait au bûcher tous les individus convaincus d'hérésie. Au mois de mai 1558, les réformés — on ne sait trop pourquoi — se prirent à mener au Pré-aux-Clercs un tapage hors du commun. Ce n'était plus une manifestation d'humeur mais bel et bien une crise révolutionnaire. Henri, par l'édit d'Écouen, aggrava la procédure. La chambre de la Tournelle ayant émis des remontrances, il fallut enregistrer de force en utilisant l'antique système du lit de justice (nom primitivement donné au divan sous dais sur lequel, au temps de Philippe V le Long, s'installait le souverain). C'est alors que le conseiller Anne Du Bourg s'écrie :

— Croit-on que ce soit chose légère que de condamner des hommes qui, au milieu des flammes, invoquent le nom de Jésus-Christ !

Un autre magistrat, Dufaur, reprend l'adjuration d'Élie et lance au nouvel Achab :

— O Roi, c'est toi qui troubles Israël.

Henri II fait embastiller les deux insolents. Dufaur se rétracte, Du Bourg s'opiniâtre.

Viennent les fêtes célébrant les mariages destinés à fortifier le traité de Cateau-Cambrésis. Le tournoi va se terminer. Henri, dépité de n'avoir pas vaincu, réclame une ultime passe à son capitaine des gardes, le comte de Montgomery. L'autre obtempère mais, sa lance séparée de son embout, oublie de se débarrasser d'une arme devenue aussi dangereuse pour en saisir une autre, et traverse l'œil de son maître. Soigné par le chirurgien huguenot Ambroise Paré, veillé par le maréchal de Saint-André, le Roi rend l'âme dix jours après le drame, le 10 juillet 1559. En ce même mois, Anne Du Bourg est brûlé vif.

On a souvent discuté la personnalité de Henri II. Il tenait de son père le goût du prestige, connaissait parfaitement l'administration et la guerre. Peut-être se montrait-il un peu lent; les furies de François Ier et de Charles Quint l'avaient enseigné sur l'inconvénient d'une politique dictée par les réflexes et le point d'honneur. Il fut, à l'instar du roi-chevalier et de ses prédécesseurs, séduit par l'Italie mais ne s'y rendit pas et, le plus souvent qu'il put, la reconstruisit en France. Tout porte à croire que, dans sa rigoureuse sagesse, il aurait mis fin aux troubles religieux. Une autorité se révélait indispensable et il n'en manquait point. On peut déplorer les

rudesses de la fin de son règne sans oublier qu'il ne nourrissait pas d'autre dessein que de conjurer la menace pesant sur
l'unité française.

14

SPLENDEURS ET MISÈRES
DES DERNIERS VALOIS

FRANÇOIS II

François II atteignait 16 ans. Il était donc majeur et, époux de Marie Stuart dont la mère, on le sait, était Guise, s'appuya sur les frères de la dame, le duc et son frère le cardinal. C'était une option périlleuse. Les cadets de Lorraine, s'ils possédaient d'indéniables qualités, affichaient une morgue insupportable. Ils éloignèrent Montmorency, laissèrent tout juste la Reine Mère confier les Sceaux au sage et énergique chancelier Olivier. Le roi de Navarre — un Bourbon —, personnage courageux mais peu subtil, ne sut pas s'imposer. Les protestants, le prince de Condé, l'amiral de Coligny laissèrent s'organiser l'opposition lorsqu'ils n'y mirent pas la main.

Condé ne fut pas étranger à la conjuration d'Amboise. Parmi les motifs de mécontentement figurait la réduction des compagnies d'ordonnance. Elle renvoyait nombre de gentillâtres au pain bis et à la piquette dans leur manoir, souvent sans feu ni toit. Mécontents et calvinistes se réunirent chez Condé, au château de La Ferté. Il s'agissait de réformer l'État et, peut-être, compte tenu du caractère décentralisateur de la Réforme, de revenir aux usages féodaux.

L'organisateur, Godefroi de Barri, seigneur de La Renaudie, était allé conférer à Genève, puis, profitant d'une session des états de Bretagne, avait mis au point un plan : s'emparer des Guises «persécuteurs de la nouvelle foi et accapareurs de l'autorité suprême», délivrer le Roi, lui rendre l'appui naturel des Bourbons et des états généraux.

Les conjurés devaient, par petits groupes, s'emparer de la cour.

Les Guises, sur la foi de quelques indications, se contentèrent de quitter Blois pour Amboise, résidence plus défendable. A Paris, La Renaudie fut dénoncé par son amphitryon, un avocat du nom d'Avenelle. Il ne resta plus aux Guises qu'à se tenir plus sérieusement sur leurs gardes. Ils virent arriver les malcontents et leur firent donner à chacun quelques sols. Tout paraissait s'arranger quand quelques irréductibles reprirent l'action. Cette fois, la répression fut sans merci. Les bourreaux travaillèrent à se rompre les bras. Les princes lorrains contraignirent François II et les dames à contempler le spectacle. Le père d'Agrippa d'Aubigné dit à son fils :

— Mon enfant, il faut que ta tête ne soit épargnée que pour venger ces chefs pleins d'honneur.

Le chancelier Olivier mourut de chagrin. Un autre sage prit les Sceaux, Michel de L'Hospital. Fils d'un médecin du connétable de Bourbon, il égalait en savoir son prédécesseur et excellait dans la poésie latine. Sous des dehors d'homme de cour, il s'attachait au bien public, malheureusement il péchait par optimisme. Au cours d'une assemblée tenue à Fontainebleau, deux prélats, MM. de Marillac, archevêque de Vienne, et de Monluc, évêque de Valence et frère du futur maréchal, soutinrent qu'il fallait attendre la fin du concile de Trente, et jusque-là, permettre aux protestants les réunions non armées. Ils ne furent pas entendus.

Dénoncé par un gentilhomme nommé La Sague, Condé fut arrêté lors des états généraux d'Orléans, sur l'ordre même du Roi, jugé, condamné. L'Hospital, sachant François II mourant, ne donna point la signature et Monsieur le Prince en réchappa.

François II trépassa d'une méningite encéphalique, le 15 décembre 1560. Enfant triste, encore qu'autoritaire mais trop soumis aux Guises, il laissait, après dix-huit mois de règne, une France où, pour la première fois depuis des siècles, l'autorité faisait défaut.

CHARLES IX

Charles IX n'atteint que 10 ans. Catherine de Médicis, par une manœuvre très subtile, donne la lieutenance générale au roi de Navarre, cousin du petit souverain au 20e degré, protestant de surcroît. Elle laisse son frère Condé se faire réhabiliter et se contente de l'appellation de Gouvernante de France. Cette espèce de coup d'État, opéré par l'intérieur, démontre à lui seul le sens de l'opportunité de celle qu'on nommera Madame Serpente. Veuve inconsolable, elle n'aime plus que le pouvoir, non pour elle-même, mais pour ses enfants. A ses yeux, les querelles religieuses revêtent un caractère secondaire. Elle a compris très tôt que la maison de Valois encourt une grave menace; les Bourbons régneraient volontiers sur une France protestante, les Guises, se disant ou se croyant héritiers des Carolingiens, prendraient avec joie le sceptre d'un état ultra-catholique. La Reine Mère, dont Balzac sera l'un des premiers à souligner le génie, doit, en outre, compter avec les puissances voisines, Espagne de Philippe II, Angleterre d'Élisabeth. L'une comme l'autre sont devenues riches, et nous sommes pauvres en dépit de saines ordonnances sur les monnaies. Messire de L'Hospital pratique, notamment sur les gens de guerre et d'administration, de très fâcheuses économies qu'accompagnent des abandons de pouvoir aux communes. Cet homme de bien essaie pourtant de réunir un tiers parti des Politiques. Au colloque de Poissy (septembre-octobre 1561), les théologiens recherchent peut-être la conciliation. Le cardinal de Lorraine, excellent orateur sacré, fait face à l'helléniste Théodore de Bèze. On achoppe sur la présence réelle. En accord avec la Reine Mère, est promulgué l'édit de Saint-Germain (17 janvier 1562): les huguenots reçoivent le droit de célébrer leur culte mais seulement en dehors des villes. Cette disposition ne satisfait quiconque.

L'humeur est à la guerre et elle vint le 15 mars 1562. Le duc de Guise, escorté de 200 gentilshommes, traverse le bourg de Vassy, en Champagne. Là, un millier de religionnaires, comme on nomme les protestants, sont réunis dans une grange et débordent sur le chemin pour participer à leur culte. Les catholiques réclament le passage, les réformés le refusent. Guise, voulant apaiser l'incident, reçoit des pierres. Ses gens perdent patience. On parlera de 60 tués et de 200 blessés en majorité protestants. Condé, Coligny prennent les armes. Dans le Midi, les affrontements locaux se révèlent effroyables. Dans le Nord se déroulent les grandes batailles. Condé, dont le frère Navarre s'en est retourné vers le catholicisme, prend contact avec Élisabeth d'Angleterre; il recevra des subsides en échange du Havre et de Calais (traité de Hampton, 20 septembre 1562). Pour faire face, Montmorency, Guise et Saint-André forment un triumvirat. A Dreux, ils battent Condé mais le maréchal est assassiné. L'an suivant, François de Guise va prendre Orléans lorsqu'il est tué par un certain Poltrot de Méré, agissant sans doute à l'instigation de Coligny. L'incertain Antoine de Bourbon mort devant Rouen, Catherine offre la paix à Condé : le culte protestant sera célébré mais seulement en privé. Dans cette horreur, survient un trait de lumière. La Gouvernante obtient que catholiques et protestants s'unissent, sous le commandement de Montmorency, pour reprendre Le Havre en présence du petit roi lui-même.

Catherine va pouvoir négocier avec Élisabeth par le traité de Troyes (11 avril 1564). Entre-temps, Charles IX est proclamé majeur à Rouen (17 août 1563) et le concile de Trente s'achève. Le cardinal de Lorraine l'a conduit dans un sens large, assez ouvert aux luthériens mais guère propice aux calvinistes. Tout est précisé : l'autorité des livres sacrés, le Symbole des Apôtres, les sept sacrements, le péché originel, la justification par les œuvres, la messe, la présence réelle, la vénération de la Vierge et des saints, l'efficacité de l'indulgence, la suprématie spirituelle du pape.

Le gallicanisme se réveille, et de nombreux catholiques français demeurent très réservés quant à l'autorité vaticane.

Catherine en profite pour laisser la bride plus lâche aux protestants.

Afin de bien montrer que le royaume est pacifié, elle entreprend un extraordinaire voyage de près de deux ans pour présenter Charles IX à ses sujets. Admirable entreprise destinée à retrouver l'unité. A Bayonne, elle connaît la déception de ne pas voir Philippe II mais elle embrasse sa délicieuse fille Élisabeth, épouse de Sa Majesté Catholique. Elle passe une manière d'accord avec le redoutable duc d'Albe : elle n'interviendra pas au profit des Pays-Bas en révolte confessionnelle si l'Espagne, de son côté, ignore nos affaires.

L'étonnante chevauchée se termine par l'ordonnance de Moulins, œuvre de messire de L'Hospital, portant sur l'administration judiciaire et fixant le début de l'année au 1er janvier.

Catherine et son chancelier ont cru dissiper le spectre de la guerre en agissant comme en temps de paix. Hélas, les protestants prennent leurs bonnes grâces pour des pièges, et certains catholiques pour des impiétés. La cour séjourne à Montceau-en-Brie, près de Meaux, lorsque les huguenots tentent d'enlever le souverain. 6 000 Suisses s'assemblent et ramènent la famille royale à Paris. Charles IX, irrité de tant d'irrespect, voulait charger. Le connétable de Montmorency retient le cheval de son maître. Que cherchent donc les parpaillots ? Condé, soldat magnifique, rêve-t-il toujours de bousculer l'ordre dynastique ?

Coligny veut-il gouverner? On ne discerne pas clairement les intentions des chefs huguenots. Peut-être cherchent-ils à faire basculer la France entière dans la Réforme? Malgré l'échec de la surprise de Meaux, ils demeurent autour de Paris. Le connétable oublie son âge et les bat à Saint-Denis mais reçoit un coup de pistolet à bout portant. Comme son confesseur l'importune par d'excessives exhortations, il l'arrête en ces termes:

— Laissez-moi, mon père, il serait honteux qu'ayant vécu 80 ans, je ne susse mourir en un quart d'heure.

Le succès permet à Catherine de signer une nouvelle paix (23 mars 1568) à Longjumeau. Elle accordait la liberté du culte et payait les reîtres pour les voir partir. L'un des négociateurs se nomme «cloque», l'autre Malassis, et l'on a tôt fait d'évoquer la paix boiteuse et mal assise. Au vrai, les combats se poursuivent, et le Midi continue de flamber. Le chancelier de L'Hospital, désespéré, démissionne. Il restait depuis la disparition de Montmorency le seul modéré.

Les hostilités générales reprennent. A quoi bon parler de troisième guerre? Les conflits ne s'arrêtent plus. Coligny reçoit des secours anglais depuis La Rochelle et peut tenir indéfiniment. Le puîné de Charles IX, Monsieur, duc d'Anjou, conseillé par le maréchal de Tavannes, mais donnant admirablement de sa personne et montrant, en dépit de son jeune âge, un sens tactique éminent, bat Monsieur le Prince et l'amiral à Jarnac (1568), puis à Moncontour (1569). A Jarnac, l'héroïque Condé meurt sous le pistolet du seigneur de Montesquiou, capitaine des gardes de Monsieur. A Dreux, Saint-André, à Saint-Denis, Montmorency n'avaient-ils pas connu la même infortune? Le pistolet permet de tuer l'adversaire au moment qu'il va rendre son gantelet. La nouvelle arme achève d'anéantir l'esprit chevaleresque.

Sans résultat stratégique, Jarnac et Moncontour créent une situation nouvelle. Elles éveillent chez Charles IX une jalousie sans limites à l'égard de son cadet. Catherine, fort imprudemment, vante sans trêve ce fils adoré. Comme toujours, elle profite de l'infériorité de l'adversaire pour se montrer d'un libéralisme étonnant. Les réformés obtiennent quatre places de sûreté: La Rochelle, Montauban, La Charité, Cognac, et l'accès à tous les emplois. Cette paix de Saint-Germain (ou de la Reine) (1570) peut apparaître comme une folie. On ne concède pas à des vaincus des villes fortifiées. C'est enfin l'État dans l'État voulu par Coligny, c'est surtout la reconnaissance d'une légalité protestante sous un roi catholique. Charles IX n'éprouve aucune aversion pour les huguenots, il a lui-même voulu les stipulations de Longjumeau. Il appelle Coligny, le prend pour conseiller et s'attache à lui si fortement qu'il le nomme « son père ». On marie, non sans difficulté, le jeune Henri III de Navarre à la sœur du Roi, Marguerite dite Margot (19 août 1572). On projette une union entre Élisabeth d'Angleterre et le dernier fils de Henri II, le turbulent duc d'Alençon.

LA SAINT-BARTHÉLEMY

Coligny veut un conflit avec l'Espagne pour dégager ses coreligionnaires des Pays-Bas en lutte contre l'Espagne, soutient que cette campagne éviterait une quatrième guerre intérieure. Cette opération, encore que destinée à porter un coup sévère au commerce hispanique, apparaît suicidaire à Catherine comme au duc d'Anjou ; jamais l'Angleterre ne nous soutiendra, jamais la majorité catholique de l'armée n'ira prendre en compte les intérêts des révoltés. La Reine Mère le déclare tout net à Coligny. Il s'obstine parce qu'il demeure plus enragé des intérêts confessionnels que de la sécurité de notre pays. Catherine s'entend avec la douairière de Guise, laquelle tient l'amiral pour l'instigateur du meurtre de son mari François. Un sieur de Maurevert, dit le « tueur du Roi », abattra donc Coligny. Il le manque, lui fracassant un bras et lui sectionnant un doigt. L'amiral s'alite, le Roi vient le visiter, retourne au Louvre, ivre de fureur. Il sait maintenant que, derrière les Guises, jouent sa mère et son puîné. Il parle de les mettre à la raison. La discussion s'anime. Finalement, la Florentine, évoquant la surprise de Meaux, accable Coligny, démontre que les huguenots vont prendre d'assaut le Louvre, réclame préventivement la suppression des chefs. Charles IX, décontenancé, aurait déclaré :

— Tuez-les tous, qu'il n'en reste pas un pour me le reprocher.

Pas plus l'ancienne Gouvernante qu'Anjou n'en désirent tant mais les Guises s'entendent avec le prévôt Marcel et organisent la tuerie. La nuit de la Saint-Barthélemy (24 août 1572) commence le massacre. Henri de Guise fait défenestrer l'amiral. Henri de Navarre est sauvé de justesse. L'affaire se poursuit en province où certains capitaines catholiques se refusent à pareille besogne. Le nombre des victimes s'élèverait à 15 000. Grégoire XIII envoie une lettre de félicitations au Roi.

On le constate, le mécanisme du drame est simple. Coligny voulait la guerre, Catherine n'en voulait pas. Catherine, pour sauver la France du désastre, a tenté de se débarrasser de Coligny. Les Guises ont profité de l'occasion pour satisfaire leur vendetta. Ils n'ont pas tenu leur personnel. Le chancelier de Birague et le maréchal de Tavannes se sont mis de la partie, puis la plus hideuse populace s'est jetée sur tous les huguenots. Les courroux populaires se révèlent presque toujours incontrôlables. Une seule raison peut être mise en avant : les protestants, moins nombreux que les catholiques, observaient les préceptes de Calvin ayant trait au maniement de l'argent : autorisation, notamment du prêt comportant des intérêts, apologie de l'enrichissement considéré comme une vertu, parce que témoignant la bienveillance divine. Il est possible que nombre de marchands, ayant imprudemment fait crédit et abusé de leurs créances, aient payé de leur vie ce comportement encore fort mal vu.

UN VIEILLARD DE VINGT-QUATRE ANS

Charles IX, s'il hait son frère Anjou, n'a guère à se louer de son cadet Alençon. Ce prince privé de bon sens veut s'allier aux révoltés des Pays-Bas en prenant la tête des réformés. Il avoue tout à sa mère. Le Roi se montre indulgent mais les conjurés, plus soucieux du sang royal que de la primogéniture, recommencent de comploter. Cette fois, deux d'entre eux, La Molle et Coconas, sont décapités. Stendhal s'en souviendra dans *le Rouge et le Noir*. Margot n'est pas étrangère à cette sombre intrigue. Les protestants de l'Ouest s'allient à ceux du Midi sous les auspices de M. de Danville, un Montmorency, gouverneur du Languedoc, reconstituant à sa manière le parti des Politiques. A l'instar d'Alençon, est-il dépassé ? Demeure-t-il loyal ? Souhaiterait-il seulement prendre de l'emprise sur le Roi ?

A 24 ans, Charles IX n'en peut plus. De faible complexion, il s'est usé par la pratique d'exercices violents. Il est possible, mais non certain, que la Saint-Barthélemy pèse sur sa conscience. Sa nourrice et Ambroise Paré, tous deux huguenots et sauvés par ses soins, veillent sur lui en compagnie de la reine Éléonore d'Autriche. Il meurt de tuberculose à Vincennes, le 30 mai 1574, dans l'après-midi.

Instruit, poète, fondateur de l'Académie de Palais — où siégeaient des dames —, mais instable et coléreux, il ne s'était jamais dégagé, sauf dans les derniers mois, de l'influence de sa mère ou d'un Coligny. Bien servi mais mal aimé par la Florentine, mal servi mais bien aimé par l'amiral, il n'avait jamais atteint sa majorité véritable en un temps où les responsabilités s'assumaient très jeune. Il n'aurait jamais dû, quelles que fussent les circonstances, tolérer la Saint-Barthélemy. Contrairement à la légende accréditée par Marie-Joseph de Chénier, il n'arquebusa pas lui-même ses sujets, il ne prit aucun plaisir au massacre. Il se crut pris au piège et, déçu par Coligny, se retrouvant sous l'emprise de la Gouvernante, il espéra, non sans quelque raison, sauver le principe d'autorité. Il se trompa d'autant plus lourdement que la seule manière de ramener les huguenots dans le droit chemin consistait à leur accorder, non point toutes les libertés, mais la pratique discrète de leur culte. Il eût fallu du génie, plus même que n'en possédait Catherine, pour façonner Charles. Il ne se trouva quiconque pour réussir dans cette tâche.

HENRI III

Au décès de Charles IX, l'État n'est plus qu'une ombre. La France vit dans une anarchie rarement atteinte, même aux heures lugubres du règne de Jean II le Bon. Les historiens s'attachent trop souvent aux options religieuses et politiques. A la vérité, le banditisme sévit sous n'importe quelle couleur. Grands et petits ont, trop souvent, perdu le sens du devoir. On voit couramment des catholiques passer aux protestants et des protestants effectuer la manœuvre inverse. Le parti des Politiques a, presque partout, échoué. La nouvelle génération, et d'Aubigné le discernera bien, oublie l'enthousiasme au profit de l'intérêt.

Le souverain, Henri III, atteint 23 ans. Heureux rival d'Ivan le Terrible au trône de Pologne, il s'est littéralement évadé de son royaume pour rentrer en France, non sans un long séjour à Venise. En Savoie, il a remis les places de Pignerol, de Pérouse et de Savigliano pour se concilier l'ondoyant Emmanuel-Philibert. Cette précaution lui sera beaucoup reprochée. Justement paré des lauriers de Jarnac et de Moncontour, d'un savoir profond, d'une prestance fascinante, il présente un défaut, l'excentricité. A cette époque rustique — nous ne sommes plus sous Henri II —, il restaure le prestige de l'institution monarchique en établissant l'ancienne étiquette de Bourgogne. A ses débuts, il est si douloureusement frappé par la disparition de Marie de Clèves, princesse de Condé, qu'il sombre dans un chagrin paralysant. Il n'en sort que pour exhaler sa douleur d'une manière trop ostentatoire. Ne porte-t-il pas un vêtement entièrement brodé de minuscules têtes de morts? L'amour allait le sauver: sur le chemin de la Pologne, il avait rencontré Louise. Fille du comte Nicolas de Vaudémont et de Marguerite d'Egmont, elle subissait les persécutions de sa marâtre Catherine d'Aumale. Belle, vertueuse et pauvre, c'était la Cendrillon de la maison de Lorraine. Elle entrevit Henri comme il partait pour les neiges. Elle fut éblouie, il se montra gracieux, lui demanda de prier pour lui. Au trépas de Marie de Clèves, il décide d'épouser Louise. Lorsque Cendrillon voit, à son chevet, sa belle-mère exécuter les trois révérences dues à la reine de France, elle suppose qu'elle «veut se moquer d'elle et ne cesse de lui demander excuse d'être si tard au lit et de n'avoir pas été à son lever». Le mariage a lieu le 15 février 1575, deux jours après le sacre du Roi. «Toute une vie d'adoration, écrira Philippe Erlanger, n'allait pas suffire à Louise pour remercier Henri d'un si fabuleux bonheur.» Une ombre à cette délicieuse union: en dépit de nombreux pèlerinages, le couple n'obtiendra jamais d'enfant. Ce serait pourtant indispensable car le dernier fils de Henri II, François, devenu à son tour duc d'Anjou, quitte le Louvre et rassemble une armée de malcontents, de huguenots et de reîtres. Henri de Guise bat les mercenaires à Dormans. Une blessure lui vaut le même surnom que celui de son père: le Balafré. Malgré cette victoire, il faut traiter: la paix de Monsieur complétée par l'édit de Beaulieu, le 5 mai 1576, humilie non seulement le Roi, mais la majorité catholique; chambres biparties, liberté du culte sauf à la cour, places de sûreté...

Parmi ces fameuses places figure Péronne attribuée au prince de Condé. Le gouverneur, M. d'Humières, n'accepte pas cette situation et, fort de l'approbation de ses administrés, lance un appel à tous les Français; il faut se liguer contre les hérétiques. Henri de Guise reprend l'initiative et diffuse l'acte constitutif du programme de cette «Sainte Ligue» qu'il fait bénir par Rome. Henri III convoque les états généraux à Blois et, avec une rare habileté, se proclame chef de la nouvelle organisation (6 décembre 1576), mais, en dépit de son admirable éloquence, n'obtient pas les subsides nécessaires pour faire triompher l'unité. Le désordre financier est tout de même conjuré; l'édit de Poitiers fixe à 3 livres l'écu d'or, cependant que le franc d'argent comptera pour le tiers.

Le monarque est redevenu lui-même. Il travaille avec acharnement, préparant ce qu'on nommera le code Henri. De son côté, Catherine s'applique à réparer les méfaits de la paix de Beaulieu. Elle ramène Damville dans le camp catholique, et ce seigneur, en échange du marquisat de Saluces, consent à remettre de l'ordre en Languedoc. Ainsi le Roi peut-il imposer la paix de Bergerac (17 décembre 1577): l'exercice du culte est restreint aux faubourgs, la moitié des chambres biparties est supprimée, les places de sûreté ne sont plus concédées que pour une durée de huit ans. Ce traité — le plus proportionné — pourrait subsister. Il n'en est rien. Nouvelle guerre, nouvelle paix à Nérac (28 février 1579). Nouvelle guerre, nouvelle paix à Fleix (26 novembre 1580). Une personnalité se dessine, celle de Henri III de Navarre. La Reine Mère paraît s'entendre avec ce gendre décidément réformé mais dont le talent militaire en même temps que le bon sens politique s'affirme depuis le siège de Cahors.

La mort de Monsieur (19 juin 1584) donne à la querelle une nouvelle dimension; les Valois sont maintenant sans descendance et la succession ne peut légitimement revenir qu'au Navarrais mais les Lorrains la convoitent. Voici la guerre des trois Henri. Guise mène les ligueurs, le Navarrais les protestants, le Roi les loyalistes. L'assassinat judiciaire de Marie Stuart par Élisabeth Tudor exaspère les passions. Le Béarnais s'appuie sur la Reine vierge, tandis que les Guises recherchent et obtiennent le secours espagnol.

Depuis le début de la crise, les protestants n'ont jamais gagné sur le terrain. Avec la huitième guerre (mais à quoi bon les compter?), il se produit un événement considérable; le duc de Joyeuse, archimignon du Roi, beau-frère de la Reine, est défait et tué par Henri de Navarre à Coutras (15 novembre 1587). Dans le même temps, Guise arrête les reîtres devant Auneau. La position de Henri III est intenable. Chacun comprend que le roi de Navarre le ménage et se garde d'exploiter son succès. On saura que, par l'intermédiaire de Mme de Gramont, Montaigne n'est pas étranger à cet accord secret. Guise, lui, réclame l'établissement de l'Inquisition et la confiscation des biens huguenots. Fort de la puissance de la Ligue, marquée par la journée tumultueuse de Saint-Séverin où des prédicateurs sont demeurés impunis après avoir insulté le Roi, Guise, en dépit de l'interdiction de Henri III, entre dans Paris avec sept personnes. Reconnu, il est accompagné jusqu'au Louvre par un cortège délirant d'enthousiasme. Henri III réprimande son visiteur. L'autre rentre à son hôtel. Devant l'arrivée d'un régiment suisse et de quelques gardes-françaises, les ligueurs crient à l'illégalité, hérissent la ville de barricades. Le souverain saute à cheval et, entouré de quelques-uns de ses gentilshommes ordinaires, les Quarante-Cinq, gagne Chartres. Un peu contrits, les ligueurs envoient une procession pour conjurer Sa Majesté de réintégrer sa bonne ville. La réponse négative ne ferme pas la discussion. Il faut tenir compte de l'Armada, encore réputée invincible et longeant nos côtes. Par l'édit d'Alençon, Henri III exige que son successeur soit catholique et lance un appel à Henri de Navarre. De plus, il nomme Guise lieutenant général du royaume. Après quoi, il réunit les états généraux à Blois. Seuls, bien sûr, les ligueurs sont présents. Le cardinal de Lorraine préside le premier ordre, le comte de Brissac, le second, M. de La Chapelle-Marteau, le troisième. Leur principale préoccupation consiste dans l'abaissement du pouvoir. Ils y mettent des formes mais n'avancent en rien. Henri III, ayant changé ses secrétaires d'État, travaille parfois individuellement avec les députés. Tous veulent le retour au bon vieux temps, c'est-à-dire le particularisme qu'il soit féodal, provincial ou communal. Dans l'ordre strictement politique, ils ne sont guère éloignés des protestants.

Guise vit un rêve. Admirable soldat, personnage à la fois hautain et familier, il touche au sommet. Convoite-t-il réellement le trône? Ce n'est pas certain; en tout cas, il se voudrait maire du palais. Il existe d'autres prétendants, son frère Mayenne, gros homme à la barbe en écuelle, le duc régnant de Lorraine, la délicieuse infante Isabelle-Claire-Eugénie, petite-fille de Henri II, et que son père Philippe II nommait «la lumière de mes yeux».

Le 17 décembre, au cours d'un banquet, le cardinal porte un toast:

— A la santé de mon frère, roi de France.

Guise répond:

— Vous me perdez.

Le propos de l'éminence est transmis au monarque par un comédien italien. Henri réunit ses conseillers. Il pose trois questions. Le duc de Guise est-il coupable de lèse-majesté? Est-on en mesure de le faire juger? Les faits reconnus, quel est le droit du Roi? A la première question, comment répondre par la négative? Les barricades, la collusion avec l'Espagne, le traité de

Joinville dont le Roi connaît l'existence, le comportement des guisards, parlant ouvertement de déposer le Prince, constituent bien un crime de lèse-majesté.

Réponse à la deuxième question : le pouvoir et la popularité du héros de Dormans et d'Auneau rendent l'opération impossible.

Troisième interrogation : les droits du Roi. Il est haut justicier mais s'il peut tout sur les laïcs, il n'en va point de même pour les clercs.

Guise, prévenu par un billet glissé sous sa serviette, jette le papier et déclare :

— Il n'oserait.

Le lendemain, 23 décembre, le duc, sortant des bras de la marquise de Noirmoutiers, est contraint de venir très tôt au conseil car le Roi doit se rendre dans une chapelle voisine pour ses dévotions précédant Noël. Le duc n'est pas au mieux. Il saigne du nez ; pour se remettre, il croque quelques fruits confits empruntés aux armoires du cabinet neuf. Le secrétaire d'État Revel lui demande, d'ordre de son maître, de passer dans le cabinet vieux. Comme il obtempère et se voit cerné dans le couloir par les Quarante-Cinq, il se défend d'une manière splendide. Son corps n'est qu'une fontaine de sang qu'il est encore debout, criant :

— Messieurs, quelle trahison !

Le capitaine des ordinaires, M. de Loignac, le fait tomber du bout d'une épée qu'il n'a même pas pris la peine de dégainer. Le cardinal frémit :

— C'est mon frère qu'on assassine.

Il est conseillé au prélat de ne pas bouger.

Dans une poche du grand mort on trouve un billet de sa main à l'intention du roi d'Espagne : « Pour entretenir la guerre en France, il faut 700 000 livres par mois. » Est-ce un faux ou l'authentique preuve de la trahison ? Sa Majesté descend chez sa mère bien dolente :

— Madame, j'ai tué le roi de Paris, me voici roi de France.

— Bien taillé, mon fils, il faut recoudre.

Et d'ajouter, connaissant parfaitement cette interminable campagne :

— Il vous faut vous saisir d'Orléans.

Après quoi, la vieille dame reçoit les reproches du cardinal de Bourbon qu'on retient douillettement prisonnier pour éviter de le voir passer à la Ligue. A propos de cardinaux, il reste celui de

Lorraine. Henri hésite un moment puis le fait tuer, sous les combles, par d'obscurs soldats, les Quarante-Cinq ayant rechigné devant pareille tâche. Cette fois, le Roi tombe sous le coup de l'excommunication fulminée par Sixte Quint. Les états se séparent sans désordre mais Mayenne s'érige en président d'un conseil de l'Union (de la Ligue) et proclame roi, sous le nom de Charles X, le cardinal de Bourbon toujours captif à Blois. Paris est aux mains des Seize, chefs des 16 quartiers de la capitale, appuyés par une armée municipale de 30 000 hommes. Seuls le Centre et le Midi demeurent fidèles à Henri III. Un archimignon, de taille minuscule mais de grand entendement, le duc d'Épernon, s'entremet entre le roi de France et le roi de Navarre. Le 26 avril 1589, les deux Henri s'embrassent au Plessis-lez-Tours et partent pour la reconquête de la capitale. Les forces royales s'amplifient sans trêve. La Ligue serait-elle perdue ? Un religieux, le père Bourgoin, organise des apparitions de la Sainte Vierge pour un moinillon nommé Jacques Clément. La duchesse de Montpensier, sœur de Henri de Guise, tient, dit-on, le rôle de la Madone : Clément, assuré de la palme du martyre, se rend à Saint-Cloud d'où Henri III va lancer l'assaut. Le petit accompagne le procureur de La Guette. Muni de lettres détournées émanant de fidèles, le comte de Brienne et le président de Harlay, il peut approcher le monarque. Il le frappe au ventre. Le Roi retire le couteau, blesse son assassin à l'œil. Clément est percé de coups puis défenestré. Henri III est perdu. Le 2 août, il demande à Navarre de se convertir et lui dit :

— Mon frère, c'est à vous de posséder le droit auquel j'ai travaillé pour vous conserver ce que Dieu vous a donné.

Nombre de catholiques abandonnent l'armée. Le Béarnais est contraint de lever le siège alors que l'assaut était prévu pour le lendemain.

Henri III, détesté des ligueurs, mal aimé des huguenots, aura longtemps fait mauvaise figure devant l'Histoire. Dumas, servi par son intuition, sera l'un des premiers écrivains à rendre justice au fils préféré de la Florentine. Subtil, généreux, économe du sang de ses sujets du temps qu'ils se massacraient à plaisir, servi par des qualités de cœur, le fondateur de l'ordre du Saint-Esprit aura possédé, au plus haut point, les vertus capétiennes, le sens de l'union et de la continuité.

15

HENRI IV PREND LA RELÈVE

Charles V, Louis XI, Louis XII, François Ier, Henri II et Henri III avaient conféré, selon des manières différentes, un relief exceptionnel à la branche des Valois. Qu'allait-il advenir de la France sous la maison de Bourbon? Et tout d'abord, accéderait-elle au trône? En un temps de délire, la consécration par Henri III allait-elle suffire?

Henri IV atteint 36 ans. Curieusement, il serait l'héritier, même sans la loi salique. Si, par son père Antoine de Bourbon, il remonte à Robert de Clermont, dernier fils de Saint Louis, par sa mère, il procède de la fille de Louis X le Hutin. Des historiens établiront un rapprochement entre le Navarrais et Don Quichotte. Il existe chez ces contemporains — le réel et le fictif —, une incontestable volonté de dépassement. La différence, effectivement, est peu sensible, sauf à la fin du roman. Le Quichotte rejettera la chevalerie errante pour embrasser la pastorale, Henri IV mélangera les deux. Évoquer, même brièvement, le Navarrais, se révèle d'autant plus délicat que la légende nuit parfois à la réalité. Si, dans sa prime jeunesse, le prince de Viane — c'est son premier titre — déchire ses cottes en jouant à la guerre avec les jeunes Palois, il n'en reçoit pas moins une éducation suivie. Enfant, il a connu la splendeur de Henri II, adolescent, il a supporté les intrigues du Louvre, épousé Margot qu'il ne supportera qu'après leur séparation, échappé, cinq jours après ses noces, à la Saint-Barthélemy. Redevenu protestant, il observe le pays, mesure ses forces et, servi par l'inspiration et un courage d'acier, s'ouvre, par la surprise de Cahors, le chemin d'un grand capitaine. Il se bat trois jours et trois nuits et arrache la victoire par la minutie de ses instructions et l'audace de son comportement. Roi sans royaume ou presque — la Navarre appartient à l'Espagne et il ne possède que le Béarn —, mari sans femme — il s'est éloigné de Margot —, il manque de soldats. Corisande d'Andouins, veuve du comte de Gramont, lui donne tout, sauf Pampelune. Elle l'aime et lui pardonne ses frasques. Catholique modérée, elle va jusqu'à recruter pour son amant 23 000 hommes dans ses domaines de Béarn et de Bigorre, et les passe en revue devant son château de Bidache. Après Coutras, on le sait, elle obtient de Montaigne le voyage à Paris. C'est ainsi que Henri III apprend que le chef des réformés n'attaquera jamais «son roi». Le rôle de Corisande ne présente rien d'anecdotique. Sans elle, le duc d'Épernon n'aurait pu, quelle que fût son habileté, organiser la réconciliation de Plessis-lez-Tours. Il fallait quelque courage au Navarrais pour se prêter à la rencontre; les fidèles du dernier Valois avaient la dague facile et certains d'entre eux ne pardonnaient ni Cahors ni, surtout, Coutras. Henri de Navarre brava la menace. Il possédait en commun avec le Roi deux qualités majeures: l'esprit chevaleresque et la fantaisie. Ils aiment à se battre et à s'amuser. Sans trop le dire, car c'eût été de mauvais ton, ils se savaient supérieurs à leurs contemporains par leur intelligence du bien public. En dépit des apparences, cette certitude était plus affirmée encore chez le Bourbon que chez le Valois. Au fil des âges, il devait s'élever jusqu'à l'indifférence, sauf pour la France elle-même. Il se situera dans une région placée au-dessus du mépris, et cela ne va point sans expliquer l'apparente facilité de son caractère.

Le 2 août 1589, on l'a dit, il perd plus de la moitié de ses effectifs. Trois provinces se rallient: l'Ile-de-France, moins Paris, la Picardie et la Champagne. Partout ailleurs, on réclame l'abjuration, Henri IV répond:

— Me prendre à la gorge sur le premier pas de mon avènement à une heure si dangereuse! Et de qui pourriez-vous attendre une telle mutation en la créance de celui qui n'en aurait point? J'aurai, parmi les catholiques, ceux qui aiment la France et l'honneur.

La Ligue s'appuyant ouvertement sur l'Espagne, il s'entend avec Élisabeth d'Angleterre sans, toutefois, lui promettre Calais. Cette assistance l'oblige à se tenir au Nord-Ouest pour recevoir des renforts mais ne le gêne en rien; dans son souci d'unité, il ne veut pas descendre vers les contrées du Midi, même si la Réforme s'y trouve mieux implantée.

Voilà pourquoi le premier affrontement d'importance se

déroule près de Dieppe au château d'Arques, dont M. de Mayenne, le plus doué des Guises, est repoussé. L'armée du Roi, grossie de 4000 Écossais et Anglais, marche sur Paris, occupe les faubourgs de la rive gauche mais se voit refoulée par le gros duc. Le Béarnais se retire et va pacifier en grande partie les pays de Loire.

Vient un premier succès diplomatique ; Henri IV est reconnu par Venise et Florence.

Du 12 au 14 février 1590, non loin d'Évreux, devant le bourg d'Ivry, il faut en découdre :

— Mes amis, je veux vaincre ou mourir avec vous ; si vous perdez vos enseignes, ralliez-vous à mon panache blanc, vous le trouverez toujours sur le chemin de l'honneur.

Il l'emporte et, comme naguère Henri III, crie :

— Sauvez les Français.

Au soir, il dicte ce billet à l'un de ses fidèles : « Pendez-vous, brave Crillon, nous nous sommes battus et vous n'y étiez pas. »

Henri pourrait prendre Paris si le duc de Parme, Alexandre Farnèse, homme de guerre des plus avertis, ne parvenait à ravitailler la ville. La Providence va-t-elle enfin récompenser la stupéfiante ténacité de Henri IV ? Après mille et un tours des plus savants, le duc de Parme meurt. Meurt aussi, toujours captif, le cardinal de Bourbon. La disparition de « ce majestueux vieillard dont le chapeau rouge abritait une tête pleine de vent et de fumée » (Philippe Erlanger) contraint M. de Mayenne à réunir les états généraux pour désigner un souverain. Auparavant, il pend quelques ligueurs pour leur apprendre qu'il était malséant de tuer messire Bisson, président du parlement, et deux de ses conseillers. Il serait, à coup sûr, le moins mauvais car il s'attache à l'unité mais il serait obligé de désintéresser, par l'octroi de territoires, son parent, le duc de Lorraine, l'âpre Savoyard réclamant Provence et Dauphiné, et l'infante Isabelle-Claire-Eugénie, qu'il écarte d'emblée comme trop étrangère à la France. Henri IV saisit l'éteuf. A la conférence de Suresnes (16 mai 1593), il réaffirme ses droits et se déclare prêt à se convertir. La promesse produit un effet considérable, mais ce n'est encore qu'une promesse. Dans le même temps, paraît clandestinement à Paris *la Satire Ménippée*. C'est l'œuvre volontairement burlesque de juristes et de poètes : Jacques Gillot, Pierre Le Roy, Pierre Pithou, Gilles Durand, Jean Passerat, Florent Chrestien, ancien précepteur de Henri IV, et le célèbre Nicolas Rapin. Le pamphlet, sous des dehors légers, proclame le caractère inviolable de la loi salique. La Ligue parisienne s'essouffle. Elle s'est rendue odieuse et, sans Mayenne, ses éléments avancés recommenceraient la Saint-Barthélemy. Pour quoi faire? Il se forme un parti des honnêtes gens, et l'on n'oublie pas que Henri lui-même a ravitaillé la capitale en plein siège. Cinq années de tyrannie, de dénonciations, de meurtres, pèsent sur une ville naguère souriante. Soit, la Ligue a fait reculer la Réforme, peut-être sauvé la religion romaine, mais son combat, pour se poursuivre, devrait revêtir des formes plus modérées.

LA CONVERSION

Henri IV envisage la situation. Ses vieux fidèles, tel d'Aubigné, le suivront-ils s'il se refait papalin? Les grands ligueurs, comme Honoré d'Urfé, abandonneront-ils leur cause? Messire Duplessis-Mornay, pape du protestantisme, incline son maître vers la conversion. De l'autre côté de la barricade, MM. Jeannin et de Villeroy faisaient savoir qu'ils s'accommoderaient du Navarrais pourvu qu'il revînt à cette religion de Saint Louis dont il réclamait l'héritage. Henri plaisantait toujours, sauf avec Dieu. Il consulte les évêques, leur demande de l'instruire. Le 25 juillet 1593, entre les mains de l'abbé de Juilly, il abjure à Saint-Denis. Reims occupé par les Lorrains, il se contente de Chartres pour son sacre. Les pairs ecclésiastiques et laïcs sont remplacés, mais ce n'est point la première fois (15 février 1594). Après une négociation, le gouverneur, M. de Brissac, ouvre les portes de la capitale et, en compagnie du prévôt Lhuillier, portant le sel, remet les clefs au souverain. Un peu tiède dans les faubourgs, l'accueil devient chaleureux à l'arrivée à Notre-Dame. Un familier observe:

— Sire, voyez comme tout votre peuple se réjouit de vous voir.

Il répond à mi-voix:

— C'est un peuple, si mon plus grand ennemi était là où je suis et qu'il le vît passer, il lui en ferait autant qu'à moi et crierait encore plus fort qu'il ne fait.

La guerre était latente avec Philippe II, Henri la lui déclare pour bien montrer qu'il ne s'agit plus d'affaires de partisans mais d'un conflit de puissance à puissance. La réaction est vive et les Espagnols se saisissent d'Amiens. Le monarque remet le harnois:

— Il faut refaire le roi de Navarre.

La ville est reprise. Enfin, les troupes de Sa Majesté Catholique, conduites par Mayenne, sont battues à Fontaine-Française, sur la frontière de Franche-Comté (5 juin 1595). Clément VIII ayant absous le Bourbon, Philippe II, « le gendarme de l'Église romaine », signe la paix de Vervins (2 mai 1598). C'est le retour au traité de Cateau-Cambrésis auquel vient s'ajouter l'indépendance des provinces bataves détachées du sud des Pays-Bas.

Mayenne, cordialement accueilli, s'est soumis mais le dernier chef de la Ligue, le duc de Mercœur, frère de la reine Louise, tient encore Nantes. Il est nécessaire de restaurer la paix confessionnelle. Le duc s'incline, sa fille épousera un bâtard du Roi, César, duc de Vendôme.

L'ÉDIT DE NANTES

La nouvelle réglementation s'inspire directement de l'édit de Poitiers, donné par Henri III après la paix de Bergerac. L'édit de Nantes (13 avril 1598) présente toutefois un caractère plus laxiste et, surtout, des clauses confidentielles : un temple par bailliage, sauf Paris, la restitution des droits civils. Une chambre bipartie dans chaque parlement compense peut-être le rétablissement du culte catholique en Béarn mais l'octroi de 70 places de sûreté rend le marché périlleux. Messire Duplessis-Mornay n'a pas médiocrement travaillé pour ses coreligionnaires. Les cours créent des difficultés. Le monarque se fâche :

— J'ai fait un édit, je veux être obéi.

Il le sera.

A ce roi très chrétien, il faut une épouse. La reine Margot n'en est pas une et il est aisé de rompre un lien tissé sous la menace. Il papillonne sans cesse, promet la bague au doigt à des dames qu'il partage parfois avec certains sacripants, tel l'ancien archimignon Bellegarde. Après la disparition de Gabrielle d'Estrées, il se lie à Henriette d'Entragues, sœur du comte d'Auvergne, et fruit, comme ce dernier, des amours de Charles IX et de l'exquise Marie Touchet. Henriette sera reine si elle donne un fils au terrible Béarnais, c'est écrit, c'est juré. L'enfant ne vit pas. Henri, dégagé de sa promesse, envoie Bellegarde lui chercher Marie de Médicis, nièce du grand-duc de Toscane. Dotée de 500 000 écus d'or, cette nouvelle Florentine ne manque pas d'attraits. La cérémonie nuptiale se déroule le 17 décembre 1600. Viendra, l'an

suivant, un fils, le futur Louis XIII. Henri IV n'était décidément pas né pour être protestant. Il n'élèvera pas moins de 14 enfants, 6 de Marie de Médicis, 3 de Gabrielle d'Estrées, 2 de Henriette (elle s'est rattrapée), 1 de Jacqueline de Bueil, et 2 de Charlotte des Essarts. L'ambassadeur de Florence écrit :
«En vérité, a-t-on jamais rien vu qui ressemble plus à un bordel que cette cour?»
Une grande dame, en faveur sous Henri III, vient au Louvre et à son retour s'entend demander :
— Avez-vous vu le Roi?
— J'ai bien vu le Roi mais point Sa Majesté.

UN GOUVERNEMENT RÉPARATEUR

Henri IV, confondant de faiblesse à l'égard des femmes, n'en remet pas moins de l'ordre dans une France mal cicatrisée. Il ne réunit plus les états généraux, s'appuie sur les assemblées provinciales, laisse même les états du Languedoc et de Bretagne exhaler leur mauvaise humeur. Tout passe par lui. Il ne délègue de pouvoirs qu'au baron de Rosny, plus tard duc de Sully. Homme de guerre, passablement porté sur les dames, cumulant mille fonctions dont celle de grand maître de l'artillerie, ce huguenot, aidé de l'incomparable agronome, Olivier de Serres, comprend que, pour relancer la circulation métallique, il faut réimposer la mise en œuvre des biens de la terre. Il dira :
— Labourage et pâturage sont les deux mamelles de la France.
Le propos ne présente rien de démagogique. Un pays agricole doit, comme au temps de Charles VII, se rééquilibrer en satisfaisant sa consommation et en pratiquant des exportations. M. de Sully, toutefois, ne se limite point à cette vision des champs. Conseillé par l'économiste Laffemas, il renouvelle les traités de commerce avec les Turcs, fonde une compagnie lui donnant le privilège de commerce avec l'Orient. Il se montre bon financier. Les ressources annuelles s'élèvent à 25 millions et le passif à 340. Il diminue la taille et augmente la gabelle, impôt plus indolore après une dévaluation et une faillite d'un tiers. Résultat : à la fin du règne, les ressources monteront à 34 millions, et la dette sera réduite à 240. Il n'omet rien, pas même l'introduction des vers à soie et la plantation des mûriers, ainsi ne sommes-nous plus tributaires de l'Italie et de la Chine pour les tissus précieux. La politique coloniale n'est pas oubliée. Les

établissements du Brésil et de Floride, encouragés naguère par Coligny, ont été détruits par les Espagnols. Henri IV et son ministre nomment un lieutenant général au Canada, envoient Samuel de Champlain sur les rives du Saint-Laurent. Ainsi naît la ville de Québec. Ce travail acharné ne peut compenser notre retard sur les Espagnols et les Portugais. Il restaure, toutefois, notre prestige.

Le duc de Savoie s'agite, nous reprend le marquisat de Saluces. Sully l'en déloge mais Henri, avec une habileté rare, laisse ce fief à Charles-Emmanuel en échange de la Bresse et du Bugey. Durant cette crise, le duc de Biron, vieux compagnon du Roi, mais éternel insatisfait, a négocié, poussé par Henriette d'Entragues, avec le Savoyard. Henri IV le fait avouer, lui pardonne, l'autre recommence; il est décapité, tandis que son complice Bouillon préfère se soumettre. La justice de Henri demeure assez rude; ainsi laisse-t-il exécuter les amants de Tourlaville, un frère et une sœur coupables du seul crime d'avoir entretenu des rapports que la morale du temps n'acceptait pas.

Comme tous les Bourbons, le monarque est atteint de la maladie de la pierre. Avec Sully, pourtant constructeur de quelques beaux châteaux et de l'extraordinaire ville de Henrichemont, dans le Sancerrois, il faut se battre. Le grand maître juge la maison royale assez bien logée. Henri ne se laisse pas tenir en tutelle. Il se montrera grand bâtisseur, embellissant Fontaineb¹cau, édifiant l'incomparable place Royale, dite aujourd'hui des Vosges, l'Hôtel de Ville, le palais du Luxembourg, la place Dauphine, le Pont-Neuf (sur lequel ne seront pas édifiées des maisons comme à l'accoutumée) et le château neuf de Saint-Germain-en-Laye.

M. de Sully, grognon et fanfaron, crée le budget, et le Roi, non moins grognon et non moins fanfaron, soutient ce système encore approximatif. La France vit à nouveau des moments heureux. La poule au pot devient une réalité.

Selon un texte de Sully, tiré de ses *Économies royales* et qu'on intitule «le Grand Dessein», le Roi aurait souhaité que s'établisse une manière de confédération européenne avec une couronne impériale passant de famille en famille. Ces rêveries, fruit des réflexions d'un homme écarté des affaires après la disparition de son maître, ne doivent pas être attribuées au monarque lui-même. Il est toutefois possible que Henri ait fait partager à son ministre son aversion pour la maison d'Autriche.

Le souverain décline. Le public se scandalise de le voir

s'amouracher d'une enfant de 15 ans, Charlotte de Montmorency, qu'il marie à Condé dans l'espoir déçu que cet inverti se montrera complaisant. Tout au contraire, Monsieur le Prince emmène sa femme à Bruxelles, chez l'infante Isabelle-Claire-Eugénie. Henri s'encolère, va jusqu'à déclarer :

— Troie fut prise parce que Hélène ne fut pas rendue.

Meurt, sans héritier, Jean-Philippe-Guillaume le Bon, duc de Clèves et de Juliers ; un cousin du touchant empereur Rodolphe II, Léopold, jeune archiduc-évêque de Strasbourg et de Passau, obtient de l'hôte du Hradschin la permission d'occuper ces places mais ne peut s'y maintenir face aux gens du Neubourg et du Brandebourg. Rodolphe, alchimiste, astrologue, astronome, protecteur des savants et des artistes, déteste la violence et règne dans les étoiles. Henri IV n'en a cure. Il rassemble 200 000 hommes, 200 canons, forme 3 armées contre les Impériaux. Lesdiguières conduira la première en Italie, La Force contiendra l'Espagne, Sa Majesté se portera de sa personne sur les Pays-Bas. Pourquoi ? Pour s'assurer Clèves, indiscutable point stratégique mais aussi dans le but de conquérir la petite Charlotte.

Sully n'a cessé de pousser à la guerre et Henri s'est assuré de solides alliances : Lorraine, Savoie... Quant à l'Espagne de Philippe III, riche mais dépeuplée, elle ne tient nullement à relever le cartel. Le «Bon Roi Henri» serait-il en passe de remporter une formidable victoire sur le pauvre Rodolphe, déjà privé de l'Autriche, de la Hongrie et de la Moravie par son triste frère Mathias ?

A Paris, le peuple gronde, des prédicateurs tonnent contre le «diable roux de l'Apocalypse» et annoncent des catastrophes. La reine Marie obtient de se faire couronner, démarche suspecte même si la Médicis doit assurer la régence durant la campagne Henri parle du «maudit sacre» mais laisse faire. Les pressentiments l'assaillent. Il confie à Sully :

— Par Dieu, je mourrai dans cette ville ; ils me tueront.

À L'ENSEIGNE DU CŒUR PERCÉ D'UNE FLÈCHE

Des catholiques, des protestants ? Que représente ce «ils»? La mort rôde, Henri IV le sait. On lui fait tenir des avertissements tandis qu'au Pont-Neuf on le représente sous les traits irrévérencieux de Polichinelle. Il a, c'est vrai, vieilli prématurément et sa gibbosité s'est cruellement prononcée, son nez est devenu crochu. Le 14 mai 1610, veille de son départ, il se rend à l'Arsenal afin de visiter Sully malade. Il n'est pas monté dans son carrosse sans appréhension. Sept seigneurs l'accompagnent, dont d'Épernon, La Force et Montbazon. Rue de la Ferronnerie, devant l'enseigne d'un cabaret, *Au cœur percé d'une flèche*, un encombrement, peut-être provoqué, immobilise la voiture. Le Roi lisait une lettre. C'est alors qu'un maître d'école venu d'Angoulême, Jean-François Ravaillac, le frappe de deux coups de couteau. Le second perce l'aorte. Henri déclare :

— Ce n'est rien.

Et meurt, vidé de son sang, quelques minutes plus tard.

On croira longtemps au crime d'un isolé. Grâce aux archives du Vatican, on sait aujourd'hui que Ravaillac fut l'objet d'une intoxication psychologique pratiquée par d'anciens ligueurs, probablement aux ordres de l'Espagne. En revanche, en dépit de l'épisode de Saint-Fargeau, où le duc d'Épernon avait, durant la première montée sur Paris, exposé Henri, il ne semble pas que le plus turbulent des archimignons doive être mis en cause.

Il n'en va sans doute pas ainsi de la Médicis. Elle ne voulut pas tuer le roi mais, au courant du danger, ne fit rien pour dissuader son époux de sortir sans garde. C'était une énorme femme, d'ailleurs pas vilaine mais assez sotte.

La mort d'Henri fut une catastrophe. Même amoindri par le travail et les plaisirs, il demeurait un génie politique et le plus grand capitaine d'une époque riche en hommes de guerre. Il pouvait, il devait même sortir vainqueur de ce conflit et agrandir le pré carré. A l'abri des invasions, il aurait poursuivi l'extraordinaire œuvre civile dont les Français ne mesuraient pas le prix. C'est seulement dans les mois suivant son assassinat qu'il fut immensément regretté. Depuis lors, son image n'a cessé de grandir.

16

LOUIS XIII ET RICHELIEU

Lorsque Marie de Médicis vit apparaître le cadavre de son époux, elle s'écria :
— Hélas ! Le Roi est mort !
Le chancelier de Sillery la reprit gravement :
— Madame, les rois ne meurent pas en France.
Il désigna respectueusement le petit Louis XIII :
— Voici le Roi, Madame.
Dès l'attentat, le duc d'Épernon bloqua Paris et contraignit le parlement à proclamer la régence, d'ailleurs préconisée par Henri IV. L'archimignon n'en tira nul profit. Certes, il demeura dans le conseil avec Sully, qu'il n'aimait pas trop, et les ministres du feu Roi, mais dut s'incliner, comme tout le monde, devant l'amant de la Reine Mère, Concino Concini. Ce personnage avait épousé la sœur de lait de Marie, Eleonora Galigaï, qu'on réputait un peu sorcière. Apre et insolent, «le couillon», comme on le nommait, n'était pas dépourvu de qualités. Il rétablit l'équilibre extérieur par l'occupation de Juliers remise aux confédérés germaniques, et prépara les mariages espagnols : Élisabeth, fille de Henri IV, épouserait le futur Philippe IV, Louis XIII, l'aînée des infantes, Anne d'Autriche. Sully démissionna. Dès son départ, les Grands s'agitèrent, réclamant des places et des pensions. Concini négocia, donna tout ce que voulaient les Mayenne, les Bouillon, les Nevers et autres Vendôme. Le danger protestant demeurait trop considérable pour risquer un combat sur deux fronts. Paradoxalement, les hauts seigneurs, dévoreurs d'un budget qu'on n'établissait même plus, réclamèrent la convocation des états généraux afin d'accrocher de nouveaux privilèges (1614-1615). Ce fut un duel entre la noblesse d'épée et le tiers représenté,

non point par le peuple, mais par la haute magistrature, elle-même noble ou bien en passe de le devenir. Tout porta sur la vénalité des charges défendue par les robins. Une fois de plus, les états se voulurent permanents mais ce n'était plus de mode. L'absence totale d'une conception du bien commun caractérisa les cessions. Un jeune homme, Armand du Plessis de Richelieu, évêque de Luçon, défendit très habilement les droits du clergé. Il distingua les ecclésiastiques par ces mots:

«Ils sont en effet ainsi qu'ils doivent être par raison, plus dépouillés que tous les autres d'intérêts particuliers qui perdent souvent les affaires publiques, attendant que, gardant le célibat comme ils font, rien ne leur survit que leur âme qui ne pouvant thésauriser en terre, les oblige à ne penser ici-bas, en servant leur roi et leur patrie qu'à s'acquérir pour jamais, là-haut au ciel, une glorieuse et toute parfaite récompense.»

L'évêque de Luçon est remarqué. Conseillé par l'extraordinaire père Joseph du Tremblay, son ancien à l'Académie de maintien tenue par M. de Pluvinel, il sait attendre. Enfin, il obtient une aumônerie près de la Reine Mère, entretient des rapports guère ecclésiastiques avec la Galigaï dont le mari, affligé d'une hernie, ne fait plus œuvre de chair. La sorcière n'est pas jalouse. Lorsque M. de Luçon s'occupe d'un peu près de la Florentine, elle ne se fâche point. L'évêque entre au conseil. Il veut poursuivre la politique de Henri IV mais n'en a pas les moyens. Notre armée est tombée à 10 000 hommes. Dans le pré carré, les affaires ne vont pas plus fort. Concini, devenu, s'il vous plaît, maréchal et marquis d'Ancre, congédie les derniers ministres de Henri IV, les «barbons», envoie Condé méditer à la Bastille, calme les réformés par une ambassade de M. de Schomberg auprès des princes protestants germaniques.

LA GUERRE DE LA MÈRE ET DU FILS

Tout n'est pas méprisable dans l'action de l'Italien mais, aveuglé par sa vanité, encouragé d'ailleurs par Marie de Médicis, il traite le Roi sans déférence. Louis XIII, bien que majeur, est considéré comme un enfant attardé. Petit à petit, la rancœur s'amasse. Il veut se débarrasser d'une tutelle odieuse. Ses confidences vont à son grand fauconnier, M. de Luynes, jeune seigneur de bonne maison, fort dévoué mais pusillanime. Il se sait épié par Concini. Le Roi va-t-il éternellement préparer des

confitures et composer des rondeaux? Un conseiller au parlement, M. Déagean, fait comprendre à M. de Luynes qu'il risque aussi gros dans l'abstention que dans l'intervention. M. de Vitry, capitaine des gardes, entre dans la confidence. Il faut arrêter le couillon. Et s'il se débat? Louis XIII garde le silence lorsque M. Déagean déclare:
— Le Roi entend qu'on le tue.

A l'entrée du Louvre, Vitry arrête le maréchal d'Ancre. L'Italien s'écrie:
— *A me?*

Porte-t-il la main à son épée? Vitry lui casse la tête d'un coup de pistolet (24 avril 1617). La Reine Mère s'affole, la Galigaï, arrêtée, sera décapitée puis brûlée après un procès inique. M. de Luçon est renvoyé dans son diocèse avant de connaître l'exil, tandis que M. de Luynes, bientôt duc chancelier, et connétable, détient le pouvoir. Les spécialistes demeurent divisés sur la qualité de son comportement. Pour les uns, il abaisse les Grands, les huguenots et la maison d'Autriche, défend nos intérêts italiens et renoue l'alliance anglaise. Pour les autres, il n'égale Concini qu'en matière d'avidité. A l'évidence, il n'est pas méchant, sauf dans l'affaire Galigaï, comble ses amis et n'accable pas ses ennemis. En envoyant la Reine Mère à Blois, il a cru mettre un terme à la querelle de la mère et du fils. Erreur: aidée par le duc d'Épernon, Marie quitte sa résidence forcée au moyen d'échelles. Luynes se hâte de rappeler Luçon pour arranger l'affaire. Peine perdue, la grosse dame se dérobe. Il faut que l'armée royale marche contre la Médicis, d'Épernon et son fils, le charmant La Valette. Ils sont battus aux Ponts-de-Cé, mais le traité du même nom (août 1620) rend paradoxalement à Marie une influence. Les autres s'en tirent à bon compte grâce au père Joseph. Quant à Luçon, il obtient le chapeau rouge sur les instances réitérées de la Florentine.

Le Béarn refuse de restaurer le culte catholique et de restituer les biens d'Église confisqués depuis la mère de Henri IV, Jeanne d'Albret. Le Roi se rend de sa personne dans le pays et, non sans rudesse, limite les prétentions calvinistes aux dispositions de l'édit de Nantes. La guerre de religion se rallume. Luynes, encouragé par son succès à Saint-Jean-d'Angély, tente d'investir Montauban, n'y parvient pas (août-novembre 1621) et, au bord de la disgrâce, contracte la fièvre pourpre et meurt à Longueville le 15 décembre. Assis sur son cercueil, des soldats jouent aux cartes...

Le duc de Rohan ravage le Languedoc, brûle les châteaux (dont la moitié de celui de Castries), pille les villages. La paix de Montpellier (18 octobre 1627) confirme une fois de plus l'édit de Nantes, sans grand résultat. Maintenant, Rohan et Soubise soulèvent l'Ouest, mais dans ces régions le protestantisme décline, et ces messieurs doivent se réfugier en Angleterre. Ils n'ont pas dit leur dernier mot. Louis XIII déguise mal sa mauvaise humeur et donne la responsabilité du conseil à l'honnête M. de La Vieuville, grand commis, sans doute, mais privé d'imagination.

LE STOÏCIEN DE LA MONARCHIE

Le Roi excelle dans le métier des armes, n'est heureux qu'à la guerre ou bien à la chasse. De santé fragile, il dompte ses douleurs dès qu'il faut intervenir l'épée à la main. Très pieux, il n'en est pas moins plus attiré par les hommes que par les dames. Il mettra quatre ans avant d'approcher l'incomparable Anne d'Autriche et vingt pour en obtenir un fils, suivi d'ailleurs d'un second. Souvent, l'infortuné Luynes avait rempli les deux emplois, celui de favori — n'impliquant pas forcément des rapports intimes — et celui de ministre. Louis, fort moral à sa façon, oppose toujours l'inclination et le devoir. Nature complexe, il nourrira des passions pour Mlle de La Fayette et Mme de Hautefort, mais ne se liera pas plus à l'une qu'à l'autre. Il persécutera son épouse, ne supportant point sa spontanéité non plus que ses relations avec sa famille espagnole. Il assume sa mission de roi, exerce son métier avec scrupule mais demeure d'une foncière hypocondrie. Philippe Erlanger le nommera «le stoïcien de la monarchie». Fort capable, on l'a dit, sur le plan militaire, il n'a bénéficié d'aucune formation civile, ignore les rouages d'une administration délicate et, d'ailleurs, déliquescente depuis la disparition de Henri IV. Marie de Médicis le sait et, afin de recouvrer une influence plus considérable, va tout mettre en œuvre pour favoriser l'entrée au conseil de son ancien aumônier. Elle met au point une véritable propagande, fait multiplier les libelles, va jusqu'à payer des chanteurs des rues. Le Roi vit un drame à sa mesure. Il sait sa mère plus ou moins impliquée dans l'assassinat de son père comme il se doute que cette mère — ce n'est pas prouvé — entretient une liaison avec le prélat. Le stoïcien se broie le cœur et, à la demande de La Vieuville lui-même, admet

Richelieu le 29 avril 1624. La robe rouge donne la préséance, même sur le connétable de Lesdiguières, quant au malheureux La Vieuville, accusé de péculat, il est arrêté, tandis que l'excellent secrétaire d'État à la Guerre Sillery se voit exclu.

L'ÉMINENTISSIME

Armand du Plessis de Richelieu n'était pas né pour le sacerdoce. Il s'était préparé, non sans plaisir, à la carrière des armes, lorsque l'un de ses frères, Alphonse, promis à l'évêché de Luçon, résolut de se faire moine. Armand, sorti de l'Académie de Pluvinel, retourna, sans rechigner, sur les bancs de l'école et passa trois doctorats en théologie. Il se vieillit d'un an pour obtenir ce diocèse donné par les Valois à sa famille. Son père avait suivi Henri III en Pologne puis, bien que catholique, servi Henri IV dès le drame de Saint-Cloud. Il n'est pas vrai que ce seigneur ait incinéré le duc de Guise et le cardinal de Lorraine mais il demeure exact qu'il fut dévoué, de toute son âme, à la monarchie. Armand vécut un moment dans le Poitou, souffrant de l'insécurité sévissant dans cette province. Il en conçut la haine du désordre à laquelle s'ajouta, lorsque son frère aîné, le marquis de Richelieu, mourut en duel, la phobie des combats singuliers. A Luçon, «l'évêché le plus crotté de France», il dompta ses chanoines et entama de savantes et courtoises controverses avec les pasteurs. Il appartenait aux trois ordres : au premier par l'état ecclésiastique, au second par la ligne masculine, au troisième par la ligne féminine. Ce détail ne mérite pas d'être négligé ; il explique la compréhension de bien des problèmes. Ce génie est, comme Louis XIII, un grand malade. Parfois, il se prend pour un cheval. Il subit d'affreuses migraines, est torturé par les hémorroïdes. Il se bat avec ses valets à coups de polochon, passe facilement du rire aux larmes, de l'indulgence à la brutalité. Toujours, il finit par se dominer. Ses amis se comptent sur les doigts, surtout après sa fabuleuse ascension : sa nièce, Mme de Combalet, plus tard duchesse d'Aiguillon, qu'il a fait sortir du couvent pour tenir sa maison, le père Joseph et le cardinal de La Valette.

La manière forte de l'Éminentissime va provoquer des complots sans nombre dont le centre sera le puîné du Roi, Gaston d'Orléans. Gai, enjôleur, d'une fourberie sans nom, incapable de concevoir un projet politique, il perdra tous ses complices, les abandonnant devant le danger. A sa décharge, il faut noter qu'il n'est pas toujours l'instigateur de ces entreprises mais plutôt l'espoir des conjurés. En 1626, poussé par Vendôme, soucieux de se donner la Bretagne comme fief indépendant, il traite avec Sa Majesté Catholique et le Savoyard. Il s'agit d'abattre l'Éminence et, au besoin, le Roi lui-même. La reine Anne ne touche point à pareille extrémité mais connaît l'affaire. Finalement, un Talleyrand, le comte de Chalais, âgé de 26 ans, entré dans l'intrigue sous l'effet d'une délirante passion pour la duchesse de Chevreuse, veuve du connétable de Luynes, tombe sous la hache. Ses amis avaient enlevé le bourreau ; le « travail » fut effectué, d'horrible façon, par un amateur.

D'autres exécutions apparaissent plus discutables. Ainsi le comte de Montmorency-Bouteville s'étant battu, en plein jour, par défi, contre le marquis de Beuvron, est-il décapité le 22 juin 1627 pour avoir enfreint l'édit de 1626. Bientôt commencera le démantèlement des forteresses privées. Pareil abaissement des grands, trop systématique, ne peut que susciter de nouvelles bravades. En fait, les condamnations à mort sont rares mais toujours mises en scène. Très tôt, l'opinion se sépare entre « les bons chrétiens » et « les bons Français ». Les uns, conduits par la Reine Mère et le cardinal de Bérulle, veulent un rapprochement avec la maison d'Autriche et la conversion des protestants, les autres entendent préserver l'indépendance française et régler militairement l'affaire des réformés. Cette lutte intestine marque le début du divorce entre Marie de Médicis et son ancien protégé.

La Rochelle, place où les réformés tenaient l'État en échec, entretenant des liens suspects avec l'Angleterre, fait l'objet d'une surveillance accrue. Son Fort-Neuf est détruit par les royaux. Alors, les habitants de cette puissante cité tirent le canon. Buckingham, ministre et favori de Charles Ier, et amoureux éconduit d'Anne d'Autriche, personnage chevaleresque et un peu fou, débarque à l'île de Ré pour secourir la ville. M. de Toiras, autre favori, mais de Louis XIII, défend la place où sera tué le baron de Chantal, père de Mme de Sévigné, méchamment compromis dans l'affaire Montmorency-Bouteville. Louis XIII et Richelieu viennent en personne assiéger la ville et barrent son port d'une digue à jamais célèbre que la mer emportera lorsque la dernière voile anglaise aura disparu. Enfin, La Rochelle se rend. Le souverain et son ministre se montrent indulgents. S'ils retiennent, et pour peu de temps, l'indomptable douairière de Rohan, ils font distribuer du pain et célébrer un *Te Deum*. On ne peut s'arrêter là. Il reste les Cévennes, ultime bastion des religionnaires. Privas est enlevée le 27 mai 1629 et Alès succombe à son tour. Sur le conseil de Richelieu, le Roi n'établit pas de traité mais accorde une grâce (Alès, 28 juin 1629) avant même que le Cardinal ait réduit Montauban (20 août). Toutes les libertés confessionnelles sont maintenues mais c'en est fini des avantages politiques et militaires.

M. de Richelieu se mesure aux difficultés extérieures : l'empereur Ferdinand II, soucieux d'assurer ses communications avec l'Italie, occupe la haute vallée de l'Adda, dite Valteline, dépendant du canton suisse des Grisons, fief protestant. Il nous faut dégager notre allié, le duc de Mantoue. C'est un peu moins que la guerre, ce n'est pas tout à fait la paix. Une nouvelle fois, le Cardinal l'emporte, force les défenses au pas de Suse, occupe Pignerol, puis Saluces, enlevé par un très grand soldat, le maréchal de Montmorency, après le combat de Veillane (10 juillet 1630). Les Français vont prendre Casal, lorsqu'un officier de l'armée pontificale, Jules Mazarin, vient annoncer qu'une paix était signée à Ratisbonne.

LA JOURNÉE DES DUPES

Louis XIII tombe malade, doit s'aliter à Lyon, on le donne pour perdu. Les deux reines lui demandent la disgrâce du prélat. Le Roi, sans s'engager formellement, paraît céder. Il guérit. Sur le chemin du retour, le Cardinal tente de reconquérir Marie en lui jouant du luth. Elle ne pardonne pas. Derrière elle se sont groupés les bons chrétiens, Gaston, le chancelier de Marillac et son frère le maréchal, les archimignons Bellegarde et d'Épernon, nombre d'évêques. La Reine Mère habite alors le petit Luxembourg et le Roi l'hôtel des ambassadeurs. Elle condamne sa porte, annonçant qu'elle prendra médecine et convoque le Roi pour lui demander d'en finir. Richelieu, prévenu sans doute par le père Joseph, paie d'audace, par une porte dérobée de la chapelle pénètre dans la pièce où se joue son destin. La scène présente un caractère horrible. Malgré la prosternation et les agenouillements du ministre, son ancienne protectrice le couvre d'injures, réservant les propos les plus orduriers à Mme de Combalet. Le souverain, outré, torturé dans sa dignité, tente de calmer sa mère, ordonne au Cardinal de rompre l'entretien et, ivre de douleur et d'humiliation, part pour son pavillon de chasse de Versailles.

Au Luxembourg s'organise une fête. Le tyran abattu, tous les espoirs sont permis et chacun donne le chancelier de Marillac premier ministre. Richelieu boucle ses bagages, évoque l'assassinat de Concini, le meurtre de Buckingham, se voit massacré par la foule. Arrive le cardinal de La Valette:
— Qui quitte la partie la perd.
Sur le conseil de cet indéfectible ami, l'ancien protégé de la Médicis se calme. Le Roi le convoque et le maintient dans toutes ses charges. Le chancelier est arrêté, son frère sera décapité, Gaston d'Orléans doit s'en aller, Marie quittera le royaume et s'en ira finir ses jours à Coblence où Richelieu ne manquera jamais de lui faire tenir des subsides. Elle lui léguera son perroquet. Telle fut la journée des Dupes (11 novembre 1630).

LA RÉBELLION DE MONTMORENCY

Le Cardinal, ayant réduit les protestants et les Grands, peut-il enfin se dégager de la tenaille constituée par les deux branches de la maison de Habsbourg? Avec le merveilleux ingénieur Métézeau, quelques autres «hommes de technique», il renforce la marine, assumant lui-même l'office de général des galères. Le Roi, de son côté, veille sur l'armée. Gaston d'Orléans n'a point pris sa revanche, entend se venger d'avoir été poursuivi pour crime de lèse-majesté; il obtient le concours du maréchal de Montmorency, gouverneur du Languedoc. Cette fois, le rôle du Cardinal ne lui fait pas honneur. Il ne cesse de rogner les pouvoirs du maréchal, l'entretient dans un climat d'hostilité, s'abstient de toute concession, bref, le pousse à la rébellion pour s'en débarrasser avant de se livrer à d'autres entreprises. Montmorency voit, à travers son humiliation, celle de toute la noblesse dont le rôle est de servir et non d'essuyer des avanies. Il rallie une partie des états de Languedoc et occupe sans coup férir une large portion de territoire s'étendant du Rhône à la Garonne. Il est toutefois battu par l'armée royale du maréchal de Schomberg à Castelnaudary (1er septembre 1632). Capturé, il est condamné. Louis XIII, assailli de demandes de grâce, se contente de répondre:
— On ne doit pas plaindre un homme qui va subir son châtiment, on doit seulement le plaindre de l'avoir mérité.
Montmorency montre un rare courage et une soumission exemplaire aux desseins de la Providence. Dans la cour du

Capitole de Toulouse, il est décollé par une machine présentant un doloire entre deux planches. C'est le triste ancêtre de la guillotine. Quatre ans plus tard, un prince du sang, le comte de Soissons, également malmené par Richelieu, s'engagera dans la lutte, gagnera la bataille de La Marfée, mais ne profitera point de son avantage. Renaudot insistera lourdement dans sa gazette sur l'habitude contractée par Monsieur le Comte de relever la visière de son casque avec son pistolet. Ainsi le coup serait-il parti. Il venait plus probablement d'un sbire de Son Éminence.

LA PATRIE EN DANGER

Depuis la victoire des Impériaux sur les Bohêmes du Palatin protestant Frédéric V à la Montagne Blanche, notre voisin se montrait extrêmement redoutable. Louis XIII et Richelieu, embarrassés par les soucis intérieurs, avaient payé les Danois, puis les Suédois de Gustave-Adolphe, pour suppléer la Ligue évangélique et se préparaient en observant une fausse neutralité. Le père Joseph avait même détaché Wallenstein de son souverain en lui promettant la couronne de Bohême. Le redoutable duc de Friedland surpris et tué, l'empereur n'en dispose pas moins d'autres généraux, dont le duc de Bavière. Les Suédois sont écrasés à Nordlingen (1634).

Avec l'Espagne, la situation n'est guère plus réjouissante, le comte-duc d'Olivares entend relever la position de son pays avant de tenter l'aventure. Le Cardinal affirme qu'il préférerait «se faire couper un bras plutôt que de faire la guerre». Il la fait déclarer après l'arrestation de l'un de nos clients, l'Électeur de Trèves, à la fois vassal de Ferdinand II et de Philippe IV. Les historiens se poseront toujours la question. Cette guerre présente-t-elle un caractère inévitable? A la vérité, les adversaires se font mutuellement peur, craignent de voir le voisin se renforcer pour intervenir plus sûrement. Reste que Louis XIII et son ministre ont retardé notre intervention avec un sens remarquable de l'économie des moyens. Ils n'en sont pas récompensés dans les débuts; le cardinal-infant, frère de la reine Anne, descend sans grand mal de Bruxelles à Corbie (1636). En cette année du *Cid*, Paris s'affole, chacun songe à fuir et Richelieu voudrait se dérober au courroux populaire. Le Roi, tel Henri II après Saint-Quentin, demeure impavide et fait renaître la confiance. L'opinion se retourne. L'Éminence vient mettre la main aux travaux

de défense et repart sous les acclamations. Le vieux maréchal de
La Force préside aux enrôlements. L'infant, faute de renforts
impériaux, arrête sa marche, et Louis XIII va de sa personne
reprendre Corbie. La bataille se poursuivra dans le Nord jusqu'à
la prise d'Arras (août 1640), à l'est, le maréchal de Gallas échoue
devant Saint-Jean-de-Losne. La chute de Brisach nous permet de
nous maintenir sur le Rhin. Malgré la disparition du père
Joseph, notre diplomatie demeure active ; nous faisons tomber
Olivares et favorisons le retour à l'indépendance du Portugal.
Les Catalans nous réclament. Louis XIII se rend en Roussillon.
C'est là que Louis vivra ses plus sombres heures ; son grand
écuyer, le jeune marquis de Cinq-Mars, complotera la fin du
Cardinal et, probablement, celle du Roi. Cinq-Mars et son ami
de Thou, coupable de non-dénonciation, seront décapités à
Lyon, place des Terreaux, le 12 septembre 1642. Richelieu
triomphe de tout, même des penchants de son maître, en
l'occurrence bien mal servi. Apaisé, tant à l'intérieur qu'à
l'extérieur, il regagne Paris dans une litière si vaste — elle est
portée par 24 hommes — qu'il faut, pour permettre le passage,
faire sauter les portes des villes. Enfin, il retrouve le Palais-
Cardinal, usant ses dernières heures en travaux et en projets.

Le curé de Saint-Eustache, présentant le viatique, lui demande
s'il pardonne à ses ennemis.

— Je n'en ai jamais eu d'autres que ceux de l'État.

Il s'éteint le 4 décembre 1642.

Ce génie, embrassant toutes les disciplines, a toujours voulu
la sécurité et, pour cela, négligé souvent la prospérité. Entre le
beurre et les canons, il n'a pas choisi, mais privilégié les uns aux
dépens de l'autre. Il a, de concert avec Louis XIII, recherché la
grandeur de l'institution monarchique sans obtenir l'amour des
peuples. Les paysans et la bourgeoisie ont autant pâti que la
noblesse de son ministériat. La situation agricole a provoqué
bien des jacqueries. Le parlement est devenu, réduit, à rien, un
adversaire potentiel. Les écrivains, par la création de l'Académie
établie en 1635, étaient mis au pas. L'Église, elle-même, s'est
rebellée tant on lui soutirait d'argent. Le pays ne respirait plus.
En rognant les ongles du second ordre, en hâtant la disparition
de la néoféodalité, n'a-t-on pas privé la France de ses défenses
naturelles ? Tout cela compte moins que le labeur accompli : la
réduction des huguenots et de la maison d'Autriche. Le Cardinal,
malgré ses lacunes et ses erreurs, reste, par l'ampleur de sa vision

et la fermeté de ses réalisations, l'un des plus prestigieux artisans de notre identité.

LOUIS XIII SANS RICHELIEU

Louis, dit le Juste — parce que né sous le signe de la Balance — va-t-il modifier la politique de son «tyran»? S'il libère quelques prisonniers d'État, il maintient le conseil dans toute sa rigueur avec l'implacable chancelier Séguier, et deux découvertes de Richelieu, M. de Noyers et monsignore Mazarin. Sa Majesté Très Chrétienne continue la guerre contre Leurs Majestés Catholique et Apostolique. Le danger est passé. Le Roi peut s'occuper de nos nouvelles possessions. Parents pauvres, sans doute, au regard de l'Espagne, nous sommes toutefois implantés au Canada, à Madagascar et dans les Caraïbes où nous tenons Sainte-Lucie et Saint-Christophe. Hélas, nous ne trouvons pas d'or mais les échanges commerciaux apparaissent néanmoins fructueux. L'évangélisation se développe. Mme Claude Dulong racontera merveilleusement l'histoire de ces héroïnes de la Foi dont Jeanne Mance demeure le modèle. La Contre-Réforme s'est profondément enracinée. Elle vogue vers nos nouvelles possessions comme elle s'implante dans le pré carré. Contrairement à certaines assertions, Louis XIII et le Cardinal ne se sont pas désintéressés de ce mouvement. Les tenants de la renaissance catholique sont parfois originaires du camp des bons chrétiens, tel le cardinal de Bérulle, fondateur de l'Oratoire avec le père de Condren, ou Louise de Marillac, directrice de ces admirables Filles de la Charité, dont toute l'œuvre, soutenue par saint François de Sales puis saint Vincent de Paul, s'appuie sur l'héritage de sainte Thérèse d'Avila.

L'histoire de Port-Royal apparaît splendide par la qualité des illustres Solitaires, et navrante par les positions défendues. La thèse provenait des réflexions sur la grâce de l'évêque d'Ypres, Jansen, latinisé par ses soins en Jansenius. Duvergier de Hauranne, abbé de Saint-Cyran, s'en était fait le propagateur et Richelieu l'avait embastillé. A l'instar du calvinisme, ce courant proche du schisme évoque plus l'enfer que le ciel: l'homme déchu par le péché ne peut gagner son salut si Dieu ne le secourt pas. Ce secours ne peut être obtenu que par la grâce infiniment difficile à se faire accorder. Certains thèmes chers à la Réforme sont acclimatés mais la présence réelle est maintenue. Nous sommes aux antipodes de la religion souriante des Jésuites. Nous sommes surtout en présence d'une théorie élitiste propre à désespérer les simples. Comme le catharisme, comme le calvinisme, le jansénisme, dont la qualité morale ne se discute pas, présente un réel danger par son intransigeance. Autour de la mère Angélique Arnauld se groupent les Solitaires au monastère de Port-Royal. On les nomme les Messieurs : le grand Arnauld, Nicole, Lancelot, l'abbé de Saint-Cyran, plus tard Pascal. Au soir de leur vie, des seigneurs galants, des dames légères renforcent les bataillons du jansénisme, sombrant dans une mystique hautaine. Le mouvement présente un manifeste, l'*Augustinus*. Réduit à cinq propositions par la Sorbonne, il est réputé bientôt hérétique par Rome. La bataille durera très longtemps.

Louis XIII s'en allait rassuré. Il n'avait jamais aimé la Reine mais elle était mère de deux enfants mâles et les défendrait comme une louve. Le Roi passa, comme son père, un 14 mai. C'était en 1643. Il laisse le souvenir d'un personnage étrange, sensible et parfois cruel, plaçant le devoir au-dessus de tout, cependant qu'il s'abandonne à des amitiés suspectes, soutenant son ministre mais balançant à le faire supprimer par son capitaine des gardes. Avec cela, du goût, un sens peu commun de l'opinion — ses articles dans la *Gazette* constituent de petits chefs-d'œuvre —, une science militaire très approfondie, un amour sincère pour ses peuples. Cherchant parfois le plaisir, il n'a jamais connu la joie.

17

LOUIS XIV

Louis XIII avait organisé la régence. Le parlement cassa le testament avec l'accord d'Anne d'Autriche, dont les pouvoirs eussent été limités. C'était un mauvais début car les robes longues retrouvaient une responsabilité politique constamment usurpée et perpétuellement supprimée. Le 18 mai 1643, la régente se rend au palais portant dans ses bras le petit Louis XIV âgé de 5 ans, et s'entend déférer «l'administration, libre, absolue et entière des affaires du royaume pendant la minorité». Gaston d'Orléans devient lieutenant général du royaume. Le personnel mis en place par Richelieu ne bouge pas, mieux, le préféré de ses collaborateurs, le cardinal Mazarin, assure le ministériat. De belle prestance, c'est un prélat habile. D'abord militaire, devenu légat puis nonce en France, il a beaucoup travaillé sous l'Éminentissime, et l'on dit que le cardinal de velours remplace le cardinal de fer. On épiloguera sur la nature de ses relations avec Anne d'Autriche. Il n'est pas investi du sacerdoce et elle est veuve. Ils sont libres et contracteront peut-être un mariage secret. Ce serait surprenant. Prince de l'Église, Mazarin n'était tout de même qu'un soldat et un diplomate de fortune alors que Anne demeurait porphyrogénète. Les érudits ne se sont jamais prononcés sur cette énigme mais tous s'accordent pour admettre une profonde affection entre la Reine et son ministre.

Encouragés par la disparition du cardinal puis du Roi, les Espagnols ont pris l'offensive en Ardennes. Peine perdue. L'étincelante victoire de Rocroi remportée sur le comte de Fuentes par le jeune duc d'Enghien (19 mai 1643), ouvre une négociation engagée à Münster et Osnabrück. Nous touchons à la victoire et le même génie militaire, devenu prince de Condé, piétinera nos adversaires à Lens, le 20 août 1648.

Mazarin, diplomate de haute envergure, compte sur ces succès pour maintenir la France dans la tranquillité. C'est une erreur. Les Français, rassasiés de gloire par Louis XIII et Richelieu, revenus de leur terreur de Corbie, se désintéressent de leurs plus beaux avantages cependant qu'ils s'indignent du poids grandissant des impôts. Une augmentation de la taille déclenche un premier mouvement conduit par le duc de Beaufort, petit-fils naturel de Henri IV, et l'incorrigible Mme de Chevreuse. Cette cabale, dite des Importants, est réduite par l'internement de Beaufort à Vincennes. Le parlement n'en demeure pas moins hostile. Il proteste contre l'édit du toisé (mars 1644), instituant une taxe frappant les propriétaires d'immeubles. Revient l'affaire de la Paulette, (paiement annuel du soixantième de la charge des officiers de Justice) mais dont l'échéance tombe tous les 9 ans. Mazarin renouvelle le bail en confisquant 4 années d'émoluments aux magistrats non parlementaires. Le ministre a cru diviser pour régner. Le 13 mai 1648, la cour supérieure rend «l'arrêt d'union» (de toutes les cours), désobéissance formelle au pouvoir royal.

Paradoxe extravagant, nous allons nous engager dans les discordes civiles au moment où nous sortons vainqueurs de la guerre de Trente Ans. Aux traités de Westphalie (Münster et Osnabrück) publiés le 24 octobre 1648, la France se voit confirmer l'appropriation des Trois-Évêchés, ainsi que de l'Alsace à l'exception de Strasbourg et de Montbéliard. L'Empire, sous le contrôle de la France et de la Suède, devient une mosaïque de 343 États indépendants. Pour être inscrite dans tous les manuels, cette assertion est fausse. Bien sûr, il existera des duchés, et même des républiques, jouant à la souveraineté, toutefois la communauté germanique n'est pas dissociée. La majorité des Électeurs demeure catholique et assure, sauf accident, la pérennité des Habsbourg. Ainsi que l'a finement observé Bainville, le désordre envahit toute l'Europe. La fière Espagne, déjà privée du Portugal, est bravée dans les Deux-Siciles par le pêcheur Masaniello. On verra pire: Charles Ier d'Angleterre sera décapité par Cromwell, Michel-Ange de la guerre et barbouilleur de la paix. Il n'est pas étonnant que se soit produite une contamination.

LA FRONDE PARLEMENTAIRE

Après le *Te Deum* célébré pour la victoire de Lens sur l'Espagne (26 août 1648), Mazarin fait arrêter un artiste en démagogie, le conseiller Broussel. Le lendemain, Paris se couvre de barricades. Le coadjuteur Gondi, futur cardinal de Retz, joue vainement les médiateurs. Le président du parlement, messire Molé, se rend chez Anne d'Autriche et obtient la libération de Broussel. Il est follement acclamé. Mazarin, le 13 septembre 1648, emmène la Reine et le petit Roi, les installe à Rueil sous la protection de Monsieur le Prince. Le parlement paraît fléchir, l'annonce de la paix de Westphalie allait-elle amener le rétablissement de l'ordre? Non. Dans la nuit du 6 au 7 janvier, à Saint-Germain-en-Laye où réside maintenant la Régente est promulguée une déclaration exilant les grands corps. Ils répondent en réputant Mazarin «auteur de tous les désordres de l'État, perturbateur du repos public». Il devra «se retirer de la cour et du royaume et passé le terme de huit jours [il est] enjoint à tous les sujets du Roi de lui tenir sus». En dépit du loyalisme de Molé, le parlement lève une armée sous le prince de Conti. A Paris, la rente n'est plus payée. La faim se fait cruellement sentir. Les insurgés tentent de rompre l'encerclement réalisé par Condé. Ils essuient une nouvelle défaite à Charenton et ne trouvent rien de mieux que traiter avec les Habsbourg. L'Espagne, toujours en guerre, savoure à l'avance le retour aux désordres de la Ligue. Molé s'interpose, il s'entend avec la Couronne. Ce n'est pas du goût des Parisiens. Le vicomte de Turenne, devenu rebelle, ne parvient pas malgré son ascendant sur la troupe à marcher sur Saint-Germain. La fronde parlementaire est terminée.

LA FRONDE DES GRANDS

Le Roi revient à Paris le 18 août 1649. Mazarin demeure la cible et Condé se fait exigeant. Gondi se rapproche du cardinal. L'autre perd l'esprit, fait arrêter Monsieur le Prince.

Gondi change de camp, se rallie à Gaston d'Orléans et, sur l'intervention du cadet de Louis XIII, d'autres princes rebelles sont libérés. Mazarin est de nouveau banni. Conseillé par saint Vincent de Paul, il s'en va pour mieux revenir. Dans la nuit du 9 au 10 février 1651, Gaston donne l'assaut au Palais-Royal (ex-

Cardinal) sous prétexte que le petit souverain aurait fait l'objet d'un enlèvement. La Reine montre son fils dormant paisiblement. Paisiblement, c'est beaucoup dire. L'enfant ne dort pas et gardera toute sa vie non point la haine, car il ne saurait la sécréter, mais l'aversion la plus profonde pour la subversion.

L'anarchie est à son comble. Devant la désunion des trois ordres, la régente proclame la majorité de Louis XIV et convoque les états généraux pour le 8 septembre 1651. Les oppositions sont si tranchées en matière fiscale qu'on ne pourra les réunir. Gondi tenterait bien de mettre un peu d'ordre s'il obtenait la place de Mazarin. La Reine se méfie. Le parlement, débordé, refuse d'obéir à Condé. Il abandonne ses devoirs, soulève Bordeaux, en compagnie de sa sœur Longueville, et appelle les Espagnols. Molé se voit confier les Sceaux. Monsieur le Prince s'allie à Gaston d'Orléans et remonte vers Paris pour affronter Turenne repassé dans le camp des royaux. Mazarin rentre en France, suscitant la sympathie des partisans d'un retour au calme. On se mesure à la porte Saint-Antoine. La Grande Mademoiselle, fille de Gaston, fait tirer le canon de la Bastille sur l'armée royale, permettant aux rebelles de se réfugier dans la capitale.

Le 4 juillet 1652, le parlement est assiégé par les frondeurs et l'Hôtel-de-Ville incendié. Broussel est nommé prévôt. Ces violences lassent les modérés. Habilement, Mazarin se retire de nouveau pour favoriser un accommodement. Le Roi promet une amnistie générale et reçoit une délégation des échevins et des parlementaires :

— Toute autorité nous appartient. Nous la tenons de Dieu seul, sans qu'aucune personne de quelque condition qu'elle soit puisse y prétendre. Les officiers du parlement n'ont d'autre pouvoir que celui que nous avons daigné leur confier pour la justice. La postérité pourra-t-elle croire que les officiers ont prétendu s'arroger la plénitude d'un pouvoir qui n'est due qu'à nous ?

La vigoureuse mercuriale produit son effet. Sa Majesté, accompagné de Turenne, rentre à Paris. L'amnistie exclut Gaston, sa fille, Beaufort, Condé. Gondi, encore que devenu cardinal de Retz, mais arrêté puis évadé, est écarté des grands emplois.

Monsieur le Prince retourne à Bordeaux avec sa sœur Longueville. La duchesse ne craint pas de fonder l'Ormée, société communisante. La ville tombe en 1653. Le vainqueur de Rocroi met son épée au service de l'Espagne. Retz va le rejoindre. L'affreuse guerre se termine. Mazarin reprend la barre. Le bilan se révèle effroyable. Paysans et bourgeois, petits nobles ont payé très cher les fantaisies des belles dames faisant passer leurs champions d'un camp à l'autre pour les motifs les plus inconsidérés. En maints endroits se sont répandues des épidémies. Il faudra longtemps pour remédier à la disette. Aux alentours de Paris, on meurt littéralement de faim. La Fronde s'est perdue par ses divisions car ses participants successifs défendaient des intérêts contradictoires, elle a, en outre, comme toute guerre civile, amené des brigandages féroces sur toute l'étendue du territoire. Dix ans après le drame, les fameux Grands Jours d'Auvergne, tribunaux itinérants, n'auront point achevé de punir les responsables des vols et des assassinats.

LA PAIX DES PYRÉNÉES

Désormais, les Français aspirent au repos. Pour y parvenir, il faut mettre fin au conflit avec l'Espagne. Mazarin ose s'allier à Cromwell et lui promet Dunkerque (tenu par Philippe IV) en échange de son appui naval. Les flottes anglaises envoient par le fond quelques navires de Sa Majesté Catholique et, surtout, interceptent et détruisent des convois. Le 14 juin 1658, aux Dunes, les deux génies militaires du moment, Monsieur le Prince et le maréchal de Turenne, s'affrontent. Condé perd la partie et, quelques jours plus tard, le vicomte emporte Dunkerque. Le lord-protecteur rend l'âme, cette disparition nous évite de remettre la place au fils et successeur d'Olivier Cromwell, Richard.

L'an suivant, la paix des Pyrénées (7 novembre 1659) va nous assurer la prédominance en Europe. Nous recevons le Roussillon, l'Artois et des places fortes en Flandre, Hainaut et Luxembourg. Louis XIV, en dépit de sa passion pour Marie Mancini, nièce du cardinal, épouse l'infante Marie-Thérèse, fille de Charles IV, et renonce à l'héritage paternel de la princesse contre 500 000 écus d'or, somme que le royaume naguère le plus riche se révèle incapable de verser. Sur la Bidassoa, dans l'île des Faisans, décorée par don Diego Velasquez, don Luis de Haro signe et, le lendemain, le mariage se déroule à Saint-Jean-de-Luz.

Pouvions-nous, au passage, nous adjuger les provinces belgiques ? Assurément non. L'Angleterre, encore qu'à la veille d'une guerre intestine, ne l'eût point toléré. Privés de l'appui britannique, nous n'eussions pu faire face, même en rameutant les Suédois et quelques membres de l'Union évangélique.

Mazarin ne connaît le scrupule qu'à ses dernières heures. Ayant accumulé des trésors, il libère sa conscience en donnant tout à Louis XIV. Le Roi, pour apaiser le moribond, accepte quelques présents. Le cardinal demeure une copie un peu pâle de son inimitable prédécesseur. Il a toutefois poursuivi son œuvre, parvenant à nous soustraire de la tenaille où nous tenait serrés la maison d'Autriche. Dans l'ordre intérieur, il aura ramené le calme sans trouver le temps de perfectionner l'administration. Peut-être parce qu'on en manque, tout repose sur l'argent. Seules, les armées, parfois égarées par leurs chefs, ont retrouvé le sentiment du devoir. Le 9 mars 1661, à Vincennes, Jules Mazarin quitte ce monde, éprouvant le plus grand mal à s'en détacher.

L'ÉTAT, C'EST MOI

Le 10 mars, Louis XIV réunit le conseil et s'adresse au chancelier Séguier :

— Monsieur, je vous ai fait assembler avec mes ministres et secrétaires d'État pour vous dire que jusqu'à présent, j'ai bien voulu laisser gouverner mes affaires par feu M. le Cardinal ; il est temps que je les gouverne moi-même. Vous m'aiderez de vos conseils quand je vous les demanderai.

Tout devra passer par lui, même un passeport. Il ajoute :

— La face du théâtre change ; j'aurai d'autres principes dans le gouvernement de mon État, dans la régie de mes finances et dans les négociations au-dehors que n'avait feu M. le Cardinal. Vous savez mes volontés ; c'est à vous maintenant de les exécuter.

Le métropolitain de Paris demande :

— A qui faudra-t-il s'adresser ?

— A moi, monsieur l'Archevêque.

On tira de cette repartie la fameuse formule : « L'État c'est moi. »

Pour connaître la vie du royaume avant Louis XIV, il suffit de s'en remettre à ses prodigieux *Mémoires* ; à l'usage de sa postérité, le Grand Dauphin et le duc d'Anjou, il expliquera, parfois sous la plume de Pélisson, comment il rendit au royaume justice et dignité. Pendant le ministériat de Mazarin, il s'est laissé prendre pour un bon garçon, fort rassurant par son expression embarrassée, ses bonnes joues et ses occupations anodines. En présence de son valet de chambre, Pierre de La Porte, il n'a point caché sa lassitude devant le faste cardinalice, et la reine Anne s'est inquiétée, mais tout est rentré dans l'ordre au plus vite. Les premiers jours, il n'est quiconque pour prendre la déclaration au sérieux. Mazarin, lui, ne s'était pas trompé:

— Vous ne le connaissez pas. Il se mettra en chemin un peu tard mais il ira plus loin qu'un autre; il y a en lui l'étoffe de quoi faire quatre rois et un galant homme.

Louis XIV commence par dissimuler sa taille — 5 pieds — en lançant une mode nouvelle: souliers à talons démesurés, chapeaux à cuve gigantesque, pourpoints serrés, rhingraves à la romaine. Cette petite victoire n'est pas vaine. A l'époque, le prestige physique compte énormément.

LE SOLEIL ET L'ÉCUREUIL

Habitués à la préséance d'un ministre, les Français attendent la désignation de M. Fouquet, surintendant des Finances et longtemps procureur général au parlement. Financier habile, d'une extrême fidélité pendant la Fronde, il gagne beaucoup d'argent et le répand à profusion. Maître des assignations de fonds, il place au mieux les souscriptions de ses amis, et nettement moins bien celles des autres. Pareille indélicatesse n'indispose que les épargnants dénués de protection. C'est alors que Jean-Baptiste Colbert, commis de Mazarin et du surintendant, vient se confier au Roi, et dénoncer de la manière la plus discutable les agissements de son maître. Le financier, bien pris en main, pourrait comme précédemment rendre d'inappréciables services s'il ne commettait trois fautes: il isole le jeune souverain en détournant les courriers, il propose une forte somme à Mlle de La Vallière, maîtresse du Roi, pour obtenir des renseignements, et la petite va, en toute innocence, se confier à Louis. Enfin, il donne cette fabuleuse fête de Vaux dont La Fontaine nous a laissé le souvenir. Il faut les instances de la Reine Mère pour que Fouquet ne soit pas arrêté le soir même de cette féerie où Molière donne la comédie des *Fâcheux*. Sous le blason du financier portant un écureuil s'inscrit sa devise, *Quo non ascendet?* Jusqu'où ne monterait-il pas? Au cours d'un déplacement à Nantes, le surintendant est arrêté (16 septembre 1661) par M. d'Artagnan, tandis que son premier commis, Pellisson, doit suivre un autre mousquetaire, M. de Saint-Mars. L'écrivain n'est pas traduit devant le parlement mais Fouquet, dont la tête est en jeu, doit se défendre avec acharnement. Grâce au conseiller d'Ormesson, et malgré le clan Colbert, l'accusé n'est frappé que de bannissement mais le Roi «commue» la peine en détention perpétuelle. Cette mesure assez choquante marque chez Louis XIV la sévérité du monarque et la rancune de l'homme. Le soleil levant a foudroyé l'écureuil. Par un triste arrêt du destin, Fouquet, dont le régime avait été grandement amélioré, trépassera dans le moment même où, après dix-sept ans de captivité, il était, dit-on, sur le point d'être rappelé...

On serait tenté de condamner Louis XIV si l'on ne feuilletait ses *Mémoires*: «Rien ne me semble presser davantage que le soulagement de mes peuples. De toute chose que j'observai, il n'y en eut pas qui me touchèrent si puissamment l'esprit et le cœur que la connaissance de l'épuisement où ils étaient alors après les charges immenses qu'ils avaient portées. Ainsi, quoique les principaux desseins que j'avais formés pour guérir à fond le grand mal ne pussent pas sitôt s'exécuter [...] je ne me laissai pas de diminuer incontinent sur les tailles déjà réglées et dont on allait faire l'imposition, me persuadant que je ne pouvais mieux commencer à m'enrichir qu'en empêchant mes sujets de tomber dans la ruine.»

L'écureuil avait beaucoup volé, beaucoup dansé, s'était créé dans le monde de la préciosité d'indéfectibles fidélités dont La Fontaine et la marquise de Sévigné, entre autres, portent le témoignage. La France vit alors entre deux mondes, celui des laboureurs et surtout celui des manouvriers des champs, si bien décrits par M. Pierre Goubert, et celui des nobles et des bourgeois assoiffés de belles-lettres. Même l'Espagne pâlit au regard de notre littérature. Grâce à la marquise de Rambouillet, née Catherine Savelli, la bonne société s'exprime en français et non plus en italien. On aime Corneille sans apprécier toujours la démesure de certains de ses héros. L'analyse des passions devient plus aiguë avec Racine. Molière et Boileau font prédominer le bon sens cependant que Bossuet donne toute leur place aux droits et aux devoirs des princes. Qu'importe si s'échappe un petit groupe, la duchesse de Mazarin, Saint-Évremont, quelques autres, dont le touchant Théophile de Viau? Tous les artistes employés hier par Fouquet œuvrent désormais pour Louis XIV mais, prenons-y garde, avec le surintendant on travaillait encore dans le goût italien. Sous Louis XIV, le style change. Versailles ne sera pas non plus classique, ce sera, à n'en pas douter, une construction onirique et le plus stupéfiant musée lapidaire de tous les temps. 30 000 ouvriers concourent à cette réalisation qu'aucun château ne dépassera par sa beauté dans le monde occidental.

LES TRAVAUX DE COLBERT

Colbert, devenu contrôleur général, et remplissant bien d'autres charges, se désespère de telles dépenses. Si ce petit homme noiraud, très exigeant envers les autres et pour lui-même, s'est abominablement conduit dans l'affaire Fouquet, il n'apparaît pas moins comme un très grand commis. Il s'occupe d'abord des traitants et précise les droits financiers de l'État mais il compromet cet assainissement en assortissant ses opérations d'une faillite des deux tiers. Ce n'est guère ménager les rentiers dont on perd la confiance. Croyant servir les paysans, il abaisse vainement les prix agricoles pour favoriser la consommation. Procédé classique mais courageux, il diminue la taille et augmente les aides. Il considère que l'expansion économique favorisera l'équilibre financier, d'où le développement des articles de qualité, manufacturés à Saint-Gobain, à la Savonnerie, aux Gobelins. Dirigiste, il accorde des subventions à l'exportation. Soucieux de la vitesse de circulation des produits, il abolit certaines douanes intérieures. Il anime les compagnies commerciales des Indes, du Levant et du Nord. Ainsi profitons-nous de la descente du Mississippi, nous installons-nous en Louisiane, en Guyane, à Pondichéry. Point de colonie sans marine militaire. Colbert confère une nouvelle impulsion à la construction navale, délivre des lettres de courses, permet le commerce de mer sans dérogeance.

D'autres sujets l'accaparent : codes de procédure civile et criminelle, organisation des Eaux et Forêts, code de la marine marchande, création de l'Académie de France à Rome et de l'École des langues orientales.

Avec moins d'ostentation que le pauvre Fouquet mais avec une habileté non moins rare, l'homme privé, trichant sur ses origines, accumule une fortune et nouera pour sa postérité des alliances éclatantes.

LE LOUP QUI VOIT

Tout différent apparaît le marquis de Louvois. Fils du chancelier Le Tellier, il est aux affaires depuis l'âge de 16 ans. En 1655, il est survivancier de son père pour le secrétariat à la Guerre, en 1662, il obtient la signature, en 1672, il est ministre d'État. D'une puissance de travail stupéfiante, il est un peu dans la même situation que son compétiteur. Il s'occupe de tout et tout le temps. De plus, il ne cesse de voyager. Sa voiture est agencée de telle manière qu'il peut y travailler, réclamer des instructions et en donner. Tant que vivra Turenne, il connaîtra des difficultés. Ce vicomte de toujours, et par surcroît issu des princes de Bouillon, prisait peu les marquis de la veille. L'œuvre de Louvois passe néanmoins l'imaginable. S'il ne parvient point à supprimer la vénalité des grades, il fait régner l'honnêteté dans l'achat des compagnies et des régiments, soumet la noblesse d'épée à l'administration composée d'intendants des guerres et de commissaires aux armées. Par l'ordre du Tableau, il ouvre aux officiers issus de la roture les grades les plus élevés. C'est dans cet esprit que Louis XIV va créer l'ordre de Saint-Louis.

Louvois fonde les écoles d'artillerie de Douai, de Metz, bientôt de Strasbourg et porte un soin jaloux à l'admirable construction de l'hôtel des Invalides dont l'ornement d'une fenêtre représente un loup: «Le loup qui voit.» Surintendant des Postes, en 1668, des Arts et Manufactures en 1683, il veille à tout avec la même conscience mais l'armée demeure son enfant chérie. Il impose le port de l'uniforme, renforce les unités permanentes en créant des milices provinciales. Elles sont commandées par d'anciens officiers, employées aux services de l'arrière, à la défense des côtes et même engagées dans la bataille. Sa vision stratégique ne manque pas de hauteur et heurte parfois la conception des généraux moins imaginatifs. On a souvent évoqué sa dureté. Elle n'est qu'un reflet de sa passion. Il compte avec raison sur les régiments étrangers qu'il réorganise. Grâce à lui, notre effectif s'élève à 300 000 hommes.

Hors Turenne et Condé, rentré dans ses devoirs, un autre personnage se détache, le maréchal de Vauban. Pendant quarante ans, il va dresser des citadelles aux frontières, passant son temps à les construire, à les perdre et à les reprendre.

DES GUERRES TOUJOURS RECOMMENCÉES

La guerre de Dévolution était prévisible depuis la paix des Pyrénées. Philippe IV, au mépris du droit favorisant les enfants du premier lit, avait laissé le trône à son fils Charles, né d'un second mariage. Par testament, Sa Majesté Catholique excluait Marie-Thérèse, l'épouse de Louis XIV, au profit de Marguerite-Marie, épouse de l'empereur Léopold Ier. La dot de compensation n'étant toujours pas payée, Louis vient participer à la guerre au côté de M. de Turenne. On assiste à des sièges comme le Roi les aime pour leur caractère théâtral. Après la chute de Lille, fleuron des Habsbourg, nous prenons nos quartiers d'hiver (décembre 1667). La campagne semble désormais terminée. Elle sera plus longue car le grand pensionnaire de Hollande, Jean de Witt, dirige pour cinq ans diplomatie et finances, il négocie avec la Suède et l'Angleterre, pourtant retournée aux Stuarts. Cet orage n'ira pas très loin: au printemps, Monsieur le Prince enlève Gray, Dole, Besançon. L'Espagne baisse pavillon, garde la Franche-Comté, qu'elle tient du Téméraire, et conserve les provinces belgiques moins Lille, Douai, Furnes et quelques enclaves en Hainaut (2 mars 1669). En outre, sont reconnus les droits de la reine de France sur l'héritage espagnol (paix d'Aix-la-Chapelle, 1668). La conduite de la Hollande se révèle inacceptable. Des pamphlets affreux sont dirigés contre le Roi. Au grand pensionnaire succède Guillaume d'Orange, élu stathouder et partant responsable du domaine militaire. Bientôt époux de la princesse Marie, fille du futur Jacques II Stuart, c'est un être jaloux, méchant, capable de toutes les trahisons. Le ministre Hugues de Lionne le coupe très finement de ses alliances, puis le charmant Philippe d'Orléans, qu'on amuse à l'accoutumée avec des dentelles, bat Guillaume à Cassel, montrant un allant et un talent si remarquables que Louis XIV, toujours inquiet de la compétition des princes du sang, s'abstiendra désormais de lui confier des commandements effectifs. Pour éviter l'invasion, la Hollande ouvre ses digues. La campagne se poursuit contre les Espagnols et les Impériaux, hors la Bavière et le Hanovre. Charles II Stuart, lui-même, sur la pression de ses sujets antipapistes, se joint aux coalisés malgré les stipulations du traité de Douvres. Non loin de Charleroi, Condé l'emporte à Seneffe, le 11 août 1674, au cours d'une journée fort coûteuse. Turenne, par un mouvement tournant, passe par la trouée de Belfort, prend à revers les forces de l'Électeur de Brandebourg, les bat complètement à Turckheim le 5 janvier 1675. C'est une campagne d'hiver comme on en a rarement vu. A l'été, il contraint le prince de Montecuccoli, militaire savant mais circonspect, à livrer bataille à Sasbach (27 juillet 1675) mais y laisse la vie. Mme de Sévigné écrira : « Je vois le boulet qui tua M. de Turenne fondu de toute éternité » et Montecuccoli s'écriera : « Il est mort aujourd'hui l'homme qui faisait honneur à l'homme. » Un paysan déclarera : « Je vends mon domaine puisque le père de la patrie est mort. » Le Roi ne barguignera point non plus à parler du père de la patrie. Un vent de panique balaie la France. Monsieur le Prince dompte ses douleurs et maîtrise l'Alsace en s'emparant de Saverne et de Haguenau. C'est l'heure des traités de Nimègue. La France signe successivement avec les différentes puissances. Les Pays-Bas se contentent de la restitution de Maestricht et de quelques places de défense dans les provinces belgiques (11 août 1678). L'Espagne renonce à la Franche-Comté, à la Flandre méridionale : Saint-Omer, Cassel, Ypres, les places de la Lys et de Cambrésis (17 septembre). L'Empereur admet le rétablissement des dispositions de Westphalie et nous donne Philippsbourg contre Fribourg-en-Brisgau (5 février 1679).

La France apparaît comme l'arbitre de l'Europe. Louis XIV, pourtant, n'est pas très satisfait et se sépare de son ministre des Affaires étrangères, Arnauld de Pomponne.

On peut aimer ou détester Colbert pour sa froideur — Mme de Sévigné le surnommait joliment le Nord —, Louvois pour son caractère emporté, ils n'en ont pas moins forgé, l'un sur les mers, l'autre sur terre un instrument de premier ordre. Dommage que le Roi prise peu la marine, la jugeant fort coûteuse, mais l'armée, elle, a complètement changé de visage. Même les apparences comptent, tels l'uniforme et le pas cadencé. Pour l'heure, les canons se sont tus, le marquis Duquesne et le comte de Tourville choisissent les plus beaux bois pour construire des vaisseaux. Le maréchal général de Turenne dort à côté de Du Guesclin à Saint-Denis, quant au Grand Condé, il vit à Chantilly, se consacrant aux belles-lettres. L'armée va-t-elle sécréter des chefs de pareille envergure ? Ils vont venir, Luxembourg, Catinat, Villars, Montesquiou, Boufflers, Berwick.

Pour l'instant, un frère du contrôleur général, Colbert de Croissy, reçoit la mission de pratiquer des réunions pacifiques ; sur simples arrêts des parlements sont englobés dans le royaume la principauté de Montbéliard, le duché des Deux-Ponts, les villes de Sarrebourg, Sarrelouis, le marquisat de Pont-à-Mousson. En Italie, Casal connaît le même sort. En 1681, la ville libre de Strasbourg devient française. Tout cela n'est pas mené sans un tact infini. Les princes possessionnés en Alsace le sont en même temps dans l'Empire. Il s'agit seulement d'harmoniser leurs droits selon le système germanique. Ces nouveaux succès scandalisent nos voisins sans les remettre en marche.

LES DÉCHIREMENTS RELIGIEUX

En 1682, la cour s'installe à Versailles. Dans ce décor de rêve, le Roi poursuit son œuvre. Si les travaux militaires conservent toute leur importance, si les préoccupations d'ordre économique absorbent le conseil, les questions religieuses demeurent à la surface de l'actualité. Elles présenteront toujours un caractère passionné. Louis XIV tente, on l'a dit, de mettre fin au jansénisme sans chercher, car il se veut maître chez lui, l'appui de Rome. Il est très tôt en conflit avec le Saint-Siège à propos de la régale, droit de percevoir les fruits du temporel ecclésiastique à la mort du titulaire et de distribuer les bénéfices en vertu du concordat passé par François Ier. Le monarque applique ces dispositions aux évêchés annexés ou bien épargnés jusque-là. Les évêques jansénistes en appellent au pontife. La succession au diocèse de Pamiers envenime les affaires. Louis XIV réunit une assemblée générale. Bossuet précise que les souverains ne sont pas soumis pour le temporel à l'autorité pontificale. Pose-t-il le principe d'une Église gallicane? Pas tout à fait, puisqu'il n'attente en rien à l'autorité spirituelle du vicaire. Innocent XI casse les décisions ayant trait à la régale, répute nulle la déclaration du 19 mars 1682 et, *in petto*, excommunie le Roi. Louvois montre les dents et projette d'occuper la Ville éternelle. Louis se contente d'Avignon. Les évêchés vacants demeurent sans titulaires. La crise ne prendra fin que le 14 septembre 1693 mais il faudra, pour satisfaire l'accommodant Innocent XII, retirer la déclaration de 1682. Autre incident: le quiétisme. Par réaction contre le jansénisme, une dame Guyon développe la doctrine du pur amour, familiarité de l'âme avec Dieu, diminuant la part de la responsabilité humaine. Fénelon soutient cette nouvelle présentation du molinisme mais se fait battre par Bossuet, grandiose apôtre du juste milieu. Le quiétisme, malgré tout, survivra. Vaincu par l'Aigle de Meaux, le Cygne de Cambrai préparera pour le duc de Bourgogne, fils aîné du Grand Dauphin, un programme mystico-politique fondé sur l'ancienneté des familles et la sainteté des individus. Le chef-d'œuvre du *Télémaque* en sera la périlleuse illustration.

LA RÉVOCATION DE L'ÉDIT DE NANTES

Une autre affaire préoccupe les milieux éclairés, celle du protestantisme. «Ces messieurs de la religion» se tiennent assez tranquilles sauf dans les régions où leur majorité l'emporte: en Normandie, Poitou, Languedoc. Là, les incidents sont fréquents et les catholiques ne comprennent pas. Comment sont-ils, sous un roi très chrétien, persécutés par des huguenots? Ailleurs, le royaume n'est pas troublé. Depuis la grâce d'Alès, le nombre des réformés a considérablement baissé. Lassitude, retour sincère à la religion romaine, les protestants se comptent environ 1 500 000, sensiblement 6 % de la population. Louis XIV s'est persuadé, depuis la conversion de Turenne par les soins de Bossuet, que, tôt ou tard, la RPR (religion prétendue réformée) disparaîtra complètement. Au demeurant, il ne cache pas son antipathie. Un gentilhomme calviniste l'entend déclarer un jour:

— Mon grand-père vous aimait, mon père vous craignait, je ne vous aime ni ne vous crains.

En 1679, on se contente d'interpréter étroitement l'édit de Nantes revu par la grâce d'Alès. Après Nimègue, les protestants sont exclus des charges et offices, les mariages mixtes prohibés, les enfants baptisés de force, les abjurations payées ou récompensées par des exemptions d'impôts. Au domicile des mauvaises têtes, on loge des dragons. Ces soldats, se déplaçant à cheval et combattant à pied, se conduisent avec une brutalité calculée et souvent efficace. Leurs victimes finissent par se rendre à l'église et sont réputées catholiques. Les initiateurs de ces manœuvres scandaleuses ne poursuivent qu'un objectif, complaire au Roi. Il est bien loin de connaître ces pratiques mais accueille sans contrôle le résultat de l'incitation. A l'automne de 1685, on lui rend compte du retour sur la bonne voie des huguenots de Montauban, de Bordeaux, de Castres, de Montpellier, d'Uzès et de toute la province du Poitou. Les chiffres sont vertigineux, manifestement falsifiés. Louis n'y prend pas garde; puisqu'il n'existe plus d'hérétiques — ou presque — à quoi bon maintenir l'édit de Nantes? Il est annulé par l'édit de Fontainebleau (18 octobre 1685) préparé par le chancelier Le Tellier.

C'est abusivement qu'on prêtera, non sans légèreté, un rôle à l'étrange marquise de Maintenon, veuve du poète Scarron, intime de l'immarcescible Ninon de Lenclos, gouvernante des bâtards royaux avant que de devenir la maîtresse et, sans doute, l'épouse morganatique du Roi-Soleil. Petite-fille d'Agrippa d'Aubigné, elle était elle-même fille d'un converti. Il est désormais certain que la pieuse dame, fort belle de surcroît, ne fut pour rien dans cette disposition.

Les protestants sont pris dans un système d'autant plus affreux que la sortie du royaume leur est interdite. Certains réussissent à partir — un demi-million peut-être —, d'autres rameront sur les galères royales. Ce n'est pas la plus belle page du plus grand des rois, encore qu'il ait été trompé.

On plaint toujours les émigrés mais on se révulse devant leur arrivée en masse. Ainsi, les princes allemands de religion réformée accueillent les bannis, sans trop les aider. Ils leur fournissent toutefois du travail. Il s'agit, avant tout, d'une population d'artisans et de commerçants. Les gens d'épée et de robe sont, le plus souvent, déjà partis, de même les financiers et autres traitants. Ils réussiront parfaitement. Tout ce monde injustement frappé va contribuer à donner de Louis XIV une image peu flatteuse. Un huguenot d'envergure peut demeurer en France: Duquesne, mais il n'obtiendra point le bâton. En Normandie et même dans le Poitou, pourtant attachés fortement à la Réforme, la tranquillité n'est pas compromise. Le calvinisme subsistera quelque temps dans le secret des familles puis viendra l'indifférence et il faudra l'allant de saint Louis Grignon de Monfort pour ranimer la foi. En Languedoc, le culte se perpétuera clandestinement au *désert* sous la conduite de pasteurs d'une obstination parfois héroïque. Après le meurtre de l'archiprêtre du Chayla, en 1702, la révolte des camisards prit une dangereuse ampleur sous deux chefs discutables, Roland et Cavalier. Ils ne se contenteront pas d'attaquer la troupe mais sèmeront la terreur dans les vallées catholiques. La réaction des royaux sera brutale, toutefois Cavalier, acheté par le maréchal de Villars, trahira les siens avant de passer au service des Anglais orangistes.

Tandis que se déroule cet affrontement sauvage, la politique extérieure, une fois de plus, varie.

LA LIGUE D'AUGSBOURG

Le 12 septembre 1683, à Kahlenberg, le roi de Pologne, Jean III Sobieski, dégage Vienne investie par les Turcs de Méhémet IV. C'est une victoire de la chrétienté mais une inquiétude pour Louis XIV. Il offre à l'empereur Léopold une trêve de vingt ans ; à Ratisbonne, on renouvelle les traités de Westphalie et nous conservons nos conquêtes postérieures, y compris les réunions.

En fait, le César s'entend secrètement avec Guillaume d'Orange tandis que les princes protestants forment la ligue d'Augsbourg dirigée contre la « politique agressive » de la France. Le 9 juillet 1686, l'Espagne, la Suède, la Bavière elle-même rejoignent l'Empereur, l'Électeur de Brandebourg, Venise, la Moscovie et la Pologne. Bientôt, la Hollande entrera dans la danse.

La duchesse d'Orléans, belle-sœur du Roi, possède des droits sur la succession de son père, le Palatin du Rhin. Philippe de Neubourg, héritier de l'électorat, affecte d'accepter l'arbitrage pontifical proposé par Louis XIV, tout en laissant traîner. Autre incident, le Saint-Père nomme à Cologne un Bavarois contre le candidat de la France, prince de Fürstenberg. Nous sommes patients ; Louvois donne trois mois à Léopold pour renouveler la trêve de Ratisbonne en renonçant aux droits de la Palatine. La guerre se rallume. Nos armées saisissent le comtat Venaissin, Cologne, Spire, Kaiserlautern, cependant que le Dauphin assiège Philippsbourg et conquiert le Palatinat en moins de deux mois. Toute la rive gauche du Rhin est occupée. Nous tenons à merci Mannheim et Heidelberg. Notre position est inexpugnable, lorsque l'Angleterre donne des inquiétudes. Jacques II, très menacé par ses protestants de toutes couleurs, refuse l'assistance de Louis de peur de se compromettre, mais fait baptiser catholiquement un fils issu d'un second mariage avec Marie de Modène. Sept lords appellent au trône le gendre, Guillaume d'Orange. Le roi de France ne désespère pas. Se référant aux luttes entre Charles Ier et Cromwell, il envisage une longue guerre civile paralysant tout à la fois l'Angleterre et la Hollande. Il n'en est rien, du moins pour l'instant. Jacques II s'en va, jetant à la mer le Grand Sceau pour retirer aux actes de son beau-fils tout caractère de légalité. Cette fois, l'Europe entière monte à l'assaut, et Guillaume s'efforce de coordonner l'action.

On est loin de Montecuccoli... Louvois, pour obtenir un glacis, organise systématiquement le ravage du Palatinat. Le territoire de l'électorat subit les pires déprédations. Les villes, mais aussi les villages, les hameaux sont incendiés. Cette sauvagerie scandalise Louis XIV, toujours soucieux des amitiés rhénanes. En dépit des plaintes de la duchesse d'Orléans, il laisse pourtant s'achever l'opération. Arrêtés sur tous les autres théâtres par les fortifications de Vauban, nos ennemis ne peuvent envahir notre territoire. Nous sommes toutefois placés dans une position défensive. Le maréchal de Luxembourg, fils de l'infortuné Montmorency-Bouteville, accomplit des prodiges. Surpris à Steinkerque (3 août 1692), il ne prend pas le temps de nouer sa cravate. Il sera longtemps de mode de la porter ainsi. A Neerwinden (29 juillet 1693), il fait encore merveille, prend tant de drapeaux bientôt suspendus sous les voûtes de Notre-Dame de Paris que le prince de Conti le surnomme « le tapissier de Notre-Dame ». De son côté, un officier de fortune, le maréchal Catinat, humble seigneur de Saint-Gratien, l'emporte à Staffarde et à La Marsaille (4 octobre 1693). Noailles, lui, préserve le Roussillon.

Les opérations sur mer s'engagent bien. Ainsi Jacques II parvient-il à prendre pied en Irlande. Tourville, par la victoire de Béveziers (Beachy Head) (29 juin 1690), puis un combat au large de Barfleur, permet d'espérer un débarquement en Angleterre. Stupidement contraint par Versailles de mener une nouvelle attaque à La Hougue (29 mai 1693), il perd 13 vaisseaux. Louix XIV abandonne la construction des bateaux. Les flottes continuent d'évoluer mais leur entretien se révèle précaire. Jean Duquesne, Jean Bart se livrent à la course et le commissaire général de Pointis, en collaboration avec des flibustiers, enlève aux Espagnols la place réputée imprenable de Carthagène des Indes.

Victorieux sur terre, nous ne pouvons ni ne voulons plus courir de gros risques sur mer. Louis XIV appréhende les conséquences psychologiques d'une défaite navale. Résultat : notre commerce dépérit et nous ne parvenons point à rétablir les Stuarts.

On s'achemine vers, selon l'expression de Voltaire, « une paix de pitié pour les combattants et les peuples épuisés ». Elle est signée à Ryswick, les 20 septembre et 30 octobre 1697. Nous reconnaissons Guillaume III, promettons de ne plus assister les jacobites, ainsi qu'on nomme les fidèles de Jacques II. Nous restituons les réunions sauf Strasbourg. Les militaires, encore qu'habitués à l'obéissance, se scandalisent de nos concessions.

LA SUCCESSION D'ESPAGNE

Contrairement à la légende, le Roi n'aime pas la guerre, même s'il se montre sensible à son éclat. Défenseur acharné de notre indépendance, et par conséquent de frontières équitables, il recherche constamment notre sécurité. Que vaut-elle sans prospérité? Il a fallu, en 1689, fondre jusqu'à la vaisselle plate de Versailles en invitant les riches à dîner eux aussi dans de la terre cuite. En 1691, c'était le tour des vases sacrés. Le change de la pièce d'or avait varié de 20 à 11 livres. De feu M. Colbert, on conservait l'habitude de tirer les bons à court terme, jamais très profitables aux souscripteurs. Vint la capitation, impôt personnel et progressif dont seul le monarque était exempté. En 1710, on s'efforcera d'appliquer le système de Vauban : un dixième du revenu. L'étonnant reste la confiance. Les emprunts représentent 25 années du budget. Tout était bon pour faire argent, on multipliait les offices, faisait payer deux fois les marquisats (Acaste et Clytandre incarnent les parvenus du moment) et M. de Pontchartrain amène un sourire sur les lèvres du Roi lorsqu'il déclare :

— Toutes les fois que Votre Majesté crée une nouvelle charge, il se trouve un sot pour l'acheter.

Le petit peuple mène une vie précaire, très différente selon les régions mais d'un attrait limité ; le poids du fisc, le passage des gens de guerre, la mauvaise pratique de la culture céréalière laissent bien des contrées dans une situation déplorable. Quelle que soit notre puissance militaire, il faudrait éviter de se battre encore. La succession de Charles II d'Espagne va s'ouvrir. Souverain chétif, bizarre, ce veuf d'une princesse française fait parfois ouvrir le cercueil de la Reine pour la contempler. Proche parent de tous les princes d'Europe, il ne bénéficie pas d'une descendance et chacun attend ses dispositions testamentaires. Louis XIV s'est montré très accommodant pour éviter que cette succession ne provoque une nouvelle secousse. Charles II sait que les puissances envisagent la partition de ses royaumes. Un premier accord perd son intérêt avec la mort du prince de Bavière qu'on tient pour l'héritier principal. Une deuxième convention intervient ; la France abandonne à l'archiduc Charles, reconnu comme héritier par le fantôme de l'Escurial, l'Espagne, les provinces belgiques et les colonies. Elle prendra les possessions italiennes et la Guipuzcoa pour les échanger contre la Lorraine, le Luxembourg et le comté de Nice.

Cette manière d'envisager l'avenir décharge Louis XIV de l'accusation d'avoir cherché l'hégémonie française en Europe. Son vrai désir était de compléter « l'hexagone » et de fortifier la frontière du Nord sans répandre le sang et ruiner le Trésor. Les ministres espagnols conjurent leur roi : seule la France présente assez de puissance pour maintenir l'unité du pays. Si elle se soustrait à cette obligation, l'héritage passera dans son entier à l'archiduc Charles. A la Toussaint 1700, le roi d'Espagne va rejoindre son épouse au Pudrero de l'Escurial.

Louis XIV réfléchit un moment ; s'il refuse le testament en faveur de son deuxième petit-fils, le duc d'Anjou, il est à nouveau encerclé comme nous l'étions au temps de Charles Quint et de Philippe II. Le 16 novembre, devant la cour assemblée, il présente Anjou en ces termes :

— Messieurs, voici le roi d'Espagne.

Tout va bien. Seul l'Empereur déclare la guerre. Louis en profite pour maintenir les droits de son petit-fils, devenu Philippe V, à la Couronne de France, occupe les places de la barrière (dressée contre nous aux Pays-Bas) et fait attribuer à la Compagnie française de Guinée le privilège de la traite des nègres dans les colonies dépendant de Madrid. Cette fois, les marchands de Londres et d'Amsterdam entrent en rage, et Guillaume III agonisant est contraint de passer aux hostilités sans déclaration officielle.

Nous ne disposons que de rares alliés, Bavière, Savoie, Mantoue, Portugal. Ils se retourneront bientôt ou s'installeront dans la neutralité. Jamais les forces en présence n'ont atteint un tel nombre : 300 000 combattants de chaque côté. Seule l'offensive peut nous donner l'avantage, non point pour acquérir des terres nouvelles mais pour nous fournir des monnaies d'échange au profit de notre pré carré. Comme toujours, nous attaquons en Piémont. Catinat, puis Villeroy sont repoussés par le prince Eugène de Savoie, fils d'Olympe Mancini, dont Louis a naguère dédaigné les services. En revanche, Villars prend Ulm. L'an suivant, il gagne à Höchstädt (20 septembre 1703) mais, au même endroit (13 août 1704), l'étincelant Marlborough et, toujours, le prince Eugène détruisent notre armée du Danube. La route de Vienne est coupée.

En Espagne, le comte de Toulouse, fils fort doué de Louis XIV et de la marquise de Montespan, ne peut empêcher les Anglais de prendre Gibraltar. Une partie de notre flotte, bloquée à Toulon, devra s'y saborder en 1707. Dès 1705, le Roi décide de

passer à la défensive. A Ramillies (23 mai 1706), Villeroy, dérouté
par Marlborough, perd les Pays-Bas. Le prince Eugène enlève
Lille, reprend le Piémont, menace la Provence. Villars, obéissant
à Louis XIV, n'attaque pas le premier à Malplaquet
(11 septembre 1709) mais tient la frontière.

En Espagne, les opérations se révèlent difficiles. Philippe V,
dont la jeune épouse, Marie-Louise de Savoie, est littéralement
adorée («Nous t'aimons plus que Dieu!», crie-t-on sur son
passage) doit, par deux fois, évacuer sa capitale. La victoire
d'Almanza (1707), remportée par l'Anglais catholique Berwick
sur le protestant français Ruvigny, rétablit, une première fois,
Philippe V. Le triomphe de Vendôme à Villaviciosa (10 décembre 1710) sur Stahremberg permettra l'installation définitive du
candidat français.

Le prince Eugène emporte la barrière, s'empare du Quesnoy,
met le siège devant Landrecies, ultime forteresse couvrant la
route de Paris. Louis XIV correspond sans trêve avec Villars. «En
cas d'échec, lui mande-t-il, j'oublierai mon âge et irai me mettre
à la tête des troupes pour périr ensemble ou sauver l'État.»

Le 18 juillet 1712, le maréchal, relevant pourtant d'une
mauvaise blessure, perce le front des Impériaux à Denain. Pour
éviter d'être pris à revers, Eugène retraite et la France reprend les
postes de la barrière. Villars occupe le Palatinat et une partie du
pays de Bade.

Les armes vont se taire. L'archiduc Charles abandonne l'Espagne pour briguer, sans effort, la succession de son frère à
l'Empire. Les tories estiment qu'il faut conserver les avantages
acquis, et notamment la présence en Méditerranée et une
implantation au Canada. Les provinces belgiques passent de
l'Espagne à l'Empire, bénéficiaire des domaines italiens du
Nord. Les frontières des Alpes se trouvent rectifiées par un
échange de Pignerol contre Barcelonnette. La barrière devient
«un condominium austro-hollandais». Louis XIV doit séparer
à jamais les couronnes de France et d'Espagne. Tels sont les
règlements d'Utrecht (11 avril 1713), de Rastadt (7 décembre 1714), de Baden (7 septembre 1715) et, postérieurement,
d'Anvers (15 novembre 1715).

Nous ne perdons rien; le démantèlement de Dunkerque,
condition fort humiliante, sera palliée par la construction de
Fort-Mardyck. De cette guerre affreuse, marquée par des bouche-
ries, telle que Malplaquet, il ressort une victoire pour la France.
Même Louis XIV, heureusement conforté par le Grand Dauphin,

a failli fléchir. Pourtant, il s'est repris, a continué d'instruire ses nouveaux ministres, de conseiller ses généraux. Un nouveau monde, plein d'embûches, se dresse devant nous. Une loi folle élève l'Électeur de Hanovre sur le trône de Grande-Bretagne au décès de la bonne reine Anne. Voici, de nouveau, l'Angleterre puissance continentale. Le duc de Savoie ferme sa couronne. Serait-ce pour bouleverser à son profit l'échiquier italien? L'Électeur de Brandebourg obtient le titre de roi, déséquilibrant du même coup la puissance impériale. Louis XIV ne la tient plus pour son principal adversaire mais il n'est pas suivi par les obstinés lecteurs du testament de Richelieu.

LES RAYONS ET LES OMBRES

Cette fin de règne présente un caractère lugubre ; l'année 1709, celle de Malplaquet, aura vu les pires désastres. En janvier et février, la température est tombée à 40 degrés au-dessous de zéro. Les blés d'hiver furent perdus, les oliviers et les pieds de vigne pétrifiés. On mourut plus dans les campagnes et les bourgs que sur les champs de bataille. Pour se préserver, Mme de Maintenon ne sortait plus d'une manière de chaise à porteurs, et si coquette qu'elle fût, ne quittait pas ses mitaines. Au palais du soleil, le vin gelait dans les verres.

Les dernières années du Roi ne devaient pas être heureuses ; le Grand Dauphin meurt le 14 avril 1711. Parfois paralysé devant le génie de son père, il présentait de fortes qualités tant militaires que civiles. Bourgogne devient l'héritier. Pour le remettre de ses rêveries féneloniennes, Louis XIV le fait travailler avec ses secrétaires d'État. Peine perdue, le prince suit sa femme dans la tombe (18 février 1712). Le duc de Bretagne s'en va le 8 mars. Seul, le duc d'Anjou, âgé de 2 ans, tient à la ligne directe. A son défaut, le duc de Berry, troisième fils du Grand Dauphin, serait dynaste mais il succombe en 1714.

Désormais, le climat de Versailles devient irrespirable. Alors que sévit la petite vérole, la cour ne songe plus qu'à la pratique du poison. Le responsable n'est-il pas tout indiqué, étant à la fois le régent désigné, le chef de la branche cadette et l'héritier du trône s'il arrivait malheur au petit Anjou? Tout le monde affecte de prononcer avec effroi le nom de Philippe d'Orléans.

Les dernières sévérités du Roi visent Port-Royal. L'abbaye est rasée, les sépultures sont dispersées, Clément XI, sollicité par le

Très-Chrétien, condamne de nouveau le jansénisme par la bulle *Unigenitus* (8 septembre 1713). Une jambe atteinte de gangrène sénile le 10 août 1715, Louis devient méconnaissable. Le 11, il convoque son procureur général d'Aguesseau. N'obtenant pas l'enregistrement de la déclaration ayant trait aux évêques réfractaires, il brise sa canne de fureur. Le 13 août, il accueille un agent de négoce perse que le secrétaire d'État Pontchartrain fait passer pour un ambassadeur du Sophi. Ainsi se déroule pour la dernière fois une féerique audience de congé. Montesquieu n'oubliera point cette histoire pour écrire les *Lettres persanes*.

Le Roi s'arc-boute contre la douleur mais il lui faut bientôt garder la chambre. Il reçoit les sacrements, brûle ses papiers, fait ses adieux aux Grands, s'étonne de se voir pleuré par ses garçons bleus. Mme de Ventadour, gouvernante, conduit le Dauphin auprès de lui :

— Mignon, vous allez être le plus grand roi du monde. N'oubliez jamais les obligations que vous avez à Dieu.

Il le bénit deux fois.

Il meurt, le 1er septembre 1715, à 8 h 15 du matin.

La lutte contre les protestants, la persécution des jansénistes s'inscrivent à son passif mais on aurait tort de l'incriminer dans d'autres domaines, sinon l'asservissement de la noblesse et son corollaire, l'internement de la monarchie à Versailles. Il n'a jamais recherché la guerre. En se préoccupant de sa gloire, il a servi la France. Attentif aux intérêts de ses sujets, il leur a permis de vivre entre eux, chez eux. Voltaire écrira qu'il « eut dans l'âme une élévation qui le portait aux grandes choses ». Son ennemi, le minuscule et génial duc de Saint-Simon, ira tout de même de ce compliment :

« C'est là ce qui s'appelle vivre et régner. »

Sans Louis XIV auraient disparu la crainte mais surtout l'admiration que nous porte le monde.

18

L'ANCIEN RÉGIME CHANGE DE VISAGE

Louis XV atteint 5 ans. Selon les prescriptions de son arrière-grand-père, il est conduit à Vincennes. La duchesse de Ventadour va veiller sur son enfance avec des soins de mère, et Philippe d'Orléans s'en préoccupera, non sans une touchante affection. Louis XIV a laissé, sans trop croire à son application, un testament dont il faut, en hâte, se débarrasser; Philippe n'est que président d'un conseil de régence où doivent figurer, en tant que légitimés aptes à succéder, les deux fils de Mme de Montespan, le pâle duc du Maine et l'excellent comte de Toulouse. Cette bizarrerie est due à l'influence de la marquise de Maintenon, ancienne gouvernante des deux bâtards. On s'étonne de cette disposition. A la vérité, le Grand Roi laisse la France sans timonier. Le duc d'Orléans en appelle au parlement et, lui rendant son droit d'inférer dans le domaine politique, obtient de composer le conseil à sa guise, de commander aux armées et de nommer aux emplois. De nombreux spécialistes croiront déceler une folle imprudence dans cette procédure. Elle ne présente rien de nouveau. Les testaments de Henri IV et de Louis XIII ont subi le même sort. Chaque fois, le parlement a présenté sa facture. Chaque fois, elle s'est trouvée déchirée par lit de justice. Philippe connaît son histoire, comme il sait à peu près tout. Il atteint la quarantaine et s'étonne d'attirer certaines aversions. Homme de guerre, il n'a point assez de doigts pour compter ses succès. Il se distingue au siège de Mons (1691), à la prise de Namur (1692), blessé gravement à Steinkerque (1692), il montre tant de bravoure et d'habileté lors de l'affaire de Neerwinden (1693) que Louis XIV l'éloigne des champs de bataille. En 1706, on lui rend un commandement en Italie, puis en Espagne. Il soumet l'Aragon, la Catalogne, prend Lérida (1707-1708). Convaincu de la médiocrité de Philippe V, il se montre imprudent dans ses rapports avec les Britanniques. Se voudrait-il roi d'Espagne? Louis XIV le rappelle et tient à distance ce neveu de la main droite et gendre de la cuisse gauche (il est le mari de Mlle de Blois, fille du Soleil et de Mme de Montespan). Servi par un immense savoir, écrivant des opéras avec autant d'aisance qu'il pratique des expériences de chimie, il n'est pas aimé de Louis XIV. Le Roi, cependant, lui reconnaît d'immenses qualités, se refuse, non sans raison, à le tenir pour un empoisonneur mais, donnant au duc du Maine la tutelle, la garde et l'éducation du futur Louis XV, met au point un système impraticable.

Philippe, homme supérieur dans toutes les disciplines, ne présente qu'un défaut; depuis que le monarque l'a contraint de rompre avec la comtesse d'Argenton, il s'adonne à la débauche, et avec ostentation. De ce fait, les comportements prennent un tour désagréable. Le vice, pour demeurer tolérable, doit se dissimuler sous la galanterie. Son Altesse n'en manque pas mais elle fait cruellement défaut à la faune de ses zélateurs. Les mœurs deviennent détestables. Est-ce une nouveauté? Non point. Depuis l'affaire des Poisons (1676-1682) et les sorcelleries infantiles de la marquise de Montespan, une chape était tombée sur Versailles. Le maréchal de Luxembourg avait même — oh! pas longuement — tâté de la Bastille. Depuis lors, à la fête avait succédé la cérémonie. Mme de Maintenon avait joué le rôle d'un professeur de morale et de maintien. Les Jésuites, à leurs débuts plus indulgents, s'étaient, au château, fait les champions de l'austérité. Naturellement, la jeune noblesse, tout en ménageant son rang, s'était écartée souvent de la cour pour se divertir à Paris. Les roués — justiciables de la roue — s'étaient gardés de montrer leurs turpitudes. Maintenant, elles s'étalent au grand jour. La bourgeoisie et le petit peuple suivent. Le clergé n'est pas moins contaminé. Le Régent se donne presque en spectacle. Amplifiés par des fanfarons de vice, les soupers du Palais-Royal sont imités un peu partout. Ce laisser-aller est préjudiciable à l'autorité. Philippe s'en rend-il compte? Ce n'est point assuré. Guère dévot, il ne comprend pas que le royaume du Très-Chrétien ne peut maintenir son éclat en se séparant des valeurs traditionnelles.

Étrangement, cet agnostique puise dans l'arsenal fénelonien, il recherche des «saints» et des grands seigneurs pour l'aider à gouverner. Il crée des petits groupes pour remplacer chaque département ministériel, tout en élargissant le conseil afin d'y placer des fidèles, tel Saint-Simon. Cette polysynodie ne donne par les résultats escomptés. On voit le comte de Toulouse présider la Marine, le duc de La Force, le Commerce, le duc de Noailles, les Finances, le maréchal de Villars, la Guerre. Dans l'esprit du Régent, le système devait être bon puisqu'il fait participer le plus grand nombre (26 membres par conseil, soit 200 personnes au total, quand Louis XIV se contentait de 6). On parlera beaucoup de faiblesse et l'on aura tort. Philippe, en bon chimiste, pratique une expérience. Lorsqu'il constatera qu'elle ne réussit pas, il y mettra fin dès 1718.

A la vérité, pourquoi éprouverait-il de la peur ? Il ménage les anciens serviteurs de Louis XIV, tel Pontchartrain devenu chancelier, il recherche avec Noailles tous les moyens de renflouer le Trésor. En grand capitaine, il apprécie le coruscant Villars et le froid Berwick. S'il gouverne de façon libérale, ce n'est point par nécessité mais par goût. Une fois encore, la situation financière prête à désespérer. La dette publique avoisine deux milliards, dont une moitié au moins à court terme. Les impôts en couvrent à peine les intérêts. On réduit les rentes, on fait rendre gorge à quelques maltôtiers, on renouvelle des tailles. Ainsi Noailles nous donne-t-il la valeur d'une année de budget.

LE SYSTÈME DE LAW

C'est alors qu'apparaît M. John Law, «des premiers barons d'Écosse». Il apporte dans ses bagages un système simple dont il avait présenté les modalités à Louis XIV. Il obtient l'ouverture d'une banque privée dont les billets sont admis comme espèces dans les caisses publiques, s'engage à rembourser les billets au cours original. Cette disposition séduit le public, habitué, non sans chagrin, à la variation des espèces. Le raisonnement ne manque pas de justesse. La contrepartie du passif n'est plus la misérable encaisse-or, mais les promesses raisonnables que nous offrent les établissements coloniaux. Law se fait concéder pour sa Compagnie d'Occident le privilège du commerce avec le Mississippi, la Chine et les Indes, les monopole du tabac, la refonte et la fabrication des pièces, le recouvrement des impôts directs. Considérant la monnaie comme le moteur des affaires, il juge nécessaire d'en faire circuler une quantité correspondant aux besoins de paiement. Il a raison mais il oublie que l'état de notre flotte et de nos stations ne permet pas de rapporter en France les trésors de Golconde. Le public, lui, démontre, s'il en était besoin, qu'il demeure assez riche, et se précipite sur les propositions de John Law. La rue Quincampoix devient le centre de cet agiotage immortalisé par Paul Féval. Devant un tel délire, le financier maîtrise mal son appareil. Le prix des actions montera jusqu'à 40 fois la valeur primitive. L'Écossais crée près de 7 à 8 milliards de valeurs en papiers, alors que la réserve totale du pays n'excède pas 1 200 millions de livres. La France, Paris surtout, vit un rêve. Le commerce prend un essor extraordinaire. « Les laquais sautent dans les voitures des maîtres », nous dit Montesquieu. Comme les parents de Marivaux, il va perdre à ce jeu. Lorsque toutes les actions sont souscrites, Law se trouve possesseur de rentes sur l'État sans liquidités suffisantes pour mettre en œuvre comme il conviendrait les territoires lointains. Il faut donc pratiquer une augmentation de capital. L'engouement apparaît tel que les actions de 500 francs sont émises à 5 000, payables entièrement en rentes. Lorsque ces augmentations sont souscrites, la compagnie se trouve le principal créancier d'un Trésor insolvable. On bâtit des fortunes colossales sur les actions gageant les billets d'État dont le total atteint, en deux ans, 2 milliards de livres. En compensation, les actions de 500 livres grimpent à 18 000, soit 36 fois le nominal. Au premier dividende, il faut en régler 40 %. Cela représente moins de 2 % au cours de l'action, placement moins avantageux que la rente. Les spéculateurs les plus avisés vendent leurs actions et échangent leurs billets contre du numéraire. Résultat : les actions baissent de 50 % et le cours des billets s'effondre. Law, nommé surintendant, poste inoccupé depuis Fouquet, prend des mesures pour conjurer la panique : interdiction d'exporter du numéraire ou de détenir chez soi plus de 500 livres en espèces. Rien n'y fait. L'action cotant 18 000 livres en janvier 1720 se négocie péniblement pour un louis en novembre. La banque est assiégée, le baron d'Écosse, devenu comte de Tancarville, doit s'enfuir. Le Régent ne trouvera point le temps de rappeler ce personnage dont le seul tort demeure de s'être montré trop en avance sur son temps. L'expérience aura permis de résorber une partie de la dette publique mais aura bouleversé la société française, ruinant d'honnêtes gens et enrichissant les coquins.

Philippe entretient de bonnes relations avec la Grande-Bretagne. Le roi George Ier, hanovrien, règne au détriment des Stuarts. Au cas où Louis XV viendrait à mourir, le Régent ne serait-il pas aux yeux de Philippe V un usurpateur? C'est ce que fait valoir l'ambassadeur britannique, lord Stair. Michelet insistera beaucoup sur le rapprochement entre un illégitime et un soi-disant illégitime en puissance. L'explication pèche par sa simplicité. Le motif tient surtout au commerce de mer et se relie à nos intérêts coloniaux. A La Haye, le 2 août 1718, se noue une alliance entre les Français, les Anglais, les Hollandais, l'Empire. Philippe, très conscient de notre pauvreté, veut maintenir la paix. Son comportement se révèle d'une parfaite logique: ne connaissant pas de difficultés territoriales, il vise à la prospérité. Le système de Law n'en est qu'un des éléments les plus apparents.

MAUVAISE QUERELLE DE PHILIPPE V

Par malheur, Philippe V, ne se consolant pas de sa renonciation forcée à ses droits au trône de France, se livre à des intrigues folles. Son représentant à Paris, le prince de Cellamare, ourdit une conspiration de concert avec la petite duchesse du Maine, grande prêtresse de l'ordre de la Mouche à miel. Enfantillages? Pas du tout. Il s'agit d'arracher Louis XV à l'Orléans et d'insurger la Bretagne pour qu'elle accueille dans ses mystérieuses criques du Bro-Erec les munitions nécessaires à la bataille. Son Altesse hausse les épaules, mais l'abbé Dubois, son ancien précepteur devenu ministre, pousse à la répression. Ce Dubois, mauvais prêtre, mais bientôt coiffé du chapeau rouge, est doté d'une intelligence hors ligne. Il va poursuivre les conjurateurs au point de faire exécuter, à l'insu de son maître, le chef des insurgés armoricains, le marquis de Pont-Callec. Malgré l'attitude conciliatrice du Régent, Philippe V, poussé par sa seconde femme Élisabeth Farnèse et le cardinal Alberoni, entre en guerre. C'est une absurdité. La péninsule, isolée de l'Empire, a cessé d'apparaître comme une grande puissance. Seule son alliance avec nous lui permettait de montrer bonne figure. Le maréchal de Berwick, vainqueur d'Almanza, sauveteur avec Vendôme de l'Espagne bourbonienne, passe la Bidassoa, détruit les chantiers navals de Los Pasares tandis que l'amiral Byng disperse les flottes de Sa Majesté Catholique. La leçon est sévère. Philippe V renvoie Alberoni, fils de jardinier, planter ses choux. Il bénéficie tout de même d'une chance: le Régent, incapable de rancune et très audessus des rivalités dynastiques, impose une paix si remarquable qu'il rétablit l'équilibre européen. Il restitue les territoires enlevés de Saint-Sébastien à Santander. Abandonnant le principe de la mythique neutralité de l'Italie, il accepte la désignation de l'infant don Carlos au trône de Parme, fait confirmer le renoncement de son neveu, tant à la couronne de France qu'à la Sicile et admet les privilèges commerciaux britanniques dans les colonies espagnoles (1720). Pour sceller la réconciliation, l'infante épousera le petit Louis XV.

JANSÉNISTES ET FRANCS-MAÇONS

Le 10 septembre 1721, nous assurons notre médiation entre la Russie et la Suède en intervenant au traité de Nystad, mettant fin à la grande guerre du Nord. La France de la Régence, malgré son abandon des Stuarts, demeure une nation prestigieuse. Malheureusement, occultes ou publiques, les luttes intestines continuent. Le Régent a libéré les quelques jansénistes embastillés par le Grand Roi. Son scepticisme ne l'empêche pas d'admirer les anciens de Port-Royal, sa générosité, surtout, se révulse contre toute mesure répressive. Dubois recherche vainement un compromis avec Rome mais en tire son chapeau. Déjà Premier ministre, ce «sacre» (c'est le mot du temps pour désigner les blasphémateurs) occupe maintenant le siège de Cambrai. Lorsqu'il se présente à Philippe, revêtu de la *cappa magna*, le prince lui déclare:
— C'est bien, maintenant, il faudra songer à faire ta première communion.

A l'agitation janséniste s'ajoute la franc-maçonnerie. Apparue à la cour de Saint-Germain où Louis XIV avait abrité Jacques II, elle commence de se répandre. Elle n'est nullement subversive à ses débuts. Anglicane ou catholique, elle exprime toutefois un esprit très particulier et rejoint pour partie le fénelonisme. Petit à petit, elle perdra sa religiosité, s'opposant à des degrés divers au droit divin. Il importe de ne rien exagérer quant à cette influence. Paradoxalement venue de la vieille dynastie écossaise et «récupérée» en route par les Hanovre, elle jettera, peut-être à son corps défendant, un désordre incontestable dans le royaume.

Reste, comme toujours, la question financière. Les frères Pâris, illustres banquiers, s'essayent à rembourser le nominal. Ils «mangent» les années 1721 et 1722 en constituant des rentes de l'État. Ils créeront en 1725 une caisse d'amortissement de la dette publique et permettront à l'État, en contrôlant les fortunes amassées grâce au système de Law, de refuser le paiement d'environ 1500 millions de dettes. Les catastrophes naturelles n'arrangent rien. Ainsi se développe l'atroce peste de Marseille où s'illustrent par leur dévouement Mgr de Belzunce et le chevalier Rose.

En février 1723, Louis XV est proclamé majeur et reçoit les onctions à Reims. Le Régent continue d'exercer le pouvoir et lorsque Dubois meurt d'une maladie de vessie, Son Altesse, malgré ses fatigues, prend la charge de Premier ministre (10 août 1723). Au soir du 2 décembre de la même année, à Versailles, dans son cabinet d'angle, il tue le temps avant de monter travailler chez le Roi, feuilletant avec la charmante duchesse de Falaris les planches d'une œuvre consacrée aux ballets, lorsqu'il tombe foudroyé. Le soir même, le duc de Bourbon demande et obtient la succession, d'un Louis XV en larmes.

Philippe, encore que mauvais sujet, s'était montré grand prince et honnête homme. Tout à la fois chef de l'État, du gouvernement et héritier du trône, il avait fait preuve d'habileté, de souplesse et d'une infinie bonté. Par bien des traits, son souvenir rappelle celui de Henri IV. On ne saurait en affirmer autant de son successeur au ministère.

LE DUC DE BOURBON NE FAIT QUE PASSER

Louis-Henri de Bourbon-Condé, duc de Bourbon, qu'on appelle Monsieur le Duc, ne présente pas les qualités requises pour diriger la France. Descendant du vainqueur de Rocroi, il n'en possède que la hauteur. Borgne au physique, il est mentalement frappé d'une complète cécité. Sa maîtresse, Mme de Prie, ancienne passade du Régent, paraît plus douée. Ainsi se rend-elle compte que la différence d'âge entre l'infante et le Roi ne peut laisser augurer une heureuse union. Elle souhaiterait une Anglaise, mais la disparité du culte rend l'alliance impossible. Après bien des recherches, elle trouve une princesse polonaise, Marie Leszczynska, fille d'un roi détrôné de Pologne, vivant avec sa femme, née Opalinska, dans un galetas de Wissembourg. Le calcul de Mme de Prie n'est pas sot; en «inventant» une reine, elle acquerra des droits à la reconnaissance de celle-ci. Le mariage se déroule bien et le jeune roi se montre satisfait. Marie, moins jolie que fine, sera mère de 10 enfants dont un seul mâle survivra.

Reste la gestion de Monsieur le Duc. Elle n'est pas du goût de Mgr de Fleury, ancien précepteur de Louis XV. Passe pour un impôt de 2 % sur le revenu mais les variations des monnaies, les réductions de salaires, des taxes trop lourdes sur les rentrées agricoles, une relance de la persécution des protestants, pourtant bien sages, compromettent Bourbon. La Reine le défend avec une touchante maladresse. Peine perdue, le Roi envoie son chef du conseil à Chantilly, quant à Mme de Prie, incapable de vivre hors le domaine de l'intrigue politique, elle finit par mettre fin à ses jours.

SON ÉTERNITÉ LE CARDINAL DE FLEURY

Mgr de Fleury, bientôt cardinal, prend les rênes du pouvoir. Il atteint 73 ans. Fils d'un receveur des tailles de Lodève, il n'a jamais manqué d'ambition et se morfondait dans son diocèse de Fréjus jusqu'à son appel en cour. Sans négliger ses devoirs pédagogiques envers le jeune roi, il a suivi de très près les événements. Il se montre aimable, en général compréhensif, s'entoure souvent de gens jeunes (M. de Maurepas détient le portefeuille de la Marine à 14 ans). Il trouve un honnête ministre à la RPR, le souple M. de Saint-Florentin. A la Guerre, il installe un administrateur de mérite, M. Le Blanc. Ses collaborateurs changeront peu. Le chancelier d'Aguesseau, écarté naguère par Dubois, reprend les Sceaux. Il consulte tous les parlements afin d'unifier la jurisprudence dans les matières régies par le droit écrit: ordonnance sur les donations (1731), les testaments (1735), les substitutions (1747). Orateur, auteur d'ouvrages philosophiques, messire d'Aguesseau sera tenu par Voltaire comme le magistrat le plus savant de notre histoire.

Dans l'ordre religieux, le cardinal se montre sévère. A l'initiative de Mgr de Tencin, personnage assez trouble, le concile d'Embrun condamne l'excellent évêque Jean Soanen pour jansénisme. Ce saint homme finira ses jours dans une abbaye. Contre les Messieurs de Port-Royal, le cardinal rend la bulle *Unigenitus* loi du royaume. Dessaisi des clauses ecclésiastiques, le parlement regimbe et le Roi doit tenir un lit de justice afin que le parlement enregistre la bulle (3 avril 1730).

Le jansénisme va prendre des aspects nouveaux. Un diacre nommé Pâris, se jugeant indigne de parvenir au sacerdoce, avait passé sa pauvre vie à filer des bas avant de trépasser dans des conditions voisines de l'indigence. On l'inhuma dans le cimetière de Saint-Médard où devait bientôt se presser une foule de dévots ayant un peu perdu la tête. Ils tombent en convulsions, bénéficient de guérisons et de visions. Bien entendu, dans ce

climat très particulier, la morale perd ses droits. Les convulsion-
naires méritent bien leur nom. La police fermera cet étrange
champ de repos. Un inconnu écrira :

> *De par le Roi, Défense à Dieu*
> *De faire miracle en ce lieu.*

La politique financière se révèle très délicate. Monsieur le Duc
a pratiqué, sur le conseil des frères Pâris, une déflation constante
pour faire baisser les prix de détail. Malgré l'attention des
intendants et les déclarations de toutes sortes, malgré les achats
pratiqués à l'étranger, la vie demeure chère. Les louis et les écus
sont refondus. L'État s'attribue les bénéfices provenant de la
différence des cours. Cela constitue un impôt sur la plus-value.
Désormais, sans variation, le louis vaudra 24 livres, l'écu 6.
Le cardinal et son contrôleur général, M. Le Peletier des Forts,
puis M. Orry, reconstituent la Ferme générale : contre un forfait
annuel de 80 millions de livres, une compagnie financière
s'engage à faire rentrer les impôts directs tels que les aides, les
douanes et la gabelle. Le bail est signé pour 6 ans et tient compte
de l'indice de rendement. En 1765, il s'élèvera jusqu'à 110 millions et, plus tard, la Ferme sera créancière de l'État. Reste que
l'institution demeure impopulaire. Ses premiers dirigeants passent pour indélicats, forçant à l'achat d'un sel de qualité médiocre et mouillant le tabac. Dans certaines régions de frontières
internes ou extérieures, on se plaindra beaucoup des archers de
la Ferme, victimes eux-mêmes de la disparité des règles économiques.

L'Ancien Régime demeure indulgent. Ainsi, le contrôleur
général Orry n'en revient qu'au dixième sur le revenu pour les
dépenses de guerre. Ce ministre sérieux met en place le service des
Ponts et Chaussées (1737).

Le grand commerce, dont les Français se méfiaient depuis le
système de Law, connaît une nouvelle extension. De nos ports
rénovés partent des convois vers les Caraïbes et le nouveau
continent. Hélas, notre marine de guerre, en dépit des efforts très
louables du petit Maurepas, demeure faible. Par bonheur, le
Premier ministre Robert Walpole se montre pacifique. En 1727,
Philippe V a tenté de reprendre Gibraltar aux Anglais et sollicité
l'appui de l'empereur Charles VI, nullement enclin à se prêter à
quelque conflit. Il se dispose à passablement de concessions pour
que soit reconnue la Pragmatique Sanction, acte par lequel il

entend faire passer ses domaines héréditaires à sa fille Marie-Thérèse. Mgr de Fleury offre notre médiation. Une conférence se réunit à Soissons. L'Espagne reconnaît la Pragmatique en échange de la Toscane et de Plaisance dévolus à l'infant don Carlos. La France se fait donner l'égalité des privilèges commerciaux avec l'Empire dans les échanges espagnols (traités de Séville en 1729, de Vienne en 1731).

LA SUCCESSION DE POLOGNE

C'est alors qu'intervient une méchante affaire. Auguste II, électeur de Saxe, meurt le 11 février 1733. Il régnait par élection sur la Pologne dont il avait expulsé Stanislas Leszczynski. L'honneur nous dicte de rétablir le beau-père du roi de France. Il est porté derechef sur le trône mais chassé par Frédéric-Auguste III de Saxe. Sur la pression de l'opinion publique, Louis XV déclare la guerre à l'Empereur en s'engageant auprès de l'Angleterre à ne pas opérer dans les provinces belgiques. Stanislas s'enferme dans les murs de Dantzig et, malgré l'héroïsme du comte de Plélo, doit s'enfuir sous un déguisement. On se bat sur le Rhin où reparaît le prince Eugène, dans le Piémont où l'on revoit Villars secondant les Savoyards contre Charles VI. Le maréchal général, frappé de maladie, apprend à son heure dernière qu'après s'être emparé de Philippsbourg, Berwick a succombé, la tête emportée par un boulet. Le moribond déclare entre deux hoquets :

— Cet homme a été plus heureux que moi.

La disparition des deux grands chefs ne compromet pas nos succès, et celle du prince Eugène renforce nos espérances de gagner Vienne par le Trentin. On signe l'armistice en 1735, la paix en 1738. Le duc de Lorraine, gendre de l'Empereur, cède son duché mais se voit adjuger la Toscane, tandis que don Carlos reçoit, en échange, le royaume de Naples. Stanislas obtient la Lorraine en viager. Elle reviendra dans la suite à la France. L'affaire a, de main de maître, été menée par l'autoritaire marquis de Chauvelin.

L'Empire et la Russie ont attaqué la Turquie. Nous aidons les Ottomans et, par la paix de Belgrade (1739), ils retrouvent une partie des territoires ravis naguère par le prince Eugène.

Qu'on aime ou qu'on n'aime pas l'alliance avec le Commandeur des croyants, il la faut avouer fructueuse. Dans une France menée par un cardinal mais quelque peu déchristianisée à force de luttes intestines, la question revêt peu d'importance.

Dans l'ordre diplomatique, à présent, les instructions données au marquis de Mirepoix envoyé chez Charles VI mettent en relief les intentions de Versailles :

« La puissance des deux maisons de Bourbon et d'Autriche est parvenue, de chaque côté, à un degré qui doit faire perdre la jalousie qu'elles ont si longtemps eue l'une de l'autre. Sa Majesté destine son ambassadeur à être l'instrument de ce qu'on peut opérer de plus intéressant pour l'Europe entière, c'est-à-dire l'établissement d'une union aussi durable qu'intime entre le Roi et l'Empereur. »

Le cardinal peut se montrer satisfait de sa manière. Nous sommes vainqueurs à l'extérieur, et le train des affaires n'est pas mauvais, nos colonies se développent et il advient que le budget soit en équilibre.

LA SUCCESSION D'AUTRICHE

La disparition de Charles VI (20 octobre 1740) va nous replacer dans une situation inconfortable. Marie-Thérèse, en vertu de la Pragmatique, ceint les couronnes de Bohême et de Hongrie. Le nouveau roi de Prusse, Frédéric II, prince odieux et génial, se jette sur la Silésie comme prix de son adhésion à la dévolution des possessions habsbourgeoises. L'Électeur de Bavière, Charles-Albert, descendant de Ferdinand Ier, se place à la tête des concurrents de Marie-Thérèse. Louis XV déclare :

— Je ne vois qu'une chose à faire : c'est de rester sur le mont Pagnotte.

(Le mont Pagnotte est une petite butte de la forêt d'Hallatte au pied de laquelle se pratique souvent la curée. Rester sur le mont Pagnotte, c'est regarder les autres se battre sans entrer dans la mêlée.)

Le marquis de Souvré rétorque :

— Votre Majesté y aura froid, car ses ancêtres n'y ont point bâti.

L'anecdote se révèle significative. Le Roi ne veut pas de cette guerre, mais sévit « une fureur d'opinion » menée par le comte de Belle-Isle, petit-fils de Fouquet, résolu d'en finir avec les Habsbourg. Il s'agit toujours d'appliquer ce testament de Richelieu, pourtant désavoué par Louis XIV à ses derniers jours. Fleury, qu'on nomme Son Éternité — il atteint 87 ans —, cède et

Louis XV laisse faire. Dans l'habitude de donner raison à son ancien précepteur, il n'adopte pas une attitude rigide. C'est un trait de caractère qu'on retrouvera souvent chez le monarque. Très instruit et doté d'un solide bon sens, il doute souvent de lui-même et entérine parfois des décisions fâcheuses. Celle-ci l'est d'autant plus que la guerre avec l'Angleterre, engagée déjà contre l'Espagne, ne saurait tarder. Le maréchal de Belle-Isle s'en va soutenir l'Électeur de Bavière Charles-Albert jusqu'au cœur de l'Empire. Nos armées enlèvent Prague mais doivent retraiter au cours d'un hiver atroce, ne laissant que le célèbre Chevert à la garde des blessés tandis que Marie-Thérèse, appuyée par ses Hongrois, envahit la Bavière et abandonne la Silésie à Frédéric. Le cardinal, inquiet de la situation, écrit secrètement à la souveraine pour chercher un accommodement mais la lettre est diffusée, provoquant les rires des uns et des autres. Mgr de Fleury désavoue non sans hauteur sa missive et meurt à 90 ans, le 29 janvier 1743.

La France conservera le souvenir de ce vieillard à l'esprit juste, aux entreprises le plus souvent heureuses. Seule, son intervention dans la guerre de Succession d'Autriche fut une erreur. Un personnage aussi fin et aussi peu belliciste ne recherchait que la paix. Peut-être avait-il commis une autre erreur discernée par Maurepas. Ministre fidèle, s'était-il suffisamment bien organisé pour que son pupille parvînt tout armé jusqu'au gouvernement personnel ? Louis XV atteint 33 ans au moment de conduire le char. Il connaît en profondeur les dossiers mais saura-t-il les exploiter ? Le Roi, tout en respectant la Reine et ses enfants qu'il adore, a depuis beau temps changé de manière. M. Jacques Levron a raconté très joliment les amours de Louis avec les sœurs de Nesle dont l'une fut créée duchesse de Châteauroux. Quand Louis XV, assailli par ses demandes, lui disait :

— Vous me tuez.

Elle répondait :

— Tant mieux, il faut qu'un roi ressuscite.

En 1743, la coalition hanovrienne attaque Noailles à Dettingen et nous conduit à repasser le Rhin. Une particularité mérite d'être signalée : George II agit en temps qu'Électeur de Hanovre et non comme roi de Grande-Bretagne. Du même coup, et l'on ne saurait s'en étonner, la France et l'Angleterre se retrouvent en guerre. Il fallait nous défendre. L'Alsace menacée, l'extraordinaire Maurice de Saxe se met de la partie. Frédéric II de Prusse, entre deux airs de flûte, le 22 mai 1744, signe le traité de Francfort, lui donnant pour alliés la France, la Bavière, la Hesse et le Palatinat. Louis XV dirige les opérations vers les Pays-Bas. Au Nord sont enlevées les places de Menin, d'Ypres et de Furnes. Les Impériaux répliquent en poussant jusqu'à Saverne. Confiant les provinces belgiques au comte de Saxe, le Roi porte son quartier général à Metz. C'est alors qu'il tombe gravement malade. La France entière prie pour lui. Le cardinal de Fitz-James et quelques autres hauts mitrés le terrorisent ; il doit abandonner Mme de Châteauroux. Guéri, il reprend la duchesse et, conseillé par un homme de guerre d'une exceptionnelle perspicacité, le comte de Lowendal, achève la campagne par le déblocage du Rhin et la prise de Fribourg-en-Brisgau.

Étrange Paris. Il voulait un roi saint, après l'avoir surnommé le Bien-Aimé, il répète cette mauvaise prose : «Puisqu'il a repris sa catin, plus un *pater* sur le pavé.»

Ces guerres de Louis XV diffèrent de celles du siècle précédent. Après le duo Turenne-Condé, nous disposions du couple Villars-Berwick, et maintenant nous avons la chance de posséder à notre service deux bâtards de génie, Saxe et Lowendal. La cavalerie légère apparaît, permettant des reconnaissances et des interventions. Le commissariat des guerres fonctionne bien. Les liaisons s'opèrent plus vite. On distingue toutefois des actes d'insubordination dans la troupe. L'avancement, pourtant réglé de longue date par Louvois, mériterait des réformes dans un sens moins aristocratique.

Le 20 janvier 1745, l'empereur bavarois meurt à Munich. C'est l'occasion pour François de Lorraine de ceindre la couronne impériale après une paix à peu près blanche. Frédéric II, notre allié, n'y trouverait pas son compte. Louis poursuit donc et, en sa présence, perclus de goutte et installé dans une voiture d'osier, Saxe bat les Anglais au cours de l'éblouissante journée de Fontenoy (11 mai 1745). Le soir, le Roi dit au Dauphin :

— Voyez ce que coûte un triomphe. Le sang de nos ennemis est toujours le sang des hommes ; la vraie gloire c'est de l'épargner.

Frédéric se montre démoniaque. Après son succès de Kesseldorf, il signe la paix de Dresde avec Marie-Thérèse (25 décembre 1745) et croque enfin la Silésie.

Saxe entre dans Bruxelles tandis que nous débarquons en Écosse le prétendant Charles-Édouard. Le Stuart prend d'abord l'avantage, s'avance sur Londres, mais, le 16 avril 1746, se fait battre à Culloden par le duc de Cumberland et doit, malgré son exceptionnel courage, regagner le continent. Cette fois, l'Angleterre intensifie sa lutte contre la France et, forte de sa flotte, attaque nos convois et nos possessions coloniales. Aux Indes, Dupleix et Bussy-Castelnau reculaient. Au Canada, nous perdions Louisbourg. Les opérations en Europe, menées pour l'honneur et la défense du pré carré, nous sont favorables, mais le désastre des Stuarts sera difficile à réparer. La Grande-Bretagne reprend avec sa sauvagerie naturelle, l'attitude dont elle s'était départie au temps du Régent et du cardinal. Belle-Isle tente d'envahir l'Autriche mais, défait à l'Assietta, doit couvrir la Provence. Saxe, maître d'Anvers, l'emporte à Raucoux (1746) et à Lawfeld (1747), tandis que Lowendal, pénétrant en Hollande, prend l'imprenable Berg-op-Zoom (même année).

Au printemps de 1748, Saxe, encore lui, s'empare de Maestricht. Cette fois, on s'achemine vers la paix. Madras est échangée contre Louisbourg. Modène et Gênes recouvrent les territoires occupés par le Piémont. Le «Roi de Hongrie» reprend les provinces belgiques, son mari devient empereur et elle est enfin reconnue en même temps que lui. Maurice de Saxe convoitait-il pour la France une sorte de vice-royauté des Pays-Bas autrichiens? L'opposition farouche de l'Angleterre nous empêche de réaliser ce profit. Cette guerre stupide aura vu se dérouler les plus magnifiques faits d'armes sans bénéfice pour la France. L'opinion accueille tout d'abord très favorablement l'interruption des hostilités, puis s'aperçoit que nous sommes grugés. On prête à Louis XV ce mot:

— Je fais la guerre en roi, et non en marchand.

Peut-être, cela serait conforme à son tempérament, dédaigne-t-il de s'expliquer. Cela n'empêchera pas de naître deux expressions proverbiales: «Bête comme la paix» et «Travailler pour le roi de Prusse». Nous payons l'erreur austrophobe du maréchal de Belle-Isle sans possibilité de trouver des compensations. Notre malheur — très relatif — provient de la rapacité de l'Angleterre, toujours prête à s'offrir un soldat contre nous sur le continent. Notre politique doit être toute de prudence, car ces longues années de guerre nous ont coûté fort cher. C'est pourquoi Louis XV crée le Secret du Roi, organisme lui permettant de doubler sa diplomatie et de redresser les erreurs de ses envoyés officiels.

LA RECHERCHE DE L'ÉGALITÉ FISCALE

Les affaires intérieures réclament beaucoup de soin. Il faut lutter contre l'esprit critique né sous la Régence. Si Montesquieu, après Fénelon, a condamné certaines pratiques, Voltaire, et surtout le marquis de Mirabeau, dit l'Ami des hommes, par référence à l'un de ses pamphlets, mettent en cause la tradition. Dans cette France prospère, les intérêts particuliers priment l'intérêt général. Cette «fronde» apparaît d'autant moins compréhensible que le pays connaît le bonheur. Sans doute demeure-t-il des ombres mais jamais on n'a tant construit: maisons paysannes, urbaines, immeubles ou châteaux. L'ameublement, la décoration assurent la satisfaction des clients et rehaussent la condition des artistes et des artisans.

Un contrôleur général de haute compétence, M. Machault d'Arnouville, recherche l'égalité fiscale. Il institue un impôt cédulaire de 5 % sur tous les revenus, impôt perpétuel au contraire du dixième perçu seulement pour l'extraordinaire des guerres. Afin de liquider la dette du dernier conflit, il émet un emprunt dont le succès se révèle considérable, car, pour la première fois, le titre comporte des coupons détachables. En revanche, le 5 %, le *vingtième* soulèvent les pires difficultés du côté des privilégiés. Après les parlements, les états provinciaux s'en mêlent. Il faut dissoudre ceux de Languedoc et de Bretagne. La résistance se montre tellement opiniâtre qu'il est nécessaire de reculer. C'est le produit d'un chantage. Louis XV, entretenant une liaison avec la marquise de Pompadour, les ecclésiastiques, par l'intermédiaire de sa fille Adélaïde, le menacent des foudres de Rome.

Prévoir un nouveau vingtième pour 1756 s'impose, car la situation internationale reprend mauvaise tournure. Cette fois, le Roi doit congédier, en termes affectueux, M. Machault.

TOUJOURS L'ANGLETERRE

Si nous ne sommes pas en guerre avec l'Angleterre, elle nous affronte constamment au-delà des mers. Aux Indes, l'œuvre de Dupleix et de Bussy-Castelnau sombre dans l'indifférence de la métropole. Au Canada, l'arpenteur Washington assassine le capitaine de Jumonville, déclenchant un conflit dont l'issue nous sera défavorable. L'amiral Boscawen nous coule 300 bâtiments. Comment mettre fin à ces opérations voisines de la piraterie? Malgré les démarches de Louis XV, l'Espagne se dérobe mais l'Empire émet des propositions dignes d'intérêt transmises par le prince Starhemberg à Mme de Pompadour. L'abbé — et bientôt cardinal — de Bernis, secrétaire d'État aux Affaires étrangères, les examine avec sa finesse habituelle. Marie-Thérèse propose un prince français à la tête de la Pologne, un autre — le duc de Parme —, gendre du Roi, aux Pays-Bas, en échange de ses possessions italiennes mais avec possibilité de réversion au profit de la France. L'Augustissima, en cas d'attaque anglaise, nous laisserait occuper Ostende et Nieuport. La contre-partie : la rupture avec l'alliance prussienne. Louis XV répudie les solutions tortueuses. Puisque nous sommes engagés avec Berlin, nous ne pouvons renier notre parole, mais l'Angleterre passe avec la Russie un accord de protection du Hanovre. Frédéric, appréhendant un encerclement, se hâte d'effectuer un rapprochement avec Londres, et signe, sans même en informer Louis XV, le traité de Westminster (16 janvier 1756). Cette fois, honneur sauf, nous pouvons accepter les propositions de la maison d'Autriche. C'est improprement ce qu'on a nommé le retournement des alliances. En fait, Louis XV, amoureux de la paix, a tout tenté pour la préserver. Maintenant, les Anglais gâchent le siècle. Ils ne prennent pas la peine, à l'inverse de Frédéric, de déclarer la guerre (18 mai 1756). Le roi de Prusse envahit la Saxe et incorpore ses troupes. Du coup, la czarine Élisabeth passe de notre côté.

Par un soir de janvier 1754, un déséquilibré nommé Damiens avait frappé le Roi d'un coup de couteau. Louis XV pensa périr, puis se rétablit pour désapprouver l'écartèlement de cet homme si troublé qu'il a fait usage de la petite lame de son arme. On a recherché les instigateurs de l'attentat. En vain. Ayant servi chez des parlementaires, avait-il entendu de mauvais propos contre le souverain ? Cette supposition paraît relever de la fantaisie. Le Roi croit trouver dans l'acte d'un isolé le témoignage de la désaffection de son peuple. Il n'en est rien. Les prières publiques se sont déroulées dans une atmosphère de ferveur. Reste que les différentes factions s'accusent les unes les autres et qu'il faut surveiller gazetiers et imprimeurs. Une nation en guerre doit présenter une parfaite cohésion. Le conflit tourne d'abord à notre avantage. Le maréchal de Richelieu, soutenu par le lieutenant général de La Galissonnière, enlève Minorque puis s'empare du Hanovre, faisant capituler Cumberland à Closterseven. Frédéric, en échec devant Prague, est battu par le général aulique Daun. Puis le ciel s'obscurcit. Cumberland, au mépris de la parole donnée, réoccupe le Hanovre. Les Russes ont pourtant pris Berlin, et cette première intervention en profondeur mérite d'être méditée. Frédéric reprend l'avantage ; l'ineptie du prince de Saxe Hildburghausen, chef de l'armée des Cercles, fait perdre au maréchal de Soubise (5 novembre 1757) la journée de Rossbach. Le vieux parti proprussien pavoise. On chansonne l'infortuné maréchal, et Voltaire, souvent mieux inspiré, va jusqu'à féliciter le roi de Prusse «d'avoir vu le derrière des Français». A Leuthen, le 5 décembre 1757, les armées russes sont défaites. Les Français s'accrochent en Hesse et en Westphalie. Ce sont les journées d'Hastenbeck et de Bergen sous le 3ᵉ maréchal de Broglie, et l'admirable victoire de Clostercamp, remportée avec une rare intelligence par le marquis de Castries. Avant l'action, un officier, le chevalier d'Assas, est pris et sommé sous peine de vie de taire la présence ennemie. Appelant à la rescousse les gens de son régiment, il tombe percé de coups tandis qu'il crie encore :

— A moi, Auvergne, ce sont les ennemis.

Un tel héroïsme ne sera jamais perdu.

Frédéric se débat comme un diable. Après sa défaite de Kunersdorf (13 août 1759), il est à la merci d'une occupation des Impériaux mais Marie-Thérèse se contente d'avoir repris la Silésie. Sa Royale Majesté, comme on nommait le petit-fils de l'Électeur, est sauvé par le décès de la czarine Élisabeth. Un demi-fou, Pierre III, lui succède, jouant aux soldats avec des rats, les pendant s'ils montent mal leur garde, il n'a qu'une idole, Frédéric, il ne nourrit qu'une ambition, recevoir l'ordre de l'Aigle noir, et se retire du conflit. Voici le roi de Prusse à l'aise.

Tout cela ne pourrait nous inquiéter si les affaires maritimes et coloniales n'allaient au plus mal. Aux Indes, les marquis Dupleix et de Bussy-Castelnau sont cernés. L'honnête Lally-Tollendal multiplie les sottises et, à son retour, les paiera de sa tête pour satisfaire le parlement.

Au Canada, Montcalm, après des prodiges de valeur, est tué — en même temps que son compétiteur Wolf — aux Plaines d'Abraham (19 septembre 1759). Son second, le chevalier de Lévis, portera très haut l'honneur militaire mais devra rendre Montréal.

Déjà, la flotte de Méditerranée, dirigée sur Brest en vue d'une invasion de la Grande-Bretagne, a subi à Lagos une grave défaite, tandis qu'aux Cardinaux, non loin de Quiberon, l'escadre de l'Océan ne connaissait pas plus de bonheur (1759). En revanche, les Anglais ont été refoulés des côtes bretonnes, à Saint-Cast, par le duc d'Aiguillon.

Cette guerre de Sept Ans, en dépit des flots d'héroïsme, ne laissera point d'heureux souvenirs. Marie-Thérèse, à la paix d'Hubertsbourg, doit renoncer définitivement à la Silésie. Le traité de Paris règle nos problèmes coloniaux dans un sens défavorable. L'Angleterre, devenue la première des puissances maritimes, conserve l'Acadie et la Nouvelle-France, nous laissant, dans la partie canadienne, Saint-Pierre-et-Miquelon et les droits de pêche. Aux Indes, nous conservons les 5 comptoirs et les loges. La Louisiane passe à l'Espagne pour l'indemniser de la Floride prise par l'Angleterre. Nous recouvrons seulement la Martinique, Sainte-Lucie et la Guadeloupe aux Antilles, et l'île de Gorée au Sénégal. Les écrivains clament que «la France peut être heureuse sans Québec» et montrent un superbe détachement pour «ces quelques arpents de neige». Le reste les indiffère, même les Indes. Les Anglais, eux, se montrent violemment hostiles au traité; toute présence française outre-mer les choque profondément.

UN VIZIR PRÉSOMPTUEUX : CHOISEUL

Mme de Pompadour disparue (15 avril 1764), le Roi perd un conseiller précieux. Depuis beau temps, ils n'étaient plus qu'amis mais elle connaissait cet être secret, très travailleur, successivement indulgent et impérieux, ne trouvant de dérivatif qu'à la chasse et auprès des belles. Servir un tel maître n'est pas simple. Le successeur du cardinal de Bernis, Étienne, duc de Choiseul, assisté de son cousin Praslin, va s'employer à cette tâche. Ancien militaire, puis ambassadeur à Vienne, ce «singe habillé» ne manque pas d'habileté mais cherche à faire plaisir à tout le monde. Il aime à posséder une clientèle et va se la constituer. Son œuvre militaire suscite l'admiration. Il met au point un programme de réfection maritime dont Praslin s'occupera. Il confie des réformes à des gens qualifiés : Guibert pour l'infanterie, Castries pour la cavalerie, Gribeauval pour l'artillerie. Nous disposerons du meilleur canon du monde. Cet effort nécessite beaucoup d'argent et les parlements le refusent. Si les robins défendent quelquefois de bonnes causes, ils s'appliquent surtout à enrayer la machine fiscale afin de la contrôler. Selon ces messieurs, les «classes de parlement sont antérieures à la monarchie elle-même». Cette absurdité laisse Choiseul assez indifférent. Sans grand attachement aux principes, il pense contourner les difficultés pécuniaires en livrant aux parlements les Jésuites coupables des imprudences ayant entraîné la faillite du père Lavalette. L'affaire revêt un caractère d'une exceptionnelle gravité. Face à l'*Encyclopédie*, la compagnie éditait un dictionnaire, *les Mémoires de Trévoux*, mieux documenté que la publication, néanmoins remarquable, de Diderot. L'expulsion des fils de Loyola portait un coup très dur aux vérités de la foi.

Les Jésuites sont expulsés de tous les royaumes catholiques et, Rome affichant sa mauvaise humeur, nous sommes contraints d'occuper Avignon une nouvelle fois.

Les parlements ne s'amadouent pas. Celui de Bretagne, par la voix de son procureur général, M. de La Chalotais, s'attaque au commandant en chef de la province, le duc d'Aiguillon. La France se partage en deux. La Chalotais, qu'on accuse d'un envoi de lettres anonymes à Louis XV, a-t-il trempé dans quelque noire conspiration? M. Lucien Laugier démontrera le contraire. L'homme paraît surtout un déséquilibré, opposé fermement à tout progrès. Il faudra que le Roi en personne dégage M. d'Aiguillon des griffes du parlement de Paris, revenu de la théorie des classes (antériorité des cours de province sur la monarchie) pour appeler en jugement un duc et pair. Louis XV met fin à cette farce. Il ne supporte pas l'obstruction des longues robes. En 1766, il ira jusqu'à tenir ces propos au cours de la séance dite de la Flagellation:

« Je ne dois de compte à personne. En ma personne seule réside la puissance souveraine; de moi seul les cours tiennent leur existence et leur autorité; à moi seul appartient le pouvoir législatif, sans dépendance et sans partage; l'ordre public tout entier émane de moi, et les droits et les intérêts de la nation dont on ose faire un ordre séparé du monarque sont nécessairement unis dans mes mains et ne reposent qu'en mes mains.»

On a bien lu: il s'agit du pouvoir législatif, les deux autres, l'exécutif et le judiciaire ne sont même pas en cause.

Entre Louis XV et son vizir, l'entente ne peut subsister. Choiseul, à l'imitation des whigs, s'en irait vers une monarchie représentative, le Roi n'acceptera jamais cette dégradation. En 1768, Louis XV nomme Maupeou chancelier, appelle au contrôle général l'abbé Terray. Le problème demeure le même: seule une bonne politique sauvera les finances. Choiseul, rendu confiant par ses succès, n'accompagne pas le souverain à la séance des parlements. Louis XV veut tenir son attelage et le conserverait si son ministre, avec une folle présomption, ne préparait, à l'insu de son maître, la guerre contre l'Angleterre pour défendre les intérêts espagnols aux Malouines. Vivement attaquée par le ministre, la nouvelle favorite, Mme du Barry, se défend en faisant prévenir le monarque. Cette fois, Choiseul est perdu. Le Roi le renvoie ainsi que son cousin.

LA PREMIÈRE RÉVOLUTION ROYALE

A Paris, les parlementaires en grève sont sommés de reprendre leurs fonctions ou de s'exiler. Ils démissionnent en masse, permettant au Roi de réunir une nouvelle cour qu'on nommera le parlement Maupeou. Dès le 19 janvier 1771, Louis XV annonce son projet : les magistrats seront nommés, appointés, la justice sera gratuite. Louis fait fond sur des ministres solides, fidèles mais impopulaires. L'œuvre du Triumvirat (d'Aiguillon, Terray, Maupeou) apparaît considérable. Bon soldat et diplomate avisé, le duc ne parvient pas à sauver l'intégralité du territoire polonais. En revanche, il voit clairement le péril russe et se sert de la Turquie pour le conjurer, tout en ramenant la Suède dans notre camp. Le pacte de Famille, heureuse création de Choiseul, réunit dans la paix tous les Bourbons et fonctionne sans accroc.

L'abbé, qu'on croit brutal, assouplit les vingtièmes, réduit les abus, crée la contribution mobilière. Malgré son surnom de Vide-Gousset, il administre le plus périlleux des départements en restaurant, grâce à son autorité, une finance exacte et bien répartie, appuyée notamment sur les arts et manufactures.

Le chancelier, lui, permet ces succès grâce à sa nouvelle organisation judiciaire. Louis XV s'use au travail et dans les plaisirs. Il tombe malade et meurt de la variole, le 10 mai 1774.

Ce prince foncièrement bon, très en avance sur son temps par la connaissance des sciences et des techniques, au fait des problèmes de ses sujets, mais les voyant peu, par un reste de timidité d'enfance, mérite les honneurs tardivement décernés par l'Histoire. Nous lui devons la Lorraine et la Corse prise en gage sur Gênes, par le traité de Compiègne (1769), nous lui devons aussi des conditions de vie jamais atteintes précédemment et ignorées de nos voisins (sauf la Hollande). Au-delà de l'être majestueux, il faut retrouver dans le secret de son bureau, conserves sur le nez, son chat blanc ronronnant sur un coussin, le roi méthodique, presque bureaucrate, que la Providence nous avait donné. A quoi bon dissimuler ses fautes ? Ses qualités l'emportent sur ses défauts. Reste une ombre : Sa Majesté Très Chrétienne avait omis de former son petit-fils, Louis XVI.

19

LES FEUX DU CRÉPUSCULE

Louis XVI atteint 20 ans. Plus encore que son grand-père, il fait preuve d'un esprit très orné. A l'écart des grandes affaires, il a d'abord subi l'influence fénelonienne de son gouverneur, La Vauguyon, puis semble s'être détaché de ces nobles rêveries. Parfois trop mince, parfois trop fort, il est probablement atteint de phtisie. La mort d'un aîné, le duc de Bourgogne, idolâtré par ses parents, l'a profondément marqué. Il est marié depuis 4 ans à l'archiduchesse Marie-Antoinette, fille de François et de Marie-Thérèse, et n'a point encore d'enfant. Pour cette raison, il n'a pu, par respect de la tradition, être admis au conseil. D'immenses lectures, l'analyse des gazettes françaises, et surtout étrangères, ne sauraient suppléer cette infériorité. Il ne connaît pas la pratique du pouvoir et se donne un mentor, le vieux Maurepas. On croit savoir que le nom de cet ancien ministre figurait sur une liste laissée par le feu Dauphin, ainsi que M. Machault et quelques autres. Seulement, le grand réformateur inspire l'hostilité du clergé. Cette période reste obscure. Les sentiments mêmes du Roi sont imprécis. Il se documente sur l'opportunité de poursuivre la politique de son grand-père, allant jusqu'à constituer des dossiers *pour* ou *contre* les anciens parlements. Le sort du ministère dépend finalement de cette décision. Le véritable chef du conseil, le duc d'Aiguillon, préfère s'en aller pour garder ses charges de cour et revenir à l'occasion. Le responsable de la Marine, Bourgeois de Boynes, se voit demander sa démission pour une erreur de transmission comptable. Maurepas, très habilement, continue de presser Louis XVI. Finalement, c'est la

Saint-Barthélemy des ministres (24 août 1774). L'abbé Terray, le chancelier de Maupeou sont congédiés. Le magistrat y va de cette formule :

— J'avais fait gagner au Roi un procès qui durait depuis trois siècles, il veut le reperdre, il est le maître.

Le nouveau conseil, où subsistent certains anciens (car la qualité de membre n'entraîne point l'attribution d'un département) ne présente pas mauvaise apparence. M. Turgot entre à la Marine puis la cède au lieutenant de police Sartine pour prendre le contrôle général. Miromesnil, commensal du ménage Maurepas, et ancien président du parlement de Rouen, reçoit les Sceaux. M. de Muy, héritage du Dauphin, tient la Guerre. C'est un rassemblement d'honnêtes gens. L'ancien parlement retrouve ses droits (12 novembre 1774) mais limités : les démissions collectives sont interdites, le droit de remontrances très restreint ne peut être utilisé qu'après enregistrement et délai d'un mois. En cas de désobéissance flagrante, le parlement Maupeou, maintenu dans le grand conseil, reprendrait la place. Bref, la paix n'est pas signée entre la haute robe et la monarchie.

Louis XVI a pratiqué cette inutile réforme parce qu'il a voulu, en prenant du vieux pour faire du neuf, assurer sa popularité. Erreur. Sauf dans quelques cénacles, son grand-père avait toujours bénéficié de l'affection des Français, mais le jeune roi l'ignorait.

M. Turgot appartient à l'école des physiocrates. Pour lui, les biens de la terre constituent les sources de la richesse. Il faut donc abaisser les barrières intérieures. Les paysans pourront se débarrasser des intermédiaires et profiter des hausses, emblaver davantage. Le raisonnement se révèle juste si le ciel se montre clément. Hélas ! l'année est mauvaise. Par le jeu de l'accaparement, le prix du pain monte. Paris entre en effervescence et Versailles même est attaqué. Louis XVI montre un rare sang-froid et prend toutes les initiatives. Il maintient son contrôleur général. Il ne faut incriminer que les saisons. Le déficit recule (48 millions sur 225). A cet égard, Turgot œuvre comme Terray, tenant bien la Ferme générale et confiant le domaine royal à des régies. Il avait annoncé : «Point de banqueroute, point d'augmentation d'impôts, point d'emprunt.» Il se déjuge pour mettre au point la subvention territoriale. Il s'agit d'une taxe foncière établie par des assemblées consultatives d'ordre afin d'asseoir l'assiette et de l'uniformiser par rachat des droits féodaux. En bref, cet honnête homme met en jeu la fonction royale elle-même. Il avance prudemment et Louis XVI le laisse abolir la corvée, étudie, surtout avec Malesherbes, la liberté des protestants. Il se montre plus réservé face à la laïcisation de l'enseignement et de ce que nous nommerons l'Assistance publique. Le Roi annote de sa main les projets du contrôleur général, il congédie un ministre le menant droit à la monarchie constitutionnelle. Malesherbes, initiateur de belles réformes, retourne herboriser dans le parc de son château de rêve. Le départ de M. Turgot était souhaité par tout le monde, et lui-même le prenait avec philosophie. Son programme n'était réalisable qu'à travers une longue période de paix, or on s'acheminait vers la guerre. On prit pour contrôleur général un M. de Clugny que ses vices rongèrent en six mois, puis on alla quérir M. Jacques Necker, banquier suisse et protestant, honnête et habile mais d'une suffisance insupportable.

L'INDÉPENDANCE AMÉRICAINE

Le comte de Vergennes, ministre des Affaires étrangères, engage une partie très subtile avec les *Insurgents* d'Amérique. Ils ont, le 4 juillet 1776, proclamé leur indépendance et se voient reconnus par Louis XVI. Le docteur Franklin devient la coqueluche des Parisiennes. Quelques gentilshommes sont déjà passés sur le nouveau continent. Le marquis de La Rouërie va commander des mercenaires, le marquis de La Fayette, plus en vue, mari d'une Noailles, sous le coup, pour le principe, d'une lettre de cachet, rejoint l'ancien arpenteur Washington devenu commandant en chef des rebelles. Leur situation était peu brillante lorsque, sous la menace de voir leurs troupes coupées en deux, ils réussirent à faire capituler une forte armée britannique à Saratoga (17 octobre 1777).

Louis XVI pense que l'heure de la revanche a sonné. Elle rétablirait nos équilibres commerciaux en nous rendant la liberté des mers. Une autre raison pousse à la guerre ; le co-empereur Joseph II, fils de Marie-Thérèse, a fait envahir la Bavière dont l'Électeur vient de passer. Sur l'heure, Frédéric II a mobilisé. Nos obligations envers l'Empire revêtent seulement un caractère défensif, et le Roi ne veut pas exposer la France. La don quichotterie de Joseph II risque d'entraîner une guerre continentale groupant contre nous la Prusse, l'Angleterre, le Hanovre et leurs clients. Il faut donc régler la succession de Bavière, et ce sera fait de main de maître lors de la médiation de Teschen. Dans le même temps, Louis crée la Ligue des neutres, réclamant contre le Royaume-Uni la liberté des mers.

Cette politique ne manque pas de clarté. Il s'agit d'abaisser l'éternel adversaire sans porter le conflit sur le continent.

Le traité d'alliance entre la France et les États d'Amérique est signé par l'ambassadeur Conrad Alexandre Gérard, créé comte de Munster, d'une part, Franklin et Silas Dean, d'autre part. La grande affaire consiste à mettre l'Espagne en mouvement. L'avisé Charles III finit par entrer dans le jeu non sans appréhender que cet appui à des révoltés ne donne le mauvais exemple à certaines têtes un peu chaudes de l'Amérique latine. Comment expliquer que Louis XVI ne tienne pas un même raisonnement? Assurément, il ne court aucun danger avec nos colonies mais ne risque-t-il pas, en soutenant une opération subversive, de raviver certains sentiments philosophiques à la mode? Ce serait exact si l'excellent George III passait aux yeux du Très-Chrétien pour un monarque comme un autre mais il n'en est rien; ainsi que tous les Bourbons, Louis tient la maison de Hanovre pour une usurpatrice et ne croit qu'aux Stuarts. Le 17 juin, la flotte de l'amiral Keppel ouvre le feu la première sans parvenir à couler, au large de Roscoff, la frégate la *Belle Poule* superbement commandée par M. de La Clochetterie. Depuis le 13 avril, M. Gérard a pris place à bord du vaisseau amiral du comte d'Estaing pour aller représenter la France devant le Congrès. Le vice-amiral, terrien accompli, ignore la mer. Il manque l'escadre ennemie, se fait acculer à la défensive à Sandy-Hook, n'ose forcer les passes de New York, rate un débarquement à Newport. Mal reçu par les Américains, il hiverne à Boston, passe aux Antilles et, grâce au marquis de Bouillé, l'emporte à la Grenade. Il prend pied en Caroline, échoue devant Savannah et regagne l'Europe.

De l'autre côté, les affaires vont-elles mieux? Fortes de la victoire d'Ouessant remportée par M. d'Orvilliers, les flottes franco-espagnoles se présentent devant les ports méridionaux d'Angleterre mais, face à des conditions météorologiques détestables, ne peuvent couvrir le débarquement des troupes tenues l'arme au pied en Bretagne et en Normandie. Il faut en revenir au projet de corps expéditionnaire préconisé par le jeune La Fayette et le confier au marquis de Rochambeau. Ce militaire habile prend contact avec Washington. A la vérité, les Américains sont disposés à traiter avec la Grande-Bretagne, quitte à nous arracher, de concert, les derniers lambeaux de nos possessions. Finalement, le Français et l'Américain tombent d'accord sur une dernière offensive. Washington obtient des pouvoirs plus étendus, Rochambeau dépêche M. de Lapérouse à Versailles pour obtenir des renforts. Castries, nouveau ministre de la Marine, acquiesce aux demandes du messager et met au point, sous le contrôle du Roi, un nouveau plan; MM. de Grasse et de Barras-Saint-Laurent retourneront aux Amériques tandis que M. de Suffren prendra la route des Indes.

Lorsque M. Necker avait accepté la direction du Trésor, il s'était attendu, optimiste par nature, à quelque conflit de courte durée. Il refit du Turgot sans Turgot, comme Turgot, mais plus imprudemment, avait fait du Terray sans Terray. Les assemblées provinciales créent un malaise. L'essai de ces nouveaux organismes, improvisés à la diable, avait aussitôt montré le conflit latent avec les parlements et les états.

Necker, influencé par sa femme, publie un mémoire sur les assemblées provinciales. C'était le viol d'un secret d'État. On put se scandaliser des dépenses de la cour, des pensions, etc. Ne fallait-il pas, en se montrant moins prodigue, réduire les impôts? Le bilan était truqué. Loin de revenir sur ses assertions, Necker réclame l'entrée au conseil. C'est un peu cher payer une trahison. Le directeur du Trésor a créé de graves lézardes dans l'appareil financier; débiteurs et créanciers se combattent amèrement. Le compte rendu ne pouvait que susciter des mécontentements parmi les bénéficiaires ou les autres. Finalement, le Genevois est congédié (19 mai 1781).

Dans le même moment, le maréchal de Ségur, ministre de la Guerre, rend une ordonnance fâcheuse; pour obtenir l'épaulette, il faudra désormais justifier 4 degrés de noblesse. Il s'agit, bien entendu, de faire une part à l'aristocratie sans fortune en lui réservant un métier, et non de barrer la route des honneurs aux roturiers. Reste que la mesure déçoit, et encolère nombre de bas officiers et de jeunes soldats. L'ordonnance, il est vrai, ne sera que partiellement exécutée et notre contingent d'Amérique s'en ressentira peu.

Tout en se maintenant solidement dans New York, les Anglais ont porté leur gros en Caroline du Nord et en Virginie en vue de couper les États-Unis en deux afin d'abattre successivement les deux tronçons. Pressentant la manœuvre, M. de Rochambeau donne rendez-vous au comte de Grasse pour août 1781, à l'embouchure de la Chesapeake, au nord de Yorktown, que vient occuper lord Cornwallis. Le 30 août 1781, M. de Grasse, ayant dispersé les escadres des amiraux Graves et Hood, bloque la ville devenue indéfendable malgré la valeur de son commandant. Yorktown se rend le 19 octobre. C'est la fin de la domination britannique. La guerre dure encore deux ans avec la perpétuelle menace de voir les Américains passer aux Anglais. Le 12 avril 1782, M. de Grasse est fait prisonnier après la terrible bataille des Saintes. M. de Vaudreuil sauve les débris de l'escadre. Plus à l'est, le bailli de Suffren l'emporte partout. A La Praya (16 avril 1781), il s'était ouvert la route du Cap, tombé le 21 juillet, puis, atteignant la côté orientale d'Afrique, avait remporté les victoires de Provedien, Negatapam, Trinquemalé, Gondelour. Il avait délivré Bussy-Castelnau, repris toute la côte de Coromandel et de Ceylan. Ces prodigieuses nouvelles sont encore imparfaitement connues lorsque le comte de Vergennes signe la paix à Versailles, le 3 septembre 1783. Louis XVI demande et obtient fort peu : Tabago, Saint-Louis du Sénégal, le retour de Gorée, un agrandissement des territoires dépendant de Pondichéry, la remilitarisation de Dunkerque démantelée depuis 1713. L'Espagne reçoit la Floride en échange de laquelle elle nous rend la Louisiane. Nous ne sommes point en l'état de la mettre en œuvre. A la vérité, nous sommes la première puissance du monde mais l'État demeure pauvre dans un pays riche. Les successeurs de Necker ont échoué dans leur mission. Vergennes s'est gardé d'accabler les Anglais parce qu'il savait bien, président du conseil des finances, que nous ne pouvions plus avancer d'un pas. Dès avant le décès de Maurepas, charmant responsable des premiers dérèglements du règne, Vergennes tient la première place. Il lui revient de prendre les ordres du Roi pour trouver un contrôleur général présentant toutes les capacités. C'est ainsi que Charles-Alexandre de Calonne se voit confier la canne de Colbert. Administrateur de grande envergure, cet ancien intendant des Trois-Évêchés tient d'abord à se concilier l'opinion et se montre très large, tout en méditant un plan remarquable qu'il propose au Roi à son retour d'un voyage triomphal à Cherbourg, en août 1786.

LA SECONDE RÉVOLUTION ROYALE

La dette publique absorbant la moitié du budget, on va vers des inconvénients majeurs lorsque l'année suivante cessera la perception du vingtième. Il faut donc réaliser un vaste emprunt pour couvrir deux ans et modifier totalement le système fiscal dans le sens le plus égalitaire. Le Roi se passionne pour cette réforme et autorise l'ouverture d'une assemblée des notables, procédure oubliée depuis le cardinal de Richelieu. Survient la mort de Vergennes. L'assemblée est réunie avec retard, le 22 février 1787. Calonne, bien que malade, n'en défend pas moins son projet devant ce groupe de princes, de ducs, de maréchaux, où les rares représentants des communes sont eux-mêmes nobles. Le projet est clair. Les nouveaux impôts seront déterminés par des assemblées provinciales sous la responsabilité des intendants. Les deux premiers ordres renonceront à leurs immunités sans perdre le caractère honorifique de leurs privilèges. Devant la résistance feutrée des participants, le contrôleur général fait lancer par un avocat en renom, Mᵉ Gerbier, un avertissement. Hélas ! une intrigue de palais, tramée par Miromesnil, fait tomber Calonne. Louis XVI en conçoit un profond chagrin. Il semble même qu'il se désespère. Un peu dans la manière des régimes d'aujourd'hui, on va chercher le principal adversaire du ministre tombé : c'est l'archevêque de Toulouse, Loménie de Brienne. Seule la passion du pouvoir conduit le prélat. Il poursuit la politique de Calonne et rallie les notables, bien assurés que le parlement sauvera leurs privilèges. Ces beaux seigneurs ne se trompent pas. Le droit de timbre est refusé, comme la subvention territoriale.

La politique se répète, le parlement est exilé. M. de Lamoignon, nouveau garde des Sceaux, médite de reprendre la construction de Maupeou. C'est la seconde révolution royale. Elle ne se présente pas sous de mauvais auspices encore que la haute robe bénéficie d'une immense faveur auprès du public. Sous l'impulsion d'un jeune conseiller, M. Duval d'Éprémesnil, on commence de réclamer la réunion des états généraux. Brienne les promet pour 1792 contre l'assurance que soit accordé l'emprunt de 480 millions nécessaire pour combler le déficit dans les 5 années à venir. Le 19 novembre, le parlement, une fois de plus pardonné, vote ce qu'on lui réclame mais, sur une erreur de protocole, Louis XVI ordonne l'enregistrement des édits selon la procédure du lit de justice. Le duc d'Orléans déclare :

— Ce n'est pas légal.

Le Roi rétorque :

— C'est légal parce que je le veux.

En présence du monarque, les textes sont bien enregistrés, mais, dès son départ, la transcription est refusée. Louis envoie le

premier prince du sang sur sa terre de Villers-Cotterêts et interne
par lettre de cachet deux furieux opposants, l'abbé Sabatier de
Cabre et M. Fréteau de Saint-Just. Il faut revenir à la solution de
Louis XV : une nouvelle cour. Avant même qu'elle soit constituée, les chats fourrés font serment de s'opposer à toutes
modifications. Le 4 mai 1788, la protestation est portée à
Versailles. Le 5, Louis XVI ordonne l'arrestation de deux des
meneurs, MM. d'Éprémesnil et de Montsabert. Ils ne se rendent
qu'après 24 heures d'investissement du palais. Le 8 mai, le Roi
convoque un lit de justice et institue une cour plénière chargée
de l'enregistrement des lois et de l'acceptation des impôts. La
cour tarde à se constituer. La noblesse de robe et la bourgeoisie
suscitent des troubles, notamment en Bretagne et dans le
Dauphiné. L'argent ne rentre plus et le clergé refuse les subsides
réclamés. L'archevêque ampute de 50 % le coupon de la rente et
retarde d'un an tous les paiements. L'ambitieux s'en va, comblé
d'or et assuré du chapeau. Lamoignon, poussé dehors par le
comte d'Artois, quitte le conseil. La réforme judiciaire est
abandonnée. Il semble que, pendant dix-sept ans, la France a
vécu pour rien. Marie-Antoinette intervient auprès de son époux :
il faut rappeler Necker. En sa faveur, on va créer la dignité de
premier ministre des Finances.

FINANCES ET PHILOSOPHIE

Le Genevois se remet à la tâche. Les fonds remontent, les
souscriptions aux bons du Trésor reprennent. L'encaisse présente un caractère rassurant. Sur un point, toutefois, la situation
demeure inquiétante : l'Helvète, s'il travaille honnêtement, ne
recherche, en bon protestant, qu'une monarchie constitutionnelle. Il n'est pas le seul. A force de se prononcer au nom du Saint-
Esprit en se contredisant, la monarchie maintient malaisément
le dogme du droit divin. Certes, depuis l'aurore des temps
capétiens, on a toujours relevé des sinuosités, voire des change-
ments profonds, mais jamais, sauf pendant les guerres de
Religion, le pouvoir ne s'est placé dans de telles contradictions.
Jamais non plus les aspects financiers n'ont pris une telle
importance. Hors certains paysans et quelques très pauvres et très
anciennes familles nobles, tout le monde s'intéresse à la capita-
lisation. Du même coup, on juge l'action gouvernementale sur
les résultats pécuniaires. Après avoir refusé par leur inaction les

bienfaits des colonies, les Français attendent tout de la métropole et en reçoivent trop peu selon leur gré. Ils en déduisent que leurs intérêts pourraient être mieux servis. Toute la littérature des Lumières remonte plus ou moins à cela. Les écrivains importants se sont mêlés de gros sous. Même un seigneur comme Montesquieu s'en est occupé. C'est assez dire que les Voltaire, les Helvétius, les Rousseau, les d'Alembert, le bonhomme Diderot n'ont point trop élevé le débat. Ces lectures, souvent plaisantes, ont passionné, et pour pas cher, une clientèle du troisième choix. On s'est amusé à défier Dieu (Diderot), on l'a présenté comme un horloger (Voltaire). Helvétius et sa belle dame sont allés jusqu'à l'athéisme. A la vérité, les combats se déroulent entre les gallicans parfois jansénistes et les fidèles de Rome. La France n'est pas foncièrement déchristianisée, mais divisée entre les nuances d'une Église devenue quasi byzantine.

On parlera beaucoup de l'influence américaine. Elle ne prédomine pas. Trop de soldats, retour d'outre-océan, ont assez vu les méfaits de la démocratie pour la souhaiter chez nous. Ils ont constaté la fragilité des régimes d'assemblée et leur lenteur. Le despotisme éclairé n'est vanté que pour son anticléricalisme. En revanche, bien des milieux trouveraient opportun d'en finir avec ce qu'on appelle, non sans excès, le despotisme ministériel. Comment s'en débarrasser sinon en permettant aux administrés de se défendre contre les administrateurs ? Pour ce faire, il existe dans certaines régions des états et dans toute la France des parlements. Une seule règle : s'ils peuvent l'emporter dans des conflits bénins, ils doivent s'incliner dans les cas majeurs devant l'autorité.

Le nouveau garde des Sceaux, messire de Barentin, ayant la charge de préparer les états généraux, d'abord promis pour 1792 puis fixés à 1789, ouvre des cahiers de doléances. Malgré les trucages pratiqués au profit de Philippe d'Orléans par Laclos et quelques autres, ces documents présentent un puissant intérêt. On y relève de la part du tiers de nombreuses réclamations contre les derniers droits féodaux, les péages, les tracasseries obsolètes. Dans l'ensemble, les trois ordres s'accordent sur ces points : consentement national à l'emprunt comme à l'impôt, caractère non moins sacré de la liberté individuelle.

Volontairement, le gouvernement n'intervient pas dans les élections des représentants. Elles se déroulent quasiment au suffrage universel, à plusieurs degrés pour le tiers dont le doublement est prévu non sans consultation de l'assemblée des notables. Le scrutin a lieu durant l'un des hivers les plus froids du siècle. Les péniches ne circulent plus. Les moulins sont bloqués. On trouve des cadavres le long des chemins. Un peu partout, de pauvres hères cherchent à louer leurs bras, parcourent des dizaines de lieues à travers les provinces. Seule, l'alimentation de Paris fait l'objet de soins constants.

Enfin, les élus se rendent à Versailles. Le clergé, en dehors de quelques cardinaux et archevêques, recrute en majeure partie parmi les curés de campagne souvent pauvres et maussades. A la haute noblesse, acquise souvent aux réformes, s'opposent les hobereaux moins perméables aux idées nouvelles. Le tiers est composé surtout de gens de loi, de médecins, de propriétaires et même de gentilshommes, dont le comte de Mirabeau. En revanche, le *quatrième ordre* — ouvriers des champs et compagnons de manufacture — est totalement absent.

20

LES DERNIÈRES MARCHES DU TRÔNE

Le 4 mai se déroule une procession solennelle. En l'église Saint-Louis, Mgr de La Fare, évêque de Nancy, parle de «peuple martyr». Les applaudissements crépitent, tandis qu'à l'extérieur, la Reine est conspuée par des catins stipendiées par les agents d'Orléans. Le lendemain a lieu la séance d'ouverture des états. Louis XVI adopte un ton juste, Necker prend cinq heures pour donner un compte rendu des plus vagues. Selon l'usage, les trois ordres délibèrent séparément. Le clergé ne bouge pas. La noblesse vérifie ses pouvoirs. Le tiers traîne le pas. Le Roi fait savoir qu'il attend la conciliation des trois ordres. Louis XVI, vivant des heures épouvantables devant l'agonie du Dauphin, retarde un entretien avec le doyen du tiers, l'astronome Bailly. Le tiers veut le vote par tête. Étant doublé, il peut l'emporter surtout s'il se rallie le bas clergé. Il décide d'opérer en commun la vérification des pouvoirs et, devant le refus des ordres privilégiés, il se constitue seul Assemblée nationale et prend des décrets. Au Jeu de paume, les députés du tiers jurent qu'ils «ne se sépareront pas sans avoir donné une Constitution à la France». C'est inutile car les constitutions du royaume ont toujours existé, ensemble de coutumes et de lois forgées au cours des âges. Devant un tel coup d'État, le Roi réplique, le 23 juin, par une déclaration. C'est un admirable programme de liberté, encore que manquent des précisions concernant l'avancement militaire. Pour le reste, tout est dit. Louis XVI se retire. Le grand maître des cérémonies, marquis de Dreux-Brézé, réclame à chaque ordre d'aller délibérer dans sa chambre. Le comte de Mirabeau lance l'apostrophe :

— Allez dire à qui vous envoie que nous sommes ici par la

volonté du peuple et que nous ne sortirons que par la force des baïonnettes.

Quelques gardes du corps interviennent-ils dans le dessein de faire évacuer les lieux? On le croit. Dans ce cas, les gentilshommes dits américains se seraient interposés en faveur du tiers. Le Roi, loin de faire arrêter les meneurs, ordonne la réunion des trois ordres.

LA CHUTE DE LA BASTILLE

De ce jour, le cadre institutionnel disparaît. L'Assemblée, s'étant proclamée nationale et constituante, pourrait se mettre au travail ; elle préfère élaborer, non sans talent, une Déclaration des droits de l'homme et du citoyen où manquent les devoirs. Louis XVI n'a point admis l'absence de Necker à la séance du 23 juin, non plus que sa sourde opposition à l'autorité. Il devrait le cantonner dans son rôle financier. Il préfère le renvoyer le 11 juillet. Du coup, la haute finance ferme la bourse cependant que s'agitent les sans-logis des carrières de Montmartre, les habitués du Palais-Royal et les faubourgs. Devant la menace de désordres, l'Hôtel de Ville organise une garde civique où se mêlent des éléments troubles de la population. Les troupes sont insuffisantes et peu sûres. Le mardi 14 juillet, sous prétexte de se procurer des armes, des émeutiers lancés par le gazetier Desmoulins se font ouvrir les portes de la Bastille, massacrent le gouverneur, marquis de Launay, ainsi que le prévôt des marchands, M. de Flesselles. Le Roi, mal renseigné sur les événements, se rend à Paris. Il montre personnellement un rare courage mais entérine ce qu'on nomme désormais la Révolution. N'arbore-t-il pas une cocarde réunissant le blanc, symbole du commandement, et les couleurs rouge et bleu de la ville de Paris? Bien sûr, il faut rappeler Necker et reconstituer le conseil avec ses amis. Sur l'ordre de Louis XVI, quelques personnages très impopulaires passent à l'étranger: le comte d'Artois, les Condé, les Polignac, d'autres... Les unités regagnent les places du Nord et de l'Est.

L'administration s'effondre et, avec elle, toute notion d'ordre. On assiste au navrant spectacle de la Grande Peur due aux appréhensions, aux colères paysannes et le plus souvent au brigandage. Les châteaux sont, pour un tiers, brûlés, leurs propriétaires souvent massacrés. L'Assemblée laisse faire malgré les efforts des traditionalistes, tels le chevalier de Cazalès et l'abbé Maury. Des hommes, pourtant bien intentionnés, le conseiller Du Port, l'avocat Barnave, les Lameth, tous trois militaires, trempent dans la conspiration. Il faut arracher au Roi toute autorité, avant de le cantonner dans un rôle purement exécutif. Il s'agit d'une fausse application du système de la séparation des pouvoirs prôné par Montesquieu. A la vérité, le grand Bordelais envisageait bien l'exercice séparé de l'exécutif, du législatif et du judiciaire mais par délégation royale.

Le 4 août, le vicomte de Noailles fait abolir les droits féodaux, les privilèges nobiliaires et provinciaux, les immunités fiscales. Tout le monde applaudit. En réalité, la suppression des dispenses régionales ou corporatives relève de l'imbécillité. Les droits féodaux et ceux de la propriété sont souvent confondus. Cette imprudence va relancer la Grande Peur et bloquer les rentrées d'impôts. Les nouveaux seigneurs consentent au monarque un droit de *veto*, pour une législature. En revanche, malgré les efforts de MM. Malouet et Mounier, ils refusent la création d'une Chambre haute et d'une Chambre basse. Louis XVI réclame des explications. Il n'existe pas de véritables voies de transmission entre la salle des Menus-Plaisirs où siège l'Assemblée et lui. Loin de refuser les dispositions de la nuit du 4 août, il les voudrait plus justes; quant à la Déclaration des droits, il la souhaiterait moins laïque et plus précise. Pour s'assurer un minimum de sécurité, il appelle le régiment de Flandre. Un banquet offert, selon la coutume, aux nouveaux arrivants par les gardes du corps provoque l'ire des faubourgs. A Paris, des agents de Du Port et d'Orléans organisent une famine artificielle en détournant les convois. Des dames de la halle et des hommes habillés en femmes se portent sur Versailles. On ne songe point à couper les ponts. La Fayette, commandant de la garde civique devenue nationale, suit le hideux cortège. Le Roi signe des décrets qu'il voulait amender. Le 6 octobre, à 5 heures du matin, des tire-laine attaquent le château. La Reine, apparue au balcon et couchée en joue par les assaillants, échappe au massacre grâce à La Fayette venu baiser la main de la souveraine.

Il faut, pour la famille royale, gagner Paris, avec les têtes des gardes du corps plantées sur des piques. Une nouvelle fois, comme après le 14 juillet, Louis XVI est bien accueilli mais, désormais prisonnier de la commune dans le palais des Tuileries, il ne peut même plus se déplacer sans une escorte de gardes nationaux. L'Assemblée, elle, perd, devant la pression des tribunes, toute possibilité de libres délibérations. Elle siège au Manège et 120 députés modérés abandonnent cette arène infernale. La Fayette parvient à faire s'exiler le duc d'Orléans mais se contente de jouer le geôlier du Roi. Mirabeau voudrait devenir Premier ministre. Son rêve est brisé par la motion de Lanjuinais proclamant incompatible, même après démission, le mandat électoral et l'appartenance au conseil. Il semble que le tribun se soit alors tourné vers le comte de Provence tout en cherchant à mettre au point l'installation du Roi dans une autre ville que Paris.

La situation financière va provoquer un drame inattendu : les impôts ne rentrent plus. Deux emprunts successifs émis par Necker n'atteignent pas 20 % de la souscription. Une contribution civique de 25 % du revenu demeure lettre morte. L'évêque d'Autun, Mgr de Talleyrand, fait accepter la mise à la disposition de l'État des biens ecclésiastiques (2 novembre 1789). En compensation, les ministres du culte seront rétribués. Il s'agit de 3 milliards de livres environ, pour l'essentiel en terres, soit la totalité de la dette publique. Pour produits des mises en vente initiales, on décide d'émettre 400 millions de livres en certificats hypothécaires permettant d'assurer les règlements des biens dits nationaux. Ces certificats porteurs d'intérêts reçoivent le nom d'assignats.

LA PERSÉCUTION RELIGIEUSE

Dans ce parlement d'un nouveau genre traînent toutes les idées du précédent. On se veut gallican, on se veut janséniste. La persécution du catholicisme romain commence très vite. Pour payer le plus petit nombre possible de membres du clergé, pour mettre plus aisément en vente les propriétés conventuelles, la Constituante abolit les vœux perpétuels et réduit les communautés. Le 13 avril 1790, elle refuse de reconnaître le catholicisme comme religion d'État. La guerre civile se profile dangereusement. Le plus grave, toutefois, n'est pas accompli. Pie VI recommande à Louis XVI des conseillers médiocres. Le cardinal de Bernis, dès longtemps ambassadeur à Rome, utilise en vain toute son expérience pour éviter une catastrophe. Le pape ne défendra que tardivement ses prérogatives. La Constituante organise la Constitution civile du clergé. Désormais, toute la hiérarchie procédera de l'élection selon un découpage par département et district. Mieux, les évêques n'auront plus à demander au Saint-Père l'institution canonique. Louis XVI ne dispose pas des moyens nécessaires pour empêcher cette dénonciation unilatérale du concordat de Bologne. Le 14 juillet 1790, date bien mal choisie — Du Port avait préconisé le 4 août —, le Roi prête serment à la Constitution. Comme elle n'existe pas encore, cela l'engage peu. En revanche, on peut croire qu'il admet la Constitution civile du clergé, déjà votée. Inique, cette loi scandalise la masse du pays. En janvier 1791, les ecclésiastiques sont requis de prêter serment. Dans l'Assemblée même c'est un échec total. M. Grégoire, curé d'Embermesnil, en Lorraine, n'entraîne qu'une faible partie de ses confrères. Le haut clergé résiste. 4 évêques et 3 coadjuteurs se soumettront, et Mgr de Talleyrand, aidé de Gobel, consacrera les nouveaux prélats. Le système semble d'autant plus inepte que les non-catholiques ont pu voter, alors que les catholiques s'abstenaient. Le pape condamne la Constitution civile par le bref *Quod aliquantum*, le 10 mars 1791. La mesure apparaît logique mais tardive. De nombreux prêtres, égarés par le trop long silence de la Curie, reviendront sur leur serment. Hors quelques individus sans influence, les révolutionnaires ne cherchent point à détruire la monarchie. La gauche veut seulement que l'exécutif (le Roi) se conforme en tous points aux volontés du législatif (l'Assemblée). Quant au judiciaire, il est élu quelquefois dans de bonnes conditions. La Révolution ne revêt plus seulement un aspect politique, elle devient éminemment religieuse. Si la guerre civile n'éclate pas, c'est que Louis XVI donne à certains l'apparence d'avoir admis le schisme. A l'étranger se manifeste tout de même une certaine agitation. Le comte d'Artois, le prince de Condé s'entretiennent avec les souverains germaniques des possibilités d'une croisade. Calonne leur tient lieu de Premier ministre tandis que le fidèle Breteuil, depuis Soleure, en Suisse, anime le cabinet secret du Roi. Par malheur, ces deux excellences ne s'entendent pas au mieux. Le décès presque subit de Mirabeau (2 avril 1791), apôtre d'un exécutif fort, désoriente quelque peu le monarque, et surtout Marie-Antoinette. Le Roi, empêché par une émeute de se rendre à Saint-Cloud pour faire ses Pâques des mains d'un prêtre insermenté, décide de quitter Paris avec les siens, de gagner Montmédy, place où l'attend avec ses troupes le fidèle marquis de Bouillé. A Varennes-en-Argonne, le souverain, malgré son habit de majordome, est reconnu. La Fayette, ayant organisé la fiction d'un enlèvement afin d'apaiser le courroux des «patriotes», fait quérir la famille royale. Après un voyage épouvantable, elle est internée aux Tuileries. Louis XVI est suspendu. L'extrême gauche réclame la déchéance et assaille la garde nationale au Champ-de-Mars. La Fayette, chef de la garde nationale, et Bailly, maire de la ville, usant de leurs prérogatives, font répliquer la troupe avec une rare violence. Désormais, la Constituante, dans sa majorité, se rapproche du Roi. Il sera le garant du nouveau système. Pour ce faire, on élargit la conception de l'exécutif, rendant au souverain le privilège des nominations importantes. Les triumvirs — Du Port, Barnave et Alexandre de Lameth — revenus de leurs foucades, voudraient aller plus loin mais n'y parviennent pas. Le Roi connaît les imperfections du «pacte social», il est intervenu dans le sens d'un rééquilibrage sans songer une seconde à l'abdication. Il ratifie donc la Constitution par serment (14 septembre 1791). A la veille de son départ manqué pour Montmédy, il avait laissé — fort imprudemment d'ailleurs — un texte dénonçant le régime constitutionnel. Il reconquerra le terrain perdu. Ne dispose-t-il pas de nombreux dévouements et de l'argent considérable de sa liste civile? Il compte surtout avec les exagérations et les méthodes sanguinaires de ses ennemis pour lui ramener les gens de bon sens.

UNE ASSEMBLÉE FUNESTE: LA LÉGISLATIVE

Une disposition discutable avait, on l'a dit, privé les sortants de l'éligibilité pour une législature. C'était s'aliéner des hommes rompus à l'exercice d'une fonction politique. Une nouvelle assemblée, dite législative, issue d'un scrutin préparé durant la crise de Varennes, marque un glissement vers les forces dites populaires. Sur 745 membres, les Constitutionnels ou Feuillants, partisans d'un régime parlementaire, se comptent 160. Au centre, on trouve 250 indécis. Le reste se sépare en deux tendances. L'une, plus bourgeoise, avec l'avocat Vergniaud et le gazetier Brissot, l'autre, avec des petits officiers civils tels Cambon et l'inquiétant cul-de-jatte Couthon. La Législative nourrit deux préoccupations: la guerre aux prêtres fidèles et aux émigrés. Elle s'efforce en vain d'achever la désorganisation de l'armée. Elle se montre néanmoins belliciste. Elle n'est pas la seule, un ministre, le comte de Narbonne, souhaiterait une guerre limitée pour rendre au Roi la confiance de la nation. Les émigrés voudraient rentrer chez eux les armes à la main. Un premier prétexte tombe;

l'Électeur de Trèves obtempère à l'ultimatum de Louis XVI réclamant la dispersion des rassemblements d'émigrés. Deuxième prétexte : l'affaire des princes possessionnés d'Alsace. Ces seigneurs, sujets de l'Empire, possèdent des fiefs chez nous et n'admettent point la suppression de leurs droits féodaux. A l'apaisement, la Législative préfère un nouvel ultimatum. Elle obtient un résultat des plus fâcheux ; Habsbourg et Hohenzollern signent un traité d'alliance. Louis XVI, par la voie de sa diplomatie secrète, tente la réunion d'un congrès européen. Le roi de Suède, Gustave III, allié fidèle, est assassiné. L'empereur Léopold meurt. Si Provence, échappé le jour de Varennes, ne cherche point à saisir le sceptre, il se voudrait lieutenant général du royaume ou chef du conseil. L'Assemblée, emportée par la rue, se déchaîne. Le ministre des Affaires étrangères, M. de Lessart, travaillant pour la paix, est déféré devant la Haute Cour. Louis XVI essaie un ministère composé d'amis de Vergniaud, communément nommés Brissotins ou Girondins. Parmi ces êtres médiocres figure un militaire de valeur, le général Dumouriez. Royaliste sans faille, il ne rejette pas la solution du conflit pour des motifs proches de ceux de Narbonne.

LA GUERRE

Le 20 avril 1792, jour à jamais mémorable, Louis XVI propose devant l'Assemblée la guerre au « roi de Bohême et de Hongrie » (le nouveau chef de l'Empire, François II, n'est pas encore couronné). Il ne se trouve que 7 voix pour refuser. Très vite, le duc régnant de Brunswick est investi du commandement allié. Haut stratège, puissant dignitaire maçonnique, il est loin d'être francophobe. Louis XVI, par l'intermédiaire du journaliste Mallet Du Pan, lui fait connaître ses intentions secrètement pacifiques. Les frères du Roi compromettent la mission. A Paris, les législateurs n'agissent plus qu'à l'instigation des clubs et des sections, organisations paramilitaires recrutées souvent de force dans les quartiers de la capitale. Les députés aggravent les sanctions contre les émigrés. Louis oppose son veto. Ils prévoient l'expulsion — entendons la déportation — des insermentés sur simple dénonciation de 20 citoyens. Deuxième veto.

L'Assemblée riposte, le 29 mai, en prononçant la dissolution de la garde constitutionnelle et en appelant de province 20 000 fédérés. Les ministres girondins refusent de contresigner les décrets de veto. Le Roi les congédie tout en gardant Dumouriez. Le général, faisant valoir que l'exécutif n'est plus protégé, supplie Louis XVI de rapporter ses décisions. Le souverain refuse. Alors qu'il s'expose en n'opposant pas ce fameux veto quant à la dissolution de sa garde, il entend couvrir prêtres et émigrés. Dumouriez s'en va, après un entretien pathétique avec le Roi, prendre le commandement de l'armée du Nord où Rochambeau se trouve en difficulté.

LA CHUTE DU TRÔNE

Le 20 juin, une bande d'assassins vient réclamer la sanction des décrets. L'Assemblée, à demi morte de terreur, fait dériver l'émeute sur le palais. Durant quatre heures, une meute de forcenés saccage les lieux, exige le retrait des veto. Louis XVI se coiffe du bonnet rouge, trinque à la santé de la nation mais ne cède pas.

Pareille fermeté rallie une forte partie de la capitale et surtout des grandes villes. La Fayette revient animé de bonnes intentions, toutefois la Reine ne veut pas devoir sa liberté du jour à son geôlier de la veille. L'Auvergnat ne peut que rejoindre son armée.

Le 20 juillet, François II reçoit la couronne impériale. Agressé, il ressent la nécessité de répondre.

Dans le même temps, la Législative paraît se calmer, un ancien collaborateur de Mirabeau, l'évêque constitutionnel Lamourette, par un discours splendide, appelle à la concorde. Tous l'entendent. Ni bicamérisme ni république, tel est le programme. Les députés viennent porter la bonne nouvelle au Roi. Le lendemain, les luttes intestines recommencent.

Faut-il croire qu'après 800 ans la France s'est déroyalisée? Assurément non, les troubles médiévaux, la Ligue, la Fronde prouvent, s'il en était besoin, que seule l'autorité peut venir à bout des fantasmes d'un peuple difficilement constitué. Or Louis XVI est redevenu tenace au moment où les moyens d'appliquer sa politique lui font défaut. Il est malaisé de savoir ce que veulent ses ennemis. Ils ne disposent pas d'un programme. L'idée républicaine est peu répandue. L'orléanisme ne bénéficie plus de soutien. On parle un peu d'un prince anglais ou de Brunswick lui-même comme roi. Les Girondins congédiés offrent leurs services au monarque pour coiffer le ministère. La vie quotidienne, devenue très difficile, provoque deux attitudes contradictoires: la colère et la passivité. Le petit groupe subversif est animé par l'avocat Danton, le curé Vaugeois et des commerçants du faubourg Saint-Antoine, tel le brasseur Santerre, ou des aventuriers tel Fournier l'Américain. Ceux-ci veulent la destruction de la monarchie pour se placer à la tête de l'État et faire éventuellement profiter leurs camarades d'une jolie situation. Comme Paris est las de ces émeutes sans profit, ils ont obtenu du ministre Servan la concentration dans la ville des fédérés de Marseille et de Brest sous couvert de sécurité. Il s'agit le plus souvent d'anciens bagnards dont le voyage sera marqué par mille exactions. Mgr de Brunswick laisse publier, à Paris, un manifeste un peu roide. Il est dit que de la capitale ne demeurera pierre sur pierre si l'on touche à la famille royale. Ce document maladroit, probablement rédigé par le marquis de Lison et le comte de Fersen, agite la petite presse et permet aux émeutiers de battre le rappel. Le château, protégé par les Suisses et les gentilshommes qu'on appelle les chevaliers du Poignard, se met en état de défense. Le Roi, sans interdire prématurément le combat, croit habile de faire jouer la Constitution et se rend à l'Assemblée. Avec son habituelle bonhomie, il pense l'emporter par la raison. Un massacre sans nom endeuille les Tuileries. Des femmes et des enfants sont jetés dans les chaudières, les Suisses massacrés. Louis XVI et sa famille sont livrés à la commune insurrectionnelle et envoyés au donjon du Temple.

LES SEPTEMBRISEURS

L'armée austro-prussienne s'avance vers Paris. Danton, pratiquant des enrôlements de force, clame: «De l'audace, encore de l'audace, toujours de l'audace!» Les adversaires continuent leur progression. Alors se déclenchent les massacres de Septembre. Apeurés, les tape-dur fracturent les portes des prisons, organisent des tribunaux pour rire et découpent en morceaux les prêtres, les petits voleurs, et surtout les prostituées. La vertueuse princesse de Lamballe, dont on montre la tête à la Reine, fait partie du lot. Cette vague de terreur déferlant sur les Carmes et l'Abbaye ne peut s'expliquer que par la fièvre obsidionale. Danton, officiellement en charge de la Justice, dirige tout le ministère en s'appuyant sur la commune de Paris. La province bouge peu. Une prise d'armes de la Vendée (24 août), dirigée par M. de Baudry d'Asson, a fait l'objet d'une affreuse répression.

En Argonne, Dumouriez et Kellermann opèrent leur jonction et, au moulin de Valmy, arrêtent l'offensive prussienne (20 septembre). Très occupé par la nouvelle partition de la Pologne et voulant ménager des troupes en proie à la dysenterie, le duc de Brunswick bat en retraite. Au jour même de la canonnade de Valmy s'installe une nouvelle assemblée: la Convention. Elle compte 782 membres élus par le dixième des inscrits. A partir du 22 septembre 1792, les actes sont datés de l'an I de la République une et indivisible.

21

LA Iʳᵉ RÉPUBLIQUE

La Convention, nouvelle assemblée élue après le 10 août où l'on retrouve quelques anciens Constituants, ressemble par son recrutement à la Législative : de petits magistrats, quelques gros entrepreneurs (nous dirions industriels), des gazetiers, tels Marat et Desmoulins, viennent s'asseoir au Manège. A droite, siègent désormais les Girondins, réputés abusivement fédéralistes, car il est délicat de coller des étiquettes. Le centre, dit Plaine ou Marais, recèle bien des gens plus traditionalistes, encore que plus prudents. La gauche, elle, s'appuie avant tout sur les clubs et les journaux parisiens. Bien entendu, toute presse libre est interdite depuis le 10 août. Les chefs de la Montagne utilisent les fonds publics pour se donner les services des gazetiers et de la canaille. La Convention, plus encore que les deux formations précédentes, vit sous la dictature de la commune de Paris. Étrangement, on ne relève aucune différence d'origine sociale entre les nouveaux législateurs. Seule étonne la présence de Philippe d'Orléans, rebaptisé Philippe Égalité.

La Gironde, parti de la guerre, demeure fidèle à sa doctrine. Dumouriez et le duc de Chartres ont, grâce à la victoire de Jemmapes (9 novembre), pris possession des provinces belgiques. La Convention attaque la Hollande. La Savoie est occupée par Montesquiou, le comté de Nice par d'Anselme, Francfort-sur-le-Main par Custine. Cette croisade sans croix irrite l'Europe. Toute perspective de paix s'éloigne. L'Angleterre attend son heure pour empêcher la France — quelle qu'elle soit — de tenir les bouches de l'Escaut. L'Espagne demeure en dehors du conflit dans l'unique espoir de sauver Louis XVI. Les Girondins attaquent les Montagnards, les accusant de vouloir rétablir le trône au profit de Philippe d'Orléans. Le 20 novembre, on découvre, ou plutôt on prétend découvrir une *armoire de fer* contenant des échanges de Louis XVI avec les émigrés, les coalisés et les Girondins. C'est en fait une correspondance privée de toute importance où se trouvent mélangés différents papiers d'État d'une authenticité douteuse. Qu'importe, les Girondins (ou Brissotins), pris au piège, acceptent la mise en accusation du *ci-devant tyran*. Il suffirait de le bannir, eu égard à son inviolabilité, encore qu'il ait laissé, rare imprudence, avant son départ pour Montmédy, une lettre par laquelle il répudiait l'action révolutionnaire dans son ensemble. Seulement, la Convention comporte des opportunistes comme Danton ou des esprits déréglés comme Robespierre, Marat ou Saint-Just. Pour eux, il ne s'agit pas de tuer un homme mais un principe. C'est absurde. La majorité des Français vénèrent Louis XVI et tiennent Louis XVII pour son successeur légitime. A Coblence, le comte de Provence s'apprête à se déclarer régent.

LA PASSION DE LOUIS XVI

Le procès donne l'occasion à Louis XVI, parfois indécis, de montrer toute sa grandeur. La défense est assurée par Malesherbes, Tronchet et de Sèze. Elle se révèle brillante mais manque de profondeur. Selon l'expression de Me de La Pradelle, «il faudrait plaider pour l'Histoire». Les avocats, si remarquables qu'ils soient, se contentent de défendre un client. Louis XVI dit mieux : «Je ne veux pas les attendrir.» Le procès constitue l'une des plus scandaleuses comédies judiciaires de tous les temps. Malesherbes, Tronchet, de Sèze veulent sauver la tête du monarque. Lui place l'enjeu beaucoup plus haut. Son extraordinaire comportement impressionne ses prétendus juges. Le Marais le défend, M. Daunou, le marquis de Villette, le comte de Kersaint, Ange Chiappe mettent tout en œuvre pour empêcher le crime. Peine perdue : par 361 voix contre 360, Louis XVI est condamné. Le 21 janvier, il clame sur l'échafaud : «Français, je meurs innocent, je prie Dieu que mon sang ne retombe pas sur mon peuple.» Le confesseur, abbé Edgeworth de Firmont, déclare peut-être : «Fils de Saint Louis, montez au ciel.» De nombreux historiens se montreront sévères pour le Roi. Son cas appelle plus de nuance. Il a mené l'État sur le chemin de tous les perfectionnements. Abolition de la torture, statut des juifs, réintégration des protestants dans la communauté nationale. Sa politique extérieure demeure un exemple; il a préservé la paix sur le continent, encouragé les arts et les lettres. A partir de 1787, sa santé s'est grandement altérée. Excellent analyste d'une situation d'ensemble, il n'a plus vu la foule de détails qu'il lui fallait considérer. En réalité, il n'est plus libre dès le 23 juin 1789, et la consécration du 14 juillet constitue une véritable folie. Dès lors, il ne peut plus mener que des combats d'arrière-garde. Reste qu'il tient à sauver l'unité française et se dévouera jusqu'au dernier jour de son règne pour empêcher les injustices et les exactions. Bon, généreux, le plus souvent optimiste, il n'a pu faire assez longtemps le bonheur de la France mais il a garanti son honneur.

FACE À L'EUROPE

Désormais, l'Europe entière se dresse contre la Convention. Les Bourbons du vieux pacte de Famille entrent dans le jeu. L'Angleterre, hier si complaisante à l'égard de la Révolution, ne peut tolérer notre présence dans les provinces belgiques. Elle expulse l'ambassadeur de France. La Convention répond par une déclaration de guerre. Le Premier ministre, William Pitt, guère au mieux avec les princes émigrés, se contente d'appliquer la vieille politique de son pays : empêcher la France de s'étendre sur les côtes de la mer du Nord. Le prince de Cobourg bat Dumouriez à Neerwinden (18 mars 1793) et reprend les provinces belgiques. Dumouriez, inquiété par la Convention, se saisit du ministre de la Guerre, Beurnonville, venu lui demander des comptes, et des députés l'accompagnant. Il les livre aux Impériaux mais ne peut faire passer son armée dans le camp adverse. L'accompagnent, tout de même, le duc de Chartres, quelques généraux et les hussards de Bercheny. Le plan de Dumouriez est simple, il veut établir le fils de Philippe Égalité. Les alliés, bien que tous représentés auprès du régent Provence, le reçoivent bien, alors que La Fayette, défectionnaire après le 10 août, est incarcéré.

Cobourg vient mettre le siège devant Valenciennes et Condé. Dans le même temps, le général de Custine doit s'enfermer dans Mayence où Kléber, pas plus républicain qu'un autre, ancien militaire de l'Empire mais soucieux de l'honneur, va se couvrir de gloire. Le fait mérite d'être noté. De nombreux officiers vont, en pleine Terreur, servir la France nouvelle tout en essayant de se conduire humainement à l'égard des soldats émigrés.

LE JOUR SE LÈVE À L'OUEST

La Convention décrète la levée des trois cent mille hommes. Les populations de l'Ouest, opprimées tant dans leurs convictions religieuses que par la nouvelle fiscalité, se soulèvent. Parti des Mauges, le mouvement s'étendra très vite à l'Anjou tout entier, au Poitou, à la Bretagne, à la Normandie et au Maine, en lutte, sous l'impulsion du prince de Talmont et de l'illustre Jean Chouan, dès avant la chute du trône. Maintenant, des personnages roturiers ou nobles vont mener la croisade : le voiturier Cathelineau, le garde-chasse Stofflet. Deux soldats organisent tout en se ravitaillant chez l'ennemi : MM. d'Elbée et de Bonchamps. A leur secours viendra, fort de ses 20 ans, Henri, comte de La Rochejaquelein.

VOYAGE AU BOUT DE L'HORREUR

Lyon, oppressé par son maire Chalier, se soulève au commandement du comte de Précy. Toulon proclame Louis XVII. L'Auvergne et le Languedoc bougent. La Convention se défend. La droite et le centre laissent créer les deux grands comités, l'un de Salut public, l'autre de Sûreté générale. Ce sont de véritables ministères sans ministres. L'un dirige la guerre, l'autre la police. A la vérité, ils se livrent au même travail. A la tête du comité de Salut public, reparaît d'abord Danton ; moins méchant qu'on ne l'a dit, il veut la paix, ose même intervenir en faveur de la Vendée. Montagnard, jouisseur, il est détesté par les Girondins. Il est impossible de savoir en quoi s'opposent les deux factions. On trouve des différences de caractère, de manière d'être. On relève surtout le soutien donné par la ville de Paris à la gauche mais le recrutement social comme le programme demeurent identiques. La défection de Dumouriez, en coquetterie avec les Brissotins, permet à la Montagne d'attaquer la Gironde. Elle réplique en faisant déférer Marat devant le Tribunal révolutionnaire. Fausse manœuvre, le gazetier est acquitté triomphalement. Le 31 mai, les sections se déclarent en permanence et, toujours au service du parti populaire, assaillent la Convention et la contraignent à livrer 29 députés et 2 ministres opposants. D'autres s'enfuient, échouent dans une tentative pour soulever la Normandie, puis le Bordelais. La terreur règne partout. Elle est même mise à l'ordre du jour. La délation devient un mal endémique. Le comité de Salut public apparaît comme un foyer de discorde. Chacun guette sa proie. Pour satisfaire la province et se donner les apparences du légalisme, la Convention fabrique une Constitution inapplicable et inappliquée. Il est affirmé dans ce texte que «l'insurrection est le plus sacré des devoirs». Partout sévissent les comités de surveillance. Tout cela ne sert de rien. La Vendée militaire pousse ses avantages, le Roussillon est partiellement occupé. Le prince de Condé tient Haguenau. Mal nourrie, mal vêtue, l'armée révolutionnaire administrée par Carnot s'aguerrit. Les jeunes soldats imitent leurs anciens, toutefois les pertes se révèlent très considérables parce que les nouveaux généraux sont gênés par les représentants en mission et craignent d'être exécutés.

La situation économique est effroyable. L'Assemblée, sous la contrainte des sans-culottes, jette des têtes au peuple mais peu de pain. Le dirigisme économique bat son plein : rationnement, réquisitions et, bientôt, loi du maximum des prix et des salaires. Les assignats sont dépréciés et partout s'instaurent des marchés parallèles.

Le meurtre de Marat par une arrière-petite-nièce de Corneille, Marie-Charlotte de Corday, augmente la répression. Le 16 octobre est guillotinée Marie-Antoinette. La suivent Bailly, Barnave, Philippe Égalité, la comtesse du Barry, Mme Roland l'égérie des Girondins, dont le mari, ancien ministre, se suicidera. Plus tard, ce sera le tour des fermiers généraux dont l'illustre Lavoisier et même — crime abominable — de la sœur de Louis XVI, Madame Élisabeth. Un grand nombre de petites gens sont immolés sous les prétextes les plus futiles. Les derniers prêtres sont déportés. Même les jureurs — ecclésiastiques ayant voté la Constitution civile — n'échappent point à la persécution. Les églises fermées, on institue à Notre-Dame le culte de la déesse Raison (10 novembre 1793).

La situation militaire est améliorée sous l'impulsion du capitaine Lazare Carnot. A Hondschoote, Houchard — qu'on décapitera — débloque Dunkerque (6-8 septembre). Après Wattignies (15-16 octobre), Jourdan s'ouvre Maubeuge et, fort de son succès du Geisberg, Hoche entre dans Landau (28 décembre). Lyon et Toulon sont retombées sous le régime abject. A Savenay, près de Saint-Nazaire, la Grande Armée catholique et royale est anéantie (23 décembre). Seul le bas Poitou tient encore avec les moyens de misère de l'héroïque Charette.

Pareil redressement confère du prestige au comité de Salut

public et à son principal animateur, Maximilien de Robespierre. Le personnage demeure mystérieux. Théiste, plus ou moins disciple de Fénelon et de Rousseau, il croit à la vertu, s'appuie sur la commune et, aidé par son jeune confrère, Saint-Just, et le triste Couthon, ne cesse de développer la terreur pour combler les lécheuses de guillotine, détourner la colère des crève-la-faim et pousser une guerre dont il n'avait point voulu. Gêné sur la gauche par le gazetier Hébert, secrètement royaliste mais réclamant, pour se dédouaner, de nouvelles septembrisades, il s'en débarrasse avec le concours des Indulgents ou Pourris menés par Danton, Desmoulins et l'auteur du calendrier révolutionnaire, Fabre d'Églantine, puis, quinze jours plus tard, fait immoler ses anciens amis. Des lois abominables permettent de condamner les inculpés sans les entendre (10 juin-22 prairial). Le 26, Jourdan assisté de Saint-Just reprend la Belgique par la victoire de Fleurus. Entre-temps, Robespierre a proclamé le culte de l'Être suprême (8 mai-20 prairial). Cette manifestation le fait haïr des vieux voltairiens du comité de Sûreté générale. En condamnant l'athéisme, il prend figure de contre-révolutionnaire. En accélérant encore la terreur, il ne bénéficie plus de l'excuse que lui conféraient les dangers extérieurs et intérieurs. Mêmes des gens très compromis discernent que ce voyage au bout de l'horreur doit se terminer. Robespierre, s'il a renouvelé la commune après le supplice de Hébert, ne la tient pas entièrement. Inconscient, il poursuit sa politique et va tomber sur un incident. Il a fait arrêter Mme de Cabarrus, maîtresse de l'ancien proconsul de Bordeaux, Jean-Lambert Tallien. Selon toute probabilité, la gauche s'entend avec la Plaine prête à lâcher le tyran, si l'engagement est pris de mettre fin à la terreur. Le vicomte de Barras, représentant dévoyé mais résolu, exploite la crainte de Tallien et, lorsque, pour la énième fois, Maximilien vient proférer des menaces et dévoiler un vaste complot, l'amant de la belle Thérésa prononce un discours et arrache la mise hors-la-loi du dictateur. Délivré par la commune, Robespierre se réfugie à l'Hôtel de Ville. Il a la mâchoire fracassée lorsque Barras reprend le bâtiment (27 juillet 1794-9 thermidor an II). L'Incorruptible est guillotiné le lendemain avec une quarantaine de ses séides, dont Couthon, Saint-Just, Payan et quelques autres.

LA CONVENTION THERMIDORIENNE

Les terroristes s'en tirent à bon compte car nombre de leurs complices demeurent au pouvoir. Ainsi Vadier, Billaud-Varenne, Collot d'Herbois et le répugnant Barère survivent. En revanche, les «magistrats» du Tribunal révolutionnaire, le bourreau de Nantes, Carrier, celui du Nord, Lebon, l'accusateur public parisien, Fouquier-Tinville, acquittant leurs dettes, graviront les degrés de la guillotine. Les rescapés de la Gironde reprennent leur place à l'Assemblée, mettant fin au dirigisme sans remédier à la situation. L'assignat tombe à 2 % de sa valeur nominale. La misère s'étend partout. Deux émeutes d'une exceptionnelle gravité sont dirigées contre la Convention les 12 germinal et 1er prairial de l'an III (1er avril et 20 mai 1795). Dans ces affaires, la politique n'intervient plus. La faim est seule en cause. Le général Pichegru, vainqueur de la Hollande, rétablit l'ordre et se voit décerner le titre de Sauveur de la patrie. Demeuré secrètement catholique et monarchiste, il méprise les Conventionnels de gauche et les arrêterait volontiers. L'heure n'est pas venue. La République, pourtant, s'humanise, traite avec Charette à La Jaunaye, avec Stofflet à Saint-Florent, avec les Bretons de Puisaye à La Mabilais. Les chefs royalistes ont cru comprendre que leur serait remis le petit Louis XVII, toujours captif au Temple. A l'annonce officielle de sa mort (8 juin 1795), le comte de Provence prend le nom de Louis XVIII et publie un manifeste menaçant. A Quiberon, les Anglo-émigrés venus apporter des renforts et, surtout, du matériel aux chouans du Bro-Erec, sont battus par Hoche (21 juillet). Sous l'impulsion de Tallien, redevenu terroriste par peur, les prisonniers sont fusillés. La guerre intérieure se poursuit malgré tout en Vendée militaire grâce à deux généraux d'une trempe exceptionnelle, Georges Cadoudal et Pierre Mercier-la-Vendée.

Si les Thermidoriens s'opposent à la monarchie, même constitutionnelle, ils désirent la paix. Grâce à M. de Barthélemy, diplomate d'Ancien Régime, ils concluent des traités séparés. A Bâle, la Prusse nous concède la rive gauche du Rhin contre l'indemnisation des princes allemands d'Alsace que l'on dépossède. A La Haye, les hautes puissances de Hollande abandonnent la Flandre et Maëstricht (mai 1795). A la seconde paix de Bâle, l'Espagne, envahie par Moncey jusqu'à l'Èbre, obtient l'évacuation en sacrifiant sa portion de Saint-Domingue.

En bref, la Révolution des révolutionnaires n'a point perdu la partie. Elle a repris la politique de Richelieu; tout contre la maison d'Autriche et la plus pénétrante compréhension à l'égard des autres contrées germaniques. Reste l'Angleterre.

VENDÉMIAIRE

Fabriquée pour apaiser les miséreux, la Constitution du 24 juin 1793 ne pouvait être appliquée. Elle proclamait, on l'a dit, que «l'insurrection était le plus sacré des devoirs», impliquait le suffrage universel et conférait des droits aux chômeurs et aux infirmes.

Un nouveau pacte social est conclu dans le but d'empêcher la renaissance d'une dictature. Grâce à Daunou, le Corps législatif se sépare en deux Chambres, Anciens et Cinq-Cents, tandis que l'exécutif revient aux cinq directeurs choisis parmi les Anciens, sur proposition des Cinq-Cents. Quant aux ministres, ils relèvent des cinq directeurs. Chaque année, l'un d'entre eux et le tiers des députés voient expirer leur mandat. Afin que d'éviter une majorité monarchiste rendue hautement probable par l'agitation des muscadins à Paris et des tueurs de mathevons dans le Lyonnais, il avait été prescrit que les deux tiers des nouveaux élus seraient d'obligation choisis parmi les sortants (22 août 1795-5 fructidor an III). Sous la conduite du baron de Batz, du chevalier de Laffont et du général Danican, la section Le Peletier investit les Tuileries. Barras forme un «Bataillon sacré», le confie au jeune général Bonaparte, remarqué pour son comportement lors de la reprise de Toulon. On trouve là Berruyer dont les tambours couvrirent la voix de Louis XVI sur l'échafaud, le chef d'escadron Murat dit Marat, assez habile pour ramener des batteries du camp des Sablons. Les royalistes sont mitraillés sur le parvis de l'église Saint-Roch (5 octobre 1795-13 vendémiaire an IV).

Les jacobins retrouvent leur sinécure, les parents d'émigrés sont proscrits. Le 26 octobre 1795, l'Assemblée se sépare. Un amateur d'opéra dit: «Ce sont les adieux de Médée.» Comme la fille d'Aeétès, la Convention avait tué ses propres enfants.

LE DIRECTOIRE

Le jour des morts, les directeurs font leur entrée au Luxembourg. Le concierge place quelques bûches dans la cheminée. Un huissier prête une rame de papier pour dresser le procès-verbal de cette première réunion. Ces messieurs devraient être cinq, ils ne sont que quatre car l'abbé Sieyès a refusé sa désignation parce qu'on n'a point adopté son projet de Constitution. Demain, on nommera Carnot, régicide comme les autres, Barras, Larével-lière-Lépeaux, futur grand-prêtre de la Théophilanthropie, Rewbell, connu pour son âpreté, enfin Letourneur, ancien capitaine sans grande envergure.

Le gouvernement possède un atout, la satisfaction des fermiers ou des métayers devenus propriétaires en ayant acheté les terres ecclésiastiques ou nobles pour des sommes infimes en raison de la dévaluation des assignats. Ainsi s'explique, notamment pour les généraux blancs, la difficulté de «chouanniser un peu en grand», comme dit Mercier, même dans certaines régions catholiques. Si la situation des campagnes permet un semblant d'administration, il n'en va point de même dans les villes où le luxe fracassant des parvenus — trafiquants et autres munition-naires — offense la misère du petit peuple.

Ramel, ministre des Finances, recourt à l'emprunt forcé, brise solennellement la planche à billets et remplace l'assignat par le mandat territorial dont la durée sera plus courte encore. Le 24 décembre 1796, les impôts deviennent exigibles en espèces. Elles ne rentrent pas. Il faut donc que l'État vive sur ses conquêtes, joli moyen de faire admettre la Révolution par les occupés.

Le calme des premiers jours s'est dissipé. Le banditisme s'étend. Ce ne sont que voitures publiques arrêtées, que proprié-taires torturés, les pieds au feu, pour se saisir de leur or. En Bretagne, le pouvoir est si faible, et parfois tellement complice, que seuls les chouans font reculer les bandits.

A Paris, un ancien commissaire à terrier, François dit Grac-chus Babeuf, fomente un complot communisant. Est-ce un fou ? Peut-être, mais la bourgeoisie ne plaisante pas et, fusillant les comparses sous la surveillance du futur général Hugo, elle envoie à la guillotine Babeuf et son complice Darthé (mai 1797).

BONAPARTE SAUVE LE DIRECTOIRE

Carnot lance trois armées pour s'ouvrir la route de Vienne. Deux d'entre elles, commandées par Jourdan et Moreau, emprunteront la route des Allemagnes, la troisième, confiée à Bonaparte, passera par le Milanais autrichien. En avril 1796, l'artilleur ajaccien, mari d'une ancienne maîtresse de Barras, la charmante veuve du vicomte de Beauharnais, inaugure une danse infernale. Il accomplit des prodiges avec des généraux d'abord rétifs et des soldats bientôt fascinés. Après Dego, Montenotte, Millesimo, Mondovi, il tient le Piémont à merci, envahit le Milanais, force à Lodi le passage de l'Adda, assiège Mantoue.

Les ducs de Parme et de Modène signent la paix, le pape et le roi de Naples des armistices.

En revanche, Jourdan, pressé par l'archiduc Charles, repasse le Rhin. Bonaparte, après Arcole et Rivoli, prend Mantoue. Cette fois, le pape accepte la paix elle-même. Venise tombe; la Sérénissime disparaît de l'Histoire. Son destructeur emprunte la route de Vienne et établit avec les Impériaux les préliminaires de Leoben (18 avril 1797). Après avoir obtenu les provinces belgiques et la rive gauche du Rhin contre la Vénétie et l'Istrie, il met sur pied la République cisalpine à laquelle il joint la Cispadane, la Romagne, les Marches, s'installe à Milan.

La République le laisse faire car il la comble d'or et d'objets d'art aisément négociables. Les finances publiques ne subsistent que grâce aux convois d'Italie.

Depuis le renouvellement de l'an V, la configuration parlementaire a changé; les instituts philanthropiques du baron d'André se sont efficacement mobilisés. Pour la première fois que la France avait voté librement depuis 1789, elle s'était retrouvée royaliste. Le général Pichegru, héros de la Hollande, présidait les Cinq-Cents, le futur marquis de Barbé-Marbois, les Anciens. Enfin, M. de Barthélemy, négociateur des traités de Bâle, a remplacé Letourneur au nombre des directeurs. Un très fort mouvement catholique s'était dessiné. Dans la presse redevenue libre, une campagne s'affirme en faveur de Louis XVIII. Peut-on parvenir à la paix? La présence de Talleyrand, en passe d'obtenir les Relations extérieures, pourrait faire espérer à l'Angleterre un bon traité si Barras et ses amis ne pratiquaient le blocus et ne chargeaient Hoche de tenter un débarquement en Irlande.

Les modérés prennent des mesures en faveur des prêtres et des émigrés, veulent gagner la partie par les voies légales. Barras et les siens tergiversent puis se résolvent au coup d'État. Il leur faut l'appui de Bonaparte. Il ne daigne pas intervenir mais dépêche l'un de ses lieutenants, Augereau, géant couvert de bagues et auréolé de sa victoire de Castiglione. Malgré les injonctions du lucide comte de Rochecotte, le prince de La Trémoïlle et Pichegru ne croient pas à la duplicité de Barras. Le 4 septembre 1797 (18 fructidor an V), les Tuileries sont bloquées. Barthélemy est arrêté. Carnot, devenu modéré, parvient à s'enfuir. Les deux directeurs sont remplacés par le juriste Merlin de Douai et le poète François de Neufchâteau, 53 députés sont appréhendés non sans résistance; Pichegru, Barbé-Marbois sont déportés. C'est le régime de la «guillotine sèche». On envoie pourrir les opposants à la Guyane, on rétablit toutes les lois contre les émigrés et les prêtres. «Nous sommes au tournant du destin français» (Pierre Bessand-Massenet).

L'AGONIE DU DIRECTOIRE

Le second Directoire se montre inférieur au premier. Une faillite des deux tiers allège la dette publique. L'or de l'Italie passe à l'armée du Rhin sans remédier à la famine métallique de l'intérieur. Le système fiscal est, en revanche, modifié dans un sens assez raisonnable. De cette réforme datent les taxes foncières sur la propriété, la cote mobilière, les patentes dont l'assiette n'est pas contestable, mais aussi la grotesque imposition sur les portes et fenêtres.

L'économie sort de sa léthargie grâce à quatre années de bonnes récoltes. L'extraction minière se multiplie par quatre. La première exposition industrielle (1798) n'est pas ridicule.

La guerre continue en dépit du traité de Campoformio, mettant, pour l'instant, l'Empire hors de cause.

On va d'aventure en aventure. Pour tenter une descente en Angleterre, Bonaparte inspecte les côtes de l'Océan en compagnie de Desaix. L'opération se révèle impossible. Alors il obtient, grâce à Talleyrand, un corps expéditionnaire à destination de l'Égypte. Est-ce une plaisanterie? Il semble que non. Il s'agit d'aller jusqu'aux Indes, de ruiner le commerce anglais avec les Indes puis d'aborder le riche sous-continent où nous appellent les vieux amis de Dupleix et de Bussy-Castelnau, afin de débusquer les Britanniques. Pour Barras et ses collègues, il importe surtout de se débarrasser d'un personnage encombrant. L'escadre échappe à l'amiral Nelson, Malte tombe. Bonaparte se rend maître d'Alexandrie, défait les mamelouks aux Pyramides et entre au Caire. Le 1er août 1798, Nelson, par une manœuvre hardie, pénètre en rade d'Aboukir et détruit la flotte de Brueys.

Bonaparte passe en Terre sainte, puis en Syrie. Contraint par son ancien condisciple, Phélyppeaux, de battre en retraite devant Saint-Jean-d'Acre, il ne peut que retourner au Caire.

En Europe, le Directoire souffre toujours de la plaie d'argent. Ses exigences envers l'étranger n'en sont que plus exorbitantes et vont ranimer une guerre presque générale. Le congrès de Rastadt se dissout sans règlement des prétentions sur la rive gauche du Rhin, et deux de nos plénipotentiaires, Roberjot et Bonnier, sont assassinés au sortir de la ville par des hussards impériaux.

On annexe l'évêché de Bâle, Mulhouse, Genève et le Piémont. On envahit les États pontificaux rebaptisés République romaine. Pie VI, déporté, mourra dans la citadelle de Valence. Jourdan fait voter une loi de conscription. Les insoumis seront nombreux et il faudra habiller et instruire les autres. Une remontée du jacobinisme est enrayée par le Directoire ; 106 élections sont annulées (11 mai 1798-22 floréal an VI).

La voracité du gouvernement, son véritable banditisme entraînent une deuxième coalition formée par l'Angleterre, l'Empire, les Deux-Siciles et, fait nouveau, la Russie et la Turquie. Les débuts se révèlent brillants. Le général Championnet chasse les Bourbons de Naples et proclame à leur place la République parthénopéenne. Ce beau soldat, jeune et honnête, inspire de la peur aux tyranneaux du Luxembourg. Il est rappelé, un moment arrêté. Son successeur, Macdonald, talentueux mais malchanceux, doit évacuer la Campanie. « La balle est folle, la baïonnette est un héros.» C'est avec cet aphorisme que le Russe Souvorov entre à Milan. Il bat Moreau tandis que Jourdan est défait à Stockach.

La menace se précise et enflamme l'extrême gauche ; le 30 prairial-18 juin 1799, le Directoire se renouvelle sur la pression des Conseils eux-mêmes conduits par des néo-jacobins. Sieyès rejoint Barras en compagnie du subtil Ducos, du naïf Gohier et de Moulin, considéré pour l'héroïsme de son frère tué par Stofflet au cours de l'une des batailles de Cholet.

L'ex-abbé déclare ouvertement :

— Je cherche un sabre.

Il devient évident que la manière forte s'impose pour sauver la République, sinon les généraux blancs, Cadoudal, Mercier, Frotté, se chargeront de la mettre à bas. Les Anglais bloquent la Hollande et vont débarquer dans la région d'Alkmaar. Brune leur fait face. Souvorov, aidé par le duc d'Enghien, attaque à Zurich le solide Masséna. Ce sont les deux points cruciaux. Si ces verrous sautent, l'invasion se révèle probable. Quel militaire trouver pour changer le régime? Sieyès pense à Joubert. On l'envoie en Italie pour se faire une haute réputation. Il tombe à Novi, le 15 août. Macdonald sauve les débris de l'armée mais le problème demeure entier. Le défroqué tente de persuader Moreau lorsqu'ils apprennent le retour de Bonaparte. «Voici votre homme», dit le général au directeur.

ITINÉRAIRE DE BRIENNE AU LUXEMBOURG

Napoléon Bonaparte — et précédemment *de* Bonaparte — atteint la trentaine. Ajaccio l'a vu naître le 15 août 1769, un an après le rattachement de la Corse à la France. Sa famille, probablement toscane, serait venue du Saint-Empire. Boursier à Brienne, puis élève à l'École militaire, il sortit dans un rang honorable pour mener une vie de garnison sans attrait. L'étude fut son refuge. Il vivait dans l'irréel mais entendait bien conférer un lustre local à tous les siens. Il nourrissait l'ambition de commander la garde nationale de Corse et passait son temps de permission dans l'île lorsqu'il n'écrivait pas des essais ou des romans assez confus. Ses origines ne l'attachaient point à la monarchie. Il se lia très vite à des révolutionnaires prononcés comme les Turreau, le frère de Robespierre, d'autres. C'est ainsi qu'il fut du siège de Toulon où, dirigeant ses batteries sur le fort de l'Aiguillette, il rendit la position intenable aux Anglais. Thermidor le replaça dans l'obscurité. Il avait toutefois commandé l'artillerie à la première armée d'Italie et acquis une expérience. Puis il vécut fort mal, refusant, lui, artilleur, de commander une brigade d'infanterie en Vendée. Un moment au bureau des cartes, il envisageait d'aller, à l'instar du fantasque comte de Bonneval, porter ses services au Grand Turc. L'Italie l'avait récompensé de son triste rôle en vendémiaire. D'un seul coup, avec un vrai commandement, de vrais hommes, il a parlé comme César et agi de la même manière. A son retour de Milan, il s'est rendu compte que le fruit n'était pas encore mûr. L'affaire d'Égypte n'a pas amoindri son prestige, elle ne l'a point blessé car il se sait maintenant l'homme de son destin. Né du jacobinisme, il n'oublie pas son appartenance à l'ancienne armée du Roi, considère avec mépris les parvenus du régime sans vouloir restaurer l'Ancien. Ni bon ni méchant, il se situe au-dessus du sentiment des particuliers. Pétri de connaissances antiques, il était fasciné par l'Orient mais, transformant sa défaite en victoire, il a froidement abandonné son armée, n'osant même pas transmettre oralement ses pouvoirs au général Kléber.

Lorsqu'il rentre, il est désappointé; Brune et Masséna se sont montrés heureux dans leur contre-attaque. Il ne peut donc apparaître comme le sauveur, quant à la Vendée, elle n'est plus en état de menacer la République; seules la Bretagne et la basse Normandie tiennent encore.

Bonaparte, acclamé durant son trajet de Fréjus à Paris, constate les maux du jacobinisme: réquisitions, levée en masse, emprunt forcé, loi des suspects. Les dirigeants le craignent et le recherchent. Barras, en proposant le général d'Hédouville comme «sabre», se fait éliminer. Gohier et Moulin tiennent à la légalité. Moreau les consigne au Luxembourg. Bonaparte enthousiasme les troupes au cours d'une revue passée aux Tuileries (18 brumaire an VIII-9 novembre 1799). Sur la demande des Anciens, les Conseils sont transférés à Saint-Cloud pour le lendemain. Un formidable appareil militaire assure la sécurité. Bonaparte ne risque rien. Les Anciens l'accueillent courtoisement mais les Cinq-Cents veulent le mettre hors la loi. Il se trouble, évoque un complot. Son frère Lucien, président de cette turbulente assemblée, se couvre, sort, vient haranguer les soldats, les assurant qu'on veut assassiner leur général. Murat et Leclerc entraînent les bataillons. Les députés sautent par les fenêtres, tombent dans les parterres, empêtrés dans leur toge dessinée par David. On en ramène un tiers. Mêlés aux Anciens, ils votent une délégation de pouvoir à deux commissions chargées de suppléer les assemblées. L'exécutif provisoire revient à Bonaparte, Sieyès et Ducos. Certes, les militaires ont joué leur rôle mais les élites avaient été préparées. Comme l'écrira plaisamment Bainville, «c'est un coup d'État de membres de l'Institut». Sauf l'Ouest où Mercier déclare: «Il faut combattre le nouveau Cromwell», la province ne bouge pas.

LES DÉBUTS DE LA DICTATURE

Sieyès, c'est sa manie, prépare une Constitution. Bonaparte n'en accepte que quelques éléments. Sous l'autorité de trois consuls désignés pour dix ans, le Conseil d'État préparera les lois. Elles seront discutées sans vote par le Tribunat, et votées sans discussion par le Corps législatif. Tribuns et législateurs seront élus par le Sénat, lui-même issu de listes à trois degrés: communales, provinciales et nationales. Le suffrage universel est donc établi. A la tête de chaque département, un préfet coiffera les sous-préfets, chefs d'arrondissement, et les maires également nommés, responsables des communes. En fait, tous les pouvoirs reviennent au Premier consul. Le deuxième et le troisième n'ont qu'un rôle consultatif, toutefois ils œuvreront utilement. Cambacérès, régicide, mais pas sans restriction, conduira finement le Conseil d'État, Lebrun, ancien collaborateur de Maupeou, se montrera non moins compétent. Un ancien haut fonctionnaire de l'Ancien Régime, Gaudin, prendra les finances, et un premier commis de la Ferme, Mollien, le Trésor. Talleyrand enseignera quotidiennement les relations extérieures au nouveau maître. L'ancien terroriste Fouché fait de la police son domaine.

Tous les miracles du Consulat ne doivent pas rejeter dans l'ombre les travaux de la Thermidorienne et du Directoire, notamment dans les domaines scientifiques et médicaux, parfois même dans la pacification religieuse à travers le «soumissionnisme», système permettant aux prêtres d'exercer leur ministère sans adhérer à la Constitution civile. L'exaltation de la nouvelle république plébiscitaire procède souvent d'un sens des «relations publiques» s'étant exercé jusqu'à nos jours.

Le principal problème demeure la Vendée militaire. Bonaparte est considéré par certains comme le nouveau Monk. Il détrompe le général d'Andigné, menace et gronde. Le sud de la Loire finira par se soumettre après mille et un atermoiements. L'abbé Bernier, ancien grand aumônier de l'Armée catholique et royale, s'activera dans cette direction, sera désigné comme artisan du Concordat avant d'obtenir le diocèse d'Orléans. Au Nord, la bataille continue, indécise. Bonaparte fait froidement assassiner le comte de Frotté, chef des Normands (18 février 1800-29 pluviôse an VIII), laisse Brune signer le traité de Beauregard avec Georges Cadoudal, en refuse l'application mais tente d'attirer le général royaliste. L'entrevue tourne à l'aigre. L'Alréen, menacé d'arrestation, passe en Angleterre, reçoit le cordon rouge et le grade de lieutenant général. La lutte entre le Corse et le Breton est loin d'être terminée. Durant ce temps, Gaudin crée la Banque de France avant que d'instituer le franc germinal (1803). Lebrun, appliquant le code Louis XV, recrée une magistrature. Les juges inamovibles sont nommés par le Premier consul et les membres de la Cour de cassation par le Sénat. Le gouvernement désigne directement les accusateurs publics. Ainsi le système du Bien-Aimé se voit-il détourné de son libéralisme modéré.

Reste la situation extérieure. Bonaparte, en dépit des efforts de Talleyrand, demeure un chef révolutionnaire et, surtout, un obstiné prédateur. Il vole comme volaient «les cinq rois du Directoire». Les Impériaux rejettent Suchet, bourgeois savant, sur le Var, et assiègent Masséna «l'enfant chéri de la victoire», dans Gênes. Malgré la règle constitutionnelle lui faisant défense de quitter le territoire national, le Premier consul se transporte en Italie. Le 14 juin 1800, à Marengo, il l'emporte sur le feld-maréchal de Mélas, grâce au concours de Desaix, tué dans le moment qu'au Caire un fanatique, Mohammed el-Alepin, assassine Kléber en train de vérifier, le crayon à la main, les plans de réfection des bâtiments antiques. Le grand Strasbourgeois disparu, le corps expéditionnaire ne tardera point à capituler malgré les efforts de Belliard et de Menou.

Le 3 décembre 1800, Moreau, progressant par les routes allemandes, bat par une manœuvre savante l'archiduc Jean à Hohenlinden et, menaçant Vienne, permet la paix de Lunéville (9 février 1801). Une nouvelle fois, la République obtient la rive gauche du Rhin et le protectorat pour «ses sœurs» ligurienne, cisalpine, helvétique et batave. L'Empire va disparaître. De 343 «souverainetés», la communauté germanique va se resserrer en une soixantaine d'États par le *Recès* de 1803. On se croirait au temps du maréchal de Belle-Isle. Bientôt, le chef du Saint Empire romain ne sera plus qu'empereur d'Autriche. François II devenu François Ier y gagnera l'hérédité. Bonaparte, prussophile comme les têtes philosophiques du xviiie siècle, se montre très heureux de soustraire Berlin aux derniers liens avec Vienne. Cette satisfaction est partagée par de nombreux Français, inconscients du danger prussien.

LA PAIX IMPOSSIBLE

On traite avec les Anglais. Ils gardent Ceylan et la Trinité, réclament la restitution de Malte aux chevaliers de l'ordre. L'Égypte retourne à la Porte. Sauf Rome et Naples, la République conserve ses conquêtes. Les îles Ioniennes sont reconnues indépendantes. Le Royaume-Uni se réjouit des préliminaires de Londres, la foule dételle les chevaux de notre envoyé, le colonel de Lauriston, pour porter sa voiture à bras d'homme (1er octobre

1801). C'est dans la ville d'Amiens qu'est signé le traité (25 mars 1802). Les historiens s'interrogeront sur la bonne foi des négociateurs. La paix ne pouvait durer tant que la République coifferait la Belgique et la Hollande. Elle pouvait toutefois subsister quelques années, le temps pour les Britanniques de se refaire. Il n'est pas certain que le Premier consul se soit contenté de jouer avec l'opinion. Talleyrand, de son côté, croyait à la nécessité de cette paix. Elle ne devait pas tenir un an. Le refus de rendre Malte ne sera qu'un prétexte. Bonaparte ne nourrissait qu'un dessein : en finir avec une puissance assez riche pour alimenter ses alliés de la veille et du lendemain.

Nombre de Français attendent tout du nouveau régime, et en particulier le règlement de la question religieuse et le retour des émigrés. Les deux affaires sont d'ailleurs liées puisque les évêques continuent fort naturellement de s'en remettre à Louis XVIII. La partie sera très difficile. Il faut obtenir la démission en bloc de tous les prélats puis renommer un ou deux constitutionnels, des anciens insermentés et quelques nouveaux. Le clergé est désigné par l'État mais on revient à l'institution canonique. Les assemblées se montrent réticentes. Pour les calmer, Talleyrand saupoudra, à l'insu du pontife, le texte de quelques articles gallicans (15 juillet 1801).

Deux officiers de chouans, MM. de Saint-Régent et de Limoëlan, avaient tenté de faire sauter le carrosse du Consul (24 décembre 1800). Bonaparte croyait, ou voulait croire, à des menées jacobines. Fouché le détrompa. Au vrai, la chouannerie allait connaître des heures bien pires avec le Concordat. Sauf en basse Normandie, plus royaliste que catholique, le motif des prises d'armes était religieux. Les cloches reprenant leur chanson, les fusils tombent des mains les plus fidèles. L'état-major est contraint de passer en Angleterre ; il reviendra grâce à la persévérance de Cadoudal.

En mai 1802, les émigrés sont autorisés à rentrer. Il n'en reste que 50 000, hors de France. Des anciens de Quiberon, tel Piré protégé par Bessières, servent déjà chez le Premier consul. Bonaparte, injuste à ses heures mais formidable connaisseur de toutes les techniques, envoie les nostalgiques de l'an II inspecter les haras ou percevoir les contributions. En 1802, il se fait élire consul à vie.

Depuis 1800, il travaille à son code. C'est une merveille théorique, pas un exemple : liberté du travail et de conscience (pour rire), égalité (elle ne durera point), fraternité (elle ne s'improvise pas), laïcité (elle sera toute relative).

Le petit peuple n'y gagne rien : le code civil demeure un contrat établi pour défendre la propriété, la puissance paternelle, l'autorité maritale. La grève demeure interdite. Un département de la préfecture de police doit s'occuper des « coalitions d'ouvriers et des chevaux morveux ». Pareilles instructions semblent choquantes ; Bonaparte confond plèbe et pègre. Jacobin par opportunisme, il n'a jamais oublié les horreurs de la Révolution et se méfie d'un nouveau déchaînement des classes populaires. Pour autant, il ne tient pas en haute estime la bourgeoisie dont il s'est toujours démarqué.

Le Consulat passe à tort pour une période prospère. Le commerce et l'industrie stagnent. L'établissement d'une monnaie forte à bi-métallisme (1 à 15,5 entre l'or et l'argent), la hantise de l'inflation, l'éternelle crainte du papier paralysent les gens de négoce. Qu'importe si l'agriculture retrouve la prospérité, elle permet aux Français de manger à leur faim mais, faute d'exportation, n'enrichit pas le Trésor. Le Premier consul développe donc le commerce et l'industrie afin d'établir la balance des paiements. Il crée des barrières douanières afin de protéger notre industrie des produits anglais trop bon marché et, comme les ministres et les généraux de Louis XVI, tente vainement de reprendre les Antilles, mais il lui faudrait une marine. Or il ne parvient pas à construire des vaisseaux et manque de personnel compétent pour utiliser les débris de nos flottes. En Méditerranée, la France multiplie les contacts avec Alger, Tunis, Damas, et mène une politique de rapprochement à l'égard des Turcs.

La vente de la Louisiane aux Américains (30 avril) pour 15 millions de dollars (environ 80 millions de francs) passe presque inaperçue. Nous ne disposions pas des moyens d'en tirer profit.

Le 26 avril 1803, l'Angleterre, reprochant à Bonaparte d'avoir, par des droits de douane élevés, fermé la France aux produits britanniques, adresse un ultimatum que la République rejette. S'ensuit une guerre de course très préjudiciable à nos maigres convois.

LE FOSSÉ SANGLANT

Le général Cadoudal, de concert avec le général Pichegru, évadé de Guyane, monte avec l'argent et l'accord de Pitt et de Windham ce que le Breton nomme le *Coup essentiel*. Il s'agit d'enlever Bonaparte et de le déporter à Sainte-Hélène. Un consulat provisoire sera mis en place, puis on fera proclamer les Bourbons. Moreau hésite. On sonde probablement Macdonald. Le temps passe, augmentant les risques. Moreau, dénoncé, est incarcéré (15 février 1804). Pichegru, trahi, sera retrouvé dans son cachot, étranglé. Cadoudal tient jusqu'au 9 mars et se fait prendre. Les policiers apprennent que les conjurés attendaient un prince. Une enquête mal menée fait croire, un instant, que le personnage serait le duc d'Enghien. Détrompé, Bonaparte s'obstine, fait enlever cet excellent chef de guerre, vivant paisiblement dans l'électorat de Bade depuis la dissolution de sa petite armée. Après une parodie de jugement, il le fait fusiller la nuit du printemps devant la tour du Diable, dans les fossés de Vincennes. Les conséquences du crime sont considérables. Alors que tout le monde est consterné, un obscur parlementaire, nommé Curé, s'exclame :

— Bonaparte s'est fait de la Convention.

Tous les républicains de gauche comprennent. Maintenant que le Premier consul a versé le sang d'un Bourbon, il est quelque peu régicide. Il ne pourra que défendre les « conservateurs » de la Révolution : c'est le pacte du sang. Le même Curé réclame un sénatus-consulte confiant la République à l'empereur héréditaire, Napoléon (18 mai 1804).

22

NAPOLÉON Ier

Le régime commence par une boucherie : Georges Cadoudal et ses lieutenants sont guillotinés en place de Grève (25 juin 1804). La plupart des nobles impliqués sont graciés sur l'intervention de Joséphine, de Caroline Murat et d'autres nouvelles princesses. Georges a dit :

— Nous voulions rétablir le Roi, nous avons fait mieux, nous avons créé un empereur.

Louis XVIII réagit, assemblant à Kalmar, en Suède, tous les Bourbons de France pour les faire protester de leurs droits imprescriptibles. L'Europe demeure sourde à cette déclaration mais Napoléon, lui, accuse le choc. Voulant concilier l'héritage révolutionnaire et l'hérédité de ce qu'on nommera la IVe dynastie, créant la monarchie plébiscitaire en lui conférant un caractère à la fois démocratique et sacro-saint, il réclame et obtient l'onction papale tout en se couronnant lui-même. La veille de ce grand jour (2 décembre), l'Ajaccien s'est marié religieusement...

Dès le 11 août 1804, François II s'est proclamé volontairement empereur d'Autriche. Napoléon sera-t-il empereur d'Occident ? Il y songe sérieusement en ceignant la couronne de fer. Reste toujours l'Angleterre. Il importe de l'atteindre chez elle. Napoléon, comme Louis XVI, assemble une armée de débarquement. Débarquer avec quoi ? A Boulogne, on construit des barges. L'Empereur a besoin, dit-il, de vingt-quatre heures pour passer. C'est inexact mais une semaine suffirait. Pour l'obtenir, il faut attirer les escadres britanniques sur un autre théâtre. Les Anglais ne se laissent pas surprendre malgré les efforts des amiraux français pour porter la lutte aux Antilles. Ganteaume est immobilisé dans la rade de Brest. A Villeneuve de le débloquer.

Impossible. Nelson et Collingwood le tiennent devant Cadix. L'Empereur s'impatiente. Il veut au moins que les unités franco-espagnoles attaquent Naples. Le ministre de la Marine, Decrès, est un courtisan incapable d'exposer la situation à son maître. Villeneuve, harcelé, finit par prendre la mer, alors qu'il est, sans le savoir, relevé de son commandement et remplacé par Rosily. A la sortie de Cadix, il se retrouve avec Gravina face à l'ennemi. Il ordonne ses navires sur une ligne. Nelson et Collingwood la tronçonnent et anéantissent leurs adversaires. Villeneuve se tuera. Gravina mourra de ses blessures, quant à Nelson, il périra durant cette bataille de Trafalgar, emportant l'assurance de l'avoir gagnée (21 octobre 1805).

L'Angleterre a triomphé sur les mers mais elle ne gagnera point la partie sans le concours du continent. Elle réunit une troisième coalition : Russie, Suède et Naples. L'Autriche hésite mais la proclamation de Bonaparte comme roi des Lombards atteint profondément l'héritier des Othoniens. Napoléon ajoute la Ligurie au royaume d'Italie, l'ex-Cisalpine alliée à Parme et à Gênes, s'offre l'alliance des princes allemands du Sud (9 août 1805). Le 17 septembre, l'Autriche, sans déclaration de guerre, envahit la Bavière.

L'armée française lève ses bivouacs du camp de Boulogne et, structurée en corps, pénètre en Allemagne du Sud. Le feld-maréchal Mack, défenseur d'Ulm, se laisse tromper par les manœuvres napoléoniennes et capitule avec 49 000 hommes. L'armée russe de Koutouzov se replie en Moravie car les ponts de Vienne sont occupés. La Prusse offre sa médiation. L'Empereur n'en veut pas. Le 2 décembre 1805, jour à jamais mémorable, premier anniversaire du sacre, Napoléon prépare une bataille et trouve le formidable courage de modifier son plan avant exécution ; Austerlitz, emportée sur les Austro-Russes, demeurera la plus haute démonstration tactique à l'usage de l'École de guerre. Elle détermine la paix de Presbourg (26 décembre 1805). L'Autriche doit céder Venise et l'Illyrie. Joseph Bonaparte devient roi de Naples. La Bavière, érigée en royaume comme le Wurtemberg, reçoit le Tyrol. L'Empire romain de nation germanique est définitivement démembré. Seize États s'en séparent et forment la Confédération du Rhin avec Napoléon pour protecteur. Tous les petits princes deviennent sujets des États principaux et ne relèvent plus de l'empereur d'Autriche que par l'intermédiaire des vassaux *immédiats*. Ils ne sont plus que des *médiatisés*.

Napoléon n'a point oublié le pacte de Famille. Il tente de

l'imiter : outre Joseph à Naples, voici Louis en Hollande, bientôt Murat à Clèves et Berg, et Jérôme en Westphalie. Le Premier britannique Pitt meurt. Fox, moins roide, lui succède ; Napoléon propose à l'Angleterre le Hanovre qu'il vient de céder à la Prusse. A cela s'ajoute un marchandage sur les Baléares que n'admet pas l'Espagne. La Russie, malgré l'offre de partage de la Turquie, ne cède pas.

L'Empereur reçoit un ultimatum du roi Hohenzollern Frédéric-Guillaume III, indigné par l'affaire du Hanovre et poussé par ses sujets tant civils que militaires. Pour Napoléon, c'est une désillusion effroyable car il est toujours demeuré prussophile. Le duc de Brunswick, le grand stratège du siècle précédent, s'avance en Thuringe sans attendre les secours russes et se fait tuer par le lent mais méthodique Davout près d'Auerstedt (14 octobre 1806). Le même jour, à Iéna, Napoléon l'emporte sur le prince de Hohenlohe. Venu se recueillir à Postdam, il envoie à Paris l'épée et le réveille-matin du Grand Frédéric. Trop mécanisée, l'une des plus belles armées du monde avait fini par confondre l'exercice et l'offensive. En outre, elle n'avait jamais rencontré depuis Dumouriez et les débuts de la Révolution que des chefs secondaires. Avec Napoléon et Davout, la manière a changé.

A Berlin, alors que l'héroïque reine Louise et son mari se sont réfugiés en Prusse orientale, l'Empereur décrète le blocus continental. Il s'agit d'étouffer l'Angleterre. Elle esquivera le coup, trouvant partout des auxiliaires, même chez nous, car une telle interruption du commerce ruine les clients autant que les exportateurs.

Pour que la Russie se soumette à ce blocus, d'ailleurs inventé contre la France par les Britanniques, Napoléon franchit la Vistule. Durant un hiver affreux, où la cavalerie n'éclaire plus, il se heurte, sans profit, au czar Alexandre Ier devant le village d'Eylau (8 février 1807). L'Empereur réagit, lève 110 000 hommes en France, 70 000 parmi les alliés, rétablit ses communications entre les corps. Après le dégel, les armées retrouvent leur mobilité. A Friedland, les Russes sont battus (14 juin 1807). Sur le célèbre radeau du Niémen, à Tilsit (juillet 1807) les deux empereurs dépècent l'Europe. L'un sera maître de l'Occident, l'autre de l'Orient et ils se partageront la Turquie. Alexandre simule-t-il cette réconciliation ? Nous ne le saurons jamais. Une certitude, Napoléon assouvit sa vengeance contre la Prusse ; elle perd ses possessions à l'ouest de l'Elbe, cède sa part de Pologne, hors un cordon réunissant le Brandebourg à la Prusse orientale.

Dantzig devient ville libre avec une garnison française. On crée le grand-duché de Varsovie. Sur ce point, impossible de connaître les intentions de Napoléon. Cherche-t-il réellement à reconstituer une Pologne ou se donne-t-il une monnaie d'échange vis-à-vis du czar? Ce prince, intelligent et patriote, pousse très loin la tragi-comédie. A la suite du bombardement de Copenhague par les Britanniques, il entre en guerre contre l'Angleterre. Tous les États refusant le blocus sont punis, même Rome. Le cabinet de Saint-James s'allie à la Turquie et à la Perse, inquiètes de la collusion franco-russe, puis installe un corps expéditionnaire au Portugal afin de le soustraire au blocus.

LE PIÈGE ESPAGNOL

Pour atteindre le petit royaume, il faut que des troupes napoléoniennes passent par l'Espagne. Le roi Charles IV et son ministre Godoy laissent faire mais l'armée française se conduit d'une manière si discutable que Madrid se soulève en faveur du prince des Asturies contre le pauvre monarque et ses amis d'outre-monts. Murat, convoitant lui-même le trône, réprime durement l'insurrection (2 et 3 mai 1808). Napoléon invite le père et le fils à Bayonne, leur arrache leur abdication et les interne assez luxueusement. Le faible Charles IV a remis les destinées du royaume au «grand Napoléon». Il se trouve une junte pour accepter cette folie. Murat deviendra roi de Naples, et Joseph, bientôt surnommé *Pepe Botella*, sera roi d'Espagne. Il s'ensuit une guerre épouvantable dans la péninsule Ibérique. Il est faux de prétendre que l'armée française est mal commandée. De solides militaires, souvent entravés par les ordres venus des Tuileries, mènent la bataille tambour battant. Le vieux Jourdan n'est pas un mauvais major général. Soult, briguant peut-être le trône de Portugal sous le nom de Nicolas Ier, n'est pas non plus un médiocre stratège. Viendront le remarquable Suchet, le savant Marmont, l'étincelant Lannes... Napoléon demeure un homme du XVIIIe siècle. Il lui répugne, comme en Vendée, de se battre contre des artisans et des paysans menés par quelques membres de l'aristocratie. Faisant effort sur lui-même, il commence, en l'honneur du czar, par réunir un parterre de rois, tous vassaux de sa Confédération germanique. Cette entrevue d'Erfurt ne sert de rien. Talleyrand voit le souverain russe, l'incite à ne pas soutenir Napoléon contre l'Autriche et, ayant obtenu gain de cause, prévient le cabinet aulique. Dans la péninsule Ibérique, l'intervention personnelle de l'Empereur s'impose. Le 22 juillet 1808, le général Dupont de l'Étang capitule à Baylen avec 9000 hommes promis aux prisons de Cabrera. Le 30 août, Junot a dû rendre Cintra. Le 30 novembre, Napoléon s'ouvre les portes de Madrid par l'étincelante victoire de Somosierra. Les Anglais du général Moore regagnent le Portugal. Le caractère international de la Grande Armée s'accentue. Polonais et Hollandais ont beaucoup donné durant cette campagne, marquée après le départ de l'Empereur par l'horrible siège de Saragosse où 40000 hommes trouvent la mort. L'Autriche relève la tête. La campagne se révèle fort difficile.

LE REDRESSEMENT DE WAGRAM

L'archiduc Charles ne barre point la route de Vienne mais éprouve cruellement Davout durant l'affrontement d'Eckmühl. Les Français, souvent de jeunes recrues des classes 1809 et 1810, et leurs alliés fréquemment privés d'enthousiasme, manquent un peu de pugnacité. L'archiduc les laisse entrer dans Vienne mais arrête à Essling leur traversée du Danube (20-22 mai 1809). Le Tyrol se soulève, l'Autriche occupe la Vénétie et la Bavière, la Prusse donne de dangereux signes d'impatience. La Grande Armée, après d'affreuses pertes, franchit le fleuve à Lobau. A Wagram, l'affrontement dure trente-cinq heures et l'archiduc parvient à retraiter dans l'ordre (6 juillet 1809).

Les Anglais débarquent en Hollande à Walcheren, et Fouché met un empressement suspect à rameuter la garde nationale et d'autres formations inutiles. Le 14 octobre, la paix est signée à Vienne. L'Autriche perd la Carinthie et la Carniole. Jointes à la Dalmatie, elles constitueront les provinces illyriennes où Marmont établira très vite un État modèle.

Malgré tous les décrets, le blocus demeure impraticable et le gouvernement triche avec lui-même par un jeu de licences d'importation. Privée de sucre de canne, la France a recours à la betterave.

Excommunié, Napoléon fait arrêter le pape, l'interne à Savone, puis à Fontainebleau. Le clergé se divise. Nombre de catholiques abandonnent le nouveau César. Joséphine étant stérile, il divorce en s'appuyant sur le code civil. Après une démarche infructueuse auprès du czar pour obtenir sa sœur, le gentillâtre d'Ajaccio se fait donner l'archiduchesse Marie-Louise, petite-nièce de Marie-Antoinette. «Nous aurons la guerre, dit Cambacérès, avec celle des deux puissances dont nous n'épouserons pas la fille.» Le mariage est célébré le 20 avril 1810, et le 20 mars 1811 naît un fils que Napoléon Ier crée roi de Rome, titre à peine transformé de roi des Romains, héritier consacré de l'Empire germanique. L'Empereur se délasse auprès de sa jeune femme. Il atteint 40 ans et juge peut-être équitable de prendre un moment de repos. Le grand empire offre un spectacle prodigieux. Il couvre 750 000 km² divisés en 130 départements, tenant sous une poigne de fer 44 millions d'habitants, embrassant, outre la France, les provinces belgiques, la Hollande, la rive gauche du Rhin, une partie de la Suisse et de l'Italie du Nord. Hors la Turquie, les autres États sont vassaux ou bien alliés. Même en Suède, le maréchal Bernadotte, époux de Désirée Clary, ancienne fiancée du général Bonaparte, devient régent avec droit de succession.

Petit à petit, les pays occupés sont dotés du code civil et reçoivent une administration centralisée. Clèves, Berg, Neuchâtel apparaissent comme des modèles ainsi que la Hollande, dirigée depuis l'abdication de Louis Bonaparte par l'architrésorier Lebrun.

En Espagne, les maréchaux se disputent la préséance, et Wellesley, bientôt duc de Wellington, emporte une belle victoire à Talavera puis installe, au Portugal, les retranchements de Torres Vedras vainement attaqués à trois reprises par un Masséna vieillissant. Marmont, pourtant doué mais desservi par des subordonnés ambitieux, va essuyer une terrible défaite aux Arapiles. Seul, Suchet tient ferme dans l'Albufera.

Le czar se refuse au blocus. Les rêves de Tilsit sont dissipés. Napoléon tente une diversion en essayant de brouiller l'Angleterre et les États-Unis, la manœuvre ne réussira que beaucoup plus tard. L'Empereur confisque le grand-duché d'Oldenbourg, appartenant au beau-frère du czar. Alexandre essaie d'occuper le grand-duché de Varsovie. La Prusse, inquiète, demande l'assistance de Napoléon et reçoit un contingent de la Grande Armée. L'Empereur pense entraîner l'Europe dans une nouvelle conquête. C'est oublier que, sous l'impulsion de Talleyrand, la Russie a fait la paix avec la Turquie, comme elle vient de conclure un pacte avec la Suède, quant aux alliés officiels, ils ne sont pas sûrs.

L'AVENTURE RUSSE

Avec 600 000 hommes dont un tiers de Français, Napoléon passe le Niémen, les 24 et 25 juin. L'adversaire rétrograde systématiquement et ne se laisse pas couper la retraite, même à Smolensk (17 août 1812). Partout, les Russes organisent la terre brûlée. Malgré les efforts de l'intendant général Daru, l'armée ne se ravitaille qu'avec difficulté. Les chevaux meurent par milliers. Les Russes se décident enfin à défendre leur ville sainte devant Borodino, à 35 kilomètres de la Moskova, à 120 kilomètres de Moscou. Les Français perdent 30 000 hommes, les Russes 60 000. L'Empereur, trop loin de ses bases, a refusé de faire donner la garde. Il semble moins génial qu'à l'accoutumée, troublé par un type d'opération qu'il ignore. Il l'emporte tout de même, abandonnant là, dans cette terre déjà froide, l'élite de ses jeunes généraux. Koutouzov, retraitant en bon ordre, laisse toutefois ouverte la route de Moscou. Napoléon entre dans la grande ville. Elle est incendiée, probablement sur l'ordre de son gouverneur Rostopchine. Il conviendrait de traiter. Le futur maréchal de Lauriston, moins russophile que l'ancien ambassadeur Caulaincourt et d'esprit très aiguisé, se heurte au refus d'Alexandre. Le 19 octobre, l'Empereur ordonne la retraite. Elle s'effectue sans accrocs majeurs puis arrive l'hiver, précoce cette année-là. A partir du 15 novembre, à Krasnoïe, il faut s'ouvrir le chemin du retour. A la Bérézina, les Français, voués logiquement à la destruction, réussissent, grâce au général Éblé, à passer le fleuve sans trop de pertes pour les unités demeurées dans la discipline.

A Paris, le général de Malet, poussé par les Polignac, annonce la mort de l'Empereur et contrôle la capitale pendant une matinée, proclamant un gouvernement provisoire. Ainsi, le roi de Rome ne compte-t-il pas. Tout s'arrange par une bonne fusillade, quelques révocations de fonctionnaires et le retour à Paris de Napoléon. La France est fatiguée. L'opinion, étrangère aux complications du blocus, n'a pas compris l'intérêt de la campagne contre la Russie.

Le roi Murat, que passionne avant tout son domaine de Naples, passe son commandement au prince Eugène. Le beau-fils de Sa Majesté Très Française replie intelligemment ses troupes jusqu'à l'Elbe puis s'en va protéger son domaine vénitien et sa vice-royauté d'Italie. Frédéric-Guillaume III gagne sa chère Silésie. Très à l'aise depuis l'armistice de son général York avec les Russes, il s'allie au czar le 28 février 1813.

LA CAMPAGNE D'ALLEMAGNE

Depuis Iéna, sous l'impulsion du baron de Stein, les forces prussiennes ont retrouvé leur cohésion avec des chefs aussi remarquables que Scharnhorst et Gneisenau, aussi savants que Clausewitz. L'Autriche a proposé le retour au traité de Lunéville, Napoléon refuse, bornant ses concessions à la restitution de l'Illyrie. Il appelle le contingent de 1814, provoquant une quantité d'insoumis qu'il faut traquer avec des divisions entières. Malgré tout, il possède la supériorité numérique. Ses ordres sont moins bien exécutés qu'autrefois, et les victoires de Lützen et de Bautzen, remportées sur les Russes, n'aboutissent qu'à l'armistice de Pleswitz et au congrès de Prague. Un mois de discussions ne sert à rien, l'Angleterre détournant Metternich d'un véritable arbitrage. Le 12 août, l'Autriche déclare la guerre à la France. Les 26 et 27, à Dresde, l'Empereur remporte une belle victoire cependant que Moreau, devenu conseiller du czar, est blessé mortellement. Depuis le temps que les alliés observent Napoléon, ils ont eu le loisir de discerner sa manière et commencent d'en profiter, empruntant en particulier sa technique du bataillon carré comme sa structure du corps d'armée. Sur le conseil de Bernadotte, ils attaquent séparément et avec profit les lieutenants de l'Empereur. Lui ne veut pas céder de terrain, immobilise une partie de ses effectifs dans des places fortes telle Hambourg où le sombre Davout conserve trop de monde. Il bat tout de même l'Autrichien Schwarzenberg à Dresde, contraignant le Prussien Blücher à retraiter. Bernadotte l'emporte sur Ney, puis sur Oudinot. Blücher — dit le maréchal «En Avant» — reprend son offensive, fait à Macdonald quelque 20 000 prisonniers. A Leipzig, Napoléon ne dispose que de 160 000 hommes lorsqu'il affronte les trois armées coalisées fortes de 320 000 combattants. La bataille des nations dure trois jours. En dépit des efforts de leur chef, le comte Reynier, les Saxons passent à l'ennemi. Cette fois, l'Empereur décide de traverser le Rhin. Encore lui faut-il, à Hanau, bousculer les Bavarois entrés dans la coalition.

C'en est fini de l'Espagne et de l'Italie. Ferdinand VII et le pape retrouvent leur capitale et leurs prérogatives. Le 15 novembre 1813, le chancelier autrichien Metternich propose les frontières naturelles. Napoléon tergiverse, déclarant:

— Les Bourbons peuvent signer cela. C'est la France qu'ils ont faite.

Il accepte le 2 décembre, mais les Britanniques, occupant la

Hollande, s'opposent à la transaction : ni le Rhin ni les provinces belgiques. La politique anglaise n'a décidément pas varié depuis le Moyen Age.

SA PLUS BELLE CAMPAGNE

Le 1er janvier 1814, c'est l'invasion. A Châtillon-sur-Seine, le cabinet de Londres fait admettre que la France sera ramenée aux limites de 1792.

A Brienne (29 janvier), on livre une bataille incertaine et, le lendemain, Blücher et Schwarzenberg marquent un point sérieux à La Rothière. Ils commettent toutefois l'erreur de se séparer. Avec une poignée de gamins grelottant sous la bise qu'il faut enseigner en plein combat, ainsi que procède Marmont, Napoléon mène, au mois de février, la plus belle campagne de sa carrière. A Champaubert, le 10, il réduit les têtes de colonnes prussiennes. A Montmirail, le 11, il défait les gros. A Château-Thierry, le 12, et à Vauchamps le 14, il pulvérise l'arrière-garde. Blücher rallie ses gens vers Châlons-sur-Marne. Schwarzenberg, plus circonspect et moins étrillé, pointe vers le Gâtinais. Napoléon le rejette sur la Seine et, le 18 février, reprend Montereau.

Metternich propose un nouvel armistice. Napoléon réitère sa réponse :

— Il n'y a qu'un Bourbon qui puisse me succéder.

L'Angleterre, par le pacte de Chaumont, impose la quadruple alliance (avec l'Autriche, la Prusse et la Russie) contre l'Empereur qu'on voudra bien ne pas confondre avec la Sainte-Alliance dont la France bourbonienne fera partie.

Le duc d'Angoulême, fils aîné du comte d'Artois, proclame Louis XVIII à Bordeaux. Monsieur parvient à Nancy. Le baron de Vitrolles, en relation avec Talleyrand et Dalberg, suggère aux alliés une solution dont ils avaient perdu jusqu'au souvenir : le retour des Bourbons. Napoléon fait fusiller quelques émigrés dont M. de Rougeville (le chevalier de Maison Rouge cher à Dumas) et continue sa campagne avec un incomparable brio. A nouveau, il repousse Blücher sur l'Ourcq et le poursuit jusqu'à Laon où les affaires tournent mal. Le très prudent Schwarzenberg s'avance vers Arcis-sur-Aube. L'infériorité numérique interdit à l'Empereur de prendre le dessus. Il décide de faire couvrir Paris par les corps de Marmont et de Mortier tandis qu'il se met en quête de couper les communications adverses. Quand il s'aperçoit qu'il ne dispose plus des moyens nécessaires, il se précipite vers la capitale. Trop tard, Marmont a bien bousculé les avant-gardes ennemies à La Ferté-Gaucher mais, en dépit de sa belle résistance, s'est vu contraint d'évacuer Paris. Le czar et le roi de Prusse entrent dans la capitale sous les ovations de royalistes arborant la cocarde blanche. Napoléon arrive à Fontainebleau, veut reprendre l'offensive. Devant la révolte de maréchaux, il propose d'abord un accommodement avec le czar puis l'abdication en faveur du roi de Rome. Un gouvernement provisoire s'est formé sous la présidence de Tayllerand. Marmont s'y rallie avec son 6ᵉ corps, ignorant alors la décision impériale. Sans l'avoir voulu, le maréchal détruit la dernière chance de son souverain d'influencer le czar, plutôt favorable à la régence de Marie-Louise. Napoléon tente vainement de s'empoisonner puis abdique. Le 10 avril, Soult livre à Wellington l'indécise bataille de Toulouse.

Murat s'étant allié prestement aux Autrichiens, Eugène évacue la péninsule. A la vérité, Napoléon, supérieur à Hannibal, à Sulla, à César, s'est perdu pour n'avoir point rassemblé, lorsqu'il était encore temps, ses effectifs disséminés à travers l'Europe. Le 20 avril, se déroulent les déchirants adieux à la vieille garde. L'Empereur part pour l'île d'Elbe dont il accepte la souveraineté viagère. De scandaleuses manifestations d'hostilité se déroulent en Provence.

Par le traité de Fontainebleau, Marie-Louise et son fils reçoivent le duché de Parme. Des rentes sont prévues pour les autres Napoléonides. Elles ne seront d'ailleurs pas honorées.

Goethe écrit de l'Empereur: «Être inimitable, abrégé du monde.» Rien n'est plus vrai. Il a reconstruit l'administration, sauvé la Révolution du naufrage en sachant amalgamer l'héritage de l'Ancienne France et les innovations de la nouvelle. Incriminer son orgueil constitue une platitude. Devait-il, suivant le conseil de Joséphine, devenir le connétable de Louis XVIII? Aux premiers jours du Consulat, peut-être, mais cet acte, en apparence souhaitable, n'eût pas fait varier l'attitude de l'Angleterre dès lors qu'il importait de contrôler les provinces belgiques et la Hollande. Napoléon ne pouvait maintenir la paix de Louis XVI, elle-même fragile. Une nouvelle fois, la France était victime, au nord, de son absence de frontières naturelles. Restaient, au-delà des analyses politiques, d'inimitables pages de gloire. Pour l'instant, le pays ne les prenait plus en compte. Trop d'hommes étaient tombés, trop de chevaux aussi, au point que les femmes s'attelaient aux charrues. Sans doute les villes étaient-elles moins touchées que les campagnes, elles n'en étaient pas moins atteintes par de nombreux décès et le ralentissement des affaires. Ne demeurait favorable qu'une partie importante des soldats. Souvent, ils ne possédaient pas d'autre famille que leur régiment et tenaient Napoléon pour un dieu.

Troisième partie

L'APPRENTISSAGE
DE LA LIBERTÉ

1

LOUIS XVIII

Louis XVIII considère qu'il n'a jamais cessé d'être roi. Il est toutefois bien revenu de l'absolutisme vengeur qu'il prônait au temps du Directoire. Après la dictature de Napoléon, les sénateurs, ses créatures, comprennent la nécessité d'une restauration. Il faut conserver le code, les préfets, l'arsenal administratif de l'Empire. En bref, il importe de mélanger la Constitution de 1791 et les institutions postérieures. Sur ces différents points, tout le monde semble d'accord.

Le 12 avril 1814, le comte d'Artois, nommé par son aîné lieutenant général du royaume, effectue à Paris une entrée triomphale et se fait reconnaître en promettant, sur les instances de Fouché, que le souverain acceptera sans barguigner une charte signée avec la nation. Le prince rend à la presse une liberté presque oubliée depuis le 18 fructidor. En revanche, il se trompe en ordonnant l'évacuation de toutes les places encore tenues à l'étranger et le repli des effectifs sur la frontière de 1792 (23 avril 1814). C'est se priver d'un élément de négociation avec les alliés. Le 24 avril, Louis XVIII débarque à Calais, cocarde tricolore au chapeau. Voyant que les maréchaux venus l'accueillir ont tous abandonné les couleurs nationales, il remet paisiblement l'insigne de la Contre-Révolution. Le 2 mai, à Saint-Ouen, il reçoit les sénateurs. Oui, toutes les dispositions libérales seront acceptées mais la Charte sera non pas imposée comme préalable mais octroyée. Elle apparaît comme un don officiel, un don de Sa Majesté. Dès le lendemain, des placards annoncent la nouvelle règle du jeu: le système représentatif sera maintenu, l'impôt librement consenti, la liberté publique et individuelle assurée, celle des cultes reconnue. Les propriétés seront inviolables et sacrées (voilà de quoi rassurer les acquéreurs de biens nationaux). Les ministres seront responsables mais seulement devant le Roi, les magistrats inamovibles. La dette sera garantie. La nouvelle noblesse demeurera honorée comme l'ancienne. Tous les sujets seront admissibles aux emplois, nul ne pouvant être inquiété pour ses opinions ou pour ses votes. Ainsi, les régicides eux-mêmes échappent au châtiment. Le Roi détient seul l'exécutif. Il déclare la guerre, signe les traités et, en vertu de l'article 14, «fait les règlements et ordonnances nécessaires pour la sûreté de l'État». Comme sous le Directoire, on en revenait à deux Chambres: une haute assemblée de pairs viagers et une Chambre des députés des départements issue d'un suffrage censitaire. Des seigneurs aussi différents que le futur prince de Polignac et le vicomte de Chateaubriand l'eussent préféré de caractère universel.

Enfin, on s'occupe du traité de paix. Il est inespéré, et Talleyrand n'y est pas pour rien. La France conserve le comtat Venaissin, une partie de la Savoie, la ligne de la Queich, avec Landau, quelques places dans les provinces belgiques. Pas d'occupation, pas d'indemnité. Le pays a, depuis le Directoire, pris l'habitude de vivre avec les moyens des autres. Pour maintenir un budget en équilibre, il faut désormais se restreindre. La cour de Louis XVIII n'est rien au regard des fastes napoléoniens. Les grands dignitaires ne perçoivent plus les sommes colossales venues de l'étranger, il faut commencer de restituer les chefs-d'œuvre. Le baron Louis, ministre des Finances, les administre admirablement mais doit trouver des rentrées telles que les impôts sur les boissons alcoolisées et pratiquer des économies. Ainsi Napoléon et les siens ne reçoivent-ils pas leurs pensions. L'ancienne noblesse, les Condéens et les Vendéens, en revanche, obtiennent de petits emplois, alors que certains officiers impériaux sont réduits à la demi-solde. Le rétablissement de la maison du Roi, notamment des «Rouges», déplaît par son luxe (déployé d'ailleurs aux frais des engagés) aux nostalgiques du régime précédent.

LE CONGRÈS DE VIENNE

Louis XVIII envoie Talleyrand le représenter au congrès de Vienne où les grandes puissances doivent reconstruire l'Europe. Nous ne disposons que d'un strapontin mais l'ancien évêque va le transformer en fauteuil:

— Puissances alliées, alliées contre qui ? Ce n'est plus contre Napoléon ; ce n'est sûrement pas contre le roi de France ; il est le garant de la durée de la paix. Si je n'étais pas là, je vous manquerais essentiellement. Je suis le seul ici qui ne demande rien sinon de grands égards pour la France. La présence d'un ministre de Louis XVIII consacre ici le principe sacré de la légitimité d'où découlent l'ordre et la stabilité. Si quelques puissances privilégiées entendaient exercer un pouvoir dictatorial, je ne m'occuperais d'aucune proposition qui émanerait du congrès.

Prussiens et Russes regimbent mais Talleyrand passe un accord, d'ailleurs douteux, avec les Anglais et se rapproche de Metternich. Le débarquement de Napoléon, près de Cannes, le 1ᵉʳ mars 1815, ne trouble pas le congrès. Le Diable boiteux obtient le rétablissement des Bourbons à Naples et le maintien de la Saxe du Sud dont la Prusse annexe le Nord. Il laisse Frédéric-Guillaume s'établir sur le Rhin. Sans se montrer prussophile, il ne craint pas les descendants du Grand Électeur. L'Autriche demeure suzeraine de l'Italie du Nord, la maison d'Orange, quittant le stathoudérat, devient en Hollande une véritable monarchie. Astuce ou politesse, il n'est rien dit du sort de Louis XVIII.

LA FOLIE DES CENT-JOURS

L'avance de Napoléon se révèle fulgurante. A Lyon, il prend des décrets pardonnant aux uns, condamnant les autres. Le Roi quitte Paris le 19 mars et va s'établir à Gand. L'Empereur s'installe aux Tuileries le 20. Il ne cherche point la guerre mais il en est l'incarnation même. Pourquoi a-t-il préparé, avec son génie habituel, cette folle entreprise ? Il s'ennuyait dans son île. « Il ne pouvait, écrira Chateaubriand, vivre tel Dioclétien dans un carré de salades. » Ses partisans, Bassano, Chaboulon, d'autres, faisaient à son adresse étalage de l'échec des Bourbons. Plus grave : on ne lui rendait ni Marie-Louise ni le petit roi de Rome. Enfin, il savait que Talleyrand songeait à le faire déporter aux Açores ou bien à Sainte-Hélène. Le vieux projet cadoudalien l'avait mis en fureur. Enfin, il possédait un inimitable sens de la légende. Gagner Paris ne lui fut pas difficile, il retrouva d'anciens hauts fonctionnaires assez fatigués et chercha tout de suite à doubler le Roi sur le terrain du libéralisme. Benjamin

Constant lui fournit un Acte additionnel aux Constitutions de l'Empire. La veille, par amour pour Mme Récamier, l'écrivain traitait le Corse de tyran... Tout cela ne revêtait aucune importance aux yeux de Napoléon. Le nouveau pacte social confirmait l'Empereur mais prévoyait des élections libres, la responsabilité ministérielle devant les Chambres, la liberté de la presse et des cultes, l'abolition des tribunaux d'exception. Le oui ne réunit que le tiers des inscrits. Une cérémonie dite du Champ-de-Mai, en costume du XVIe siècle, consacrera le serment de ce Napoléon deuxième manière : il affirmait, parlant de Louis XVIII :

— Ce diable d'homme a tout gâché.

Artois et Orléans avaient dû retraiter. Le duc d'Angoulême se battit admirablement mais, trahi en Languedoc, finit par s'incliner devant l'ancien chouan Piré. Restait la Vendée militaire. Le prince de La Trémoïlle, Joseph de Cadoudal, cadet de Georges, allaient immobiliser le corps du général Lamarque.

Encore une fois, Napoléon cherchait à traiter. Il se barbouillait dans les sauces parlementaires et dit à la comtesse Bertrand :

— Espérons que nous ne regretterons pas l'île d'Elbe.

Il comptait sur la sensibilité de François Ier. N'était-il pas le gendre du César germanique ? Ne travaillait-il point pour la gloire commune des Bonaparte et des Habsbourg ? Partout, il fit proclamer que son nouveau règne serait pacifique. Nul, sauf l'inconstant Murat, ne devait céder à cette entreprise de séduction. Napoléon n'osa point l'employer par crainte de compromettre le moral de la troupe.

WATERLOO

La 7e coalition réunit 1 million d'hommes, l'Empereur 500 000. 200 000 Anglais et Prussiens stationnent en Belgique. Il importe de les battre sur place pour pouvoir se retourner contre les Autrichiens qu'aideront les Russes. Napoléon passe la Sambre. Pour l'emporter, il lui faut tenir séparés les Anglais et les Prussiens. C'est l'objet des batailles simultanées des Quatre-Bras et de Ligny. Napoléon souffre-t-il de quelque maladie ? Il commande de sa personne tout en déléguant de hauts commandements, quitte à pratiquer des interventions dans les détails, paralysant ses grands lieutenants. Ainsi le maréchal de Grouchy doit-il contenir le prince Blücher sans ordre de rallier. Ainsi le maréchal Ney doit-il finalement obéir comme un caporal. En outre, malgré les avertissements de Soult et de Reille, vétérans d'Espagne, Napoléon ne croit pas à la pugnacité de l'armée anglaise. La politique prenant le pas sur l'art militaire, l'Empereur a laissé l'autoritaire Davout à Paris comme ministre de la Guerre et pris Soult comme chef d'état-major. Il eût fallu Berthier, retiré dans son château de Bamberg, après avoir continué de servir Louis XVIII à Gand. Les Marmont, les Macdonald et autres Gouvion-Saint-Cyr sont absents. Suchet, Lecourbe veillent sur les Alpes. Clauzel tient Bordeaux, reprise à la duchesse d'Angoulême. L'armée n'est pas sûre. Certaines unités ont conservé le drapeau blanc dans leur caisse régimentaire. Le général de Bourmont, ancien chouan, abandonne ses gens, s'en va rejoindre Louis XVIII. Le colonel du Barrail, en pleine mêlée, en fera tout autant, allant même, dit-on, jusqu'à livrer des plans.

L'Empereur retrouve l'armée anglaise, le soir du 17 juin, près de Waterloo, en bordure de la forêt de Soignes où Wellington et Blücher se sont donné rendez-vous. Pour la première fois, sauf dans les affaires secondaires, Napoléon n'a pas choisi le champ de bataille. Pour l'instant, il dispose de la supériorité numérique : 74 000 hommes contre 67 000, bien établis à Hougoumont, à La Haye-Sainte et à Papelotte.

Un bon soldat doit manger, boire et dormir au sec. Le ravitaillement ne suit pas et il ne cesse de pleuvoir. On ne peut allumer des feux de bivouac. Le 18 juin, près de Waterloo, Napoléon attaque un peu tard pour permettre à ses troupes de se refaire. La bataille se concentre sur la ferme de Hougoumont où le roi Jérôme se conduit comme un vrai Bonaparte. Ney, sans prendre la peine de monter une offensive des trois armes, emporte et reperd La Haye-Sainte, ne disposant même pas du matériel nécessaire pour enclouer les pièces ravies à l'ennemi. Arrive le corps prussien de M. de Bülow. Il est contenu difficilement. Alors, la garde monte à l'assaut et emporte La Haye-Sainte. Wellington recule puis se reforme. Son infanterie, rangée sur trois rangs (le premier épaule, le seconde vise, le troisième tire) tape à tout casser. Grouchy, aux prises avec Thann à Wavres, ne reçoit aucun message. De toute façon, il ne servirait à rien. Le terrain est impraticable. La ligne cède et, soudain, arrive Blücher. Cette fois, les régiments de l'Empire se disloquent. Napoléon vient lutter dans les carrés de la garde où s'illustrent les généraux Michel et Cambronne. Entouré de Colbert et de quelques anciens, le vaincu s'arrache au champ de bataille et regagne

Paris. Le maréchal de Grouchy ramènera l'armée avec un calme et un talent dépassant l'ordinaire. Que veut encore l'Empereur? Utiliser toutes les réserves pour faire face à l'envahisseur. C'est compter sans les Chambres. La Fayette demande et obtient l'abdication tandis que Fouché préside un gouvernement provisoire. Napoléon se retire à Malmaison et propose alors de servir comme simple général. Sa proposition repoussée, il gagne Rochefort afin de passer aux États-Unis. Il parvient à l'île d'Aix bloquée par une croisière britannique. Ne voulant pas courir le risque d'une arrestation sans grandeur, il se rend aux Anglais et écrit au régent, futur George IV :

« Altesse royale, en butte aux factions qui divisent mon pays et à l'inimitié des plus grandes puissances de l'Europe, j'ai consommé ma carrière politique. Je viens, comme Thémistocle, m'asseoir sur le foyer du peuple britannique. Je me mets sous la protection de ses lois comme celle du plus puissant, du plus constant, du plus généreux de mes ennemis. »

Sur la pression des tories, le régent répond par la déportation à Sainte-Hélène.

Parvenu dans l'île, Napoléon va pratiquer, en chambre, une nouvelle stratégie. Le gendre de l'empereur d'Autriche devient, à travers le *Mémorial*, le défenseur et l'héritier de la Révolution. Il se pose en émancipateur des peuples, en géant de la liberté. Cette légende s'accréditera lentement. On oubliera la désolation des guerres continuelles, et même la dictature le plus souvent inutile. Les nations elles-mêmes naguère occupées rendront un culte à leur tyran.

Chateaubriand écrira :

« Vivant, il a manqué le monde, mort, il le possède. »

Quand il trépassera, le 5 mai 1821, son étoile aura recommencé de briller.

En juillet 1815, une commission administrative dirige vaille que vaille le pays et voudrait bien éviter le retour de Louis XVIII. On envisage une régence au nom du roi de Rome (rebaptisé Prince impérial), et surtout une instauration de Louis-Philippe d'Orléans. Les tractations seront si secrètes qu'elles demeurent de nos jours encore très obscures. Fouché, à la tête de la commission, joue un rôle très ambigu, puis contre certaines assurances, dont celle de Vitrolles, la carte de la Restauration.

Dès qu'il apprend la défaite de Waterloo, Louis XVIII, après un entretien avec Talleyrand et Wellington, regagne Paris, prend Fouché dans son conseil à la demande du comte d'Artois (!), dont l'ancien évêque assure la présidence. Comme nous sommes loin de 1814! Le pays est sous la botte à partir d'une ligne suivant le cours de la Loire, celui de l'Allier, puis une perpendiculaire atteignant Aigues-Mortes. Tous les territoires au-delà de la rive gauche de la Garonne sont également tenus. Les militaires français, pour beaucoup en voie de démobilisation, cantonnent au sud de la Loire. Nos troupes demeurent disciplinées. On ne relève pas d'incidents entre les deux armées. En revanche, le Midi s'agite. Certains royalistes se vengent des sévices et des meurtres commis après la capitulation, pourtant conditionnelle, de l'équitable duc d'Angoulême. Toulouse voit tuer le général Ramel, cependant étranger aux Cent-Jours. Avignon est endeuillé par le massacre du maréchal Brune, muni d'un sauf-conduit en règle. Uzès est en ébullition. Les Autrichiens interviennent et remettent de l'ordre mais on déplore près de 2 000 victimes. Cette Terreur blanche, explicable encore qu'inexcusable, va se doubler d'une répression judiciaire. Il fut admis que les entreprises punissables commençaient, bien sûr, par l'aide fournie à Napoléon pendant le vol de l'Aigle mais s'étendaient à certaines actions commises après le départ de Louis XVIII contre les forces royalistes. Ainsi établit-on des catégories dans l'ordonnance du 24 juillet. Figurer dans les premières se révèle périlleux. Sur 3 000 affaires dévolues aux cours prévôtales on relève moins de dix peines capitales. Elles se justifient mais sont d'une insigne maladresse. Le maréchal Ney, les généraux de La Bédoyère, Chatran, Mouton-Duvernet, les frères Foucher méritaient par leurs hauts faits la grâce royale. En bonne logique, les fonctionnaires nommés après le 20 mars sont révoqués et 70 préfets suspendus. D'autres responsables — 25 % peut-être — sont placés en position de retraite. Dans l'armée, la réduction des effectifs exigée par les alliés entraîne des coupes claires. La Pairie, l'Université, l'Institut enregistrent passablement de départs. C'est, au demeurant, assez salutaire pour le niveau de l'Académie. Napoléon avait créé, aux Cent-Jours, une Chambre haute comportant l'hérédité. Louis ne peut demeurer en retrait. Pour la Chambre basse, on constitue par ordonnance des collèges électoraux non censitaires mais, par le jeu des degrés, on ne donne le suffrage direct qu'à 80 000 personnes environ. Les élections (14 et 22 août) donnent une Chambre si manifestement ancrée à droite que le Roi la qualifie d'*introuvable*. Les nouveaux parlementaires, souvent partisans du suffrage universel pour s'attacher les paysans, ignorant parfois le métier et songeant trop à prendre leur revanche sur la Révolution et l'Empire, saisissent mal les intentions conciliatrices du souverain. Ils permettent toutefois de se débarrasser de Fouché.

Il faut en passer par les exigences des alliés; nous perdons le duché de Bouillon, Philippeville et Marienbourg donnés aux Pays-Bas, Sarrelouis, Sarrebruck et les deux rives de la Sarre annexées par la Prusse. Landau passe à la Bavière, Gex, en sa majeure partie, à la confédération helvétique. Nous nous engageons, en outre, à détruire les fortifications de Huningue et à supporter une indemnité de 700 millions plus les frais d'occupation pour trois ans (20 novembre 1815).

Talleyrand, éprouvant des difficultés avec les alliés, veut faire endosser à Louis XVIII un consentement à leurs exigences incombant au président du Conseil. Le Roi, prévenu par Vitrolles, laisse le prince proposer sa démission et l'accepte. Il appelle un émigré de haute race, le duc de Richelieu, véritable inventeur de la Nouvelle Russie ou Crimée, créateur d'Odessa. Ce grand seigneur ayant conquis l'amitié du czar, va se montrer, en l'occurrence, plus utile que Talleyrand, en mauvais termes avec Alexandre Ier depuis qu'à Vienne, il avait tendu la main aux Anglais et aux Autrichiens.

LE PREMIER MINISTÈRE RICHELIEU

Il faut toutefois composer avec la Chambre introuvable criant vengeance contre l'usurpateur et plus encore contre les révolutionnaires souvent convertis. Pour l'apaiser, le Roi fait voter une loi d'amnistie, comportant l'exil perpétuel des Bonaparte (l'Acte additionnel portait la proscription des Bourbons) et le bannissement des régicides s'étant prononcés pour ledit acte ou bien ayant accepté des fonctions publiques durant les Cent-Jours. La facture n'est pas très élevée, elle comportera même des aides financières ou des dérogations. C'est le moyen d'en finir avec les cours prévôtales.

La Chambre se rallie toujours au président du Conseil cependant qu'elle crée des difficultés à son ministre des Finances, le comte Corvetto. Doit-elle être dissoute? Les alliés le veulent pour obtenir de scandaleuses indemnités de guerre et des défraiements d'occupation. Louis XVIII qu'agace le cléricalisme de l'Assemblée la renvoie. C'est anticonstitutionnel, et Chateaubriand le démontre dans son opuscule, *la Monarchie selon la Charte* dont les exemplaires sont saisis.

Louis XVI, à défaut de pouvoir congédier l'Assemblée, se séparait des ministres. Louis XVIII épouse le mouvement contraire, il garde les ministres et congédie l'Assemblée. La nouvelle majorité, organisée par le conseil, va se montrer plus compréhensive. Elle permettra, sans nul doute, au duc de Richelieu de ramener notre pays au niveau des grandes puissances. Le président du Conseil avait dû signer, on s'en souvient, le 20 novembre 1815, un traité présentant des clauses assez dures. L'indemnité de guerre représente 700 millions de francs, soit à peu près douze mois du budget. Les frais d'occupation s'élèvent à 130 millions par an; restent les réparations. Le duc de Richelieu, en trois années, les ramènera, non sans mal, à 260 millions de francs. Rarement la monarchie a trouvé pareil serviteur. Conquérant et homme de guerre, il met maintenant son honneur à respecter les traités. Trouver l'argent nécessaire tient du miracle quotidien. Le duc soutient malgré tout le taux du change et revalorise les fonds d'État.

En 1816, il fait voter des dispositions électorales trop restreintes. L'acquittement de l'impôt foncier demeure le seul critère. La Restauration ne sait pas se détourner d'un système ploutocratique allant le plus souvent contre son intérêt en servant une bourgeoisie sans allégeance particulière. Plus équitable apparaît la loi Gouvion-Saint-Cyr. Les enrôlements étant trop faibles, on procède par tirage au sort recrutant 40 000 puis 60 000 hommes. L'avancement est strictement codifié. La collation de l'épaulette revient aux chefs des grandes écoles mais l'accession des sous-officiers au grade d'officier est favorisée par l'«homme à la redingote bleue». Passant une revue accompagné du maréchal Oudinot, duc de Reggio, le Roi pourra déclarer:

— Tout soldat a dans sa giberne le bâton du duc de Reggio.

La loi Gouvion-Saint-Cyr apparaît juste. Elle présente toutefois un défaut; elle prolonge, comme sous Napoléon, l'achat d'un remplaçant par le conscrit. Une fois encore, l'argent exerce un rôle déterminant. La vieille noblesse, habituée à réclamer une lieutenance pour un fils ou bien un neveu, est désolée. Elle se soumet par loyalisme, n'y gagnant que des militaires plus instruits. La petite bourgeoisie et la boutique servent non sans fierté dans la garde nationale, destinée comme précédemment à veiller sur l'ordre intérieur.

Entre ces deux lois, on s'était préoccupé de la presse sans définir son statut, puis, en 1817, le Concordat avait fait l'objet d'une nouvelle sollicitude. Nous y gagnâmes une plus juste répartition des archidiocèses.

Si la France semble unie pour obtenir la liberté du territoire, se trament toutefois des complots inspirés par les Carbonari, membres d'une société secrète venue d'Italie. De leur côté, les ultras, sans sortir de la légalité, se groupent dans la congrégation et, se vouant au comte d'Artois, méditent un retour à l'Ancien Régime. En octobre 1818, s'ouvre le congrès d'Aix-la-Chapelle. Richelieu, fort de ses travaux financiers, obtient la libération anticipée du territoire. En son absence, l'opposition fait baisser la rente. Corvetto s'en va. Le duc le suit. Il resterait si Louis XVIII congédiait le ministre de la Police, le très inquiétant comte Decazes. Le Roi tient à son favori. Il nomme le général Dessolles à la tête d'un ministère dont le «Séjan de Libourne» devient le véritable maître. Les Chambres votent au Premier ministre sortant une récompense nationale assortie de telles mesquineries que l'arrière-neveu du grand cardinal fait don de la somme aux hospices de Bordeaux.

Le comte de Serre, garde des Sceaux, supprime en matière de presse l'autorisation préalable, abolit censure et contrôle. Du coup, l'extrême droite se ligue avec la gauche au renouvellement du cinquième de la Chambre en 1819. On voit même entrer, parmi d'autres républicains, le sinistre abbé Grégoire, ancien Conventionnel, responsable de la guerre civile de 1793. Son élection est annulée.

Les discussions reprennent à propos de la loi électorale. Certains voudraient que soit augmenté le nombre des circonscriptions. Decazes succède à Dessolles. La situation parlementaire, fort délicate, est confortée par la présence de M. de Richelieu à la tête de la commission chargée de la réforme des urnes.

Le soir du 13 décembre 1820, le duc de Berry, second fils du comte d'Artois et dont l'épouse porte les espoirs de la dynastie, est poignardé devant l'Opéra par un nommé Louvel. L'assassin ne paraît point posséder des intelligences dans les milieux subversifs mais son action semble avoir été favorisée par le climat de libéralisme entretenu par Decazes. C'est du moins la thèse de Chateaubriand. Louis XVIII ne peut maintenir son favori. Il le crée duc et le nomme ambassadeur à Londres. M. de Richelieu reprend le timon. Certains ultras voient peut-être juste en réclamant des restrictions à la liberté d'une presse souvent perfide et peu consciente de ses devoirs. Ils sont dans l'erreur en fabriquant un double vote permettant aux électeurs les plus imposés d'élire un contingent supplémentaire de députés. La loi passe grâce au rare talent d'un député de Toulouse, M. de Villèle. Le 28 décembre 1820, Paris en liesse accueille la naissance du fils de Berry, créé par le Roi duc de Bordeaux. Cela n'empêche point La Fayette de tramer des complots. Il se voudrait le Washington d'une France d'un nouveau genre. Par sa faute sont guillotinés le général Berton et les quatre sergents de La Rochelle. Le duc de Richelieu, en dépit de son indulgence, ne peut accorder des grâces n'appartenant qu'au Roi.

Louis XVIII vieillit. Il comprend toujours tout mais agit de moins en moins. L'Europe bouge et, paradoxalement, la France, depuis les élections de 1820, incline vers le traditionalisme. Ainsi l'enseignement secondaire est-il placé sous le contrôle de l'Église. Le duc de Richelieu, paralysé par l'opposition lors du congrès de la Sainte-Alliance, en butte à l'hostilité du comte d'Artois, et surtout lassé des mesquineries d'un parlementarisme mal compris, très fatigué de surcroît, s'en va. Il meurt quelques mois plus tard sans emporter de profonds regrets. Sa farouche indépendance, son goût de la solitude, son extrême perspicacité l'éloignaient du commun. Il se range parmi les plus grands hommes d'État du siècle.

LES CENT MILLE FILS DE SAINT LOUIS

En décembre 1821, Joseph de Villèle, déjà membre du cabinet, succède au duc. Excellent orateur, financier expert, le nouveau président apporte la modération dans le camp des ultras. Il possède la confiance de Monsieur. Son ministre des Affaires étrangères, Mathieu de Montmorency, démagogue sous la Révolution, donne maintenant dans le conservatisme et fait passer, en secret, des armes à Ferdinand VII, roi d'Espagne bientôt prisonnier d'un parti plus révolutionnaire que libéral. Ce n'est pas un moyen de rendre la paix à la péninsule. Chateaubriand, délégué de la France au congrès de Vérone, obtient malgré l'économe Villèle notre intervention directe dans la péninsule. Ce sera l'expédition des «cent mille fils de Saint Louis». L'armée, commandée par le duc d'Angoulême, est supérieurement équipée et encadrée. Condéens, Vendéens, chouans, Napoléoniens cohabitent avec profit. On trouve le vieux Moncey, le maréchal Oudinot, le prince de Hohenlohe, futur fondateur de la Légion étrangère, MM. d'Autichamp, de Bourmont, tant d'autres. D'une parfaite correction, nos soldats, bien pourvus par le munitionnaire Houvard, sont favorablement accueillis par les populations et vont jusqu'à Cadix. La victoire du Trocadero (31 août 1823) replace Ferdinand VII sur son trône. En dépit des conseils de son libérateur, il se conduit avec cruauté.

Reste que nos succès en Espagne marquent l'opinion. Louis XVIII accorde aux ultras la dissolution d'une Chambre où s'étaient élevées des voix discordantes, telle celle de Jacques-Antoine Manuel ayant soutenu la responsabilité des émigrés dans le sort de Louis XVI.

La consultation se déroule les 26 février et 6 mars 1824. Le gouvernement agit sans trop de respect pour le suffrage, et l'opposition chute de 119 membres à 19. Le Roi dit:

— C'est la Chambre retrouvée.

Il supprime les renouvellements annuels par cinquième et fait voter la septennalité. Par respect pour la non-rétro-activité, elle ne sera point appliquée à l'Assemblée dont le mandat se serait étendu jusqu'en 1831. Dans un débat sur la conversion des rentes, Villèle, en difficulté devant les députés, est battu par les pairs. Chateaubriand, n'ayant pas observé la solidarité gouvernementale, se voit congédié sans égard, et entre avec fracas dans l'opposition.

LA FIN DE LOUIS XVIII

A la fin de l'été de 1824, Louis XVIII ne se lève plus. Épicurien dans son jeune âge, il est devenu stoïcien. Pour qu'il accepte le saint viatique, il faut que Monsieur et la duchesse d'Angoulême recourent au service de la platonique maîtresse de Sa Majesté, la comtesse du Cayla. Le monarque meurt le 16 septembre, emporté par la gangrène, à l'âge de 69 ans.

Prince ingrat, faux, dévoré d'ambition, le comte de Provence n'aurait pas laissé grand souvenir s'il n'était devenu le roi Louis XVIII. Modèle des souverains parlementaires, encore qu'il ait ignoré certaines règles du nouveau système, il a mis toute sa passion à tirer la France de la ruine pour la relever au rang des grandes puissances. Simple et majestueux, autoritaire et indulgent, il possédait en apparence plus d'esprit que de cœur. Il n'en fut pas moins l'artisan de notre nouvelle grandeur.

2

CHARLES X, OMBRES ET LUMIÈRE DU DERNIER ROI SACRÉ

Monsieur monte sur le trône. Contrairement à son frère défunt, il n'a jamais intrigué. Aux derniers jours de l'absolutisme, il a, quoi qu'on en ait dit, servi fidèlement Louis XVI. En émigration, il a rempli le rôle de lieutenant général avec conscience, sans savoir, toutefois, se mettre à la tête d'un débarquement. Son entourage l'a toujours trop admiré, a craint pour sa vie ou, à tout le moins, pour sa liberté. Son expérience en politique étrangère l'emporte de loin sur sa connaissance du pays. Après une jeunesse dissipée, il est devenu profondément religieux et demeure nostalgique de la France d'autrefois. A 67 ans, il apparaît d'une jeunesse étonnante. Élégant, enjoué, il témoigne d'un charme sans pareil. Il conserve M. de Villèle aux affaires et prononce quelques déclarations de nuance libérale. Il s'entoure volontiers de gloires napoléoniennes mais doit laisser mettre en retraite certains généraux atteints par la limite d'âge. La mesure déplaît, comme est mal accueilli le dépôt d'une loi contre le sacrilège, votée avec de telles restrictions qu'elle demeurera sans effet. Vient le sacre à Reims. Cérémonie logique et empreinte d'une authentique grandeur, elle présente le mérite d'unir toutes les catégories de la société. Cela n'empêche point le chansonnier Béranger de tâter de la prison pour avoir écrit un médiocre pamphlet, *le Sacre de Charles le Simple*.

Une loi de bon sens et pourtant impopulaire à gauche s'impose, celle de l'indemnisation des émigrés. M. de Villèle, en 1825, la présente sous son vrai jour : il s'agit, en fait, de rassurer les voleurs en indemnisant les volés. Le capital est évalué, c'est bien faible, à 18 fois le revenu de 1789. Si le total approche un milliard payable en cinq ans, il sera réglé, simplement, en titres de rentes d'un total au-dessous du pair et approchant les 625 milions de francs. Une nouvelle fois, on restreint la liberté de la presse par la remise des articles trois jours avant la parution, l'augmentation du droit de timbre et les taxes. Il vaudrait mieux maintenir des contacts réguliers avec les créateurs du «quatrième pouvoir». Le gouvernement retire son projet malencontreusement dénommé par le garde des Sceaux Peyronnet «loi de justice et d'amour» (20 octobre 1827).

Devant l'action des *Libertadors*, soutenus par les États-Unis, la France ne bouge pas sinon pour négocier les intérêts des colons de Saint-Domingue. On croit comprendre que l'opinion, dans sa majorité, penche chez nous pour se donner les agréments de la paix et la fierté de la gloire des combats.

UNE BELLE VICTOIRE ET LES SUITES D'UNE REVUE FÂCHEUSE

Comme les Turcs massacrent les Hellènes avec une rare férocité, la duchesse de Duras déclare à Charles X:

— Sire, la Grèce est la Vendée de l'Europe.

Une escadre franco-anglo-russe envoie par le fond, à Navarin, la flotte du Grand Seigneur (20 octobre 1827). Ce succès ne désarme point la presse. Lors d'une revue, en présence du Roi, la garde nationale de Paris crie «Vive la Charte!» et «A bas les Jésuites!» Elle est dissoute. Le 6 novembre, Villèle obtient une fournée de 76 pairs de droite destinée à rééquilibrer la Chambre haute.

Les manifestations d'hostilité se multiplient. Les obsèques du turbulent Manuel, du bon duc de La Rochefoucauld-Liancourt sont l'occasion de rassemblements subversifs. De nouvelles élections se révèlent très mauvaises pour le gouvernement: 170 Villélistes ou «Ventrus», autant d'opposants de gauche, et 70 ultras de la nuance dite «Pointue». Toute alliance entre l'opposition et les ultras paralyserait l'appareil législatif. Le Roi, de plus en plus agacé, songe à composer un ministère très à droite. Villèle l'en dissuade, prône une expérience modérée et désigne un excellent orateur, le vicomte de Martignac. Villèle devient ministre d'État et membre du conseil privé. Le nouveau chef du cabinet saisit dans son ampleur le problème. Il n'existe point d'arbitre entre la prérogative royale et la prérogative parlementaire. Il importe donc de pratiquer une politique de conciliation afin d'éviter une crise de régime. On peut s'étonner de l'existence d'une opposition de plus en plus virulente. Elle tient à la question religieuse. C'est un perpétuel affrontement entre les Voltairiens et ceux que l'on nomme les Congrégationnistes. La France ne s'est pas remise de la déchristianisation. Si les apparences sont sauves, la bourgeoisie, en grande partie maîtresse de la Chambre basse, s'oppose à l'action du clergé. En cela, elle atteint Charles X dans la pureté de ses sentiments. Il considère que son salut passe par celui de la nation elle-même. Nombre de maisons d'éducation fonctionnent sans autorisation. Martignac, pour satisfaire la gauche, décide leur fermeture. De la même manière, les Jésuites, revenus dès 1814, sont interdits d'enseignement cependant que les petits séminaires perdent l'appellation de collège. Le Roi fait consulter Léon XII et, fort de l'approbation du pontife, consent, en 1828, à prendre ces mesures sans intérêt.

Le haut clergé manifeste sa réprobation. Charles X, et il s'en rend compte, perd à droite ce qu'il ne regagne point à gauche. Il demeure cependant très aimé dans les couches populaires et ses itinéraires en province sont jonchés d'arcs de triomphe et de fleurs.

En octobre 1828, le général Maison intervient avec succès en Morée. L'orgueil national et le goût grandissant pour l'exotisme sont extrêmement flattés. La rente monte. La situation serait enviable si les députés ne se déchiraient à propos de la loi sur les collèges départementaux et d'arrondissement. Le gouvernement est contraint de retirer le projet. Pis, le budget de l'année 1830 n'est adopté, en juillet 1829, qu'avec des restrictions odieuses à l'égard de la Couronne. Charles X est écœuré du régime parlementaire et, bien sûr, n'admet pas la responsabilité ministérielle :

— Ce serait une absurdité et une injustice en France. En Angleterre, à la bonne heure, les ministres gouvernent et doivent être responsables. En France, le Roi gouverne et les ministres ne peuvent être punis de lui obéir. C'est leur devoir. J'aimerais mieux scier du bois que régner à la façon de mon frère d'Angleterre.

Martignac a perdu son allant. Il déclare dans l'intimité :

— Nous faisons ce que nous pouvons. Mais ce que nous pouvons, c'est reconduire la monarchie au bas de l'escalier, tandis qu'on la jetterait par les fenêtres.

Le Roi congédie Martignac et appelle notre ambassadeur à Londres, le prince Jules de Polignac. Fidèle entre les fidèles, fils de l'onéreuse favorite de Marie-Antoinette, membre de la conjuration de Cadoudal, c'est un gentilhomme bienveillant préoccupé surtout de politique extérieure. Il veut remettre en question les traités de 1815 et, pour ce faire, s'appuyer sur la Russie. La présence de Bourmont, le défectionnaire de Ligny, celle de La Bourdonnais, instigateur de la répression de 1815, met le monde libéral en émoi. Le ton de la presse d'opposition touche à l'insulte. Cela n'empêche pas Charles X de déclarer en toute bonne foi :

— Un coup d'État est à mille lieues de ma pensée.

Le prince Jules fait mettre au point une expédition contre Alger dont le dey, de caractère irascible, a frappé d'un coup de chasse-mouches notre agent consulaire Duval. Le gouvernement espère que la victoire comblera l'opinion et la détournera de son soutien à l'opposition dont le caractère devient parfois antidynastique. Il se trouve des gens pour songer à la République, d'autres pour se tourner vers le duc d'Orléans afin d'imiter la révolution anglaise de 1688. Charles X prononce, le 19 mars 1830, un discours du trône sévère :

«Si de coupables manœuvres suscitaient à mon gouvernement des obstacles que je ne veux pas prévoir, je trouverais la force de les surmonter dans ma résolution de maintenir la paix publique dans la juste confiance des Français et dans l'amour qu'ils ont toujours montré pour leur roi.»

L'adresse répondant au discours, adoptée par 281 députés contre 181, est lourde de menace :

«La Charte consacre comme un droit l'intervention du pays dans la délibération des intérêts publics. Elle fait du concours permanent des vues politiques de votre gouvernement avec les vues de votre peuple la condition indispensable de la marche des affaires publiques. Sire, notre loyauté nous oblige à dire que ce concours n'existe pas.»

Polignac, très conciliant, laisserait passer «le manifeste des 221», d'autant plus aisément qu'il n'a jamais eu personnellement maille à partir avec la Chambre. Le Roi, lui, trouve l'insolence un peu forte et, en dépit des conseils de pondération de certains ministres, dissout l'Assemblée.

Le 5 juillet 1830, Bourmont enlève Alger. Les élections vont-elles se ressentir de cet extraordinaire succès? Non, sur les 221, 202 sont réélus. 270 députés appartiennent à l'opposition alors que 150 seulement se montrent favorables au ministère. Charles X pourrait appeler aux affaires des personnages de cette opposition dont le loyalisme n'est pas forcément douteux. Il préfère utiliser l'article 14 de la Charte et procéder par des ordonnances signées à Saint-Cloud le 25 juillet. La première suspend la liberté de la presse. La seconde dissout la Chambre. La troisième restreint l'électorat, la quatrième fixe la prochaine consultation aux 6 et 13 septembre.

Certains journaux avaient communiqué des renseignements militaires pouvant compromettre, auprès des Anglais notamment, l'expédition d'Alger. En revanche, il est difficile d'admettre la dissolution d'une Chambre n'ayant pas été réunie. Enfin, l'augmentation du cens, pratiquée pour écarter une portion de la bourgeoisie, constitue une erreur. Il eût mieux valu prendre la mesure inverse. Quoi qu'il en soit, le Roi ne viole pas la Charte mais l'interprète dans un sens coercitif.

Les sociétés secrètes lancent leur mot d'ordre. Le 28, la révolte éclate avec une rare violence. Paris se hérisse de 6000 barricades. Le maréchal Marmont, major général en quartier, réunit 4 colonnes pour nettoyer la capitale. Il n'y parvient pas malgré la reprise momentanée de l'Hôtel de Ville par le vicomte Talon. Ici se pose la question soulevée de nos jours par le prince Sixte de Bourbon-Parme. Si Marmont, comme il le désirait, avait commandé le corps expéditionnaire d'Algérie, il eût comme Bourmont remporté la victoire mais le même Bourmont, ministre de la Guerre, aurait réprimé l'émeute avec une autre conviction que le maréchal, dévoué, sans doute, mais hostile aux ordonnances.

Les députés libéraux se rangent du côté d'une révolution dont Polignac n'a point soupçonné l'ampleur. Les uns penchent pour la République avec La Fayette pour président, d'autres, tel Casimir Perier, ne veulent pas rompre avec la Couronne. Thiers, enfin, lance, par voie d'affiche, la candidature de Louis-Philippe d'Orléans.

Charles X accepte, non sans chagrin, la démission de Polignac et désigne le duc de Mortemart. Dans la nuit du 29 au 30 juillet, le duc quitte Saint-Cloud afin d'annoncer à l'Hôtel de Ville le retrait des ordonnances. Il est trop tard. Une vague commission a prononcé la déchéance. Louis-Philippe, pressenti de nouveau par le banquier Laffitte, l'avocat Dupin, le général Sebastiani, proteste de son loyalisme à l'égard de Charles X mais ne repousse pas une autre solution ; que le monarque le nomme lieutenant général du royaume et il remettra de l'ordre en garantissant un gouvernement constitutionnel. La commission municipale refuse, alors le duc d'Orléans monte à cheval, se rend à l'Hôtel de Ville où l'accueille La Fayette. Le héros des deux mondes le mène au balcon, se drape assez ridiculement avec lui dans un drapeau tricolore et déclare :

— Voilà la meilleure des républiques.

Le 2 août, à Rambouillet, le souverain, indignement trompé par le maréchal Maison, croit que les Parisiens en foule viennent attaquer sa garde. Il abdique, et le Dauphin, naguère duc d'Angoulême, renonçant à ses droits, la couronne passe au jeune duc de Bordeaux, fils de l'infortuné duc de Berry. Le monarque, ayant nommé Louis-Philippe lieutenant général du royaume, c'est à lui de conduire l'État au nom de l'héritier. Louis-Philippe pourrait accomplir une mission admirable, celle-là même de son ancêtre le Régent. Il se contente de verser l'acte aux archives des assemblées. Le 7 août, Son Altesse devient roi des Français par un vote de 219 députés sur 253 présents alors que le nombre réel s'élève à 428. Il n'est ni Louis XIX ni Philippe VII mais Louis-Philippe Ier. Il n'est pas roi de France mais, comme Louis XVI en 1791, roi des Français. Trois maréchaux du défunt Empire, plus Molitor, l'un des vainqueurs d'Espagne, au cours du couronnement civil, présentent les honneurs. Charles X s'en va, entouré de sa maison. Aimant passionnément notre pays, lui conférant un lustre rare par l'extraordinaire victoire d'Alger, il a voulu remplir son rôle sans tenir compte d'aspirations nouvelles qu'il tenait pour des fantaisies. Ainsi a-t-il ignoré les précautions nécessaires pour garantir ses desseins. Nullement tyrannique mais assuré de son droit divin, il l'a, semble-t-il, mal exercé, ne s'attendant point à la réaction des sociétés secrètes, ignorant tout de l'armement clandestin des émeutiers. Reste que le dernier roi sacré demeure infiniment respectable par la bonté naturelle de son cœur et la hauteur de ses principes. Il trépassera six ans après la catastrophe en murmurant cette phrase qu'il employait souvent : « Il faut mettre cela au pied de la Croix. »

3

LOUIS-PHILIPPE OU LA FRACTURE

Louis-Philippe rappelle étonnamment par ses traits ceux de Louis XIV. Au début de son règne, il va se déguiser en bourgeois, portant un tromblon Bolivar, mettant une immense cocarde tricolore à son chapeau. Fils de régicide, excellent général sous Dumouriez, contraint de s'en aller avec son chef, il s'est toujours éloigné des émigrés alors que Louis XVIII et le comte d'Artois lui pardonnaient le crime de son père. Aux Cent-Jours et aux premiers temps de la seconde Restauration, il a joué, encore qu'on ne sache pas tout, un rôle extrêmement trouble. De retour en 1817, il s'est fait restituer tous ses biens. Immensément riche, il a pu manœuvrer le parti des mécontents à sa guise. Supérieurement intelligent et instruit, il s'est fait beaucoup d'amis prêts à servir un roi potiche. Potiche, il ne l'est pas et va le prouver.

Le nouveau ministère est composé de commissaires provisoires. Le personnel de Charles X est jeté dehors avec une rigueur extravagante. Des députés opposants sont invalidés. Les préfets, les procureurs généraux, les diplomates se voient pour les deux tiers radiés des cadres. On abolit le fameux article 14 de la Charte ainsi que la loi du sacrilège, d'ailleurs inappliquée. Les évêques sont déclarés inaptes aux fonctions administratives et leurs frais de représentation supprimés. Les soldats de l'Empire retrouvent des commandements et les quarante-trois régicides encore en exil sont fort logiquement rappelés par le fils de l'un des leurs.

A l'intérieur de la majorité commencent de s'affronter le parti progressiste du *Mouvement* et celui des forces conservatrices appelé *Résistance*. Très habilement, Louis-Philippe, acquis à la Résistance mais se gardant bien de le montrer, nomme président du Conseil Laffitte, homme du Mouvement. L'heure est venue de juger les signataires des ordonnances. Certains sont en fuite mais les autorités en tiennent quatre, dont les parents et les amis des «héros de Juillet» voudraient la mort. Le Roi donne des instructions à son ministre de l'Intérieur, M. de Montalivet, et en accord avec la Chambre des pairs, parvient à sauver le prince de Polignac, admirablement défendu par Martignac, et les trois autres, MM. de Peyronnet, de Quernon-Ranville et de Chantelauze. Ce verdict de clémence fait baisser la popularité de Laffitte et provoque la démission de La Fayette, commandant général de toutes les gardes nationales. Louis-Philippe se trouve renforcé dans sa position. Reconnu par les grandes puissances, il lui faut manœuvrer subtilement pour éviter les pièges présentés par l'indépendance des provinces belgiques détachées à la suite d'un coup de force contre le royaume de Hollande. Non seulement, il en refuse l'annexion à la France mais encore il décline la couronne pour son second fils, Nemours. Il envoie Talleyrand à Londres et négocie la neutralité perpétuelle du nouvel État dont Léopold de Saxe-Cobourg devient le souverain, non sans épouser Louise-Marie d'Orléans. L'antique contentieux entre France et Angleterre prendrait-il fin? Le ministre Laffitte se préoccupe d'une loi électorale. Ces maîtres en démocratie arrivent à 170 000 électeurs, n'acceptant même pas les gardes nationaux se situant en dessous du cens.

A la suite d'une cérémonie à la mémoire du malheureux duc de Berry, des «patriotes» mettent à sac l'archevêché. La garde nationale, irritée par le mode de scrutin, ne bouge pas. Répétées, les manifestations de violence affectent la rente. Laffitte, ayant perdu ses soutiens à la Chambre, demande vainement la dissolution. Le Roi fait appel au président de l'Assemblée, Casimir Perier, leader de la Résistance. L'homme apparaît d'une dimension rare. Il pose ses conditions à Louis-Philippe, excluant notamment le jeune duc d'Orléans, adepte du Mouvement, des délibérations du cabinet. Doué pour la parole mais aussi pour l'action, il exige une obéissance absolue de ses ministres et dompte les députés. Il organise une expédition au Portugal où les intérêts de nos ressortissants ont été lésés par don Miquel (juillet 1831), puis, à la suite d'un siège important, arrache Anvers au roi de Hollande. En 1832, par l'envoi de troupes à Ancône, il contraint l'Autriche à l'évacuation de Bologne et, en dépit des protestations de Metternich, obtient l'approbation de Grégoire XVI.

Dans le domaine intérieur, il ne peut combattre efficacement la suppression de l'hérédité de la pairie. Il s'en plaint comme il plaint le Roi d'abandonner les fleurs de lis.

A la fin de 1831 s'était produite une affaire lamentable. Les ouvriers de Lyon, forts d'une convention collective portant sur un tarif minimum des salaires admise par le préfet du Rhône, s'étaient révoltés à la nouvelle du refus ministériel de l'appliquer. La lutte fut très rude et le nombre des victimes considérable. Perier, grand patron, demeurait peu perméable aux problèmes sociaux. A ses yeux ne comptait que la liberté des contrats. Cette manière d'agir allait incliner une partie des prolétaires vers les théories socialistes ressuscitées par un ancien complice de Babeuf, Filippo, dit Michel-Ange, Buonarroti.

Casimir Perier n'en est pas moins un héros. Déjà malade, il tient à visiter les victimes du choléra. Il se sait très exposé mais n'hésite pas. Après un mois de souffrance, il meurt le 16 mai 1832. La monarchie de Juillet a perdu trop tôt son Richelieu.

Désormais, le Roi va, successivement, appeler des ministres sans grand relief jusqu'au moment où, après bien des années, il trouvera l'équilibre grâce à Guizot. Au compte de cet administrateur hors pair, il faut inscrire l'instruction obligatoire et la création des chemins vicinaux.

Le Roi maîtrise sans difficulté l'insurrection de la duchesse de Berry, conduite pourtant par le maréchal de Bourmont ; l'opération échoue dans le Midi, puis en Vendée. La princesse est faite prisonnière et doit confesser qu'elle attend un enfant. Elle est libérée, mais cette fâcheuse affaire fait reculer la cause de la légitimité.

LA RENAISSANCE CATHOLIQUE

Tandis que la politique absorbe Louis-Philippe, le mouvement littéraire connaît une ampleur peut-être inégalée depuis Louis XIV. Certes, le Roi, encore altesse, n'a point manqué de soutenir le jeune Alexandre Dumas mais, depuis lors, il s'est moins préoccupé que Charles X de la nouvelle littérature. Hugo prend son vol sans trop savoir sous quelles couleurs, Musset devient bonapartiste, Vigny procède du légitimisme sans pressentir où le mèneront ses rêveries sublimes. Balzac, revenu de son républicanisme, pare de blanc une œuvre titanesque. Stendhal ne croit point à l'avenir du «King Philippe».

Dans ce pays bourgeois, au plus mauvais sens du terme, les

catholiques réagissent avec vigueur sous l'impulsion de personnages exceptionnels. Leur existence sera troublée par l'animadversion de l'État et le désaveu du Vatican. Montalembert s'élève de loin au-dessus de ses pairs par la qualité de ses écrits, toutefois, la pénétration de ses analyses, la souplesse de son caractère le mettront à l'abri de certains courroux. Aussi généreux que ses congénères, il demeure un soutien de l'ordre. Lacordaire semble plus virulent, Ozanam est franchement républicain, Lamennais finira par sombrer dans un déisme confus. C'est l'honneur du catholicisme de se pencher, selon une tradition immémoriale, sur les douleurs d'autrui.

Une portion du peuple se tient pour frustrée de la République et attaque à tous propos. Les émeutes tournent parfois au drame, telles les affaires de la rue Transnonain et du Cloître-Saint-Merri. L'attentat de Fieschi, dirigé contre le Roi (25 juillet 1835), cause 20 morts — dont le maréchal Mortier — et 100 blessés. Il faut, à nouveau, instaurer des lois d'exception.

PRUDENCE DE LOUIS-PHILIPPE

Les relations extérieures deviennent difficiles. Talleyrand détache Louis-Philippe de l'alliance anglaise et le ramène vers les puissances continentales dont l'attachement aux traités de 1815 s'est affirmé de nouveau lors de la conférence de Munchengraetz. Victor de Broglie, pour des raisons secondaires, est renversé par deux voix. Le souverain se fait une joie d'appeler le très remuant M. Thiers. Chef du parti du Mouvement, le petit homme que le Roi n'a désigné que pour s'en débarrasser est prisonnier du terrorisme et doit, après l'attentat d'Alibaud, renforcer l'appareil répressif. Il échoue dans son projet d'alliance matrimoniale entre le duc d'Orléans (le prince royal) et une Habsbourg et doit se contenter d'une Mecklembourg-Schwerin. Furieux, Thiers s'en prend à Metternich. Le Roi ne l'entend pas de cette oreille. Le Marseillais se rebiffe, offre sa démission, elle est acceptée. Pour la seconde fois, le souverain s'est séparé du parti du Mouvement. Il appelle le comte Molé, «chef d'une illustre famille de robe, serviteur de tous les régimes, mais en observant assez de détachement pour n'être compromis avec aucun» (duc de Castries). Molé désavoue l'action de Thiers et, dans une volonté d'apaisement, fait libérer les ministres de Charles X. C'est le moment où s'éteint le vieux Roi. Son petit-fils, le duc de Bordeaux, qu'on nomme désormais le comte de Chambord, parce qu'il tient ce domaine d'une souscription nationale, prend la relève.

Un autre prétendant va faire parler de lui; depuis la disparition prématurée du roi de Rome, la dynastie impériale est représentée par Louis-Napoléon, fils de l'éphémère roi de Hollande et de Hortense de Beauharnais. Le 30 octobre 1836, vêtu d'un uniforme de colonel, il tente, à Strasbourg, de soulever le 4ᵉ régiment d'artillerie. Son dessein : se saisir de la ville, réunir les garnisons avoisinantes et marcher sur Paris; arrêté, le candidat au trône impérial n'est pas déféré devant la Chambre des pairs. Louis-Philippe l'envoie tout bonnement en Amérique. Le bonapartisme n'existe pas encore mais le culte de Napoléon commence de se développer. « L'Ogre » est maintenant considéré comme une manière de demi-dieu, non seulement par ses fidèles militaires, dont les rangs s'éclaircissent, mais chez une partie des civils. N'était-il pas le représentant de la Révolution ? Ses lois ne sont-elles pas toujours en vigueur ? Les misères de son règne s'oublient plus vite que les bienfaits de la Restauration et de cette monarchie de Juillet inventée par quelques élites libérales. A la vérité, les Français perdent le sens de l'allégeance dynastique, et Louis-Philippe le sait parfaitement. Roi « parce que Bourbon » ou « bien que Bourbon », il cherche néanmoins à parer son coq des plumes de l'aigle. Il veut aussi réconcilier ses sujets en célébrant le culte du passé. Tel est le sens de la rénovation de Versailles où, grâce à des tableaux, souvent de bonne venue, sont réunis tous nos exploits à l'exception de ceux des Vendéens et des Condéens. Ainsi trouve-t-on dans cet extraordinaire musée une salle des croisades et des toiles célébrant les victoires plus ou moins populaires de la Révolution à ses débuts. Statufiés, le plus souvent de leur vivant, les maréchaux du « Petit Caporal » ploient sous de lourds plumails et brandissent l'un de ces sabres turcs dont les lames étaient fort appréciées. Le ministère Molé, outre cette restauration du château, connaît quelques événements heureux tels que le mariage du prince royal et, en 1838, la naissance du comte de Paris.

Guizot et Thiers s'allient avec Odilon Barrot, chef de la gauche dynastique, pour mettre le cabinet en minorité mais n'y parviennent pas. Ils sont trop dissemblables pour constituer une formation. Cependant, Molé s'use et ne trouve pas son compte dans une seconde dissolution. Il quitte le pouvoir au printemps de 1839 et il s'ensuit une crise de trois mois. Les extrémistes en profitent. Armand Barbès, Martin Bernard et Auguste Blanqui déclenchent l'insurrection dite des Saisons et s'emparent de l'Hôtel de Ville dont ils sont délogés par l'armée régulière, le 12 mai. Le péril conjuré, Soult forme un ministère. Il ne tiendra pas longtemps ; le refus d'une dotation au duc de Nemours, pour son mariage avec la princesse de Saxe-Cobourg et Gotha, entraîne la démission du maréchal. Louis-Philippe est contraint de rappeler Thiers. Soucieux de popularité, l'historien du Consulat et de l'Empire propose et obtient le retour des cendres de Napoléon et en profite, dans l'euphorie quasi générale, pour ajourner l'abaissement du cens à 100 francs et refuser le droit de vote à la garde nationale. Étrange cécité de la part d'un personnage à l'accoutumée plus circonspect.

LA POUDRIÈRE D'ORIENT

Décidément, l'Empereur revient en mode. Se tenant pour un de ses disciples, Méhémet Ali, pacha d'Égypte, a triomphé de son sultan, Mahmoud, à Nézib (24 juin 1839) et réclame son indépendance, menant tout droit au démembrement de l'Empire ottoman. Une conférence, réunissant les grandes nations, s'oppose aux prétentions de l'Égyptien. Thiers prend le contre-pied. Louis-Philippe ne veut pas s'aliéner l'Europe et recherche une solution pacifique. Guizot, alors ambassadeur à Londres, ne cache point la position de son maître au Premier britannique, Palmerston. Le lord fait régler le sort de Méhémet Ali par un traité des Quatre Puissances (15 juillet 1840) sans que la France soit officiellement consultée. L'opinion réagit avec vigueur. Louis-Philippe ne se trouble pas et, au premier affrontement, Méhémet Ali quitte le théâtre. Comme le Roi refuse sans retouche le belliqueux discours du trône préparé par Thiers, le petit homme s'en va fort dépité. Le 6 août 1840, Louis-Napoléon, fort de l'enthousiasme provoqué par l'imminence du retour des cendres, tente une nouvelle opération à Boulogne. Ses amis placent de la viande fraîche dans son chapeau puis lâchent un aigle pour que le noble animal vienne se poser sur le couvre-chef. L'aigle n'a pas faim, les troupes demeurent fidèles. Louis-Philippe se fâche un peu. Le chef des Bonaparte, condamné par les pairs, s'en va méditer assez confortablement au fort de Ham, occupé précédemment par le prince de Polignac.

Le 15 décembre 1840, Louis-Napoléon rentre «dans sa capitale, glorieux, couronné, saint comme Charlemagne, et grand comme César» (Victor Hugo). Chateaubriand, n'oubliant pas le sort du magnifique duc d'Enghien, voit surtout «une statue de Condé qui paraissait pleurer». Louis-Philippe est las des combinaisons parlementaires. Prenant Soult pour paravent, il choisit Guizot comme chef véritable du ministère. A la formule du Marseillais, «le Roi règne mais ne gouverne pas», s'oppose celle du Nîmois, «le trône n'est pas un fauteuil vide».

La position de la France est devenue solide; l'expansion industrielle commence avec, il est vrai, un fort retard sur l'Angleterre. Hélas, Louis-Philippe et «Monsieur Guizot», comme dit toujours le monarque, ne se préoccupent pas du problème posé par les concentrations ouvrières. Cette main-d'œuvre, passée de la terre à la ville, vit dans des conditions souvent déplorables sans que les responsables se soucient d'améliorer le sort des déracinés. Le Roi vieillit, ne met plus à profit cette expérience acquise un peu partout dans le monde durant ses exils. Il voit la France à travers sa représentation censitaire, la richesse du pays le rassure et il oublie que les biens sont mal partagés. Les ouvriers enrichis et devenus entrepreneurs ne se montrent pas plus tendres que la vieille bourgeoisie. Au contraire. Il faudra légiférer pour exonérer du travail les enfants de moins de 8 ans.

LA GLOIRE D'ALGÉRIE

Louis-Philippe, comme presque tous les chefs d'État modernes, se consacre, avant tout, à la politique extérieure. Les variations des Chambres l'ont empêché longtemps de porter tous ses soins à la conquête de l'Algérie. Il a dû, après le départ volontaire du maréchal de Bourmont, employer des anciens de l'Empire, inadaptés à cette guerre très particulière. Le général Bugeaud conclut un accord avec le jeune émir Abd el-Kader à la Tafna. Ce fut fait à pied d'égalité. Il en résulta très vite une recrudescence des hostilités. Le 12 novembre 1837, le maréchal Valée, dit Louis XI à cause de la minceur de ses lèvres, prenait Constantine. Là, mourut le général de Danrémont et s'illustrèrent Lamoricière et le prince de Joinville. Les fils de Louis-Philippe se dévouaient, se couvrant de gloire dans ces fêtes guerrières. En 1839, le duc d'Orléans forçait les Portes de fer, établissant la liaison entre Alger et Constantine. Louis-Philippe se passionna. Pacifique dans les affaires européennes, il entendait montrer que la France, lorsqu'elle ne risquait pas de porter la responsabilité d'un conflit international, allait jusqu'au bout. En 1840, Bugeaud, revenu de sa méprise de la Tafna, devient gouverneur général. Il entreprend un véritable quadrillage. Bons soldats, surtout dans les opérations de surprise, certains Algériens se défendent avec acharnement, d'autres choisissent la soumission et finissent par nouer des relations amicales avec les Français. Il nous faut cependant entretenir plus de 100 000 hommes sur place et consacrer annuellement un budget supérieur à 100 millions de francs or. Le 16 mai 1843, à Taguin, près de Médéa, le duc d'Aumale enlève la smala d'Abd el-Kader, véritable ville ambulante peuplée de 23 000 personnes. Les opérations s'étendent vers l'ouest, et l'Angleterre s'inquiète pour l'Empire chérifien. Une croisière du prince de Joinville, puis la victoire d'Isly, remportée par Bugeaud sur les Marocains, affirment notre suprématie. Les hostilités durent encore trois ans, marquées par des actions parfois inhumaines. En 1847, l'émir se rend au général de Lamoricière au moment où le duc d'Aumale hérite le gouvernement général.

Sur un autre théâtre, Louis-Philippe et Guizot avaient, par la convention des Détroits (13 juillet 1841), interdit les Dardanelles et le Bosphore à la navigation militaire, enfermant ainsi la flotte russe dans la mer Noire. C'était régler pacifiquement la question d'Orient.

LE TRÉPAS DU PRINCE ROYAL

L'opposition n'en montrait pas moins les dents. En 1841, on avait tiré sur le duc d'Aumale, et Ledru-Rollin, républicain à chaux et à sable, entrait à la Chambre et s'entendait acquitter pour offense au chef de l'État. Guizot eut recours à la dissolution, se donnant une majorité plus confortable mais laissant la porte trop largement ouverte aux extrémistes. La réforme électorale demeurait en suspens. Le duc d'Orléans considérait la politique de son père et de M. Guizot comme rétrograde. Protecteur des écrivains, très libéral sans retomber dans la démagogie de sa prime jeunesse, il souhaitait élargir le système. Le 13 juillet 1842, comme il allait embrasser sa mère avant de partir pour les grandes manœuvres, il sauta de voiture pour maîtriser un cheval emballé. Il se tua. Il emportait bien des regrets et posait, *post mortem*, la question de la régence. Elle revenait de droit à son puîné, le duc de Nemours, grand soldat, homme généreux mais réputé, non sans raison, pour épouser des points de vue droitiers.

Il fallut se conformer à la nouvelle mode et passer par les Chambres. Une partie de l'opposition (94 voix contre 310) vota pour la duchesse d'Orléans. Thiers, pourtant, rallia avec les siens le point de vue de Guizot.

La loi de régence conduisit le duc de Bordeaux à rassembler à Londres l'élite des tenants de la branche aînée. Les participants appartenant à la Chambre furent déclarés «flétris» mais tous réélus. La légitimité, infiniment plus sociale que le juilletisme, se manifestait avec éclat.

La reine Victoria, pas très éclairée, désapprouva l'attitude de Bordeaux car elle se rapprochait de la branche cadette depuis la convention des Détroits. Vinrent des incidents : notre opposition au droit de visite que s'étaient arrogé les Britanniques soi-disant pour empêcher la traite des Noirs, l'indemnisation du pasteur Pritchard, opposant à notre protectorat sur Tahiti, dont les biens avaient été détruits par les marins français. Ce n'étaient que minces affaires. On avait vu la reine Victoria visiter Louis-Philippe au château d'Eu (septembre 1843), puis le Roi se rendre à Windsor. Le temps se gâta lorsque le monarque intervint pour que la reine Isabelle d'Espagne épousât don François d'Assise et que la sœur de celle-ci fût unie au benjamin des Orléans, le duc de Montpensier. Il s'agissait, avant tout, de maintenir en faveur des Bourbons l'héritage espagnol. Victoria, courroucée, fit orchestrer une campagne venimeuse contre la France. Désormais, Guizot s'appuya sur l'Autriche. C'était une excellente politique permettant de se prémunir contre la Prusse très en flèche depuis 1840, et contre l'unité de l'Italie. Malheureusement, l'opposition conservait des positions austrophobes, s'attachait au «droit des peuples à disposer d'eux-mêmes». Ainsi le président du Conseil se vit-il accusé de renouveler la Sainte-Alliance.

Les Chambres semblaient frappées d'apathie, elles ne parvenaient même point à parfaire le régime de l'instruction publique et se désintéressaient des grands travaux. En 1840, nous possédions 433 km de voies ferrées contre 2 500 à la Grande-Bretagne et 5 800 aux États-Unis. Rançon du protectionnisme, le prix de la fonte était trois fois trop élevé et décourageait les entrepreneurs. En 1842, fut tout de même votée la loi dessinant les grandes lignes. C'était une araignée dont la tête était constituée par Paris. Cette centralisation présentait le défaut d'asphyxier les provinces par absence de transversales. Un moment, les travaux se ralentirent à tel point que l'État dut restituer les cautionnements des compagnies. Les ouvriers vivaient mal sur ces immenses chantiers. Ils ne savaient pas toujours lire, mais des camarades plus instruits commentaient pour eux les textes enflammés de l'extraordinaire Proudhon, du bon Louis Blanc, de Lamennais, de Cabet ou de Fourier. Même le saint-simonisme «à chacun selon sa capacité, à chaque capacité selon ses œuvres» continuait de séduire certains industriels et conduisait à l'étatisation.

LA SCLÉROSE

En 1847, Guizot commit une erreur; il fit repousser un projet pourtant raisonnable. Il s'agissait d'un abaissement du cens et de l'octroi du droit de vote à des gens méritants. Cela eût pu amener 200 000 électeurs nouveaux. Ce n'était rien et le suffrage universel eût été, comme en 1830, infiniment préférable. Même légitimistes, les paysans, conservateurs par définition, n'auraient pas désavoué le régime de Juillet.

Les opposants organisent bizarrement une campagne de banquets. On mange, on boit, on salue la Charte et Lamartine, «le poète sacré». Louis-Philippe ne prend pas ces agapes au sérieux. Aux vœux du corps diplomatique, il répond que deux choses sont devenues impossibles en France: la guerre et la révolution.

Certains veulent les deux, toutefois l'opposition demeure prudente; la campagne des banquets est suspendue durant la session des Chambres mais, pour la clôture, un nouveau dîner est prévu. Bien que la réunion soit privée, Guizot l'interdit. La manifestation devant suivre est annulée par ses propres organisateurs. Le gouvernement met en place un service d'ordre trop léger.

LOUIS-PHILIPPE QUITTE LA SCÈNE

Le 22 février, des gens à mine patibulaire s'assemblent comme s'ils n'avaient pas été décommandés, s'avancent sur le Palais-Bourbon où l'on a déposé contre le ministère une motion parmi tant d'autres. C'est alors que la garde nationale lâche pied, se vengeant de sa frustration électorale. Louis-Philippe accepte, en pleurant, la démission de Guizot et charge Molé de constituer un nouveau cabinet. Le noble comte n'y parvient pas. Entre-temps, le petit peuple s'est attaqué si vivement au ministère des Affaires étrangères, où demeure Guizot, que la troupe, agressée, tue 16 personnes et en blesse 50. Les cadavres sont placés sur des chariots et promenés à la lueur des torches. Molé passe la main à Thiers. Le petit baron, au cours d'une conversation de cinq heures,

arrache au Roi la réforme parlementaire et électorale mais crée
de telles difficultés que sa nomination ne peut être annoncée par
Le Moniteur. Bugeaud, nommé commandant en chef, constitue
quatre colonnes de troupes. Les trois premières reprennent le
contrôle de l'Hôtel de Ville, du Panthéon et du redoutable
quartier Saint-Merri. La 4ᵉ colonne, dirigée pourtant par un
héros d'Algérie, le général Bedeau, parlemente puis se met à
fraterniser avec l'émeute. Elle recule jusqu'à la place de la
Concorde, découvrant les Tuileries. Que peut Lamoricière à la
tête d'une garde nationale en grande partie gangrenée ? Thiers et
Bugeaud préconisent le repli sur Saint-Cloud afin de garantir les
autorités et de reprendre les quartiers en ébullition. Louis-
Philippe, hanté par le sort de Charles X, refuse. Il préfère, le 24
février, à 10 h 30 du matin, s'assurer de la garde nationale en la
passant en revue. Cette attention n'est pas payée de retour. Le
monarque est hué. Il abdique en faveur de son petit-fils, le comte
de Paris, laissant la présidence à Barrot. Au début de l'après-midi,
la duchesse d'Orléans, ses enfants, Paris et Chartres, qu'accompagne Nemours, vont à la Chambre pour faire reconnaître la
régence. Lamartine prononce un discours hostile et rallie les
légitimistes. Le Palais-Bourbon est envahi par une meute en
armes. Le poète se rend à l'Hôtel de Ville. La République est
proclamée le 25 février 1848.

Louis-Philippe et la reine Marie-Amélie passent en Angleterre, non sans de graves difficultés, car la commission provisoire
a lancé contre le souverain un mandat d'arrêt. Très intelligent,
d'un stupéfiant courage physique, d'une étonnante souplesse au
début de son règne, le Roi des Français s'était sclérosé. Il n'avait
pas compris qu'il importait de satisfaire les aspirations de la
petite bourgeoisie, de donner au peuple les maigres droits que
réclamaient pour lui des groupes d'«intellectuels». Reconnu
pour son habileté, il lui manquait l'auréole de la légitimité.
Prisonnier du juste milieu, il se trouva naturellement en porte
à faux dès qu'il s'en écarta. Pour autant, sa politique extérieure
fut dans l'ensemble une réussite. Il observa, dans la ligne de la
Restauration, la plus grande prudence et la plus haute dignité.
En laissant ses fils participer à toutes les campagnes, et notamment celles d'Algérie, il rendit à la maison de Bourbon un haut
prestige militaire ignoré depuis les Condé et le duc d'Angoulême.

En dépit du mauvais coup de 1830, Louis-Philippe s'était
montré, malgré quelques travers, un véritable roi. Son malheur :
on le respectait sans l'aimer.

4
LA IIᵉ RÉPUBLIQUE JOUE ET PERD

C'est peut-être à tort qu'on prend la IIᵉ République comme sujet de moquerie. Hors quelques gentilshommes de talent comme Lamartine et Tocqueville, les représentants du gouvernement révolutionnaire étaient incompétents mais honnêtes. La Chambre et la commission de l'Hôtel de Ville constituent un gouvernement où dominent les républicains. Le vieux Dupont de l'Eure, vétéran du Directoire, préside, mais Lamartine, aux Affaires étrangères, s'affirme comme le chef véritable. Ledru-Rollin obtient l'Intérieur. Le banquier Goudchaux accepte les Finances, enfin le charmant Louis Blanc dirige une commission de travail assisté par l'ouvrier Albert. On attend beaucoup de ce nouvel organisme.

A l'extérieur, les grandes puissances subissent, dès la mi-mars, la mode venue de Paris. Metternich doit s'en aller, les Prussiens se prennent d'amour pour un régime constitutionnel, le Piémont se dresse contre l'Autriche. La France ne peut ni ne veut intervenir en dépit des excitations au désordre de l'extrême gauche.

Si la République fait les délices de quelques duchesses, elle est adoptée passivement en province. Ledru-Rollin envoie des commissaires dont l'action demeure limitée. Légitimistes et orléanistes vont tenter de s'unir pour sortir le pays de l'ornière, mais effacer les dissensions de la veille nécessite beaucoup de temps et de délicatesse. La République ne commence pas trop mal. Le 24 février, elle accorde le suffrage universel masculin, à la grande colère des féministes et autres vésuviennes. Elle proclame la liberté de la presse, supprime la peine de mort en matière politique ainsi que l'esclavage et la contrainte par corps.

En revanche, la législation ouvrière outrepasse nos possibilités ; la durée de travail quotidien est abaissée à dix heures, le marchandage interdit. Les chômeurs sont engagés pour 2 francs or par jour dans les ateliers dits nationaux. Cette œuvre généreuse de Louis Blanc ne tient aucun compte de l'état des finances. L'absence de confiance dans le nouveau régime paralyse les affaires. On relève 50 % de faillites tant à Paris qu'en province. Les comptes de Caisse d'épargne sont vidés, les bons du Trésor retirés. La rente tombe de 116 à 50 en quelques jours. Les dépôts de Caisse d'épargne sont remboursés par de nouveaux bons du Trésor et par la rente au pair. Le 25 mars, le cours forcé du billet est décrété, il s'accompagne de la limitation du plafond et de la suppression des grosses coupures. On augmente le volume d'émission pour de nouveaux organismes de crédit. Les contributions directes sur la propriété immobilière sont augmentées de 45 %. C'est se mettre à dos tous les possédants. En revanche, le sel et les boissons sont partiellement détaxés. Barbès et Blanqui, qu'approuve Louis Blanc, préparent la nationalisation de la haute industrie et des banques, un impôt progressif sur le revenu, une dévolution des entreprises à des comités prolétariens. Il est évident, et les révolutionnaires le savent, que le pays n'acceptera point ces fantaisies. L'extrême gauche s'attaque donc au suffrage universel et, pour empêcher des élections libres, elle tente sans succès une journée le 16 avril 1848.

Il demeure d'un haut enseignement que Louis-Philippe ait été renversé pour avoir refusé d'étendre le suffrage et que, moins de trois mois plus tard, ses successeurs aient couru même risque pour l'avoir universalisé. Rien ne montre mieux comment les décisions prises sans réflexion conduisent aux aventures de l'apprenti sorcier. Pourtant, le suffrage universel, même s'il implique la participation d'illettrés, rejoint le bon sens de la nation. Le 23 avril, les électeurs accordent 200 mandats aux légitimistes, une centaine aux socialistes, 500 au centre, parfois demeuré républicain, mais le plus souvent orléaniste. Ce n'est pas fait pour réjouir l'extrême gauche. Le 15 mai, Barbès, Raspail et Blanqui relancent l'insurrection mais, devant la fermeté de la garde nationale, se font arrêter sur l'ordre de Lamartine et de Ledru-Rollin. Louis Blanc s'en retourne à ses travaux.

Il est curieux de constater l'importance qu'ont pris les historiens depuis 1830. Guizot, Thiers, Quinet, Barante, Tocqueville, Michelet, quelques autres sont amants de Clio. Grande leçon de modestie : à part Guizot, dont le talent ne se discute pas, tous ces écrivains recherchent, sans grand succès, dans le passé les moyens d'améliorer le présent. Lamartine n'est pas le dernier à tomber dans ce travers. Ainsi crée-t-il une commission exécutive de cinq membres gouvernant avec les ministres. En attendant de se donner une Constitution, l'Assemblée forme des bureaux par tirage au sort.

JUIN EMPOURPRÉ

Les Ateliers nationaux ne produisent rien et «emploient» 100 000 ouvriers que l'on songe à disperser en province en les préposant à la construction des voies ferrées. Il faut trouver une solution moins choquante. Le comité des finances décide de payer le travail aux pièces, rogne les crédits, enfin, le 15 juin, demande la fermeture. Elle n'est pas encore accordée que l'insurrection éclate. Tout l'est de la capitale est aux mains des émeutiers dans la soirée du vendredi 23. Le gouvernement propose encore l'engagement pour l'Algérie ou l'assèchement des marais. Un certain Pujol, ancien chasseur d'Afrique, bon orateur mais privé de capacités, prend la tête du mouvement. En face, les pleins pouvoirs sont donnés au ministre de la Guerre, le général républicain Cavaignac. Il concentre ses troupes au-delà des fortifications, puis l'emporte en trois jours de combats d'une rare férocité. L'archevêque, Mgr Affre, est tué, cependant qu'il tentait d'apporter la conciliation. 12 000 révoltés sont capturés, 6 000 passeront en conseil de guerre et seront déportés. Cavaignac ferme les clubs, épure la garde nationale et devient président du Conseil nanti de pouvoirs dictatoriaux dont il usera modérément. Les Ateliers nationaux sont enfin fermés et nombre de prolétaires prennent en dégoût la République.

UNE CONSTITUTION VICIEUSE

L'Assemblée travaille à la Constitution. Elle sera promulguée le 12 novembre. Écartant les procédures référendaires et le droit au travail, elle confirme la souveraineté du peuple et fixe sa représentation dans une chambre unique de 750 membres avec un mandat de trois ans sans possibilité de dissolution. L'État protégera la famille, la propriété, les droits naturels. Il dispensera l'instruction et l'assistance. Malgré la gauche, on s'accorde sur un exécutif robuste entre les mains d'un président de la République élu pour quatre ans au suffrage universel direct, non rééligible immédiatement, justiciable devant la Haute Cour en cas de non-respect de son serment. Il nommera des ministres comptables devant l'Assemblée. La Constitution est vicieuse dès lors qu'elle ne prévoit pas d'arbitre entre deux pouvoirs de même nature et qu'elle ne distingue pas clairement les responsabilités du chef de l'État et celles du chef du gouvernement. En fait, les républicains modérés ont fabriqué, de manière optimiste, un régime à leur convenance. C'est compter assez naïvement sur la logique des urnes.

UN PRINCE TENACE

Le prince Louis-Napoléon s'est fait élire par 4 départements lors des partielles consécutives à la tragédie de juin. Il n'a point produit sur ses collègues une forte impression. Qu'importe! Il manifeste l'intention de devenir président et organise finement sa campagne. Un courant se dessine en sa faveur. Les Burgraves de la rue de Poitiers, membres de l'association monarchiste que mènent conjointement légitimistes et orléanistes, savent qu'il est encore trop tôt pour présenter un Bourbon et, de toute manière, se disputeraient entre les partisans du comte de Chambord et les tenants d'une régence exercée par un fils de Louis-Philippe. L'immense avocat Berryer, M. de Montalembert se prononcent donc pour Louis-Napoléon, et Thiers, sûr de lui, pronostique:

— C'est un crétin qu'on mènera.

Possible, mais le crétin s'en tire avec éclat. Les chiffres, Algérie comprise, parlent d'eux-mêmes:

Cavaignac: 1 474 687 voix.

Ledru-Rollin: 381 026.

Le chimiste Raspail: 37 121.

Lamartine: 21 032.

Le général Changarnier: 4 975.

Et Louis-Napoléon: 5 587 759 voix, soit 56 % des inscrits et 74 % des votants. Guizot écrira dans ses *Mémoires*: « L'expérience a révélé la force du parti bonapartiste, ou, pour dire plus vrai, du nom de Napoléon. C'est beaucoup d'être à la fois une gloire nationale, une garantie révolutionnaire et un principe d'autorité. Il y a là de quoi survivre à de grandes fautes et à de longs revers.» Pour l'instant, Louis-Napoléon ne commet pas de fautes et ne subit pas de revers. Il prête serment à la Constitution et prend Odilon Barrot comme responsable du cabinet. C'est un bon choix ; l'ancien leader de la gauche dynastique n'inspire la peur à quiconque. Il conserve des amitiés orléanistes sans porter tort aux républicains.

Son œuvre achevée, la Constituante se sépare et, une fois de plus, le 13 mai 1849, on vote. La lassitude du pays pour ce genre d'exercice se fait sentir ; on enregistre 40 % d'abstentions. Les suffrages exprimés donnent globalement 40 % à la gauche, 60 % à la droite mais, par le jeu du scrutin, les royalistes emportent 500 sièges et les républicains affirmés moins d'une centaine. Le 13 juin, Ledru-Rollin tente vainement d'organiser, tant à Paris qu'en province, une nouvelle insurrection. Elle est maîtrisée en quelques heures. 34 députés dits Montagnards, par référence aux «grands ancêtres», se retrouvent devant la Haute Cour. Certains sont bannis. Bien des gens sont chassés de la garde nationale et de l'administration. Les libertés font l'objet de restrictions. Les extrémistes, aux élections complémentaires, vont toutefois reconquérir 21 sièges sur 34. Détail divertissant, l'élection du feuilletoniste Eugène Sue, dandy d'extrême gauche, fait baisser la rente de 7 points en une seule séance.

Le nouveau ministre de l'Intérieur, M. Baroche, songe à rendre un peu moins universel un suffrage aussi capricieux.

Louis-Napoléon, en dépit de son idéalisme, menait une action assez prudente à l'extérieur. Il a joué les médiateurs entre l'Autriche et le Piémont après la cuisante défaite des Sardes à Novare, en 1849, puis il s'est enhardi jusqu'à faire savoir au vieil empire qu'il n'accepterait pas une annexion.

Il faut payer la dette contractée envers les catholiques en permettant au pape, alors à Gaète, de rentrer dans la Ville éternelle occupée et républicanisée, en 1848, par les amis de l'avocat Manin. Le général Oudinot, 2ᵉ duc de Reggio, parvient non sans mal à remettre Rome aux cardinaux. Le pontife, déçu par le comportement des révolutionnaires, n'adopte plus une attitude libérale. L'ancien carbonaro Louis-Napoléon est ulcéré par les représailles pontificales mais ne le montre pas.

Le 15 mars 1850, M. de Falloux fait voter par 399 voix contre 237 la loi sur la liberté de l'enseignement. Désormais, les particuliers munis d'un brevet d'aptitude ou du baccalauréat (les ecclésiastiques en sont dispensés) peuvent ouvrir des écoles primaires ou secondaires. L'Université perd sa personnalité civile et son conseil est élargi mais elle conserve la collation des grades. L'instituteur est soumis au maire et au curé. A n'en pas douter, ces nouvelles dispositions vont à la fois réenraciner le catholicisme et contribuer au développement de l'anticléricalisme.

Le budget demeure en déséquilibre en dépit de mesures saines telles que la suppression du cours forcé des billets et le plafonnement des émissions. Les députés repoussent les impôts sur les successions et les valeurs mobilières. C'est bien vu mais, pour tenir, il faut réduire les dépenses militaires et de travaux publics tout en pratiquant — et ce n'est que justice — un dégrèvement du foncier. L'abondance des récoltes fait chuter les prix agricoles et baisser le volume des affaires. La situation, pourtant, demeure enviable au regard de bien des nations.

Louis-Philippe meurt à Claremont, dans le Surrey (26 août 1850), non sans avoir précisé que seul le comte de Chambord peut reprendre la couronne. C'est compter sans la rupture de 1830. Malgré Guizot et Salvandy, de nombreux orléanistes continuent d'en tenir pour la branche cadette et songent à s'appuyer sur l'armée. Ces conversations apparaissent prématurées. Les rapports entre le président et l'Assemblée ne sont pas détériorés. C'est alors qu'est votée la loi du 31 mai. Elle exclut de la participation au scrutin tous les condamnés politiques, exige trois ans de résidence dans le canton, l'assujettissement au rôle de l'impôt direct. Trois millions d'électeurs sur neuf se trouvent réduits à l'état de citoyens passifs. En désavouant ces dispositions parlementaires rétrogrades et manifestement antiprolétariennes, Louis-Napoléon se crée, sans effort, une nouvelle clientèle. L'exigence du cautionnement pour les journaux et du droit de timbre pour les brochures de moins de dix pages provoque la faillite des brûlots socialistes. L'hôte de l'Élysée, en cette autre circonstance, marque habilement son désaccord. En revanche, il soutient les légitimistes dans leur volonté de développer les établissements de crédit agricole dont ne veulent pas les orléanistes, beaucoup plus soucieux de problèmes industriels. Sur mille et une questions, les deux grands groupes demeurent séparés. Quant aux républicains, ils sont victimes de leur individualisme. Hier isolé, Louis-Napoléon possède maintenant un entourage résolu: son demi-frère utérin, Morny, et le fidèle Fialin, futur duc de Persigny, son compagnon de Ham. Toute une société se presse autour du prince. Depuis le départ de Barrot, à la suite d'un différend sur la question romaine, il fabrique des ministères à son gré. Sachant le haut commandement orléaniste, il croit discerner un complot et pratique des mutations. Ainsi le général Changarnier, cumulant à Paris la responsabilité de la garnison et de la garde nationale, est-il remplacé par le général Magnan, plus obscur mais dévoué corps et âme au Napoléonide. Maintenant, sur son passage, la troupe crie « Vive l'Empereur ! ». Il voyage, se fait acclamer et dénonce ce qu'on nommera plus tard le « régime des partis ».

LA COHABITATION IMPOSSIBLE

L'année 1850 est marquée, dans ses troisième et quatrième trimestres, par une série de complots de l'extrême gauche non parlementaire. Le pays s'inquiète. 52 conseils généraux émettent des vœux pour la prorogation du mandat présidentiel. Au printemps de 1851, des comités réclament une révision permettant au prince de se représenter. Il soumet cette modification à l'Assemblée mais le projet discuté du 14 au 19 juillet n'obtient pas la majorité des deux tiers exigibles dans ce domaine. Louis-Napoléon se rend à Dijon, exposant la mauvaise marche des institutions. Cette fois, 80 conseils généraux sur 85 réclament la révision. Ainsi, à travers les méandres du suffrage universel, on voit s'opposer des gens élus par les mêmes mandants. Cela démontre, s'il en était besoin, l'aveuglement de l'Assemblée. Louis-Napoléon, soucieux de légalité, demande le retour au suffrage universel. Le 13 novembre, les députés refusent. Désormais, le coup d'État devient inévitable. Le général de Saint-Arnaud ayant reçu sa troisième étoile, après une expédition victorieuse en Algérie montée exprès pour lui, vient de prendre le commandement d'une division de Paris. Ancien comédien, il va donner dans la tragédie. Louis-Napoléon, superstitieux, choisit pour son opération préparée en secret le double anniversaire du sacre de l'oncle et de sa victoire d'Austerlitz.

LE RETOUR AU CÉSARISME

Le 2 décembre, dès potron-jacquet, les opposants, dans des conditions parfois burlesques, sont tirés de leur lit et menés en prison. L'Assemblée est dissoute tout comme le Conseil d'État, mais, surtout, le suffrage universel est rétabli. Par voie d'af-

fiche, Louis-Napoléon annonce également un plébiscite: le peuple se prononcera sur une révision portant à dix ans le mandat présidentiel et créant un Sénat, «conservateur des institutions». Au lieu de prévenir l'émeute, Morny, nommé ministre de l'Intérieur, laisse se développer l'insurrection et, le 4 décembre, sans trop que l'on sache d'où sont venus les premiers coups, 300, peut-être 400 civils sont tués. D'autres, pris les armes à la main, seront fusillés sur place. Saint-Arnaud se montre implacable. Quelques départements sont le théâtre de graves désordres: la Nièvre, la Drôme, l'Hérault, les Basses-Alpes et, surtout, le Var. Parfois, l'occasion pour des asociaux de tirer sur les gendarmes prend le pas sur les convictions politiques. La répression se révèle sans faille; on comptera 26 000 arrestations et des milliers de déportations. Le plébiscite est triomphal pour le prince-président. L'armée, votant sur registre, donne 303 290 oui contre 37 350 non et 3 626 abstentions. Les civils, se prononçant au scrutin secret — sauf dans les régions insurgées — apportent 7 471 431 oui contre 641 351 non. On compte environ 1 500 000 abstentions, venant des légitimistes de l'Ouest et de Provence. Paris demeure rétif avec 80 000 non contre 133 000 oui. Le département de la Seine fournit presque le tiers des non de l'ensemble du territoire. Reste que le prince est approuvé par 92 % des votants, 72 % des inscrits. Il déclare:
— La France a compris que je n'étais sorti de la légalité que pour rentrer dans le droit.

Le 1ᵉʳ janvier 1852, le chef de l'État quitte l'Élysée pour s'installer aux Tuileries et les aigles font leur réapparition sur la hampe des drapeaux.

Le président, désigné pour dix ans et rééligible, commande les armées, déclare la guerre, signe les traités, possède l'initiative des lois, nomme et révoque les ministres responsables devant lui seul. Le Corps législatif, renouvelable tous les six ans, composé de 260 membres élus au suffrage universel, tient une session de trois mois et enregistre les lois préparées par le nouveau Conseil d'État. Le Sénat se recrute parmi les hauts dignitaires — cardinaux, maréchaux, etc. — plus un complément choisi par le chef de l'État. La Haute Assemblée, on l'a dit, est gardienne de la Constitution et peut, sur ordre, la modifier au moyen d'un sénatus-consulte. Tout ce système se réduit à la dictature. Louis-Napoléon, après un appel aux urnes, est proclamé solennellement empereur à Saint-Cloud dans la nuit du 1ᵉʳ au 2 décembre 1852. Soucieux de continuité dynastique, n'oubliant pas l'abdication de l'oncle en faveur du roi de Rome, il prend le nom de Napoléon III.

5

NAPOLÉON III

Si l'extravagante ascension du fils de la reine Hortense relève pour partie de ses origines, il n'en faut pas moins tenir compte de sa propre personnalité. Il a joué sa partie avec une dextérité peu banale, se donnant une réelle popularité dans un secteur considérable des classes laborieuses et de la mouvance catholique assez souvent réunies dans la même mystique et de semblables aspirations. Les royalistes portent une lourde responsabilité par une division d'autant plus absurde que le comte de Chambord n'ayant pas d'enfant, le comte de Paris était assuré de recueillir la succession de plein droit. Trop d'orléanistes ne virent que l'intérêt de la branche cadette, espérant, à l'expiration du mandat de Louis-Napoléon, lui substituer le duc d'Aumale ou le prince de Joinville. En cas de résistance, un projet militaire semble bien avoir été vaguement prévu. A la vérité, la forme du régime créait une situation conflictuelle menant au coup d'État, qu'il vînt de la présidence ou de l'Assemblée. Quoi qu'il en soit, la IIe République, en sursis dès les journées de juin, s'était définitivement condamnée par la limitation du suffrage universel. L'opportunisme n'est pas le moindre défaut des Français ; le régime se donne, sans difficulté, un corps préfectoral des plus rigides, une police d'acier, des censeurs soupçonneux. L'Église coopère, non sans nuance, avec le nouvel Empire, dans l'ensemble, travaille pour lui. Les élections confinent à la farce avec le système de la candidature officielle.

Louis-Napoléon avait proclamé :
— L'Empire, c'est la paix.

La guerre viendra vite et, en attendant, les militaires, privés de leurs chefs, les Changarnier, les Lamoricière et, bien sûr, des princes d'Orléans, sont particulièrement choyés et se bonapartisent. L'Empereur témoigne son intérêt aux ouvriers et se voit payé de retour. Aux capitalistes, il offre de solides placements. La banque prend toute son ampleur avec les Rothschild, les Pereire, les Fould. On voit naître le Crédit foncier, le Comptoir d'escompte, le Crédit lyonnais (républicain), la Société générale. Apparaissent aussi les grands magasins: Bon Marché, Printemps, Samaritaine, Louvre. Grâce au procédé Bessemer, la fonderie va quadrupler. Les voies ferrées passent de 3000 à 18000 km. Le télégraphe Morse va s'étendre à tous les chefs-lieux. Le préfet de la Seine, le baron Haussmann, reprend les travaux de Chabrol et de Rambuteau, créant des axes stratégiques pour conjurer d'éventuelles émeutes mais assurant aussi la régulation du trafic. L'extension du réseau vicinal «désenclave» les hameaux. Dans l'ordre de la pensée, la vie semble d'abord assez morne. L'Empereur s'en moque et préfère consacrer ses heures de détente à tourner la manivelle du piano mécanique de Compiègne, puis Hugo, exilé volontaire, donne des chefs-d'œuvre souvent discutables, Baudelaire se montre supérieur mais succombera à la paralysie générale. La peinture, si bien défendue par Winterhalter, passe au réalisme avec l'inégal Gustave Courbet. Flaubert se révèle comme l'un des plus grands écrivains de tous les temps. L'histoire reçoit de Fustel de Coulanges un appareil scientifique. Comte et Renan renouvellent la philosophie tandis que les travaux de laboratoire s'améliorent sous l'impulsion de Claude Bernard et de Louis Pasteur.

Napoléon III pourrait, en dépit des violences du 2 décembre, s'assurer un règne glorieux. La Varende ne le réputera-t-il pas «dernier roi de France»? Certains légitimistes le tiennent pour un authentique souverain.

Afin d'assurer la continuité de la dynastie, il épouse une Espagnole de haut lignage, Eugénie de Palafox, comtesse de Montijo y Teba. Il la courtisait depuis un moment mais la jeune fille s'était dérobée. Un jour, le viveur a dépassé les limites:

— Comment parvient-on à votre chambre?

— Par la chapelle.

Il se soumet et mène une opération politique: l'empereur des Français n'a pas besoin d'une princesse mais, plus simplement, d'une femme du monde. Elle ne manque ni d'intelligence ni d'allure mais, altière, ne sait pas se faire aimer. Elle vivra dans une coterie, et son culte pour Marie-Antoinette ne lui ralliera pas le faubourg Saint-Germain. Perpétuellement trompée, elle ne se résignera point à l'infidélité conjugale et chantera pouilles à son mari. Elle confère cependant un certain prestige à ce régime où l'argent est roi. Depuis la confiscation des biens des princes d'Orléans (le premier vol de l'Aigle, dira Dupin), les tenants de la branche cadette se sont éloignés, les légitimistes se cantonnent dans leurs espérances et les républicains se confinent dans un exil réel ou moral. Seule une mince phalange d'amis personnels se partage les sinécures. Le petit peuple, très soutenu par l'Empereur et commençant de bénéficier d'une aisance matérielle, s'en remet au nouveau César. Somme toute, la situation de la France n'est point catastrophique, la privation de liberté n'empêche pas une réelle cohérence dans les progrès économiques et sociaux. Hélas, Napoléon III s'est nourri de l'évangile selon Sainte-Hélène. Il considère la politique de Napoléon Ier non telle qu'elle fut mais telle qu'il l'exposa. Ainsi le neveu prend-il au sérieux les dispositions rétrospectives de l'oncle. Tout commence par la question d'Orient. Les Russes, orthodoxes, prétendent administrer seuls les Lieux saints. Cette attitude révulse les catholiques et met en fureur les républicains partisans de la résurrection polonaise. Le souverain français invite l'Angleterre à maintenir l'intégrité de l'Empire ottoman dont le czar Nicolas Ier va proposer le démembrement.

UNE AFFAIRE MAL CONDUITE: L'OPÉRATION DE CRIMÉE

Napoléon III rappelle la convention des Détroits: les Russes ayant envahi les provinces danubiennes, la France envoie une escadre mouiller à Salamine, puis aux Dardanelles. Nicolas s'inclinerait si la Porte ne lui déclarait la guerre. Elle y perd sa flotte. Napoléon entraîne l'Angleterre dans le conflit (14 mars 1854). Il s'agit de détruire leurs forces de la mer Noire. C'est la raison de la campagne de Crimée. Après un avantage à l'Alma, les Franco-Britanniques assiègent Sébastopol. Nous perdons quelque 100 000 hommes pour enlever la redoute de Malakoff (septembre 1855). Saint-Arnaud meurt avant la victoire. Pélissier et Mac-Mahon font preuve de qualités d'entraîneurs mais seul Bosquet ménage ses moyens. Nous sommes loin de l'armée de Louis-Philippe. C'est le retour au gaspillage de vies humaines comme aux temps de la Révolution. Alexandre II, souverain très sage et d'une haute élévation d'esprit, traite sans s'humilier. Napoléon III, toujours sous l'inspiration factice de Napoléon Ier, réclame l'indépendance de la Pologne. Le czar refuse et l'Angleterre victorienne ne nous suit pas. Elle n'a point tort; contrairement à la légende républicaine, Saint-Pétersbourg administre assez sagement l'ancien royaume de Stanislas Poniatowski.

La guerre de Crimée met en relief, s'il en était besoin, l'esprit aventureux du seigneur des Tuileries. L'issue du conflit nous est en apparence favorable; un congrès fort brillant se tient à Paris (25 février-16 avril 1856). Dans un festival d'aigrettes et de panaches, nous obtenons la présence catholique aux Lieux saints, un code du droit maritime et une réorganisation balkanique d'où renaissent les principautés roumaines puis la Grèce. En revanche, l'ours continuera d'étendre sa patte sur la Pologne. Glorieux mais déçu, se sentant lâché par l'Angleterre, Napoléon III se réconcilie avec le czar et, à Stuttgart (avril 1857), entre en relation avec le comte prussien Othon de Bismarck, futur ambassadeur, lui déclarant se désintéresser de la rive gauche du Rhin et de la Belgique.

L'UNITÉ DE L'ITALIE DÉSÉQUILIBRE L'EUROPE

Nous pouvons en rester là d'autant plus que cette guerre de Crimée nous a permis de nous implanter en Égypte où Ferdinand de Lesseps travaillera au percement du canal de Suez. Cette ambition de transformer la Méditerranée en un *lac français* réclame, du moins Napoléon III s'en persuade-t-il, le concours du Piémont dont un contingent a servi dans l'affaire de Crimée.

Le Carbonaro n'est pas mort en Napoléon III. Il veut l'unité de l'Italie sans toucher pourtant aux États pontificaux. A Plombières, il s'entretient avec le comte de Cavour, Premier ministre de Victor-Emmanuel II, roi de Sardaigne, puis succombe aux charmes d'une féerique beauté génoise, la Castiglione, agent de ce souverain entreprenant. Victime manquée de l'attentat d'Orsini, qu'il n'ose gracier, il reçoit du condamné, intelligent et prolixe, une lettre déchirante en faveur de l'unité. Il passe un traité discutable avec Victor-Emmanuel, excluant les terres pontificales, hors les légations (sans le préciser) et prévoyant une confédération de Venise à Gênes. En dépit de son imprudence, Napoléon se précautionne, il obtient du czar une éventuelle mobilisation en Galicie avant de proposer une conférence sur le prétendu différend austro-sarde. L'empereur d'Autriche François-Joseph répond par la guerre. Il ne craint pas grand-chose des aspirants à l'italianité. L'armée française, toutefois, fait bonne contenance. Le rude Baraguey d'Hilliers se donnera même les gants d'une victoire à Marignan. A Magenta — en Lombardie — Mac-Mahon l'emporte. A Solferino, bataille épouvantable (24 juin 1859), les Français forcent la Vénétie, tandis que Henri Dunant, spectateur de cette boucherie, fonde la Croix-Rouge. Cavour fomente des insurrections en Toscane, à Parme et dans les légations. Napoléon, l'apprenti sorcier, prend peur. Il signe l'armistice de Villafranca (13 juillet 1859). L'Autriche perd la Lombardie, garde le grand-duché de Toscane, conserve la Vénétie. Le franc-tireur Garibaldi fait tomber le royaume des Deux-Siciles, les Marches et l'Ombrie. Le royaume d'Italie est proclamé, le 14 mars 1861, à Florence, avec le vœu de s'installer à Rome.

Groupés sous M. de Lamoricière, des Français, des Suisses, des Canadiens combattent pour Pie X, échouent à Castelfidardo (18 septembre 1860) devant les Piémontais. Pour autant, les troupes papales, et plus particulièrement les zouaves du futur général de Charette, font merveille.

L'opération nous rapporte, toutefois, la Savoie et le comté de Nice, après une consultation favorable des habitants. C'est le triomphe de Napoléon III. Il complète le pré carré mais se donne un allié peu sûr alors qu'il désorganise l'Europe par l'amputation de l'Autriche.

Face à ces succès extérieurs, annonciateurs de nouveaux dangers, l'Empereur éprouve quelques difficultés intérieures. Certains industriels et agriculteurs sont irrités par un traité de libre-échange avec l'Angleterre abaissant les cours par le faible prix des productions d'outre-Manche. Pour compenser les effets de ce semi-dirigisme, il importe d'accorder des satisfactions politiques. Les exilés du Deux Décembre sont rappelés. Le 24 décembre 1860, le Sénat et le Corps législatif sont autorisés à répondre au discours du trône par une adresse. Les débats parlementaires sont publiés dans les journaux. Un sénatus-consulte du 31 décembre étend les pouvoirs de la Chambre basse, elle votera le budget par section ministérielle et le gouvernement n'engagera point de dépenses sans nouvelles lois.

M. André Castelot percera la psychologie de Napoléon III. L'homme semblerait pourtant presque indéchiffrable. Il tient bien la France, lui fait accomplir des progrès mais, encore que patriote, n'est guère passionné par sa besogne intérieure. Ce qu'il veut, c'est le droit des peuples à disposer d'eux-mêmes sans s'occuper le moins du monde de leur régime. Il rêve d'une fédération dont la France serait l'inspiratrice. Sa politique extérieure demeure ambiguë, secrète même pour ses proches et, au fil de l'âge, de plus en plus désordonnée.

Il s'y prend mieux avec une expansion coloniale nécessaire pour créer un contrepoids à l'Angleterre. Il poursuit la conquête de l'Algérie, cherchant à constituer un royaume arabe, vassal de l'Empire. Une expédition contre les Druses, massacreurs des chrétiens maronites, nous implante tant en Syrie qu'au Liban. Un conflit avec la Chine nous vaut un traité de commerce, l'occupation de la Cochinchine et un protectorat sur le Cambodge. Enfin, nous annexons la Nouvelle-Calédonie.

LE MIRAGE MEXICAIN

L'affaire mexicaine apparaît plus étrange. Des émigrés, dont le précédent président, Miguel de Miramon, héros de 22 ans, demandent notre assistance contre l'Amérindien Benito Juarez. Napoléon, rapproché de l'Autriche à cause des sévérités russes en Pologne, veut donner la Vénétie à Victor-Emmanuel pour le détourner de ses visées sur Rome. En échange, l'archiduc Maximilien, frère de François-Joseph, recevra l'éphémère domaine d'Iturbide. D'importants intérêts financiers sont en jeu, pas toujours très réguliers. L'idée d'une grande puissance latino-américaine n'est toutefois pas sotte, et le souverain projette de relier l'Atlantique et le Pacifique à travers le Nicaragua par le percement d'un canal.

Un corps expéditionnaire, comptant des Français, des Anglais et des Espagnols, débarque à Veracruz, mais nos alliés font défection et nous sommes arrêtés longtemps devant Puebla. Un considérable envoi de renforts nous permet de gagner Mexico. Au prix de la renonciation à ses droits auliques et contre l'opinion de son aîné, Maximilien ceint la couronne. Il va, sans succès, pratiquer une politique très libérale et n'enrôler que peu de soldats. Le maréchal Forey n'emporte point la décision et son successeur, Bazaine, se laisse amollir en épousant une femme trop jeune.

Le pays est extrêmement difficile à contrôler. Les États-Unis, sortis de la guerre de Sécession, appliquent la doctrine de Monroe (l'Amérique aux Américains) et alimentent en armes et en munitions les partisans de Juarez. Napoléon III, soucieux de se retirer d'une guerre impopulaire, retire ses troupes. Maximilien se défend héroïquement avec ses maréchaux Miramon et Meija. Assiégés dans Queretaro (juin 1867), les défenseurs, contraints de se rendre, sont passés par les armes. L'impératrice Charlotte, venue à Paris afin de réclamer des secours pour son mari, n'obtient rien et sombre dans la folie.

LE COMMENCEMENT DE LA FIN

Dès avant la campagne du Mexique, l'opposition avait retrouvé 2 millions de voix contre 5 aux soutiens de l'Empereur. Thiers groupait 70 députés contre 260 et souhaitait une monarchie parlementaire. Les catholiques se hérissaient face à la laïcisation partielle de l'enseignement et craignaient toujours pour Rome. En dépit d'une convention prévoyant une garde internationale pour la Ville éternelle, Napoléon y maintient des troupes. C'était bien vu car les Garibaldiens attaquèrent mais se firent rosser à Mentana (1867). Les soldats français s'étaient parfaitement unis à ceux du pape pour l'emporter, toutefois il demeurait évident que, sans l'appui d'un contingent tricolore, Rome ne tiendrait pas.

Du côté des Allemagnes, notre position se révélait délicate. Guillaume Iᵉʳ, fort pacifique de tempérament, n'en avait pas moins fait ses premières armes contre Napoléon Iᵉʳ. Il n'aimait pas la France mais ne lui cherchait aucun mal. Il n'en allait pas de même de son chancelier, le comte de Bismarck. Ce hobereau de génie se conduisit de la manière la plus ignoble avec le Danemark, arrachant les duchés de Holstein et le Schleswig, placés sous une administration commune des Habsbourg et des Hohenzollern. La manœuvre a pour but, à brève échéance, de chasser l'Autriche de l'Allemagne du Nord. Napoléon III s'entretient avec Bismarck. Il s'engage, par écrit, à ne pas intervenir alors qu'il n'obtient que des promesses orales de compensation. L'Allemand s'allie à Victor-Emmanuel, lui faisant miroiter la Vénétie. L'Empereur croit, une fois de plus, que l'annexion de cette province par le Piémont-Sardaigne permettra de sauver Rome.

En 1866, à propos des duchés dont l'administration est mal définie, la Prusse cherche une mauvaise querelle à l'Autriche. Le 3 juillet, le maréchal aulique Benedek est battu par le prince royal à Sadowa cependant que le Paris populaire s'illumine. L'Italie, défaite, tant sur terre à Custozza (29 juin) que sur mer à Lissa (20 juillet) n'en reçoit pas moins la Vénétie au traité de Prague. Napoléon III réclame son salaire et, «au nom du droit des peuples à disposer d'eux-mêmes», voudrait au moins Landau, Bonn, Mayence, puis la Belgique. Enfin, il se contenterait du Luxembourg, possession du roi de Hollande. Ces prétentions, divulguées par Bismarck, nous brouillent avec toutes les puissances.

A l'intérieur, la situation est médiocre, la bourse mauvaise. L'Empereur décline, cruellement atteint par la maladie de la pierre.

Le César en vient progressivement à une politique libérale. Ayant déjà concédé le droit de coalition aux ouvriers, en 1864, il redonne une tribune au Corps législatif, adoucit les lois sur la presse (11 mai 1868), abroge l'autorisation préalable pour les réunions publiques (6 juin). Loin de calmer l'opposition, ces mesures l'encouragent et le marquis de Rochefort-Luçay (Henri Rochefort) fait éclater de rire toute la France par cette première manchette de sa *Lanterne* de couleur vermillon: «L'Empire compte 36 millions de sujets, sans compter les sujets de mécontentement.»

Napoléon s'amuse de ces facéties et, lorsqu'il rentre de Compiègne, on voit dépasser de sa poche le nez rouge de la *Lanterne*. Il veut sincèrement parvenir à cette monarchie libérale qu'il jugeait impraticable en 1852. Contrairement à des assertions souvent répandues, il ne présente pas un tempérament de dictateur. Loin de là. Il désire léguer un trône «à l'anglaise» à son fils. Les républicains s'opposent de toutes leurs maigres forces à cette nouvelle prétention du Sardanapale vieillissant. Certains royalistes, dont le grand Berryer, s'associent à la souscription Baudin, jeune député tombé sur une barricade du Deux Décembre. Les juges interviennent mais un parlementaire se distingue dans sa défense par sa péroraison:

«Voilà dix-sept ans que vous êtes maîtres absolus de la France. Nous ne cherchons pas l'emploi que vous avez fait de ses trésors, de son sang, de son honneur, de sa gloire. Ce qui vous juge le mieux parce que c'est l'attestation de vos propres remords, c'est que vous n'avez jamais osé dire: "Nous célébrons le Deux Décembre comme un anniversaire national." Eh bien, cet anniversaire nous le prenons pour nous. Chaque année, ce sera l'anniversaire de nos morts jusqu'au jour où le pays, redevenu le maître, vous imposera l'expiation.»

Le texte ne vaut pas grand-chose, il apparaît surtout d'une

injustice criante mais il confère à Léon Gambetta la célébrité. Les élections législatives trahissent une lassitude. Le gouvernement doit se contenter de 4 300 000 voix contre 3 300 000. L'Empereur continue d'assouplir le système. Le 6 septembre, il transforme le Corps législatif en une Chambre à la mode d'outre-Manche, autorisée à se donner un bureau, partageant avec le gouvernement l'initiative des lois et pourvue d'un droit d'amendement plus large. Les ministres seront responsables et justiciables devant la Haute Cour. Rouher, chef du Conseil depuis 1863, et surnommé « le vice-empereur sans responsabilité », préside désormais un Sénat très amoindri. Le préfet de la Seine Haussmann s'en va après la publication d'un pamphlet de Jules Ferry, *les Comptes fantastiques d'Haussmann*. Napoléon III se sépare de ses meilleurs serviteurs. Il choisit pour chef du gouvernement un médiocre de charme, ancien quarante-huitard, l'avocat Émile Ollivier. Assez cultivé, l'homme possède un joli don de parole mais ignore l'art politique.

Le 10 janvier 1870, attaqué par le gazetier Victor Noir, Pierre Bonaparte le revolvérise pour sauver sa propre vie. Il en résulte une manifestation dont Rochefort ne sait pas tirer parti. Le prince, défendu notamment par Jérôme Chiappe, est acquitté.

Le 20 avril, Émile Ollivier présente, plus libérale encore, la nouvelle Constitution. Soumise à plébiscite, elle obtient 7 358 000 oui contre 1 572 000 non. Ce serait un triomphe si Paris ne donnait un résultat très favorable aux néo-jacobins. Tout cela ne revêt pas un caractère de gravité. L'Empire demeure solide. Par malheur pour lui, pour l'Impératrice surtout, préoccupée de l'avenir de son fils, le gouvernement, privé de Rouher, tombe assez bas. Toutefois, on ne saurait discerner une mauvaise fin. Elle va venir très vite.

LA DÉPÊCHE D'EMS

Le général Prim, ayant renversé la reine Isabelle, cherchait une nouvelle dynastie pour l'Espagne. Avec raison, il voulait un prince étranger, pensant éviter à la fois un retour à la guerre carliste — conflit entre la branche masculine et la branche féminine des Bourbons-Anjou — et une république. Il se tourna vers Léopold de Hohenzollern-Sigmaringen, prince catholique dont le frère venait d'être proclamé roi de Roumanie.

S'instaure aussitôt un climat de furie. Dans la France entière, l'on ne parle que de la reconstitution de l'empire de Charles Quint.

Napoléon, fort de l'appui des Russes, obtient du roi Guillaume et du kronprinz le retrait de la candidature Léopold. Au vrai, il ne s'agit que d'une affaire privée résolue avec la plus grande dignité par le chef de famille. L'Impératrice trouve ce succès insuffisant. Le duc de Gramont, ministre des Affaires étrangères, mande à notre ambassadeur, le comte Benedetti, de se rendre à la station d'Ems où le roi prend les eaux pour obtenir des garanties définitives. Courtoisement, le souverain réaffirme sa position. Benedetti, fouaillé par Gramont, veut revenir à la charge. Cette fois, Sa Majesté prussienne fait affirmer par l'adjudant général de service que «tout est dit». Après quoi, il charge un conseiller privé d'informer Bismarck. Le chancelier déjeune avec le ministre de la Guerre Roon et le commandant en chef Moltke. Ces messieurs ne dissimulent pas leur chagrin ; les chances d'un conflit leur échappent. Leur hôte prend un papier et contracte la dépêche d'Ems : *l'adjudant général* devient *adjudant* et *le tout est dit : nous n'avons plus rien à nous dire.* Et de communiquer cette version falsifiée à la presse. Il suffirait au gouvernement impérial d'attendre le rapport de Benedetti que l'express ramène dans la nuit. Non, on décide la mobilisation générale (15 juillet) que l'on fait suivre de la déclaration de guerre (19 juillet). Émile Ollivier ose dire :

— Cette responsabilité, nous l'assumons d'un cœur léger.

Et le maréchal Lebœuf :

— Pas un bouton de guêtre ne manquera.

LES DÉSASTRES

Depuis la disparition du maréchal Niel, notre armée était tombée dans une indigence assez stupéfiante. Certes, les régiments de couverture, notamment les unités de cavalerie, pouvaient donner confiance, mais la concentration du contingent était pratiquée par des chefs sans relief. A l'inverse de l'ennemi, on ne savait pas utiliser le chemin de fer. L'intendance, dotée de vieux fardiers, confinait au néant.

Nous possédions deux avantages : les mitrailleuses, initiative de Napoléon, qu'on avait sottement montées sur des affûts de canon, et le fusil Chassepot, supérieur au Gras, médiocre arme encore munie d'une aiguille. En revanche, les canons Krupp chargés par la culasse laissent loin derrière eux notre artillerie. Un siècle plus tôt, et pendant cinquante années, le Grïbeauval nous avait donné la victoire. Maintenant, la situation se trouvait inversée. La mobilisation prusso-bavaroise apparaît aussi parfaite que la nôtre est nulle. En un tel état, il n'existe pas de plan de campagne. La seule solution serait d'entraver dans le Palatinat la concentration adverse. Nous n'en possédons pas les moyens. Tout tourne mal et tout de suite. Le kronprinz inflige au maréchal de Mac-Mahon une terrible défaite à Froeschwiller en dépit de la contre-offensive de notre cavalerie à Reichshoffen (6 août). En omettant de détruire le tunnel de Saverne, Mac-Mahon évacue l'Alsace pour aller se refaire au camp de Châlons. L'Empereur, à bout de forces, cède le commandement de la II° armée, celle de Lorraine, au maréchal Bazaine. Objectif : assurer la liaison avec Mac-Mahon. En dépit d'une série d'opérations très dures, à Borny (14 août), Rezonville, Mars-la-Tour, Gravelotte (16-18 août) autour de Metz, la II° armée se trouve dans l'incapacité de remplir sa mission. Le même 18 août, les 220 000 hommes d'Alvensleben et de Moltke enfoncent, à Saint-Privat, les 138 000 soldats de Canrobert. Metz et l'armée de Lorraine sont isolées. Faut-il que Mac-Mahon couvre Paris ou débloque Metz ?

Le nouveau président du Conseil, le général Cousin-Montauban, comte de Palikao pour sa victoire de Chine, estime nécessaire de ne pas soumettre la capitale, déjà nerveuse, à l'épreuve de la guerre. Il faut rompre l'investissement de Metz. Moltke, par un journal, apprend la directive, et du même coup la position de Mac-Mahon. Il envoie sa III° armée à Vouziers et, par la vallée de la Meuse, il fait rétrograder la IV° déjà parvenue à Vitry-le-François. Ainsi esquisse-t-il un mouvement en tenaille. Malgré un ordre renouvelé Palikao, le duc de Magenta, en l'occurrence bien inspiré, tente de s'échapper par Mézières et ménage à ses troupes une halte à Sedan. Il ne possède pour tout bagage que Napoléon III car l'intendance s'est trompée, envoyant les vivres à la destination suivante. A Bazeilles (1ᵉʳ septembre), les adversaires enfoncent le dispositif protecteur. Mac-Mahon, blessé, remet son commandement au très remarquable général Ducrot mais le médiocre Wimpfen exhibe une lettre accréditive signée Palikao. Ducrot voulait sortir de la souricière, Wimpfen commande une attaque trop tardive. Les cavaliers de Margueritte, encouragés par leur chef agonisant, se couvrent de gloire sous Galliffet et Bauffremont. Le feu tue. L'artillerie du roi Guillaume tape à tout casser. Il ne reste plus qu'à s'enfermer dans la citadelle d'où Napoléon, reculant devant un sacrifice inutile, fait élever le

drapeau blanc. Wimpfen tente en vain une sortie vers Carignan. Le 2 septembre, l'empereur des Français, reçu par Bismarck, rend son épée à Guillaume Ier. Le chancelier voudrait transformer cette capitulation locale en traité de paix. Napoléon s'y refuse, se réfugiant derrière l'Impératrice-régente et le gouvernement. Il ne peut rentrer vaincu dans sa capitale. A Paris, la catastrophe provoque une fièvre antidynastique. L'avocat Jules Favre s'écrie :
— Victoire ! Les armées de l'Empereur sont battues.

Le gouvernement convoque les Chambres pour le 4 septembre. La foule envahit le Corps législatif. Inquiet du tour et de l'ampleur pris par la manifestation, les bourgeois quarante-huitards s'en vont proclamer la République et forment un gouvernement dit de la Défense nationale.

Napoléon III, brisé, est conduit en tant que prisonnier de guerre au château de Wilhelmshöhe, éphémère résidence de Jérôme Bonaparte au temps du royaume de Westphalie. L'Impératrice gagne la côte avec une suivante, Mlle de Larminat, dans une voiture prêtée par son dentiste, le Dr Evans, et passe en Angleterre. Il n'a fallu qu'une journée pour renverser un régime reposant sur le prestige et la gloire de nos armes. La féerie impériale s'est évanouie.

Napoléon III, prince et aventurier, rêveur et homme à poigne, mérite mieux que les invectives de Victor Hugo. Nous donnant Nice et la Savoie, il a su conférer à la France un immense progrès économique et social. Il a transformé volontairement un régime césarien en un État libéral. Il a poursuivi notre œuvre colonisatrice. Tout cela demeure à son actif mais l'on ne saurait oublier qu'il a bouleversé l'Europe, soutenant la Prusse et l'Italie au mépris de tout bon sens. L'horreur de la défaite de Sedan, l'abominable humiliation subie par le fils de la reine Hortense portent sinon à l'absoudre, du moins à tenter de le comprendre. Plus on considère cette destruction systématique, plus on regrette que les Bourbons, aînés ou cadets, n'aient pu poursuivre leur œuvre. Elle coûtait moins cher en vies humaines et nous avait permis de reprendre notre rang. L'Empereur demeurait incorrigible ; dans le clair-obscur de la République naissante, il projettera, non sans précision, un nouveau coup d'État. Il se fera même opérer de la pierre afin de pouvoir refaire son entrée à cheval dans un Paris qu'il ne craignait pas.

6

ENTRE LA MONARCHIE
ET LA RÉPUBLIQUE

Après Sedan, il importe de demander l'armistice et d'envisager la paix. Le roi Guillaume et son chancelier peuvent imposer à Moltke et à Roon la cessation des hostilités. La jeune république n'y songe pas. Comme le dira bien Jaurès, elle croit au salut par le dévouement d'une armée populaire, animée de l'esprit de Valmy. On ne peut poursuivre l'épreuve sans les 90 000 hommes perdus à Sedan. Quant à l'armée du maréchal Bazaine (138 000 soldats), elle est immobilisée, et son chef, demeuré sous les aigles, reste dans l'expectative.

Le nouveau gouvernement n'affiche pas très bonne mine. Il comprend Gambetta, Jules Favre, Jules Simon, Garnier-Pagès et, pour président, le gouverneur de Paris, ce général Trochu, «catholique et breton», infidèle à l'Impératrice en dépit de ses serments et dont Victor Hugo, spirituel à ses heures, créera l'infinitif *trochoir*.

Sur le conseil de Thiers, Favre rencontre Bismarck à Ferrières, château des Rothschild. Le chancelier demande comme préalable la reddition de Strasbourg, la livraison des forts de Paris investis depuis le 19 septembre et, à la paix, la remise de l'Alsace et de la Lorraine. Est-ce sa pensée profonde? Probablement pas. Il affectionne les guerres courtes et n'a point coutume d'accabler ses ennemis. Il se méfie de l'esprit de revanche et recherche les situations stables. En outre, il est économe du sang germanique mais il ne veut pas indisposer le haut commandement non plus que le roi Guillaume dont l'appétit vient en mangeant. En réalité, Favre, très impressionné, n'a pas compris que son interlocuteur demandait le plus pour obtenir le moins.

Thiers entreprend un voyage pour nous trouver des alliances;

l'Italie, profitant du retrait de nos soldats, a pris Rome (20 septembre) en dépit de l'héroïsme des troupes pontificales. La Russie dénonce la neutralisation de la mer Noire et des Détroits décidée à l'issue de l'affaire de Crimée. L'Autriche, ménagée par la Prusse au traité de Prague, n'accordera point un escadron, quant à l'Angleterre, elle demeure indignée par les conditions de la déclaration de guerre. En Espagne, Prim ne peut ni ne veut nous aider, il cherche toujours un monarque, le trouvera chez les Italiens et sera tué lorsqu'il accueillera le pauvre Amédée Ier.

LA DÉFENSE NATIONALE

A ce dramatique abandon, le gouvernement de la Défense nationale demeure indifférent. Il fait confiance à ses propres entreprises : il veut, depuis Tours (où se sont installés Crémieux et Gambetta) lancer des troupes à la rencontre des Parisiens pour briser l'encerclement. Il compte, bien sûr, sur Bazaine enfermé dans Metz. Le maréchal, victime de l'agent double Régnier, croit obéir à l'Impératrice en rendant l'armée de Lorraine (29 octobre). Les forces du kronprinz sont désormais disponibles.

Gambetta manque moins de fougue que de science. Il refuse le concours de nombreux généraux (dont Palikao) et de force fonctionnaires de l'Empire déchu. Par bonheur, il s'attache Charles de Freycinet, ancien directeur de cabinet de Marie sous la IIe République, et demeuré hors la politique pendant le second Empire. Ce polytechnicien patriote crée des prodiges, levant parfois deux régiments et une batterie d'artillerie par jour. Nullement sectaire, il admet aussi bien les chemises rouges de Garibaldi que les zouaves pontificaux.

Le général d'Aurelle de Paladines, vainqueur à Coulmiers (9 novembre), ne peut conserver Orléans devant les gens du prince royal. La IIe armée de la Loire, celle de Chanzy, battue à Loigny malgré des paladins tels que Sonis et Charette, ne peut que retraiter vers Le Mans (2 décembre) où le sort des armes ne se montre pas plus favorable. Le général Bourbaki, parti de Bourges, marche à l'est, dégage Dijon et Vesoul, l'emporte à Villersexel puis, le sort du conflit étant réglé, passe en Suisse dans un état lamentable, non sans une tentative de suicide. Le très républicain Faidherbe, bien qu'inférieur en talent au maréchal de Manteuffel, l'emporte à Pont-Noyelles et à Bapaume, puis échoue à Saint-Quentin. Paris est bloqué. On organise des

« sorties torrentielles » à Montretout et à Buzenval. L'affaire de Champigny (19 janvier 1871) n'autorise plus d'espérance. La veille, dans la galerie des Glaces, à Versailles, le roi Guillaume se voit proclamer empereur allemand. Avec une infinie souplesse, Bismarck, sans déposséder les princes germaniques, les installe dans l'ancienne confédération étendue désormais au Sud. En cas d'extinction des Hohenzollern, les Witteslbach prendront la suite. Ainsi, en moins d'un siècle et par la faute des deux Napoléon, les Allemagnes sont devenues l'Allemagne. La cérémonie, dans sa sévère grandeur, marque pour nous la pire des humiliations.

Le 28 janvier, Jules Favre signe un armistice de trois semaines englobant toutes nos forces malgré le jusqu'au-boutisme de Gambetta. De Tours, il a gagné Bordeaux et reçoit cette dépêche : « Faites exécuter cet armistice et convoquez les électeurs pour le 8 février. » Le chancelier entend signer avec un gouvernement légal afin de se prémunir contre certaines convulsions telles que l'action des francs-tireurs. Le pays vote massivement pour ses élites naturelles : fier de sa défense, il condamne désormais le jusqu'au-boutisme inutile et attribue nos maux à l'obstination républicaine ; sur un total de 650 sièges, 400 sont emportés par les légitimistes et les orléanistes. La monarchie serait-elle sur le point de renaître ? Rien n'est logique en France. Au lieu de rappeler le comte de Chambord, peu soucieux d'ailleurs d'endosser la défaite et de « rentrer dans les fourgons de l'étranger », mais capable, grâce à son prestige, d'obtenir un traité honorable, l'Assemblée élit Jules Grévy pour président et Thiers (porté par 26 départements) comme chef de l'exécutif provisoire de la « République française ». Certes, il ne s'agit encore que de la *res publica*, la « chose publique », mais le mot fait mouche, encore que Thiers, par le pacte de Bordeaux, s'engage à ne pas fonder d'institutions sans l'agrément des parlementaires.

Le 21 février, le petit homme se rend à Versailles visiter Bismarck, désormais prince et chancelier de l'Empire. La bataille diplomatique se révèle très dure. Bismarck peut toujours se replier derrière les volontés de son maître. Thiers n'en a point. Il se bat merveilleusement et finit par sombrer dans un sommeil voisin de l'évanouissement. Tout doucement, avec de pataudes précautions, le chancelier étend une couverture sur le fragile baron et attend son réveil. L'indemnité, ramenée à 5 milliards de francs, la Lorraine du Sud sauvée, Paris sera le théâtre d'une brève parade des vainqueurs contre quoi Belfort nous restera.

Tels sont les succès de Thiers. Il peut, le front haut, revenir à Bordeaux. Les républicains exaspérés, Hugo, Clemenceau, Rochefort, Louis Blanc, et avec eux les Alsaciens-Lorrains, protestent, alignant 107 voix contre 546. Le 2 mars, Thiers, de retour à Versailles, peut apporter la ratification. A la plus grande fureur de Moltke et de Roon, les armées allemandes ne défilent qu'une journée dans la capitale. Thiers obtient des parlementaires le titre *personnel* de président de la République.

LA COMMUNE

Le 15 mars, le gouvernement se réinstalle dans un Paris des plus fiévreux que ne calme nullement le référendum d'octobre 1870, arraché durant le siège. L'Assemblée, ayant mis fin au moratoire des loyers ainsi qu'aux allocations des gardes nationaux, Thiers juge prudent de faire retirer les canons de Montmartre. Venu pour les reprendre, le général Lecomte est assassiné par des coupe-jarrets dans le même temps qu'un vieux maréchal des logis, devenu général de la garde nationale pendant la répression de 1848, Clément Thomas.

Thiers abandonne Paris avec l'Assemblée pour s'établir à Versailles évacuée par les Prussiens. Plus tard, il affirmera qu'il a pris exemple sur la stratégie du prince de Windischgraetz, quittant Vienne pour mieux la reprendre. Rien n'est moins certain. Il a cédé à quelque mouvement de frayeur, au demeurant fort compréhensible. A Paris et dans quelques villes de province, se forme une commune insurrectionnelle ; elle se fait confirmer le pouvoir dans la capitale par les élections du 26 mars. Héritière des quarante-huitards, elle se montre d'abord assez bon enfant et administre strictement les deniers publics, préservant l'or de la Banque de France. Certains fédérés, ainsi qu'ils se nomment, sont animés d'un authentique patriotisme et déplorent l'armistice, il en est pour se montrer indifférents à la cause nationale et ne nourrir d'autre dessein que de bouleverser l'ordre social. Très vite, l'affaire s'envenime. Le maréchal de Mac-Mahon, libéré, prend le commandement d'une armée d'investissement. Il importe d'aller vite, car certaines communes s'affirment en province, notamment à Marseille. On se bat pour les forts, sous l'œil des Prussiens, et les Versaillais, à peine rentrés de la guerre, manifestent leur indignation, économisant peu les cartouches. Alors, la Commune, très divisée et mal commandée, prend des mesures effroyables. Ainsi fusille-t-elle des otages : Mgr Darboy, archevêque de Paris, M. Deguerry, curé de la Madeleine, le président Bonjean, le banquier Jecker compromis, lui, dans des tractations financières au Mexique, les religieux de la rue Haxo. Le dimanche 20 mai, les Communards sont assemblés au jardin des Tuileries pour applaudir un concert de charité. Leur chef Dombrowski fait la sieste à son quartier général de la Muette. Un piqueur des Ponts et Chaussées, nommé Ducatel, opérant sa tournée, découvre, au Point-du-Jour, des réguliers en armes au bas du rempart :

— Vous pouvez entrer, il n'y a personne.

Le soir même, les troupes de Lamiraux et de Clinchant occupent tout l'ouest de la ville. Les Communards édifient d'immenses barricades et se défendent avec énergie. Les «pétroleuses» incendient les Tuileries, l'Hôtel de Ville, la Cour des comptes. Lorsqu'une barricade affecte de se rendre, la voisine reprend le combat. Cela produit des exécutions sommaires, mais non des crimes comme le meurtre du député Millière, dépêché sur les marches du Panthéon par le capitaine Garcin. Le 27 mai, les derniers révoltés sont tués au Père-Lachaise.

La bataille était compréhensible. La répression l'est moins : 17 000 morts, 43 000 arrestations, 10 000 condamnations, dont 270 à la peine capitale, 410 aux travaux forcés, les autres à la déportation.

On a souvent représenté l'anéantissement de la Commune comme une revanche de la province sur la capitale. Très prudent, le gouvernement de Thiers, comme précédemment celui de Gambetta, laissa mourir de faim et de soif les Bretons concentrés au camp de Conlie sans les faire intervenir. Reste que, pour une fois, Paris, dans un sens ou dans un autre, devra compter avec le reste de la nation.

LE TRAITÉ DE FRANCFORT

Maintenant, il s'agit, par le traité de Francfort, de ratifier les préliminaires de Bordeaux, de rendre à la France une armure constitutionnelle. L'heure est venue d'en terminer avec les folies nationalistes ou bien internationalistes et de proclamer le comte de Chambord roi de France et de Navarre. Ce n'est pas l'avis de M. Thiers. Venu de l'orléanisme, il s'en détache lentement afin de trouver une solution lui permettant de gouverner seul, le plus longtemps possible. Il montre une intelligence peu commune dans l'exécution des clauses du traité de Francfort. Il possède deux atouts: le civisme de la bourgeoisie et la prospérité nationale léguée par le second Empire. Dès le mois de juin, un emprunt de deux milliards en apporte cinq. En juillet 1872, un appel de trois autres milliards est souscrit pour quatorze fois sa valeur. Les banques allemandes elles-mêmes épaulent le crédit français et toucheront très gros.

Par la convention du 29 juin 1872, Thiers obtient des évacuations partielles en fonction des versements. Le 15 mars 1873, un nouvel accord assure le départ total des occupants par anticipation de paiement. Verdun et Nancy sont évacuées en septembre. Plus tard, Thiers se verra désigné par l'Assemblée comme *libérateur du territoire.*

LE COMTE DE CHAMBORD FIDÈLE À SON PRINCIPE

Le comportement d'Adolphe Ier, comme le nommait la petite presse, lui ramenait des électeurs aux consultations partielles. Les députés républicains se comptaient environ 250 et espéraient s'appuyer sur 60 orléanistes des plus tièdes groupés autour d'un grand soldat, le général Chanzy. Les véritables royalistes n'étaient pas moins de 380, 180 légitimistes et 200 orléanistes. Les 30 bonapartistes défendaient l'honneur de leur maître mais ne pouvaient faire basculer la majorité. Le 8 juin 1871, avait été abrogée la loi d'exil. Les princes pouvaient rentrer chez eux. Les orléanistes s'affirmaient partisans de la fusion. Le comte de Chambord répondit par un manifeste fort libéral, tout en posant comme condition le rétablissement du drapeau blanc. C'était, à coup sûr, le résultat d'un vœu mais aussi l'affirmation du principe de légitimité. Henri V était un prince extrêmement social, préoccupé sans trêve du sort des paysans et des ouvriers. Il acceptait volontiers une Constitution mais voulait préserver l'emblème de ses pères. Foncièrement catholique, il n'était pas clérical. Contrairement à la légende, il ne cherchait point à reprendre Rome. Servi par un immense savoir, par une parfaite connaissance de l'Europe et de l'Orient, il possédait toutes les qualités pour régner, moins une: il n'avait jamais pratiqué l'art de la guerre et, en dépit de son caractère sacro-saint, cela le plaçait en position d'infériorité vis-à-vis des représentants de la branche cadette. En outre, il voulait être reconnu par l'Assemblée mais sans tenir d'elle ses pouvoirs. Il se gardait de le dire mais cela n'en transparaissait pas moins sous son extrême affabilité. Les républicains, connaissant les dissensions de leurs adversaires, affectaient l'union. Gambetta s'était rapproché de Thiers, et Grévy déclarait :

— Je veux une république qui ne fasse pas peur.

Une loi favorisant le passage du contingent dans l'armée de métier était votée. Mieux, les dirigeants donnaient dans la décentralisation, augmentant les attributions des conseils généraux et permettant l'élection des maires dans les communes de moins de 20000 habitants. Gambetta, ayant pris ses distances avec les socialistes, n'en promettait pas moins *l'ascension des nouvelles couches sociales*. La droite répondait par la construction de la basilique du Sacré-Cœur de Montmartre et une infinité de pèlerinages. Cela consolait une portion d'un pays endolori mais ne nous sortait pas du provisoire. Tout changea lorsque, rentré de son ambassade de Londres, Albert, duc de Broglie, fils du ministre de Louis-Philippe, vint prendre de manière incontestée la direction du centre droit au mois d'avril 1872. Il n'appartenait, d'évidence, pas plus au petit peuple qu'à la moyenne bourgeoisie. Ce n'était pas non plus un duc comme un autre, il était l'héritier de Mme de Staël et croyait à l'excellence d'une monarchie tempérée par le bicamérisme. Il se battit tout de suite et dénonça le message du petit baron Thiers : « La République existe, elle est le gouvernement légal du pays. »

Le 9 janvier 1873, à Chislehurst, dans le Kent, Napoléon III cessa de vivre. Ses partisans soutinrent désormais le camp royaliste. Paul de Cassagnac écrira : « Catholique d'abord, monarchiste ensuite, bonapartiste après. »

Nous sommes encore loin de l'adoption de cette devise lorsque Thiers, patronnant une élection partielle à Paris, présente l'académicien Rémusat, ancien ministre de Louis-Philippe, contre un instituteur communard, le nommé Barodet, et essuie une défaite. Cette fois, le centre gauche prit peur et se rallia sans enthousiasme à la droite. Grévy fit les frais, remplacé par le rude Buffet.

L'AVÈNEMENT DE MAC-MAHON

Le 24 mai 1873, Thiers est sommé par 360 voix contre 344 de *faire prévaloir dans le gouvernement une politique résolument conservatrice*. Ivre de fureur, il démissionne. D'autant plus ivre de fureur que les royalistes l'ont privé du droit d'intervention orale en le cantonnant dans des messages. Broglie fait élire, à l'insu de celui-ci, le maréchal de Mac-Mahon duc de Magenta. Deux belles intelligences, en s'affrontant, sont arrivées à ce piètre résultat: placer à la tête de la France un personnage héroïque mais de faible entendement. La maréchale, née Castries, est légitimiste, elle persuade son mari d'accepter le mandat. Thiers, en pénitence, le héros de Malakoff ne sera-t-il pas le Monk de la nouvelle restauration? Il demande: «Où est le règlement?» Il faudrait s'empresser d'en établir un. En l'attente d'une Constitution, le maréchal déclare aux parlementaires: «Je considère le poste où vous m'avez placé comme celui d'une sentinelle qui veille à l'intégrité de votre pouvoir souverain.» Le «Bayard des temps modernes» est un gardien mais de quoi? En fait, timide et privé de connaissances civiles, il laisse se séparer officieusement la fonction du chef de l'État de celle du chef de gouvernement. Broglie, vice-président, prépare la monarchie. Il remet l'administration en place (en utilisant parfois des bonapartistes), soutient les associations catholiques, tient serrée la presse socialiste. Son ascendant sur l'Assemblée paraît plus considérable que sur le pays mais il dirige le gouvernement avec un sens aigu de la légalité. Les royalistes créent une commission des Neuf destinée à préparer la Restauration. Mac-Mahon affirme «qu'à la vue du drapeau blanc, les chassepots partiraient tout seuls». Est-ce une assertion du maréchal ou le mot de quelque journaliste? Cette affaire de drapeau n'est-elle pas toujours demeurée obscure? Le blanc, symbole du commandement et de la prise d'Alger, ne valait-il pas les couleurs d'Austerlitz et surtout celles de Sedan? Le petit-fils de Charles X écrit, écartant l'emblème tricolore:

«On me demande aujourd'hui le sacrifice de mon honneur. Je ne retranche rien de mes précédentes déclarations. Les prétentions de la veille me donnent la mesure des exigences du lendemain et je ne puis consentir à inaugurer un règne réparateur et fort par un acte de faiblesse.»

La commission des Neuf envoie auprès du comte de Chambord le député Charles Chesnelong. Les tractations, très difficiles, n'aboutissent pas.

Le prince se rend à Versailles, 5, rue Saint-Louis, pour s'entretenir avec le maréchal. Le vieux bonhomme, en dépit des implorations de sa femme, se refuse à recevoir Henri V, à l'emmener, «à la française», se faire proclamer roi par l'Assemblée. Le comte de Chambord devait déclarer avec la plus haute justesse :

— Je croyais avoir affaire à un connétable, je n'ai trouvé qu'un capitaine de gendarmerie.

Le comte de Paris, devant ces difficultés, confie à ses intimes : «Ne pouvant faire la monarchie, il faut un gouvernement constitutionnel avec un pouvoir exécutif placé au-dessus des luttes de partis.» On s'oriente vers un système assez ignoble puisqu'il est conçu dans l'attente du décès du comte de Chambord permettant l'accession au trône de son cousin tricolore. C'est l'origine du septennat rééligible. Broglie présente un projet constitutionnel. Il préconise l'établissement d'une seconde Chambre. Ses membres seront, pour partie, élus au second degré par les députés, les conseillers généraux, les hauts fonctionnaires, les principaux contribuables. Une deuxième partie du grand Conseil sera désignée par le président. La troisième sera composée de grands dignitaires. Le projet est repoussé le 16 mai 1874, et Broglie s'en va tout en continuant de conseiller Mac-Mahon. Les gauches et une partie des orléanistes n'ont pas voulu de cette Chambre haute. Depuis 1848, ils connaissent néanmoins les périls présentés par une assemblée unique.

Lassé du provisoire, «prenant ce qui est», l'orléaniste Henri-Alexandre Wallon, de l'Institut, après avoir passé toute une nuit de prière à Sainte-Clotilde, déposa l'amendement suivant : «Le président de la République est élu pour sept ans par le Sénat et la Chambre réunis en Assemblée nationale. Il est rééligible.» Le texte est adopté par 353 contre 352. La République est née ce 30 janvier 1875.

7

LA IIIe RÉPUBLIQUE

Ce régime enfanté par la lassitude se présente comme une monarchie constitutionnelle. Il n'attend que le comte de Paris à la tête de l'exécutif. On forme un Sénat de 300 membres élus à deux degrés pour neuf ans et renouvelable par tiers hors 75 inamovibles. La Chambre, élue pour quatre ans au suffrage universel direct selon le scrutin uninominal, peut être dissoute par le chef de l'État sur avis positif du Sénat. Le congrès, fort d'une majorité des deux tiers, détient la prérogative de réviser les lois constitutionnelles. Au vrai, il n'existe pas de Constitution véritable mais un certain nombre de dispositions organiques. Ce sera la force, et parfois la faiblesse de cette royauté sans roi dont l'exécutif ne cessera de faiblir.

En mai 1875, survient un incident grave. Nos régiments, étant passés de 3 à 4 bataillons, Bismarck menace. Le duc Decazes, ministre des Affaires étrangères, obtient l'appui de l'Angleterre et de la Russie. Le chancelier rengaine son grand sabre mais les conséquences intérieures seront importantes. La gauche, dépouillant sa réputation de bellicisme, se donne pour pacifique et confère à la droite l'attitude de va-t'en-guerre. Subtilement menée par Gambetta, « l'intoxication » atteint surtout les masses rurales éprises de modération.

L'Assemblée nationale, si elle n'a point élaboré le régime voulu par la majorité des Français, n'en a pas moins œuvré très utilement. Malgré les 17 000 000 or, tribut de la guerre, le budget de 1875 présentait un excédent de 100 000 000 de francs, la rente était montée de 10 % en cinq ans et le dépôt dans les caisses d'épargne de 27 %. L'extraction du charbon s'était accrue de 60 %, la production de la fonte de 23 %. On a gagné 18 000 km de voie ferrée, doublé l'activité portuaire, augmenté de 21 % le commerce extérieur. Malheureusement, ces succès, en dépit des avertissements réitérés du comte de Chambord, profitaient médiocrement aux travailleurs manuels. Seuls quelques catholiques, quelques socialistes s'étaient préoccupés vainement des classes défavorisées.

«L'officier de gendarmerie» est souvent mal inspiré. Sur le conseil de Decazes, il abandonne la nomination des inamovibles à l'Assemblée, une majorité royaliste devant élire des royalistes. Les chevau-légers — on nomme ainsi les plus dévoués partisans de Henri V — montent une curieuse opération. L'un des leurs, M. de La Rochette, croit s'entendre avec Gambetta. Il soutiendra la gauche en échange de quelques mandats pour les siens. L'affaire échoue. En 1876, on élit, sur cette fausse manœuvre, 62 républicains contre 13 conservateurs. Les 225 autres candidats, choisis le 30 janvier 1876, rétablissent un semblant d'équilibre. La droite distance la gauche de 6 élus. A la Chambre, le résultat se révèle plus fâcheux : 360 sièges aux républicains (dont 50 à peine au centre gauche) contre 200 laissés à droite (parmi lesquels 80 conquis par les bonapartistes). Mac-Mahon confie le gouvernement au vieux Dufaure, ancien ministre de Louis-Philippe et modéré jusqu'au bout des ongles. L'adversaire, cependant, ne se contente pas de cette nomination fort sage et déclenche la guerre religieuse. Gambetta proclame : «Le cléricalisme, voilà l'ennemi.» M. Dufaure ne tient pas devant ces agressions. Le maréchal, toujours conseillé par Broglie, choisit Jules Simon. C'est un philosophe sans caractère. Il laisse, contre l'avis de Magenta, déclarer publiques les séances des conseils municipaux, puis demeurer dans le domaine correctionnel les insultes aux chefs d'État étrangers. Simon attend une deuxième lecture de son projet. Le maréchal se fâche et envoie une lettre de désaveu, appelant la démission de son ministre. Simon s'exécute (16 mai 1877). Broglie, ne disposant plus de la majorité, revient aux affaires mais ne trouve que 158 voix contre 363. Les 363 en question, soucieux de se créer une légende, lancent un manifeste. Le chef de l'État, après avis favorable du Sénat, dissout l'Assemblée. Malgré les efforts du ministre de l'Intérieur, M. de Fourtou, 315 des 363 opposants sont réélus grâce aux efforts de Thiers, mort d'une indigestion de pêches au cours de la campagne, et de Gambetta tonitruant :

— Pas d'ennemis à gauche.

Le maréchal doit se soumettre ou se démettre. Mac-Mahon vit

des heures affreuses. Finalement, il se soumet sans se démettre et, le général de Rochebouët battu, donne, à nouveau, la place à Dufaure. Le vice-président du Conseil ménage tant qu'il peut le chef de l'État mais la gauche veut sa livre de chair ; le maréchal doit accepter mille et une destitutions et reçoit les lettres indignées de magistrats et de hauts fonctionnaires sanctionnés pour avoir obéi. Le 5 janvier 1879, le Sénat passe à gauche, et le duc d'Audiffret-Pasquier, grand conciliateur, en perd la présidence. Désormais, tout est permis. Le Conseil des ministres réclame la mise à la retraite anticipée de généraux prestigieux. Cette fois, le maréchal refuse sa signature et démissionne (30 janvier 1879). Le soir même, Jules Grévy devient président de la République. Ce n'est plus la même. La République des ducs devient la République des républicains.

LE VEAU D'OR

Le ton change. Au temps de l'exposition (1878), on avait retrouvé les manières de cour, et la maréchale était apparue comme une souveraine. Maintenant, «on n'entend plus que le bruit des souliers qui s'en vont et des sabots qui arrivent» (Jean-Jacques Weiss). Les protestants (Waddington, Freycinet) ne sont pas des persécuteurs mais ils ont des comptes à régler depuis la révocation de l'édit de Nantes. Ils en chargent Jules Ferry. Ce Vosgien obstiné s'attaque aux congrégations. Par sa faute, la République triomphante devient, avant tout, et ses sectateurs n'en demandent pas tant, le flambeau de l'anticléricalisme. Grévy, seigneur de Mont-sous-Vaudrey, n'a point d'autre dieu que le veau d'or. Comme l'écrira Bainville, «l'argent est tout»... C'est la république du bonhomme Chrysale. On discutera longtemps la personnalité de Ferry. Le patriote pourrait attirer, le persécuteur de l'Église suscite un sentiment de gêne. Il se raccroche aux arrêts de Louis XV, aux décrets de Charles X contre les Jésuites. Son but : déchristianiser le pays de Saint Louis et de Jeanne d'Arc. Cet être étrange n'en est pas moins préoccupé de notre expansion. Tenu par Bismarck, soucieux de nous détourner de la revanche, il se lance dans la conquête coloniale et rencontre des difficultés en Tunisie. Il signe le traité de protectorat du Bardo mais doit envoyer des troupes dans le Sud. La Chambre le renverse. C'est enfin l'heure de Gambetta. Grévy s'arrange pour créer le vide et «le Grand Ministère» tant attendu sombre en six semaines sur une loi tendant à rétablir le scrutin de liste. Le «tribun» s'était engagé sur une voie curieuse. Il se laissait enjôler par Bismarck. Ses amis, comme ses ennemis, s'en scandalisaient et l'on vit se constituer les premières ligues patriotiques. Gambetta mourut accidentellement à quelques mois du décès de Henri V (24 août 1883). La question royale se reposait.

Les opportunistes trouvent judicieux de réviser la Constitution sans trop aller à gauche. Ainsi maintiennent-ils le Concordat. On supprime les sénateurs inamovibles par voie d'extinction, on interdit aux membres des familles ayant régné sur la France de briguer des fonctions électorales. Bientôt, le duc d'Aumale sera radié de l'armée, le comte de Paris et son fils, le jeune duc d'Orléans, seront bannis, comme les Bonaparte. Les opportunistes gouvernent à loisir mais restent menacés par les extrémistes. Ferry, de nouveau vice-président du Conseil, achève de construire sa machine de guerre, l'école laïque, puis est renversé. Le jeune Clemenceau ne lui pardonne ni la mort inutile du commandant Rivière tué par les pirates chinois, ni notre défaite de Lang-Son. Aux élections suivantes, la droite, forte de son union autour du comte de Paris, arrache le premier tour mais se fait distancer au second. Les batailles d'idées prennent un caractère sommaire. Ainsi les adeptes de la colonisation deviennent-ils les complices de l'Allemagne puisqu'ils veulent distraire notre regard de la ligne bleue des Vosges. L'empereur Guillaume et son chancelier préfèrent, on l'a dit, voir nos beaux régiments s'user en Chine et en Tunisie que préparer la revanche.

LE BOULANGISME

Le malaise financier est attribué logiquement aux républicains, puisqu'ils détiennent le pouvoir. A la vérité, la crise revêt un aspect mondial. Le cours du blé n'a cessé de baisser. En outre, il importe de reconstituer à grands frais le vignoble atteint par le phylloxéra. La dépression est telle que l'Union générale, principal établissement catholique, dépose son bilan, entraînant un grand nombre de faillites. Le monde de la finance n'apparaît pas facile à explorer. Il semble, toutefois, que la haute banque protestante ait mis d'énormes moyens en œuvre pour couler sa rivale papiste. Cependant, les hommes d'affaires israélites demeurent du côté traditionnel. Les premières poussées d'antisémitisme sont encore loin. Elles viendront tout à la fois de la gauche ouvriériste et de la droite populaire. Il est même aventureux de parler de droite. Il vaut mieux évoquer le nationalisme. Dans ce mouvement, se trouvent mêlés des anciens soldats de 1870 et des vétérans de la Commune. L'absence d'un gouvernement fort, l'indifférence des leaders aux problèmes sociaux font lever la colère. C'est alors que le général Boulanger connaît la plus stupéfiante fortune. Cet officier de gauche, ministre dans les cabinets Freycinet et Goblet, se fait aimer du troupier par quelques novations : autorisation du port de la barbe (jusque-là réservée aux sapeurs), distribution de cuillères et de fourchettes, accueil en musique des conscrits dans les gares, peinture des guérites aux couleurs nationales. A la revue du 14 juillet 1886, monté sur le cheval noir Tunis, le joli garçon ensorcelle le public. Il est le protégé de Clemenceau, l'adversaire des princes d'Orléans qu'il courtisera très vite. Une fructueuse action à son actif : l'adoption du fusil Lebel. Vient l'affaire Schnaebelé, commissaire de police de Pagny-sur-Moselle, arrêté pour espionnage par les autorités allemandes du statalterat (gouvernement d'Alsace-Lorraine dépendant directement de Berlin). Grévy aplanit l'incident «en grand notaire», (*dixit* Bainville), fait libérer le fonctionnaire trop zélé, cependant que Boulanger mène un dangereux tam-tam. Le général Revanche doit gagner le commandement du corps d'armée de Clermont-Ferrand. Pour se dérober à ses admirateurs, il emprunte une locomotive haut le pied. Grévy a montré sa sagesse et sa manière finaude d'intervenir à l'extérieur, mais jamais à l'intérieur, lorsque éclate un scandale. Le gendre du président, Daniel Wilson, vend, au mètre, des rubans de la Légion d'honneur. Grévy est contraint de se démettre. La République tombe dans la boue. Pour la relever, Clemenceau donne ses voix à Sadi Carnot. En dépit de sa tête de «marron sculpté», le petit-fils de l'Organisateur de la Victoire voudrait tenir ferme. Boulanger ne dispose pas d'un programme. Il répète ces mots vagues : dissolution, révision, Constituante. C'est assez pour que les monarchistes l'épaulent. Malgré ses obligations de réserve, il se présente aux élections complémentaires et finit par obtenir 244 000 voix contre 162 000 à Jacques, candidat républicain. Ses partisans en délire se disposent à prendre d'assaut l'Élysée. Carnot fait ses malles. Le général Revanche préfère aller dormir avec la vicomtesse de Bonnemain. Un ministre à poigne, Constans, demande la levée d'immunité parlementaire du perturbateur et fait courir le bruit de son arrestation. L'autre prend peur, passe en Belgique. Il est condamné, par contumace, à la déportation dans une enceinte fortifiée. Le malheureux se tue deux ans plus tard sur la tombe de sa maîtresse.

Le boulangisme produit deux effets : il démolit l'unité républicaine et prépare une doctrine nationaliste. Si les gauches triomphent aux élections de 1889, elles demeurent fractionnées, quant au nationalisme, il va bientôt constituer un corps de doctrine. La querelle religieuse se poursuit. Quelques chefs catholiques — le baron Piou, le comte Albert de Mun — admettraient de coopérer avec le régime si les lois scolaires étaient appliquées dans un esprit exempt de persécution.

Léon XIII, par la voix du cardinal Lavigerie, archevêque d'Alger, se prononce devant des officiers de marine pour un ralliement sincère des droites à la République (1890). Il appuie cette étrange initiative par une lettre aux évêques (16 février 1892). Le résultat est lamentable. En 1893, les ralliés n'obtiennent que 35 sièges et leurs leaders sont battus. Il se crée, toutefois, sous l'impulsion de Marc Sangnier, un petit parti de tendance démocrate chrétienne, le Sillon (1894). Éclate le scandale de Panama. Lesseps, le triomphateur de Suez, n'est plus ce qu'il était, il se contente de prêter son nom. C'est un peu l'histoire de Law et de son Mississippi. La compagnie ne tient pas le choc. Alors, on achète des députés et des sénateurs contre un emprunt à lot. En 1892, le fougueux Jules Delahaye annonce que 400 parlementaires ont touché des pots-de-vin du Panama. Rouvier fait front, déclare aux gauches qu'elles doivent leur élection à ce pactole. Un ministre des Travaux publics ayant avoué, l'obscur Baïhaut se fait condamner en même temps que les administrateurs de la société, dont Lesseps lui-même. Il ne le saura jamais car, très diminué, il est dispensé de paraître. Clemenceau, compromis, se trouve totalement déconsidéré.

L'AFFAIRE DREYFUS

Arrive une autre histoire d'une terrifiante complexité, l'affaire Dreyfus. Le pauvre Carnot avait été poignardé, à Lyon, par l'Italien Caserio. Sous son successeur, Casimir-Perier, s'était déroulé, dans l'indifférence générale, le procès d'un capitaine Dreyfus accusé de haute trahison. Avait-il livré des secrets militaires aux Allemands et aux Italiens ? Un bordereau, concernant le frein de tir du canon de 75, saisi dans une corbeille à papier de l'ambassade impériale, semblait de son écriture. Dreyfus fut condamné malgré sa protestation d'innocence (décembre 1894), conduit jusqu'à l'île du Diable où on lui fit mener une vie dure. Quelques amis ne doutaient pas de son honneur, qui se mirent en campagne pour le tirer de ce mauvais pas. On mit en cause le commandant Esterhazy dont l'écriture aussi ressemblait à celle du bordereau. Traduit en conseil de guerre, il fut acquitté (1898). Après bien des malheurs et une nouvelle condamnation, Dreyfus fut mis hors de cause en 1906 par la Cour de cassation, se prononçant toutes Chambres réunies. C'était illégal, la Cour devant renvoyer devant une autre juridiction. Entre-temps, le colonel Henry avait avoué qu'il avait forgé «quelques preuves supplémentaires» contre Dreyfus. Arrêté, il se suicida, ou fut suicidé, dans des circonstances obscures, au mont Valérien. «L'Affaire», comme l'on dit, fut mauvaise pour la cohésion nationale. Les partisans de la révision du procès ou dreyfusards entrèrent en guerre contre les antidreyfusards (nationalistes, catholiques antisémites). La France fut déchirée. Les antimilitaristes s'étaient jetés dans la bataille avec une hargne dont témoigne le fangeux réquisitoire inspiré par Clemenceau au romancier Zola, le fameux pamphlet *J'accuse*. C'était une déchirure du tissu national.

A Casimir-Perier, se refusant à coiffer le bonnet rouge, avait à l'Élysée succédé Félix Faure. Ce riche tanneur n'était pas dreyfusard. Il était galant. Peut-être mourut-il d'un excès. Quelques journalistes prétendirent qu'on l'avait assassiné.

En dépit de l'assertion de Bainville, les présidents ne sont pas toujours modérés. Émile Loubet se veut dreyfusard et met en charge du Conseil l'avocat Waldeck-Rousseau, autrefois remarqué par Gambetta. Cet homme à tête de mort, Léon Daudet, choisit, à sa droite, le général de Galliffet et, à sa gauche, le socialiste Millerand. L'Exposition de 1900 lui confère quelque relief. La guerre religieuse continue. Le chef du cabinet reprend sur un mode plus subtil la politique de Ferry. C'est toujours la bataille contre les congrégations non autorisées. En 1902, radicaux et socialistes constituent le Bloc des gauches. Waldeck-Rousseau s'en va, remplacé par le curieux Émile Combes. En 1903, cet ancien séminariste ferme 10 000 établissements d'enseignement libre. 3 000 religieux sont exilés. En 1904, une loi destitue de leurs droits les congrégations autorisées. Enfin, le général André, ministre de la Guerre, fait dénoncer par leurs bottiers les officiers allant à la messe. Loubet se rend à Rome, ignore le pape et salue le roi d'Italie, excommunié depuis l'offensive de 1870. Le Vatican proteste, Paris rompt les relations diplomatiques. Rien n'est changé. Depuis Ferry, il ne s'agit plus que d'abattre l'Église. Elle se défend; le député royaliste Syveton soufflette André mais disparaît dans des circonstances mystérieuses. Combes finit par démissionner (18 janvier 1905).

L'ALLIANCE RUSSE

En dépit de ces luttes, la France s'assure un magnifique empire colonial. L'Indochine est totalement sous notre coupe. Nous contrôlons le Dahomey, le Soudan, le Tchad, la Guinée, la Côte-d'Ivoire, Madagascar, le Congo, le bassin de l'Oubangui-Chari. Des militaires distingués, Gouraud, Gallieni, Joffre, Lyautey se sont appuyés sur des civils compétents tels que Ferry, Étienne, d'autres.

La politique extérieure demeure compliquée. La France républicaine se rapproche de la Russie quelque peu néo-féodale. Elle lui prête beaucoup d'argent mais impose à l'Allemagne un second front en cas de conflit. C'est moins le fruit de notre habileté diplomatique que la faute du jeune Guillaume II, après la disgrâce de Bismarck, renouvelant, puis dénonçant le traité de contre-assurance entre Berlin et Saint-Pétersbourg.

Avec l'Angleterre, Delcassé s'humilie et abandonne Fachoda, au Soudan, sur le cours supérieur du Nil (4 novembre 1898). Il obtient tout de même une rectification de frontière dans la région du Bahr el-Ghazal et la reconnaissance de nos droits sur le Tibesti.

Les Français haïssent l'Angleterre. La guerre des Boers, opposant entre 1899 et 1902 Britanniques et Européens du Transvaal, développe encore cette vindicte. Successeur de la reine Victoria, Édouard VII, moins francophile qu'amoureux des petites femmes de Paris, conquiert notre capitale par ses manières bon enfant. Loubet rend la visite. Nous perdons en Égypte les droits de protectorat que nous regagnons au Maroc.

L'épopée coloniale choquera certains de nos contemporains. Elle n'est pas exempte de fautes, et même de sauvageries. Elle demeure néanmoins l'honneur de notre pays. Nous avons appris à travailler aux autochtones, nous leur avons donné, sinon le bonheur, du moins une certaine forme de prospérité.

LES INVENTAIRES

Après la démission de Combes, vieux théologien perdu dans l'agnosticisme, Loubet, aux petites jambes de coq, donne le pouvoir à Rouvier, financier et manœuvrier. Il maintient Delcassé. Toutefois, le service militaire est réduit de trois à deux ans, le budget des cultes est supprimé, la loi de séparation des Églises et de l'État est prononcée. Le rapporteur, Aristide Briand, s'est, jusqu'ici, fait connaître par un texte enflammé sur la grève générale mais montrera bientôt une rare souplesse.

Certains auteurs voient dans la séparation une liberté pour le clergé. Encore faut-il que la religion se perpétue. Or l'argent des fidèles se révèle insuffisant pour la formation sacerdotale. Il s'agit d'études lentes, difficiles et, par conséquent, coûteuses. Malgré les efforts des croyants, les bancs des séminaires seront à demi désertés.

Pie X ne peut admettre cette dénonciation unilatérale du Concordat. Il excommunie les votants et interdit la mise en place d'associations cultuelles composées de laïcs chargés d'administrer les biens ecclésiastiques (*Gravissimo officii*, 10 août 1906). La loi prévoit l'inventaire des objets et des biens. Ils devaient être transmis sous un délai d'un an aux fameuses associations. A Paris, en Bretagne, dans les Flandres, les fidèles s'enferment dans les églises pour empêcher la profanation. Des officiers et des fonctionnaires préfèrent démissionner que de se livrer à ce travail. A Boeschepe, dans les Flandres, un manifestant est tué. Rouvier doit s'en aller. Son successeur, Clemenceau, met pratiquement fin à cette ânerie. Une nouvelle force s'est levée en faveur du catholicisme, l'Action française. Paradoxalement, son chef, Charles Maurras, tend vers le paganisme. D'une culture folle, d'un génie profond, il assemble les Vaugeois, les Daudet, les Bainville, les Pujo et, s'appuyant à la fois sur les croyants et sur une jeunesse spirituellement plus distraite, crée le «nationalisme intégral» qu'il nommera «les républiques sous le Roi». Philippe VIII, duc d'Orléans, relève avec le maître de Martigues le prestige de la monarchie un peu tombé dans les nostalgies de presbytères et de salons. Jamais l'Action française n'obtiendra de considérables résultats électoraux mais elle créera la plus étonnante école de pensée. Elle veut un état antiparlementaire et décentralisé, se relie à Bonald et à Joseph de Maistre avec un détour par le positivisme. Profondément latine, elle rejette certains aspects de ce germanisme nous ayant conduit à la catastrophe de 1871. Elle prend, en revanche, son bien où elle peut le trouver. Elle se méfie de Nietzsche mais elle adore Mozart. Elle ne confond jamais Allemagne et Autriche. Elle ne se montre pas xénophobe, toutefois, la pression juive et protestante ainsi que l'action maçonnique et celle des «métèques», comme dit l'helléniste Maurras, l'amènent à condamner «les quatre États confédérés». Plus tard, l'Action française reviendra sur certaines de ses positions, se réconciliant en particulier avec les protestants.

Dans le camp adverse, la démocratie chrétienne présente tout de même avec l'Action française une analogie: la préoccupation sociale. L'extrême gauche de Guesde et de Jaurès, animés de sentiments généreux, doit, pour satisfaire les radicaux, écarter les prêtres avant de prendre soin des ouvriers. Dans le même temps, la condition prolétarienne progresse dans les pays voisins, surtout dans l'Empire allemand.

Bismarck avait toujours méprisé les colonies, les comparant aux pelisses de ces nobles polonais ne possédant pas de chemise. L'Allemagne ne manquait plus de chemises et convoitait quelques pelisses. Le jeune Guillaume II, sans rechercher les conquêtes, se méfiait d'une prise en tenaille de ses possessions coloniales. Le premier incident vint du Maroc où, afin de nous garder sur les confins algériens, nous avions obtenu de l'Angleterre, et même de l'Italie, pourtant membre de la Triplice — alliance la réunissant à l'Allemagne et à l'Autriche — quelques garanties. Le 31 mars 1905, l'empereur débarque dans le port de Tanger et déclare ne pouvoir tolérer la prépondérance d'un pays étranger en territoire chérifien. Rouvier, pour aplanir le différend, se sépare de Delcassé (6 juin 1905). A la conférence d'Algésiras, appuyé par l'Angleterre et les États-Unis, il obtient des droits spéciaux sur le Maroc.

A Loubet succède Fallières, personnage d'une rondeur trompeuse et d'une finesse dissimulée. La présidence est donnée à Sarrien. Il fait chaud. On monte des rafraîchissements.

— Que prendrez-vous, Clemenceau?

— L'Intérieur.

Briand et Poincaré sont aussi de la fête. Le premier ne sait rien mais comprend tout, le second sait tout mais ne comprend rien. Malgré l'intelligence de Fallières, le gouvernement traîne. Tous ces gens au pouvoir se haïssent, mènent des politiques contradictoires. En vain Maurras lance-t-il des avertissements. Clemenceau remplace Sarrien. Le bleu de Vendée doit s'opposer aux viticulteurs ruinés par la fraude des intermédiaires. Un régiment fraternise avec les mutins. Il en reste l'admirable chanson de Monthéus:

«Salut, salut, à vous, braves soldats du 17ᵉ... Vous auriez, en tirant sur nous, assassiné la République.»

Clemenceau ridiculise Marcellin Albert, chef des insurgés, en lui réglant ses frais de déplacements, et calme la région.

L'affaire du Maroc recommence. Nous occupons Oujda, puis Casablanca. Les Allemands nous répondent par l'action de leurs services de renseignements. De nouveau, nous sommes à deux doigts de la guerre. Joseph Caillaux, fils d'un ministre de Mac-Mahon, mais devenu l'un des chefs du parti radical, règle l'affaire. L'entrée de la canonnière allemande *Panther* dans le port d'Agadir ne lui fait pas perdre son sang-froid. Caillaux, quelles que soient ses qualités de mémorialiste, apparaît comme un être infatué de sa personne, parlant lui-même de son génie. Il est vrai qu'il n'en manque pas. Il s'attire la haine d'une nation chauvine, pour avoir compris avant tout le monde que la guerre générale marquerait la fin d'une civilisation. Il obtient les mains libres au Maroc en rétrocédant à l'Allemagne une partie du Congo. Cet échange déplaît. Caillaux démissionne. Poincaré le remplace. Il ratifie le traité du Congo, nomme Lyautey résident général au Maroc où les troubles vont, grâce à ce général monarchiste, prendre assez aisément fin.

L'ORAGE APPROCHE

Le nouveau président du Conseil change de politique. Lorrain, il ne supporte point le statalterat et se refuse à toute concession à la puissance wilhelmienne. Il s'appuie sur l'Angleterre et la Russie et se mêle des affaires balkaniques. Depuis que l'Allemagne s'est avancée en ouest, il est évident qu'elle doit aider l'Autriche en est.

Ainsi l'a-t-elle soutenue, en 1908, lors de l'annexion de la Bosnie-Herzégovine. L'objet des convoitises n'a point changé depuis Henri II; mais maintenant, les Hohenzollern ont à préserver l'Alsace-Lorraine d'une reconquête française tandis que les Habsbourg veulent libérer l'Europe des Turcs. Seulement les Ottomans, ayant renversé le sultan Abdul-Hamid, ne comptent plus sur l'échiquier international. Ils surprennent encore par leur résistance à la Ligue balkanique durant la guerre italo-turque en Cyrénaïque (1911-1912). Poincaré, en réunissant une conférence des ambassadeurs, permet la signature d'un armistice (3 décembre 1912). Le mois suivant, le 17 janvier 1913, il se fait élire président de la République. Fallières déclare *mezza voce* :

— C'est la guerre qui entre derrière moi à l'Élysée.

Poincaré considère-t-il le conflit comme inévitable ? Non, mais il mettra tout en œuvre pour nous en défendre. L'Allemagne s'agite, passe son effectif de 750 000 à 870 000 hommes. N'en possédant que 490 000, nous revenons à la loi de trois ans, grâce à Louis Barthou, bientôt renversé. Caillaux prend les Finances dans une combinaison Doumergue mais il doit quitter le pouvoir, sa femme ayant, pour divulgation d'une correspondance passionnelle, assassiné le directeur du *Figaro*, Gaston Calmette. Aux élections de 1914, la Chambre glisse à gauche. Poincaré prend Viviani. Encore qu'orateur remarquable, le président du Conseil ne parvient point à faire abroger la loi de trois ans (mai) mais (en juillet) obtient l'impôt sur le revenu (pas plus de 4 %, a recommandé Caillaux).

Il demeure malaisé de comprendre l'histoire des mentalités. Ainsi, les électeurs français, se prononçant pour la gauche souvent pacifiste, n'en conservent pas moins une terrible rancœur à l'égard de l'Allemagne. Dans les collèges et les lycées, on joue du clairon et du tambour en souhaitant en découdre avec les Alboches. De l'autre côté, on se bat à la rapière en guise d'entraînement, même si la coutume est ancienne. Restent, bien sûr, les socialistes. Ils souhaiteraient empêcher l'explosion. C'est vrai pour des Français tels que Jaurès, directeur de *l'Humanité*, c'est moins exact chez les marxistes et les sociaux-démocrates d'outre-Rhin. Leurs partis et surtout leurs syndicats ne rencontrent pas d'adversaire à la chancellerie et obtiennent des avantages. Chez nous, seul Briand est préoccupé des retraites ouvrières et paysannes, sans trouver suffisamment de crédits. En Russie, Stolypine a considérablement amélioré le niveau de vie des déshérités. En bref, si l'on met à part les anarchistes et les bolcheviques, en perte de vitesse malgré les cours dispensés par Lénine à ses «cadres», de l'école de Longjumeau, il n'existe pas de tension idéologique. En revanche, le droit des peuples à disposer d'eux-mêmes demeure à la mode. La seconde partie de la guerre balkanique, où l'on s'essaie à l'emploi d'armes modernes et à l'application de stratégies nouvelles, paralyse l'Autriche-Hongrie. Sa protégée, la Bulgarie, battue par les Turcs, les Grecs et les Serbes, empêche, par sa défaite, Vienne de contrôler la Thrace.

SARAJEVO

Le 28 juin 1914, le kronprinz François-Ferdinand et son épouse morganatique, la duchesse de Hohenberg, en visite à Sarajevo, sont tués par un étudiant serbe nommé Princip, intoxiqué par les services secrets de Belgrade. L'empereur François-Joseph et son chancelier, le baron, puis comte Berchtold, réclament des destitutions et une enquête en territoire serbe par les services autrichiens. L'Allemagne estime de son devoir d'«assister jusqu'au bout» son alliée, et les deux pays rappellent leurs réservistes. Durant ce temps, Poincaré, qu'accompagne Viviani, effectue une visite officielle chez les Russes sans se douter, semble-t-il, des mesures prises par Berlin et Vienne.

Guillaume II et son chancelier, Bethmann-Hollweg, ont commis la pire erreur en ne contrôlant pas Berchtold. Jamais ils n'ont envisagé la possibilité d'un conflit généralisé. Ils croient aux vertus de l'intimidation. Quand la Serbie accepte les exigences autrichiennes (moins la présence à Belgrade des services de sécurité), l'empereur allemand se félicite :

— C'est un grand succès moral pour Vienne. [...] Il fait disparaître toute raison de guerre, moi, je n'aurais pas ordonné la mobilisation.

Bethmann veut freiner l'Autriche irritée de se voir refuser l'accès de Belgrade. Hélas, les militaires allemands ne partagent pas cet avis. Moltke, neveu du vainqueur de 1871 et chef d'état-major général, déclare :

— Supporter la guerre européenne est le dernier moyen de sauver l'Autriche-Hongrie.

Le chancelier cède et annule les sages instructions données le matin du 30 juillet. Le même jour, la Russie, répondant à la déclaration de guerre à la Serbie, ordonne la mobilisation générale. Le même jour encore, l'Allemagne nous somme de déclarer notre neutralité, et de remettre les places de Toul et de Verdun. 1er août : mobilisation générale en France et en Allemagne. Le 3 août, les armées allemandes ayant violé la neutralité de la Belgique et occupé le Luxembourg, l'Angleterre entre dans le conflit. L'Allemagne déclare la guerre à la France le 4. La responsabilité de la Grande-Bretagne se révèle considérable. Si elle avait annoncé qu'elle tiendrait pour un *casus belli* l'entrée en Belgique, clef de la stratégie d'enveloppement héritée du feu maréchal de Schlieffen, jamais l'empereur Guillaume ne se serait aventuré. Déterminer l'échelle des responsabilités n'est pas simple. Poincaré n'a-t-il pas stimulé le czar et le grand-duc Nicolas ? Berchtold, se souvenant que son prédécesseur Aerenthal avait été créé comte pour avoir réussi l'annexion de la Bosnie-Herzégovine, voyait dans la victoire le moyen de se faire décerner le même titre. François-Joseph se montre trop exigeant quant à son honneur ; quant à lord Grey, ministre des Affaires étrangères de Sa Gracieuse Majesté, il n'avait pas pris position en temps utile par crainte de voir l'Allemagne assister l'insurrection irlandaise.

LE PLAN SCHLIEFFEN, LA MARNE, LA COURSE À LA MER

Les socialistes vont-ils s'associer à la guerre du capital ? Oui. Jaurès lui-même, à la veille de son assassinat par Raoul Villain, accepte le principe d'un affrontement que ses homologues allemands, bien nantis, ne peuvent, ni, peut-être, ne veulent empêcher. La mobilisation s'effectue dans l'ordre, parfois dans l'enthousiasme. Il en va de même chez nos voisins. Ainsi le régiment de Strasbourg n'enregistre-t-il pas une désertion.

Le généralissime désigné, Joffre, a constaté, lors des manœuvres de 1912 et de 1913, une infériorité du commandement. Le gros homme d'allure placide n'a pu mettre en place un règlement pour les grandes unités qu'en 1912, sur l'emploi de l'infanterie qu'au printemps de 1914. Paralysé par les luttes parlementaires, par l'absence d'un crédit de renseignements, il ne savait trop rien du plan adverse. Le maréchal de Schlieffen avait passé son existence à mettre au point la plus remarquable des offensives : il s'agissait d'attaquer de Mézières à Dunkerque. La masse de manœuvre, sept fois supérieure aux forces chargées d'immobiliser l'ennemi sur les Vosges et en Lorraine, pourrait pivoter autour de l'axe Metz-Thionville. Une immense conversion l'amènerait sur la Seine — à l'ouest de Paris — et sur la Marne ; la capitale, tournée par le sud, l'armée française serait repoussée sur la Moselle et sur le Jura. Le colonel général de Moltke, dépositaire du plan, est moins confiant. Appréhendant une offensive en Lorraine, il réduit la masse enveloppante ; elle n'est plus que le triple de la couverture.

La manœuvre de Schlieffen réussit avec une précision chronométrique : prise de Liège (6-7 août), échec français en Lorraine (Morhange, 20 août) et dans les Ardennes (23 août), victoire de la pointe droite à Mons-Charleroi, le même jour. En deux semaines, les Allemands sont sur l'Ourcq, à 48 km de Paris et, dans le même temps, sur le Grand Morin, la Marne, l'Ornain. C'est sur ce front de 180 km que va se livrer la «première Marne». Joffre a, dans l'ordre, ramené ses troupes étrillées et, s'appuyant à droite sur Verdun, constitue une nouvelle armée devant la capitale. En second lieu, les Russes, tenant leur promesse, prennent l'offensive et contraignent l'adversaire à distraire deux corps destinés à l'ouest. Enfin, l'armée de Lorraine, sous le kronprinz de Bavière, a beaucoup souffert à Morhange et au Grand-Couronné de Nancy. La droite est trop affaiblie pour accomplir sa mission. Sur une fausse instruction fabriquée par Joffre, détenteur du code ennemi, le général de Kluck, au lieu de déborder Paris par l'ouest, prend la direction de l'est et se heurte à la contre-offensive de Joffre. Dans l'espoir de nous tenir dans les Vosges et le Jura, le général de Bülow se replie. Le dispositif se stabilise au nord de l'Aisne et sur la Vesle.

Un nouveau chef, Falkenhayn, essaie de reprendre la manœuvre en prolongeant son aile droite, tandis que les alliés étendront parallèlement leurs lignes. C'est la course à la mer, lutte atroce et sans résultat dans la boue des Flandres (Ypres). Joffre, Gallieni et Maunoury ont utilisé les moyens les plus modernes : l'aviation pour se renseigner, les célèbres taxis de la Marne (réglés au tarif du kilomètre) pour assurer le transport de quelques unités. Tandis que le gouvernement défaisait ses malles et renonçait à partir pour Bordeaux, une prodigieuse énergie s'était manifestée. A la vérité, l'empereur Guillaume n'était pas méchant et nous ne risquions pas de graves amputations, il fallait toutefois prendre garde aux dangers présentés par certains Allemands, épris d'une dictature militaire froide et roide, ou d'une forme très avancée d'un socialisme virulent.

Pour l'instant, les généraux parlent haut et le peuvent. Leur victoire sur les Russes de Rennenkampf protège les Allemands et dégage les Autrichiens. Les vainqueurs sont révérés comme des idoles : Hindenburg, Ludendorff, et bientôt Mackensen, arrivé jusqu'à Varsovie. La principale opération d'hiver se concentre autour des lacs de Mazurie et dégage la Prusse orientale de l'emprise russe. En octobre 1915, la Turquie se déclare en faveur des Empires centraux — Allemagne, Autriche-Hongrie, Bulgarie — et la Russie se trouve coupée de ses alliés. Pour la dégager, le jeune ministre britannique Winston Churchill lance une attaque sur les Dardanelles impitoyablement repoussée par le pacha Moustafa Kémal. Cette opération débouchera tout de même sur un fructueux débarquement à Salonique auquel s'attache Briand, à nouveau président du Conseil.

En France, la guerre de mouvement a cessé. Partout, on creuse des tranchées, des abris, des souterrains défendus en tête par l'armement léger (mitrailleuses et lance-mines), et à l'arrière par une artillerie échelonnée selon son calibre. Ce n'est plus la guerre mais l'enfer. En 1870, on se battait pour un village, maintenant, on prend, on perd et on reprend un morceau de terrain désigné par l'expression cartographique de cote. Le général de Falkenhayn se jette sur Verdun par surprise, secteur dégarni par les Français. Le commandant en chef, le kronprinz impérial, d'ailleurs intelligent et chevaleresque, coiffe l'opération. Le succès doit être dynastique, mais le prince commet l'erreur de n'attaquer sur la rive gauche de la Meuse que le 5 mars 1916, retard permettant à notre artillerie de prendre de flanc les ennemis avançant par la rive droite. Il faut mettre de l'ordre chez les nôtres. Le général Pétain, stratège d'apparence un peu sèche, déploie son génie. Sa connaissance du troupier le sert puissamment. Il ménage son monde sans décrocher. A l'automne, il reprend Douaumont et Vaux. Dès octobre, il s'est ressaisi de tout le terrain perdu. Il n'écrira jamais ses Mémoires, c'est dommage car l'art militaire s'en trouverait puissamment enrichi. Les Français ont perdu 285 000 hommes et les Allemands 240 000. «Philippe Pétain, ayant reconquis toutes ses positions initiales, a gagné la plus grande bataille de l'Histoire» (maréchal Juin).

La France enregistre des succès diplomatiques. Ainsi le chef socialiste italien Benito Mussolini (Benito comme Juarez) organise-t-il une telle campagne de presse qu'il fait abandonner à son pays la Triplice (Berlin-Vienne-Rome) au profit de l'Entente (Paris-Londres-Saint-Pétersbourg).

L'amiral de Tirpitz, en accord avec son empereur, dirige magnifiquement ses sous-marins mais n'atteint pas le tonnage de destruction de la flotte alliée nécessaire et indispose le gouvernement américain. En 1916, Joffre, promu maréchal, perd le commandement occidental. En 1917, les inopérantes offensives du Chemin des Dames démoralisent nos troupes. Des mutineries s'ensuivent, on voit des régiments tenter de se retourner contre Paris. Il faut appeler Pétain; il fait exécuter une poignée de rebelles mais améliore la condition du soldat. La soupe arrive chaude et le courrier à l'heure, des tours de permission sont organisés.

LA RUSSIE ABANDONNE

Le czar abdique. Le social-démocrate Kérenski tente de poursuivre les hostilités, l'Allemagne envoie Lénine. Cet homme étrange prend le pouvoir. Son second et rival, Trotski, veut se maintenir en guerre. Une poussée allemande l'en dissuade (traité de Brest-Litovsk, 3 mars 1918). Le massacre des Romanov, abandonnés par George V, fait reculer les bornes de l'horreur. Les Empires centraux — la Bulgarie joue sa partie — peuvent désormais unir leurs efforts en Ouest, mais le blocus fait cruellement souffrir leurs civils comme leurs militaires.

Le 6 avril 1917, l'entrée en guerre des Américains, scandalisés par le soutien allemand au Mexique, avait apporté des hommes, mais un matériel dérisoire. Des gens raisonnables tentent de mettre fin au conflit : Briand, avec circonspection, Caillaux, avec trop d'impulsivité. L'empereur Charles d'Autriche délègue, de son côté, ses beaux-frères, les princes Sixte et Xavier de Bourbon-Parme pour préparer une paix séparée. Poincaré et son président du Conseil Ribot dénoncent la tentative aulique. Briand s'est sorti d'affaire en prévenant à l'avance l'Élysée. Caillaux va se retrouver en Haute Cour. Cette guerre devient un crime contre l'humanité. Français et Allemands ne se rendent pas compte qu'ils sont encore les maîtres de l'Europe ; qu'ils traitent et la catastrophe sera partiellement réparée. Poincaré, le Lorrain, ne supporte pas l'idée d'un compromis. Il choisit pour président du Conseil Georges Clemenceau. C'est de sa part un énorme sacrifice, car les deux hommes se détestent. Poincaré se trouve immédiatement prisonnier. Clemenceau déclare : « Je fais la guerre », et il la fait, stimulant les officiers généraux. Cet homme au passé trouble, au cœur jacobin, ce bleu de Vendée, déteste l'Allemagne et plus encore l'Autriche-Hongrie. Il poursuit Caillaux et Malvy, fait fusiller 2 ou 3 espions. Le père du cinéaste Jean Vigo, le journaliste Almereyda, du *Bonnet rouge*, est étranglé dans sa prison.

Au mois de mars 1918, Ludendorff monte une offensive en employant des obus toxiques. Il s'agit d'obtenir la percée. En Picardie, en Flandre (9 avril), au Chemin des Dames (21 mai), en Champagne (15 juillet), il crève enfin le front et pousse jusqu'à Château-Thierry, à moins de 60 km de Paris. C'est la deuxième bataille de la Marne.

Le généralissime Foch, maître à la fois des Français, des Anglais et des Américains pour le secteur occidental, présente de grandes qualités. Il possède, en outre, un chef d'état-major hors pair, le général Weygand. Notre haut commandement n'est pas pris au dépourvu. Après chaque assaut, il étend son action par des manœuvres d'aile, ébranlant ainsi le front entier afin d'arriver à la bataille d'ensemble. Le 8 août, c'est l'offensive franco-britannique de l'Oise à la Somme, le 20, l'élargissement au nord d'Arras et au sud de Soissons. 26 septembre, attaque franco-américaine en direction de Mézières. 27 septembre, les Anglais vont sur Douai, les Franco-Belges visent l'extrême nord. En octobre, le front allemand est en retraite de la Meuse à la mer du Nord sur une longueur de 350 km. A l'ouest, à partir du 5 novembre, le recul se précipite.

A l'est, les Bulgares, battus par le futur maréchal Franchet d'Esperey, commandant l'armée de Macédoine, déposent les armes (29 septembre). En Syrie, le général Allenby contraint les Turcs à demander l'armistice (30 octobre). Alors que sont en cours des pourparlers, les Italiens surprennent les Autrichiens et se déclarent gagnants à Vittorio Veneto (24-30 octobre).

L'ARMISTICE

Depuis le mois d'août, l'Allemagne et la Double Monarchie sont prêtes à déposer les armes, mais sur quelles bases? Elles entrent en relation avec le président américain Wilson. L'autre impose 14 points, le plus souvent de caractère idéologique. Il veut n'avoir affaire qu'à des démocraties. Les Allemands ne répondent pas tout de suite à Wilson, perdent du temps malgré le zèle patriotique du chancelier Max de Bade. Durant les négociations préliminaires, les Alliés atteignent Gand et Mons, reprennent Mézières et Sedan. Devant les révolutions spartakistes (marxistes) de Kiel et de Munich, l'empereur Guillaume passe en Hollande. L'Entente s'est ralliée aux 14 points sans prévoir que Wilson ne sera point suivi par son Sénat. La veille de l'armistice se déroule une pathétique discussion entre Foch et Pétain. Pour l'un, il importe d'imposer à l'adversaire les volontés des puissances victorieuses, pour l'autre, il faut accomplir un dernier effort et occuper une partie du territoire allemand afin que soit ressentie la matérialité de la défaite. «Sinon, affirme Philippe Pétain, cela recommencera dans vingt ans.» Cet homme au maintien si rigide ne peut, affirme-t-on, retenir ses larmes. Foch comprend mais ne peut dépasser ses instructions.

Le 11 novembre, dans le wagon-salon du maréchal, à Compiègne, les plénipotentiaires d'un État submergé par la révolution marxiste, mais dont les troupes tiennent encore, acceptent les conditions d'armistice.

VERSAILLES OU LA PAIX BÂCLÉE

La France vibre à l'unisson. Les Chambres, pour quelques jours, font la trêve. Nous retrouvons l'Alsace-Lorraine, et Poincaré, qu'accompagne Clemenceau, remet, à Metz, sur le front des troupes, le bâton au général Pétain. Le président du Conseil déjà surnommé le Tigre devient le Père la Victoire. Cela ne l'empêche pas de refuser d'assister au *Te Deum* à Notre-Dame de Paris. L'Union sacrée n'aura point duré longtemps, et l'indomptable vieillard froisse bien des consciences en évoquant « la France, hier soldat de Dieu, aujourd'hui soldat de l'idéal ».

Le bilan est lourd : 1 700 000 morts, des centaines de milliers de mutilés et de gazés, 12 départements dévastés. Financièrement, la situation apparaît catastrophique : 300 milliards or de dettes, 30 milliards de déficit budgétaire. Les impôts sont énormes, l'inflation provoque une hausse du coût de la vie, ruinant les porteurs de revenus fixes. Le xixe siècle est réellement terminé ; le rentier ne se verra plus qu'au théâtre, à moins qu'il ne soit résolument « boursicoteur ». Bien des fortunes ont changé de mains. La société se transforme mais les déshérités espèrent dans la formule du ministre des Finances, Klotz : « L'Allemagne paiera. » Avec quoi ? Elle réussit à rapatrier son armée dans des conditions épouvantables et réduit, avec le plus grand mal, la révolution spartakiste. Elle trouve, toutefois, l'unité dans sa défaite ; les trônes, maintenus en 1871, étant tous tombés, elle perd son caractère confédéral pour devenir une.

On se réunit à Versailles pour venger la proclamation de Guillaume Ier. Au nom de l'Entente, traitent Clemenceau, Wilson, Lloyd George, dernier des whigs au pouvoir, et l'Italien Orlando. Ces messieurs entendent refaçonner l'Europe. Un jour, Tardieu les trouve fort embarrassés devant une carte légendée en allemand ; ils cherchaient le Danube.

Le maréchal Foch réclame la frontière du Rhin. C'est impossible, affirment l'Anglais et l'Américain, le détachement de la Rhénanie équivaudrait à créer un contentieux semblable à celui de l'Alsace-Lorraine. Nous en restons aux frontières de 1815. La rive gauche du Rhin est tout de même démilitarisée, ainsi qu'une bande de 50 km sur la rive droite. Les Alliés nous garantissent contre toute agression, quant à l'armée allemande, elle se trouve réduite à 100 000 hommes. La Sarre nous est attribuée pour une période de quinze années se terminant par un référendum. Les modalités de paiement des réparations ne sont pas déterminées. On invente un organisme, la Société des nations, chargé de régler les désaccords entre les puissances.

L'Allemagne refuse toutes les décisions alliées. Son gouvernement interroge le grand quartier: des succès initiaux sont prévisibles mais l'issue fatale ne peut faire de doute. Les vaincus se résignent. La lecture des conditions a lieu par la voix de Clemenceau au Trianon Palace. La signature, par Hermann Muller et son ministre Bell, est recueillie le 28 juin 1919 dans la galerie des Glaces. Détail significatif: le comte de Brockdorff-Rantzau, ayant refusé les préliminaires, se fait nommer ambassadeur à Moscou. C'est là, chez les Soviets, que l'Empire fracassé, le IIᵉ Reich, comme on dira bientôt, peut trouver certains appuis.

DÉCLIN DE L'INSTITUTION PRÉSIDENTIELLE

«En France, dit Bainville, le personnel politique était à peine rajeuni. Les partis se retrouvaient dans leur cadre ordinaire. Un seul détail était nouveau. La représentation proportionnelle était accordée au désir d'un certain changement.» Souci d'union, crainte du bolchevisme, la Chambre basse effectue un quart de tour à droite. Il lui revient, comme au Sénat, de porter un nouveau personnage au château. Clemenceau s'est toujours amusé de cette dignité. «Il est, ricanait-il, deux choses inutiles, la prostate et le président de la République.» Sera-t-il affecté de l'une? Il n'aura pas l'autre. A 78 ans, il demeure un athée flamboyant. Briand assure aux électeurs catholiques: «Cela ferait un bel enterrement civil à l'Élysée.» Dans les réunions préparatoires, le vieux bleu de Vendée est distancé par un homme très fin, Paul Deschanel. Clemenceau se réfugie dans un silence hautain, et Deschanel passe sans concurrent avec 734 suffrages. Toujours député, président de commission, jamais chef ou membre d'un cabinet, il veut prendre de l'ascendant, surtout dans le domaine extérieur. Les services le font languir, il s'irrite, se fâche, subit deux graves dépressions. Il est contraint de démissionner avant de reprendre, pour quelques années, le fil d'une belle carrière. Son président du Conseil, Millerand, socialiste assagi depuis bien des années, prend la suite avec moins d'allure mais une plus constante détermination. En 1924, la majorité, malgré les efforts de l'Élysée, va repasser à gauche. La victoire du Cartel entraîne l'arrivée au pouvoir des radicaux, et de leur leader Édouard Herriot. Millerand, comme naguère Mac-Mahon, n'a plus de Sénat en guise de bouclier. L'institution présidentielle reçoit un coup très grave lorsque le chef du gouvernement désigné, François Marsal, n'est même pas entendu par les Chambres. Le système, toutefois, est redevenu modéré. L'installation faubourg Saint-Honoré, après Millerand démissionnaire, du protestant Doumergue n'effrayera point les catholiques. La IIIᵉ République se donne des années d'insouciance.

A la vérité, le traité de Versailles, non ratifié par les États-Unis et la Grande-Bretagne, avait produit les plus fâcheux effets. On s'était battu sur de nouveaux fronts. Les Allemands s'étaient distingués dans les provinces baltes, les Russes de Dénikine, de Koltchak, puis de Wrangel, avaient conduit presque sans aide des batailles titanesques contre les Soviétiques, eux-mêmes en guerre contre la Pologne ressuscitée. En Italie, le chevalier-poète d'Annunzio s'était rendu maître de Fiume et de l'Istrie, territoires promis par les Alliés à l'Italie en échange de son entrée en guerre à leurs côtés puis accordés par eux à la nouvelle Yougoslavie. Les Alliés, tout en installant à l'est un «cordon sanitaire», s'étaient refusé à soutenir les adversaires des bolcheviks, craignant des mutineries infiniment plus graves que celles de 1917.

A Saint-Germain, à Trianon, à Neuilly — «les traités de la banlieue parisienne» (*dixit* Hitler) — se créait une Europe centrale découpée au détriment de l'Autriche-Hongrie : Pologne, Yougoslavie et aussi Tchécoslovaquie, démocratie à prédominance maçonnique soutenue financièrement par les «frères» anglo-saxons. A Sèvres, des dépouilles de l'Empire ottoman, nous tenions, en dépit du mauvais vouloir britannique, un mandat sur la Syrie et le Liban. Anglais et Américains se méfiaient de l'armée française. A Spa, nous parvînmes à faire admettre que nous percevrions 52 % des réparations. Le chef du cabinet, Georges Leygues, fut désavoué. A la conférence de Paris, Briand obtint le chiffre de 132 milliards de francs or (environ 900 milliards de 1992). L'Allemagne répondit qu'elle ne paierait que 31 milliards. La France et l'Angleterre occupèrent Düsseldorf et Duisbourg sur le Rhin. Le Reich, au plus faible de sa puissance militaire, affecta de s'incliner. Déjà, les Alliés, par un accord de tonnage, limitaient notre flotte. Briand envisagea, non sans raison, des aménagements. Il tomba. L'implacable Poincaré revint aux affaires. Le 11 juin 1923, il faisait occuper l'opulente Ruhr par les Franco-Belges afin que fussent assurés les paiements. L'Allemagne retira son ambassadeur, l'Angleterre protesta, les détachements américains quittèrent la Rhénanie. Berlin répondit par une réduction du mark à néant. Vint alors le plan Dawes: les membres de l'Entente, à la condition de contrôler la banque fédérale du Reich, se contenteraient de 2 milliards et demi de marks or par an. Un tel échec avait atteint d'autant plus sévèrement le Bloc national, rassemblement des modérés, qu'il avait majoré les impôts de 20 %. «A nous les places et tout de suite!» clamaient avec une provocante naïveté les gens de gauche. Depuis 1919, ils avaient trouvé le temps de reprendre la petite marge de manœuvre nécessaire pour espérer reconquérir le pouvoir.

En 1920, à Tours, communistes et socialistes s'étaient séparés, non sans drame. Cachin et ses camarades conservaient le quotidien *l'Humanité*, adoptaient les positions les plus avancées, se donnaient à la IIIe Internationale, directement conduite par Moscou, et prenaient le nom de parti communiste français.

Pareille attitude servit paradoxalement les socialistes; face aux communistes, ils cessèrent d'effrayer la petite bourgeoisie et purent s'entendre avec les radicaux traditionnellement «mangeurs de curés» et dépités du rétablissement, en 1921, des relations diplomatiques avec le Vatican. Malgré l'arrêt, en 1923, de l'inflation et de la baisse des cours anglais et américain, Poincaré, mis en minorité, dut modifier sa formation. Vinrent les élections de 1924. L'assaut fut donné par le radical Édouard Herriot, écrivain sensible autant que politique assez sectaire, et le socialiste Léon Blum, esthète décadent mais non exempt de charme et de générosité.

Leurs griefs: l'occupation de la Ruhr, tenue pour un acte belliciste, et le poids des impôts.

VERS LE RETOUR DE POINCARÉ

Voici Herriot aux affaires. A la conférence de Londres (16 juillet-16 août 1924), il abandonne la Ruhr. A Genève, il signe de concert avec les grandes puissances (Allemagne y compris) un protocole: arbitrage, sécurité, désarmement (2 octobre). Cela relève de la poésie. L'abandon des garanties militaires choque les épargnants. Les valeurs du Trésor restent pour compte. Le plafond des avances de la Banque de France est crevé. Le Sénat renverse Herriot (10 avril 1925). Les ministères tombent les uns après les autres. On voit reparaître Caillaux, vice-président, réclamant *la grande pénitence* pour remettre en ordre les finances. Herriot, devenu président de la Chambre, fait chuter cet homme supérieur. Doumergue charge à nouveau Herriot de constituer un gouvernement. La livre monte à 243 francs, le dollar à 50. L'équipe de «l'imposteur chaleureux» (Léon Daudet) tombe au jour de sa présentation. Il faut revenir à Poincaré. Il prend ses ministres partout, jusque chez les radicaux. Le redressement est exemplaire: il fait retomber la livre à 125 francs, commence d'amortir la dette, équilibre le budget, se donne la plus forte encaisse or jamais possédée. Le franc, en revanche, ne vaut plus qu'un cinquième de sa valeur de germinal. Les rentiers perdent 80 % de leur avoir. Ils ne sont plus très nombreux. Lâché par les radicaux au congrès d'Angers, le président peut lutter, car les élections lui sont favorables mais il est atteint par la maladie. Briand le remplace (juillet 1929). On ne saurait imaginer deux caractères aussi différents. Poincaré se montrait acariâtre, Briand enchante, mais, par malheur, s'enchante lui-même. Bon responsable durant la Grande Guerre, il s'éprend de l'Allemagne, s'entend avec le chancelier Gustave Stresemann. La Ruhr évacuée, le Reich entre à la Société des nations et signe le pacte Briand-Kellogg (France-Grande-Bretagne), mise hors la loi de la guerre par 60 nations (27 août 1928).

LES DÉBUTS DE LA DÉRIVE

L'économiste Young ramène le plan Dawes à 40 milliards de marks or, payables en 37 années, sans corrélation avec nos propres dettes envers les États-Unis. Nous quitterions la Rhénanie en 1930. L'Allemagne tente une union douanière avec l'Autriche mais se heurte à la Petite Entente (Tchécoslovaquie-Roumanie-Yougoslavie) et surtout à l'Italie, mussolinienne depuis la marche sur Rome des fascistes du Duce en 1922.

Le jeudi 24 octobre 1929, les cours des valeurs s'effondrent à la bourse de New York. La France sera moins atteinte que l'Allemagne dont le gigantisme industriel vivait sur le crédit américain. En revanche, le paupérisme et surtout la peur du lendemain vont favoriser dans le Reich l'ascension des nationaux-socialistes.

Briand disparaît après un échec à la présidence. Elle sera brièvement occupée par l'honnête Doumer, tué par un fou, Gorgouloff, entre les deux tours des législatives de 1932. Sous l'impulsion d'André Tardieu, «le mirobolant» (Léon Daudet), nous avons commencé d'établir la ligne Maginot, fortifications continues allant de Bâle à la frontière belge. A Briand ont succédé Pierre Laval, «Talleyrand en espadrilles» (Galtier-Boissière) puis Tardieu. Ils sont contraints d'alterner tant les Chambres sont devenues capricieuses. Au moins ces deux chefs de gouvernement créent-ils les Assurances sociales couvrant à la fois les risques de maladie, d'invalidité prématurée, de vieillesse, accordant une participation aux charges de famille ainsi qu'au chômage involontaire.

Les élections de 1932 ramènent un Herriot assagi mais contraint de gouverner avec les socialistes. Dès 1931, le président Hoover a fait suspendre les paiements des réparations allemandes. Herriot soutient que ce moratoire ne peut s'étendre à la dette française envers les États-Unis. Il est renversé (14 décembre 1932). Les radicaux se succèdent. Le public, impressionné par la remontée de l'Allemagne, ne comprend pas qu'il soit impossible de gouverner. La corruption indigne les plus paisibles des citoyens. Les scandales — Hanau, Oustric, Dubarry — ne cessent pas. La population sent, parfois confusément, la nécessité d'amender le régime. Sur des modes différents, Béraud, Daudet, le sage Bainville lui-même dénoncent la débilité d'un régime permettant une telle collusion entre les prétendus gendarmes et les authentiques voleurs.

Si Mussolini, gardien vigilant des tentatives d'Anschluss — réunion de l'Autriche à l'Allemagne —, apparaît depuis toujours comme notre allié, le nouveau chancelier, et bientôt Führer-chancelier, Adolf Hitler, ne l'est pas. Autrichien ayant renié sa patrie, héros de la dernière guerre dans un régiment bavarois, peintre peu prisé du public, doté de dons oratoires, il a décidé de restituer à son pays d'adoption ce qu'il nomme un peu comiquement «l'espace vital». Il ne sait pas lui-même s'il veut recréer l'Allemagne frédéricienne, l'Empire bismarckien, ou bien une dictature pesant sur l'ensemble de l'Europe. Plébéien, il séduit, pour un temps, l'aristocratie civile et militaire. Comme Frédéric, comme Napoléon, il s'habille simplement. Il s'exprime tantôt avec violence, tantôt avec humour.

A quelques jours du triomphe de cet être étrange, Blum proclame: «Hitler est désormais exclu du pouvoir et même de l'espérance du pouvoir.»

La droite se montre plus clairvoyante; l'Action française, la Solidarité nationale, les Croix de feu ne cessent d'avertir la nation. Qu'importe, la gauche demeure pacifiste.

LE 6 FÉVRIER

On dit dans le langage populaire: «Trop c'est trop.» Trop c'est l'affaire Stavisky. Par l'intermédiaire du Crédit municipal de Bayonne, un escroc, vingt fois dénoncé par les services du préfet de police, Jean Chiappe, vole les pauvres en émettant des bons de caisse gagés sur des bijoux faux ou dérobés. Bien entendu, ces bons ne sont pas remboursés mais des députés trouvent leur compte dans cette répugnante affaire. Les anciens combattants s'insurgent. Chiappe obtient leur parole de ne pas bouger mais Daladier l'écarte. La manifestation se déroule donc place de la Concorde avec le concours des ligues nationalistes et, ce 6 février 1934, les forces de l'ordre, mal conduites, blessent 30 personnes, en tuent 17. Daladier démissionne. Il faut un conciliateur. Débordé, le président de la République, Albert Lebrun, prête l'oreille au propos de Pierre Laval: appeler Doumergue. L'homme de Tournefeuille constitue un cabinet d'union nationale tandis que, sous prétexte d'antifascisme, communistes et socialistes signent le «pacte d'unité d'action» (27 juillet 1934), prélude au Front populaire.

Durant ce temps, Louis Barthou tente de redresser notre diplomatie. Le maréchal de Hindenburg, «président de l'Empire», meurt et n'est pas remplacé. Hitler cumule désormais les fonctions de chef du gouvernement et de chef de l'État dans le moment où les nationaux-socialistes autrichiens abattent l'héroïque chancelier Dollfuss, adversaire de l'Anschluss (25 juillet 1934). Le Reich se retire avec éclat de la SDN. Barthou fait entrer les Soviets dans l'organisation, essaie de reconstituer la Petite Entente (Tchécoslovaquie, Yougoslavie, Roumanie), et invite le roi Alexandre de Yougoslavie. A Marseille, le souverain et le ministre sont tués par des terroristes croates (9 octobre 1934).

Doumergue a cessé de plaire depuis qu'il développe dans des

causeries radiophoniques la nécessité de renforcer les pouvoirs présidentiels. Les radicaux quittent le ministère. Laval le reprend bientôt, dirigeant les Affaires étrangères dans des conditions très délicates. En janvier 1935, la Sarre, occupée depuis 1918 par nos troupes, fait retour à l'Allemagne après une consultation des plus favorables à celle-ci, et Hitler, fort de cet avantage, rétablit, en mars, le service militaire, au mépris du traité de Versailles. Laval, un peu dans la ligne de Barthou, signe un pacte franco-soviétique et se rapproche de l'Italie. L'Angleterre fait les gros yeux. Elle n'admet pas la campagne menée par Rome contre l'Éthiopie, croit les Indes menacées et réclame des sanctions. Cette absurdité, jointe à notre passivité face à la menace pesant sur l'Autriche, où les nationaux-socialistes du cru, tout acquis à Hitler, travaillent à l'union des deux pays, déçoit la «sœur latine», à l'heure justement où Laval, accusé de complaisance à l'égard du fascisme, est renversé le 22 janvier 1936. Il a tout mis en œuvre auprès des capitalistes pour obtenir des progrès sociaux. On ne l'a point entendu. Il a, en revanche, mal manœuvré dans l'ordre financier. Plutôt que de consentir à dévaluer, il s'est mépris en pratiquant une déflation, amputant rentes, salaires, loyers, et créant un mouvement d'hostilité dans les classes habituées à voter au centre gauche.

En attendant de la refortifier, le 7 mars 1936, Hitler réoccupe, les armes à la main, la Rhénanie. Cette région devait rester démilitarisée. Albert Sarraut déclare: «Nous ne tolérerons pas que Strasbourg soit exposé au feu des canons allemands.» C'est le moment ou jamais d'intervenir militairement. Nous ne bougerons pas. La Grande-Bretagne veille. Notre succès lui serait intolérable. Elle tient, coûte que coûte, à ménager l'équilibre entre les deux grandes puissances continentales et le prouvera bientôt en concédant à la *Hochefloot* (flotte de guerre du Reich) le tiers de son propre tonnage.

LE FRONT POPULAIRE

En 1936, le ralliement des radicaux aux communistes et aux socialistes donne au Front populaire la majorité. Voici Léon Blum président du Conseil. Avant même qu'il commence de travailler, le monde ouvrier se met en grève. Les syndicats prennent une importance considérable. Ils entendent traiter désormais de puissance à puissance. Que peut faire Blum, sinon céder sur toute la ligne dans un climat bien proche de la guerre civile ? Tout n'est pas déraisonnable dans le programme du Front populaire : les contrats collectifs, l'arbitrage, les congés payés, la semaine de 40 heures méritent la plus vive attention. La nationalisation des chemins de fer s'explique pour certains réseaux. La réglementation de la Banque de France relève de la plus haute fantaisie. Blum essaie de remettre la machine en route, met fin à la grève par les accords Matignon. L'élévation des salaires, l'augmentation des prix de revient provoquent l'inflation, la fuite des capitaux et un arrêt des exportations. Vincent Auriol dévalue à tort et à travers, les monnaies européennes s'alignent sur la nouvelle devise et, du même coup, nous ne regagnons pas au jeu des exportations. Et tandis que la France travaille moins, l'Allemagne de Hitler atteint un haut niveau de production.

Avec ses ménages ouvriers découvrant la mer en tandem, avec ses flonflons des bals de quartier, le Front populaire apparaît généreux mais désastreux. Certains militants vont jusqu'à la trahison, nous privant de notre matériel pour le livrer aux «Rouges» espagnols. Tandis que le général Franco triomphe d'une république sombrant dans le désordre et le meurtre, les tenants du Frente Popular aident les républicains. C'est d'autant plus absurde que le généralissime s'est adressé d'abord à la France. Catholique, ennemi de l'antisémitisme, il aurait mené la guerre avec le concours des puissances latines. Mais l'idéologie poussait la France du Front populaire vers les «Rouges» espagnols. Une fois encore, la Grande-Bretagne s'est mise en travers et le Caudillo s'est vu contraint d'accepter les services, d'ailleurs très brillants, du futur maréchal allemand Sperle et de sa légion Condor, puis des contingents italiens. En France, des volontaires s'enrôlent dans la brigade Jeanne d'Arc acquise à Franco, d'autres au contraire rallient les Brigades internationales. Blum résiste à la pression communiste réclamant une intervention directe en faveur des rouges, mais leur fait passer du matériel. Il se montre assez imprudent pour devoir, en 1937, laisser la place à l'ondoyant Camille Chautemps. Le Front populaire abandonne ses formes acerbes. En deux ans, la monnaie dévaluée par Vincent Auriol a perdu la moitié de sa valeur et l'inflation effacé les augmentations de salaire.

Malgré les efforts du chancelier autrichien Schuschnigg, assez habile pour répondre aux menaces de son homologue allemand par l'annonce d'un plébiscite, l'autre lance un ultimatum.

Le chef de l'État autrichien démissionne. Le lendemain, 12 mars 1938, les troupes allemandes entrent dans Vienne et, pour faire bonne mesure, une division autrichienne, musique en tête, pénètre dans Berlin. L'Anschluss est proclamé et recueille 99,5 % des suffrages. Même l'Italie a laissé faire. Elle n'accorde plus confiance à une France à la remorque de la Grande-Bretagne. Blum revient quelques jours avant d'être renversé, devant le Sénat, par un Caillaux soucieux de faire respecter la paysannerie. La gauche n'oubliera jamais ce coup venu de la Chambre haute. L'homme au monocle a magnifiquement joué, mais limité, sans le vouloir, les pouvoirs de la Haute Assemblée dans les Constitutions futures. Le Front populaire a vécu. Édouard Daladier reprend le timon. Il s'occupe des usines d'armement, laisse Reynaud pratiquer une dévaluation raisonnable et s'en remet à Georges Bonnet, disciple de Caillaux, pour les Affaires étrangères.

LES EXIGENCES DE HITLER

Non content d'avoir annexé l'Autriche, Hitler, au nom du droit des peuples à disposer d'eux-mêmes, réclame les 3 millions et demi de Sudètes — populations allemandes — rattachés arbitrairement à la Tchécoslovaquie en vertu des traités de 1919-1920. L'affaire serait bénigne si Prague n'était couverte tant par la Russie que par la France. On craint une guerre mais Mussolini sauve la situation à la conférence de Munich réunissant Français, Anglais, Allemands et Italiens (29 septembre 1938) et les Sudètes redeviennent allemands. Hitler a gagné, mais la France et la Grande-Bretagne sont soulagées. «C'est la paix pour notre époque», proclame Chamberlain, Premier ministre britannique. C'est alors que Hitler commet l'une des plus graves fautes de sa carrière. Violant les accords de Munich, il envahit la Tchécoslovaquie tout entière (15 mars 1939), créant une Slovaquie plus ou moins indépendante et un protectorat de Bohême-Moravie sous la coupe du Reich. Désormais, les Anglais, affreusement choqués, s'opposeront à l'Allemagne. Étrangement, le chef du *Reich grand Allemand* ne saisit pas la portée de son erreur. Le ministre des Affaires étrangères, Ribbentrop, vient à Paris nous garantir l'Alsace-Lorraine. Longtemps en bons termes avec la Pologne, partie prenante dans le démembrement de la Tchécoslovaquie, le Führer lui réclame maintenant un passage vers la Prusse orientale ainsi que la ville de Dantzig. Les Alliés cherchent un contrepoids en renforçant leurs liens avec Moscou. Staline préfère un pacte de non-agression avec Hitler (23 août 1939). Ainsi pourra-t-il faire main basse sur les États baltes et reprendre les territoires polonais anciennement russifiés. L'URSS est payée d'avance, et l'état-major allemand n'éprouve pas la hantise du second front. Les Polonais, assurés de leur force et de l'appui britannique, rejettent l'ultimatum de Berlin. Simulant une agression dont ils auraient été les victimes, les soldats du Reich pénètrent chez leurs voisins, le 1er septembre 1939. Le même soir, à l'est des Hébrides, l'U.30 coule le paquebot britannique *Athenia*. Une tentative de médiation italienne échoue. Le 3 septembre, la Grande-Bretagne, puis, cinq heures plus tard, la France déclarent la guerre au Reich.

UN MOMENT MAL CHOISI

On demeure confondu par cette histoire. Comment les puissances «ploutocratiques» se sont-elles engagées dans une telle aventure en un tel moment, alors que tant de meilleures occasions s'étaient offertes pour réduire l'appétit du Führer et à propos d'un différend avec cette Pologne dont l'alliance, avait affirmé le maréchal Foch, comportait le risque d'une explosion? A l'avènement démocratique de Hitler, nous n'avions rien à dire. Notre pari sur l'Allemagne parlementaire était perdu mais rien ne nous empêchait d'adopter une attitude franche. Nous pouvions poursuivre la politique de réconciliation ou, au contraire, jeter l'anathème sur le national-socialisme et saisir la première occasion, le 7 mars 1936, jour de la remilitarisation de la Rhénanie, pour prendre l'Allemagne par les oreilles. C'est oublier le tribut payé durant les années 1914-1918. La France gagnante de la guerre, embarrassée dans les dédales d'un traité nous privant de l'équilibre austro-hongrois et «trop dur pour ce qu'il avait de trop doux» (Bainville) à l'égard de l'Allemagne, hésitait devant le conflit. Mise de côté la parenthèse du Front populaire, le pays avait bien vécu. Il se reposait sur sa prodigieuse victoire de 1918, se tenait pour l'une des premières nations du monde. Même à Munich, où se remodelait la carte de l'Europe, on n'avait invité ni l'URSS ni les USA, non plus que le Japon. Dans la conscience des dirigeants comme des administrés, il n'existait que quatre puissances, la France, l'Angleterre, l'Allemagne et l'Italie. L'Espagne elle-même, à peine sortie du cauchemar, ne comptait pas. Sa guerre civile était pourtant riche d'enseignements. On avait vu la solide infanterie républicaine, pourtant secondée par les volontaires des nations démocratiques, battue grâce à des troupes mieux armées par les Germano-Italiens. Certes, les grands chefs de la croisade n'avaient point accepté de leçons stratégiques venant de leurs alliés, mais ils s'étaient rompus aux principes nouveaux, s'étaient montrés plus rapides que leurs adversaires.

La France, à cette occasion, s'était adonnée, une fois de plus, à l'âcre plaisir de la discorde. A gauche, on admirait les Soviétiques et leurs amis intellectuels. A droite, on n'aimait guère l'Allemagne mais on se montrait reconnaissant à l'égard de l'Italie pour son rôle en Espagne.

L'Angleterre, quant à elle, s'était attachée, depuis Munich, à renforcer son potentiel aérien. Sa marine demeurait la première du monde mais son armée de terre se révélait presque inexistante. Nous comptions, nous, sur la ligne Maginot en oubliant qu'elle ne protégeait pas la Belgique dont la neutralité pouvait être violée afin de nous atteindre. Bref, nous avions perdu le souvenir des leçons de 1914. En outre, nous comptions sur les forces polonaises, prodigieuses de courage mais non mécanisées.

Au vrai, cette guerre, peut-être inévitable, ne venait point à son heure. Il eût fallu se décider bien plus tôt, au moment de l'occupation puis de la refortification de la Rhénanie, deux actes consécutifs de l'agression hitlérienne ou, plus tard, après avoir mesuré les effets possibles du pacte germano-soviétique.

LA DRÔLE DE GUERRE

Les premiers résultats de la guerre sont lamentables. Cracovie tombe le 6 septembre, Varsovie est cernée le 9. Les bolcheviks pénètrent dans le pays sous prétexte d'y «rétablir l'ordre». Mis en veine, ils attaquent la Finlande, s'y trouvent un moment en difficulté, puis contraignent leurs vieux ennemis à la paix. Cette fois, Daladier saute, est remplacé par le petit Reynaud mais demeure à la Guerre. Il s'y comporterait bien s'il ne continuait de soutenir le généralissime Gamelin. L'ancien chef d'état-major de Joffre est un être étrange. Un de ses officiers dit à son propos : «C'est une chemise de soie, plus on le froisse, plus il est souple.» Militaire politique, il n'a jamais avoué notre impréparation au gouvernement. A l'intérieur, la désertion de Maurice Thorez, secrétaire général du PCF, provoque la déchéance des députés communistes déjà tenus à l'écart parce que la majorité d'entre eux s'alignaient sur Staline, signataire du pacte germano-soviétique de non-agression. La Pologne avalée, Hitler en octobre propose vainement la paix. Les Alliés ne croient plus en sa parole et ils nourrissent de bonnes raisons pour cela. Mais au lieu d'attaquer pendant que la Wehrmacht était occupée en Pologne, ils sont demeurés l'arme au pied. Il faudrait gagner du temps, on en perd. Les communiqués nous entretiennent gravement du sort des petits cochons sautant héroïquement sur les mines.

Le 28 mars, Paul Reynaud nous place dans une situation aussi périlleuse qu'anticonstitutionnelle en signant une déclaration par laquelle les deux alliés s'engagent à ne conclure ni paix ni même armistice séparé. Reynaud ne manque pas de courage. Pour contrebalancer la défaite finlandaise et rétablir la «route du fer», il fait, le 8 avril, poser des mines magnétiques dans les eaux territoriales norvégiennes. Le lendemain, les Allemands ripostent, envahissant le Danemark et la Norvège. Les Anglais se sauvent, les Français font bonne contenance en s'accrochant au port de Narwick, où s'illustre le général Béthouard.

8

LA CATASTROPHE

Le 10 mai 1940, l'Allemagne viole la neutralité de la Belgique, envahit la Hollande et le Luxembourg. Gamelin se porte sur une ligne Breda, Anvers, Namur. Lorsque nos troupes s'approchent de ces points, les Néerlandais ont déjà déposé les armes et les soldats de Léopold III connaissent la déroute. La résistance serait possible si le colonel général de Manstein n'avait traversé les Ardennes tenues pour infranchissables, passé la Meuse à Dinant, le 13 mai, attaqué Sedan le 14. L'armée Corap, chargée de la défense de la Meuse, doit retraiter jusqu'à Compiègne. Nos deux groupes d'armée sont coupés, et Paris peut tomber d'un jour à l'autre. L'ennemi ne poursuit pas son avance vers le sud mais se dirige vers la mer pour achever d'isoler nos forces et les contraindre à capituler. Encore la manœuvre s'effectue-t-elle avec une certaine lenteur. Hitler enjoint à ses grands lieutenants très en flèche, Reichenau, Guderian, Hotte, Rommel, de ralentir.

Le général Weygand, ayant remplacé Gamelin, prend son commandement le 21 mai, inspecte le front en avion, rencontre Léopold III, improvise un plan pour neutraliser les adversaires trop aventurés. Le général Billotte, responsable de l'opération, est tué dans un accident d'automobile... Les consignes ne passent plus. Lord Gort ne songe plus qu'à réembarquer, quant au roi Léopold III, dont les armées sont isolées et affamées, il capitule (27 mai). Paul Reynaud lance une campagne de calomnies contre ce monarque infortuné, comme si l'on pouvait attaquer un prisonnier de guerre ayant mis tout en œuvre, diplomatiquement et militairement, pour sauver son pays.

Les Franco-Britanniques se replient sur Dunkerque. De graves affrontements opposent les uns aux autres. Des Français sont empêchés de s'embarquer pour l'Angleterre selon des méthodes pour le moins condamnables. Finalement, 235 000 Britanniques et 115 000 Français passent le Channel (28 mai-3 juin). De toute évidence, les Alliés le sont moins qu'auparavant.

Reynaud se sépare de Daladier et nomme sous-secrétaire d'État à la Guerre le colonel de Gaulle, créé général à titre temporaire. C'est un spécialiste de l'arme blindée, en correspondance depuis longtemps avec le président du Conseil. Le commandant en chef a profité du retard allemand, pris devant Dunkerque, pour rétablir une ligne sur la Somme et sur l'Aisne sans dissimuler, toutefois, qu'en cas de rupture, «la France se trouverait, malgré sa volonté, dans l'impossibilité de continuer une lutte militairement efficace pour protéger son sol». Le 6 juin, le front de la Somme est rompu, le 7, c'est le tour de celui de l'Aisne. Le 9, la Wehrmacht occupe Rouen et Villers-Cotterêts cependant que le gouvernement se réfugie à Tours. Le 10, l'Italie, donnant plus de poids à ses rancunes qu'à son honneur, nous déclare la guerre. «C'est, affirmera le président américain Roosevelt, le coup de poignard dans le dos.»

L'exode paralyse les mouvements de troupes; quelque dix millions de civils belges et français fuient vers le sud en proie aux paniques provoquées par les raids aériens. Le 11 juin, le général Weygand annonce qu'on vit le dernier quart d'heure. Le lendemain, à Cangé, près de Tours, le maréchal Pétain, devenu récemment vice-président du Conseil, soutient le généralissime lorsqu'il réclame que soient demandées les conditions d'un armistice. Le 13 juin, Churchill donne son accord en insistant pour que notre flotte soit préservée.

Le 14, Paris, déclarée ville ouverte, est occupée. Reynaud s'adresse au démocrate Roosevelt pour obtenir l'appui des États-Unis. Peine perdue. Le parti républicain est résolument antibelliciste. A Bordeaux, le président du Conseil invite Weygand à capituler. Jamais! C'est au gouvernement, et au gouvernement seul, d'entrer en négociation. Reynaud démissionne en conseillant à Lebrun d'appeler le maréchal Pétain. Le ministère est constitué, l'ambassadeur d'Espagne est sollicité d'établir le contact avec le gouvernement allemand. Il importe d'aller vite, très vite. Aucune défense n'étant désormais possible, nous risquons un refus et une occupation à la polonaise. Le 17 juin, à midi, le maréchal annonce sa décision par un message radiophonique déchirant. Churchill, soucieux de maintenir le moral des siens, émet des propositions stupéfiantes: rappelant l'accord proscrivant toute négociation séparée, il exige que nos navires rallient les ports britanniques et propose une union indissoluble entre la France et l'Angleterre, avec une nationalité commune. Le 18 juin, le général de Gaulle lance, de Londres, un appel à la continuation de la lutte. C'est la répétition des attaques dont vient d'être victime Léopold III. On n'est jamais vaincu mais toujours trahi.

Certains parlementaires envisagent de gagner l'Afrique du Nord, rêvant d'établir un gouvernement souverain. Embarqués sur le *Massilia*, ils ne pourront parvenir à leurs fins.

L'ARMISTICE

C'est dans le wagon du maréchal Foch, à Compiègne, qu'est signé l'armistice, le 22 juin. Il ne pourra prendre effet que le 25, après accord avec l'Italie, laquelle, un peu honteuse de son agression injustifiée, ne crée pas de difficultés majeures.

Une victoire dans cette abominable défaite : la flotte n'est pas livrée. Autre avantage : Lyon nous est rendue contre l'abandon de la ligne Maginot. La France demeure un État souverain mais sur les 2/5 de son territoire divisé par une ligne de démarcation laissant les vainqueurs maîtres de la côte atlantique, et tracée des Pyrénées à Tours, de Tours à Genève par Moulins et Châlon-sur-Saône. L'Empire n'est pas touché, sinon par la restitution d'anciennes colonies de Guillaume II. Dans la zone occupée, notre administration demeure en place sous le contrôle germanique. Les conditions du traité de paix demeurent réservées. Jusqu'à sa signature, l'indemnité quotidienne sera de 500 millions de francs (environ 350 millions de 1992).

MARIANNE III MEURT DANS UNE VILLE D'EAUX

Le 3 juillet, tandis que les parlementaires s'acheminent vers Vichy pour donner de nouvelles structures à la nation, se produit un drame à Mers el-Kébir. Les Anglais de l'amiral Somerville attaquent l'escadre de l'amiral Gensoul. 1 300 de nos marins sont tués, la *Bretagne* est anéantie, le *Dunkerque* et la *Provence* très touchés. Seul le *Strasbourg* rallie Toulon. Pis, des avions britanniques reviennent sur les lieux du combat et mitraillent les matelots occupés à déblayer les ponts couverts de blessés.

Le lendemain, les relations diplomatiques avec le Royaume-Uni sont rompues. Le 8 juillet, Dakar sera victime d'un raid organisé sous la responsabilité du général de Gaulle.

Après la défaite, imputable aux retards entraînés par les contradictions et l'instabilité ministérielle, il paraît évident que les mécanismes du régime sont usés. Politique habile, Pierre Laval se rend compte que le prestige perdu ne peut être partiellement reconquis qu'en se débarrassant d'habitudes lamentables, telles que l'effacement du chef de l'État. Nous disposons d'un atout, l'extrême popularité du maréchal. Sans la gloire du vainqueur de Verdun, la France ne serait-elle pas totalement occupée ? C'est à lui, donc, de remettre de l'ordre dans la maison. Face à l'ennemi, nous ne pouvons pas nous offrir le luxe de luttes de tendances.

Le 9 juillet, la Chambre, par 385 voix contre 6 et 7 abstentions (148 absents) et le Sénat, par 229 voix contre 1 (74 absents), votent le principe de la révision des lois constitutionnelles. Le 10 juillet, les Chambres, réunies en Assemblée nationale, votent au maréchal Pétain une délégation des pouvoirs constitutionnels, le chargent de promulguer une nouvelle Constitution à soumettre à la nation, par 569 voix contre 80 et 8 abstentions (183 absents).

Malgré la présence de quelques troupes dans le voisinage, on ne saurait parler de coup de force, quant aux 80 opposants, il s'en trouva pour expliquer que les pouvoirs dévolus au maréchal étaient insuffisants ou bien qu'ils devaient lui permettre de signer la paix tout de suite. Reste que, parmi les 569, il s'en trouvait aussi quelques-uns pour ne pas mesurer la portée de leur acceptation.

9

L'ÉTAT FRANÇAIS

Dès ses premiers actes, le régime change de visage. La République française devient l'État français, exprimant une neutralité que dément peut-être la nouvelle devise «Travail, Famille, Patrie». Le maréchal ne se montre pas étranger à l'art politique. Dès l'avant-guerre, de nombreux Français songeaient à lui pour personnaliser un régime en perte de vitesse. Jamais il ne s'était mêlé de complots mais, chez le général Brécard, grand chancelier de la Légion d'honneur, il a prêté l'oreille aux «cours» de conseillers distingués, dont un proche de l'Action française, Raphaël Alibert. Selon Georges Bonnet, il n'a guère travaillé durant son ambassade en Espagne. Les ministres n'aiment pas trop les maréchaux... Philippe Pétain a connu toutes les sottises de l'ancien régime et ne supporte pas l'idée même de la défaite. Il n'a réclamé l'armistice que par nécessité. Les Allemands lui font horreur. Agé de 84 ans, il considère le moment comme un épisode douloureux mais nullement désespéré. Il veut refaçonner le pays pour se trouver en mesure, quoi qu'il advienne, de pouvoir négocier dans des conditions honorables. Depuis l'attentat de Mers el-Kébir, il tient les Anglais pour gens de peu, mais il garde toute sa dilection au peuple américain.

Encore que de manières simples, il n'est pas loin de se tenir pour un régent. C'est ainsi que le considèrent Maurras et les anciens des ligues. Cette popularité dépasse de loin les éléments traditionalistes. La France entière se montre pétainiste, quant aux communistes, ils recherchent une entente directe avec les Allemands. Pierre Laval envisage la situation d'une manière différente. A ses yeux, l'axe Rome-Berlin gagnera la guerre et il faut, coûte que coûte, obtenir les meilleures conditions. Vieux républicain, éloigné par nature de tout régime autoritaire, le chef du gouvernement (le maréchal demeure président du Conseil) commet une erreur grave : il croit en sa supériorité diplomatique, oubliant que la force prime le droit. Ainsi, dès le 7 août 1940, et contrairement aux stipulations de l'armistice, l'Alsace-Lorraine est réputée zone annexée. Bientôt, le département du Nord sera déclaré zone interdite et le littoral de l'Atlantique se retrouvera sous un système analogue.

Le rôle du gouvernement revêt à la fois un caractère technique et politique. La technique apparaît, dès les premiers jours, extrêmement délicate. Il importe de faire rentrer les réfugiés, de trouver du carburant, du ravitaillement, d'aménager des gîtes d'étape. L'administration s'emploie avec zèle à ces tâches aussi vastes qu'ingrates. Hors quelques cas, les préfets demeurent en poste. Il n'en ira pas toujours de même pour les maires et les conseillers généraux. Les militaires en place travaillent utilement et, bientôt, naîtront les Chantiers de Jeunesse, moyen de tourner les volontés de l'occupant en appelant, sous couvert de travaux pacifiques, le nouveau contingent. Nos escadres protègent les convois mais rencontrent les pires difficultés. Les Américains nous aident, tandis que les Anglais nous entravent.

Le maréchal voyage beaucoup, recueillant sur son passage des ovations sans bornes. Les mouvements de jeunesse sont tout acquis au chef de l'État. Les passages à Lyon, à Nîmes, à Montpellier sont gravés dans toutes les mémoires.

Pour éviter un parti unique dont rêvent Doriot, Déat et leurs amis, venus ou du communisme ou du socialisme, Philippe Pétain crée la Légion des combattants, rassemblant les anciens des deux guerres mondiales. C'est encore un moyen de renforcer l'unité sans tomber dans les habitudes fascisantes à la mode dans toute l'Europe.

POUR COLLABORER, IL FAUT ÊTRE DEUX

Hors Otto Abetz, ambassadeur à Paris, les Allemands, en difficulté devant l'Angleterre, se montrent d'une rare sottise. Sans doute les soldats du Reich se conduisirent-ils avec correction mais leurs dirigeants envisagent mal les conditions d'un rapprochement. Le 24 octobre, à Montoire-sur-le-Loir, le maréchal et le Führer se rencontrent et se serrent la main. Pour Philippe Pétain, poussé par le président Laval, il s'agit avant tout d'obtenir la libération du plus grand nombre de prisonniers et d'atténuer les conditions de l'armistice. 50 000 captifs, puis, en quatre ans, 500 000 sur 2 000 000 rentreront dans leurs foyers. Ce sera peu. Cela valait-il cette déclaration : « Je n'ai subi aucun diktat du Führer. J'ai accepté le principe d'une collaboration entre nos deux pays » ? Le terme de collaboration, venant de si haut, encourage les uns et encolère les autres. Le 13 décembre 1940, après avoir créé la Corporation paysanne, charte du retour à la terre, le maréchal destitue Pierre Laval, jugé trop favorable à l'occupant, le fait mettre en résidence surveillée dans son domaine de Châteldon dont les Allemands le délivrent.

Pierre-Étienne Flandin passe aux Finances, et l'amiral Darlan ne va point tarder à devenir « dauphin ».

Le 15 décembre, Hitler a fait conduire aux Invalides les cendres de l'Aiglon. L'initiative laisse les Français dans l'indifférence. L'interdiction de la franc-maçonnerie, et surtout les premières mesures discriminatoires à l'égard des juifs, sont mal accueillies. En revanche, les dispositions antiparlementaires touchent peu le public. La presse et la radiodiffusion sont soumises à la censure, toutefois, on se renseigne en écoutant les émissions anglaises, suisses, et les programmes émis par les partisans du général de Gaulle. La guerre des ondes deviendra vite extrêmement virulente, chacun s'accusant de trahison. En Irak, l'insurrection de Rachid Ali contre les Britanniques amène les Allemands à demander le ravitaillement de leurs avions sur les aéroports syriens. C'est un moyen pour nous de faire alléger quelques clauses de l'armistice. A Berchtesgaden, où se déroule l'entretien entre Hitler et Darlan, l'amiral acquiesce. Les Anglais, ayant ressaisi Bagdad, attaquent la Syrie en compagnie des forces gaullistes. Débordé, le général français Dentz signe une convention à Saint-Jean-d'Acre, le 14 juillet 1941. Ses soldats peuvent opter pour le retour en métropole ou l'engagement dans la dissidence. En 1945, Dentz n'en sera pas moins condamné. Il mourra de froid en prison. De Gaulle, s'en tenant au mandat, confie la Syrie et le Liban au général Catroux, au grand dam des Anglais.

Une autre épreuve nous attend ; l'ayant emporté sur la Thaïlande, nous sommes contraints par les Japonais de céder nos territoires laotiens et cambodgiens aux vaincus.

Le gouvernement commet une très grave erreur en intentant, à Riom, un procès aux responsables de la défaite, Blum, Daladier, Reynaud, Gamelin et le contrôleur général Jacomet (promis, lui, à l'acquittement). Pour les Allemands, il s'agit de condamner la déclaration de guerre, pour les Français, il importe de mettre en évidence son impréparation. Or il est bien délicat de se prononcer. Que Blum n'ait pas su s'entourer ne constitue pas un crime. Certes, Daladier, entiché de Gamelin, s'est montré peu capable encore que patriote, mais Reynaud, arrivé très tard, s'est préoccupé, non sans énergie, des méthodes modernes. Au courant des travaux des Estienne, des Liddell Hart, des Guderian, n'a-t-il point porté le plus haut intérêt aux divisions cuirassées voulues par le colonel de Gaulle? En outre, le maréchal, au conseil supérieur de la guerre, n'a jamais prôné que la défensive et négligé l'Ardenne, réputée impénétrable. Finalement, le procès est ajourné *sine die*. En fait, il s'agissait de mettre en relief les tares de l'ancien régime, et la démonstration a tourné court. Comble de l'inélégance, les accusés sont internés au fort du Portalet, dans les Pyrénées. Plus tard, ils seront déportés par les Allemands au château de Itter, en compagnie du haut commissaire à la Jeunesse Jean Borotra, du syndicaliste Léon Jouhaux et du général Weygand, admirable réorganisateur de l'armée d'Afrique.

Du 15 au 20 août 1941, 4232 juifs sont internés au camp de Drancy. Bientôt suivra la grande rafle du «Vel'd'Hiv». Au total 80 000 malheureux ayant pour ascendants plus de deux grands-parents juifs seront déportés... même des enfants. Le 21 août, premier acteur d'une stratégie d'attentats décidée par le parti communiste, le futur colonel Fabien abat à la station de métro Barbès un officier allemand, l'aspirant Moser. Le mécanisme agitation-répression se met en marche. Les Allemands fusillent les premiers otages. L'Occupation change de visage. Se pliant à la volonté de l'occupant, le gouvernement crée la Section spéciale. Elle devra condamner des prisonniers déjà jugés en représailles contre le meurtre des soldats du Reich. Le plus souvent, la Wehrmacht et les SS vont se charger de la besogne. Depuis l'entrée en guerre de l'Axe contre l'Union soviétique, le 22 juin 1941, les communistes se pressent dans la Résistance. Dans le même temps, se crée une Légion des volontaires français contre le bolchevisme pour aller combattre sur le front de l'Est.

L'écart se creuse entre les zones. Dans le Midi, l'armée d'armistice et les Chantiers de Jeunesse dissimulent du matériel et font même passer des armes en Algérie. C'est le travail que se donne le Deuxième Bureau. Dans le Nord commencent de se constituer deux organisations, celle des agents de la France libre consacrée aux renseignements, celle des résistants locaux se préparant à des missions de sabotage. Un ancien préfet, Jean Moulin, fédère ces mouvements et passe à Londres pour informer de Gaulle et se mettre à sa disposition. Ces appareils clandestins se recrutent souvent parmi des anciens du Front populaire. Le chef des Français libres ne peut que les accepter. Ainsi la Résistance s'oriente-t-elle vers la gauche tout en comportant des éléments plus modérés mais moins entendus. Le 7 décembre 1941, le Japon, étranglé par le blocus, attaque sans préavis la flotte américaine ancrée dans la rade de Pearl Harbor. L'Allemagne, alliée des Nippons, déclare la guerre aux États-Unis. Le gouvernement français est contraint de rompre ses relations diplomatiques avec les États-Unis.

Les 27 et 28 mars, un raid britannique sur Saint-Nazaire est favorablement accueilli par la population. Une opération identique sur Dieppe sera moins bien ressentie. Elle vaudra même aux habitants, de la part des Allemands, un retour de prisonniers.

Entre-temps, Pierre Laval, plus ou moins soutenu par Berlin, est redevenu chef du gouvernement (2 avril). Présumant de ses forces, le président croit toujours pouvoir obtenir un amoindrissement des exigences allemandes. Il n'en va point ainsi. Seul l'ambassadeur Abetz nous défend. Le comportement du Reich est absurde. On ne saurait exiger une politique de collaboration en conservant plus d'un million deux cent mille captifs. Parce que la main-d'œuvre se fait rare, les Allemands mettent au point le système de la «relève». Il s'agit d'envoyer outre-Rhin de jeunes travailleurs en échange d'un retour de prisonniers, mais la proportion des bénéficiaires, d'abord convenable (1/1 puis 1/3).

ALGER CONTRE VICHY

Depuis le 5 mai 1942, les Anglais s'étaient emparés de Madagascar, et le 11, les Américains avaient désarmé l'escadre des Antilles. Dans la nuit du 7 au 8 novembre 1942, quelque 900 navires de l'US Navy parviennent devant les ports de Casablanca, Oran et Alger. Le maréchal déclare: «Nous sommes attaqués, nous nous défendrons.» Alger n'obéit pas. Les autorités civiles et militaires étaient prévenues et circonvenues. Il n'en va point de même partout. A Casablanca, certains régiments français se mesurent entre eux. Le débarquement coûte 1 200 morts. Venu de métropole pour visiter son fils malade, l'amiral Darlan, toujours dauphin, ordonne le cessez-le-feu et se donne tous les pouvoirs, assisté d'un conseil de l'Empire. Le général Noguès, résident au Maroc, le gouverneur Boisson (défenseur de Dakar contre de Gaulle en 1940), se rallient. Seul, à Tunis, l'amiral Esteva demeure fidèle à Vichy.

En France, dès le 11 novembre, les Allemands pénètrent en zone sud pour assurer la défense du littoral méditerranéen. Cette décision compréhensible de leur point de vue est contraire aux stipulations d'armistice. La zone sud ne sera jamais considérée comme la zone nord, et les rapports administratifs demeureront différents. La présence de la Wehrmacht n'en déchaînera pas moins des attentats. Pour l'heure, certains conseillers du chef de l'État l'inclinent à passer en Afrique du Nord en maintenant une simple délégation à Vichy. Le maréchal s'y refuse; il entend demeurer le bouclier des Français et le protecteur des prisonniers. Il reste hanté par la perspective de l'installation à Paris d'un gouverneur allemand coiffant tout notre territoire que seule sa présence peut empêcher.

Darlan, déchu de son delphinat, réplique en arguant d'une lettre confidentielle du chef de l'État le chargeant de dégager la France à l'aide de son Empire. C'est ici qu'intervient la grande coupure. De nombreux préfets démissionnent. La population, en revanche, se montre encore reconnaissante envers le maréchal. Notre dernière force réside à Toulon. Contrairement à tous les accords, les Allemands franchissent les limites du camp retranché. L'amiral comte de Laborde saborde ses bâtiments. Nous sommes en présence d'un viol caractérisé de l'armistice. Que faire? Le grand amiral Raeder, lui-même, interviendra pour libérer les défenseurs de nos bateaux. La France dite vichyssoise est maintenant défaite de son ultime puissance. Elle va former une milice dérivée du SOL (service d'ordre de la Légion). Joseph Darnand, personnage au passé militaire prestigieux, en prend la tête et deviendra secrétaire d'État au Maintien de l'ordre. Groupes mobiles de réserve (GMR) et gendarmes sont renforcés afin de maintenir l'ordre. Une fois armée (novembre 1943), la Milice de Darnand sera souvent, même si ce n'était pas son intention au départ, l'alliée objective des Allemands dans la lutte contre les maquis.

En Afrique du Nord règne la plus extrême confusion. Le général Giraud, héros d'une extraordinaire aventure — prisonnier des Allemands, il s'est évadé de Königstein — est rentré de zone libre à bord d'un sous-marin US. C'est à lui que Roosevelt tient le plus. Soldat apolitique, Giraud n'est pas, comme de Gaulle, en révolte contre le maréchal. Il pourrait, en Afrique du moins, réaliser l'union si ses conceptions ne demeuraient pas exclusivement militaires. Pour l'instant, Darlan gouverne mais, à la suite d'une «intoxication psychologique», il est assassiné par le jeune Bonnier de La Chapelle qu'on fusille assez vite pour éviter des révélations. On parlera beaucoup d'une intervention dans le meurtre de gens touchant de fort près soit à de Gaulle, soit au chef de la maison de France en personne, Mgr le comte de Paris.

Passe encore que la France soit coupée en deux mais en trois c'est beaucoup. Roosevelt et Churchill établissent un protocole entre Giraud et de Gaulle à la conférence d'Anfa. Au chef des Français libres serait reconnu comme délégué le général Catroux. Giraud est un honnête homme, un peu candide. Il perdra toutes ses prérogatives, et de Gaulle, plus subtil, finira par devenir l'unique responsable en s'appuyant sur Jean Moulin et les gens de la résistance intérieure. Possédant l'oreille de Moscou, étant très doué pour la politique, l'ancien protégé de Paul Reynaud va transformer son comité de Français libres en un «Comité français de libération nationale» dont il va parvenir à chasser définitivement Giraud. La volonté de De Gaulle revêt un caractère exceptionnel. Petit à petit, il éliminera ses adversaires. Il parvient même à s'imposer aux Français d'Afrique, agaçant Churchill et Roosevelt.

En août 1943, Washington et Moscou le reconnaissent comme seul maître du comité d'Alger. L'armée d'Afrique et les Américains ayant chassé de Tunisie les Allemands du colonel général d'Arnim, de Gaulle règne désormais sur l'ensemble de la France d'outre-mer. Il établit une assemblée consultative et se crée un véritable ministère avec des hommes aussi différents que M. Couve de Murville, ancien adjoint du baron Benoist-Méchin à la direction des commissions d'armistice, le radical Henri Queuille et le communiste Fernand Grenier. Les Alliés dialoguent avec lui mais ne l'invitent point à la conférence de Téhéran où Staline, Roosevelt et Churchill arrêtent, vaille que vaille, un plan de conquête européenne (décembre 1943). Dès le 10 juillet, les Américains envahissent la Sicile puis pénètrent en Italie. Cette fois, l'ancienne armée d'Afrique, au commandement du général Juin, va s'illustrer d'extraordinaire façon, se couvrant de gloire à Garigliano, tournant, à Monte-Cassino, les défenses du maréchal Kesselring malgré les erreurs du général américain Clarke, partisan d'une offensive frontale. Le génie de Juin, le courage de ses soldats, français, catholiques ou musulmans, forceront l'admiration. C'est la véritable renaissance des armes françaises.

En territoire occupé, la lutte se déchaîne. Elle s'explique aisément par l'échec de Pierre Laval dont les qualités diplomatiques se heurtent aux exigences croissantes des Allemands : à la Relève est substitué le Service du travail obligatoire (STO) (février 1943). Les jeunes gens refusent de partir, se terrent dans les fermes. C'est alors que les maquis prennent vraiment de l'importance. Les Anglais et les Américains leur parachutent des récepteurs et des émetteurs radiophoniques, des armes et des munitions. Les réfractaires deviennent maquisards. Ainsi naissent les conditions de la guerre civile. Les leaders les plus anti-allemands, tel Maurras, n'acceptent pas cette intervention venue de l'extérieur. Une partie de la population se scandalise des bombardements anglo-saxons. La Royal Air Force, se limitant aux objectifs militaires, tire juste et prend des risques. L'US AF, soucieuse d'économiser matériel et personnel, ne baisse pas en altitude et commet des ravages parmi les populations civiles, ce que tentent d'exploiter les ultras de la collaboration. Les Allemands exigent de plus en plus de main-d'œuvre, trouvant insuffisant le rendement du STO. Pour les amadouer, Laval fait une déclaration : « Je souhaite la victoire de l'Allemagne, car sans elle le communisme triompherait partout. » Ces propos coûteront cher au président du Conseil...

La guerre intestine sévit un peu partout. Les GMR et la Milice attaquent les maquis et, de part et d'autre, on conserve peu de prisonniers. Dans les deux camps, on cherche l'obtention de renseignements par la torture et les exécutions sommaires se multiplient. Les stations radiophoniques accélèrent le mouvement, pratiquant l'appel au meurtre. De paisibles membres de la Légion des combattants sont abattus au pas de leur porte par les communistes devenus FFI (Forces françaises de l'intérieur) ou, de préférence, FTP (Francs tireurs partisans). La lutte prend un caractère de sauvagerie indicible. Le Languedoc, la Haute-Provence et, surtout, le Limousin sont en feu. Parfois, l'origine des affrontements remonte très loin. Ainsi, dans certaines vallées des Cévennes, on s'oppose entre catholiques et protestants.

Alger déclare la déchéance des parlementaires s'étant prononcés pour le maréchal. L'ancien secrétaire d'État à l'Intérieur, Pierre Pucheu, rallie l'Afrique du Nord, fort d'une garantie de sécurité donnée par Giraud. Et de Gaulle, sans égard pour la promesse consentie par Giraud, le fait exécuter pour avoir désigné 27 communistes parmi les otages de Châteaubriant. Ce n'est qu'un règlement de comptes entre de Gaulle et Giraud, ami de la victime, mais qui annonce, en cas de victoire alliée, le début d'une répression sans faille.

La collaboration se poursuit et, sous des chefs souvent opposés, s'en remet à la victoire de l'Axe. On commence de parler d'armes secrètes dont les V1 seront les annonciateurs. Loin de se désespérer, on trouve parfois l'appui de certains milieux qu'on rencontre rassemblés dans des partis : le Rassemblement national populaire, de Marcel Déat, le Parti populaire français, de Jacques Doriot, le Francisme de Marcel Bucard. Ces groupes animent une presse virulente. Dans le même temps, des feuilles indépendantes mènent un combat semblable.

Le 26 avril 1944, le maréchal reçoit de Paris un accueil enthousiaste. Il n'est pas le fait des seuls attentistes et collaborationnistes. De nombreux résistants souhaitent une réconciliation Pétain-de Gaulle. Le maréchal se défie de ses ministres. Certains d'entre eux présentent une indiscutable compétence, tels Bichelonne ou Déat, mais le plus étonnant est, à coup sûr, le dirigeant catholique Philippe Henriot, dont les éditoriaux violents et talentueux — réponses à Radio-Londres — reposent sur une information partiale et incomplète. L'orateur est assassiné le 26 juin par la Résistance.

LE DÉBARQUEMENT DE NORMANDIE

Depuis le 6 juin, les Anglo-Américains ont pris pied en Normandie, où les suivra, à la fin de juillet, la 2ᵉ division blindée aux ordres du général Leclerc. L'activité des maquis s'intensifie, gêne les troupes allemandes en barrant les routes, en faisant sauter les trains, d'où l'atroce anéantissement d'Oradour-sur-Glane, venant après les massacres du Vercors.

Précédée par des troupes aéroportées lancées sur le bocage normand dans la nuit du 5 au 6 juin 1944, l'*armada* franchit le mur de l'Atlantique et s'empare des plages normandes dans la journée du 6 juin. Au jour du débarquement, il ne se trouve que deux appareils allemands pour prendre l'air. Malgré tout, les divisions du Grand Reich s'opposent à l'invasion. Durant plusieurs jours, le haut commandement croit à quelque diversion. Les généraux ne tiennent pas l'offensive pour la principale. Ils l'attendent dans le Pas-de-Calais.

Le maréchal de Rundstedt veut rétrécir le front et décrocher au plus vite. Il est remplacé par le maréchal de Kluge.

Le système allié vise à prendre Cherbourg pour suppléer aux services du port artificiel d'Arromanches. La ville tombe le 29 juin, puis Caen, le 9 juillet. Pendant ce temps, les généraux prussiens de la vieille armée organisent un attentat contre Hitler. La bombe du colonel de Stauffenberg manque son effet, mais, à Paris, les SS se trouvent quarante-huit heures prisonniers de la Wehrmacht. Les représailles prendront un rare caractère de férocité. Kluge, Witzleben, Rommel, Canaris, bien d'autres se suicideront, seront suicidés ou pendus.

Le front est percé le 31 juillet. Il s'agit désormais d'éviter l'encerclement.

Le 15 août, le général Patch, qu'accompagne le général de Lattre de Tassigny, célèbre pour avoir tenté de soulever ses troupes et s'être évadé afin de gagner Londres puis Alger au moment du franchissement de la ligne de démarcation, débarque dans la région de Saint-Tropez avec l'intention de remonter les vallées du Rhône et de la Saône pour opérer sa jonction avec les troupes de Normandie. Paris ne sera pas défendue. Hitler donnet-il l'ordre de la brûler ? Au gouverneur Choltitz ? C'est impossible. A l'Oberführer Oberg ? C'est douteux.

Pierre Laval tire le radical Édouard Herriot de sa résidence surveillée pour constituer un gouvernement d'accueil de tendance républicaine. Le maire de Lyon, surtout préoccupé de ses avantages personnels, se dérobe. Le 14 juin, de Gaulle, malgré le mauvais vouloir allié, fait son entrée à Bayeux et reçoit de forts témoignages de sympathie. Il se rend alors à Washington et fait reconnaître son comité comme gouvernement provisoire. Que désirent réellement les Américains ? On ne sait. En tout cas, ils mettent peu d'empressement à gagner Paris où commence une grève de la police et des cheminots. Bientôt s'élèvent des barricades et les unités allemandes sont attaquées par des francs-tireurs, souvent inféodés aux communistes. La capitale peut tomber en leurs mains si les occupants se décident à décrocher.

«LA RÉPUBLIQUE N'A JAMAIS CESSÉ D'ÊTRE»

De Gaulle, par une démarche très habile, obtient que la 2ᵉ division blindée du général Leclerc entre en tête dans Paris. Le 24 août, elle pénètre par la porte d'Orléans et, le 25, son chef reçoit à la gare Montparnasse la reddition du général de Choltitz. Le lendemain, de Gaulle, follement acclamé, se rend au *Te Deum* à Notre-Dame, non sans avoir fait interdire la cathédrale au cardinal archevêque, Mgr Suhard, «coupable» d'avoir présidé le service célébré pour le repos de l'âme de Philippe Henriot. Des coups de feu retentissent, venant d'on ne sait où, tirés par on ne sait qui, sur le nouveau chef de l'État. Il fait preuve d'une parfaite impassibilité. Il refuse de se faire investir à l'Hôtel de Ville malgré les instances de Georges Bidault, successeur de Moulin à la tête du CNR (Comité national de la Résistance): «La République n'a jamais cessé d'être. Moi-même, je suis le président de la République. Pourquoi irais-je la proclamer?»

La légitimité n'existe plus. Le maréchal a bien dévolu ses pouvoirs, par l'intermédiaire de l'amiral Auphan, à son jeune compétiteur. L'autre dira: «J'éconduis l'émissaire.» La IIIᵉ République ne peut, malgré le désir des radicaux, être remise d'aplomb. A Vichy, le maréchal est fait prisonnier par les Allemands. Il ne dirigera point l'État à Sigmaringen où Fernand de Brinon, aidé de Jean Bichelonne, s'occupe encore du sort des prisonniers et des gens du STO. Là, au château de Wurtemberg, siège en effet une «commission gouvernementale française» censée représenter la légitimité. Le désordre est tel que Sigmaringen enverra simultanément trois ambassadeurs à la nouvelle république mussolinienne entièrement sous la coupe de l'Allemagne.

10

LE GOUVERNEMENT PROVISOIRE

En France, la joie de la Libération est ternie par les excès de la répression. Malgré les adjurations du futur maréchal Juin, le chef du Gouvernement provisoire laisse se développer l'épuration. Les meurtres s'accélèrent. On découvrira de nombreux charniers. Peut-on croire aux 105 000 victimes qu'évalueront Maurras et Xavier Vallat, reprenant le chiffre d'Adrien Tessier? Le compte de Robert Aron se situe aux alentours de 30 000, répondant aux 28 000 de la Résistance. Celui de MM. Philippe Bourdrel et Henri Amouroux, derniers historiens de l'épuration, se situe autour de 15 000. Les délégués du pouvoir central se révèlent parfois complices. Dans d'autres cas, ils sont impuissants. A Paris même, l'horreur est quotidienne. La police, fidèle à Vichy jusqu'aux derniers jours, se fait pardonner en couvrant les exactions. Au camp de Drancy, maintenant aux mains d'anciens des Brigades internationales, on pratique la torture comme dans les mairies. Parfois, les militaires interviennent. Ainsi le colonel Salan détache-t-il une escouade pour interrompre la tuerie de Nîmes. Hélas, les meilleurs soldats ne sont pas tous de la trempe du vainqueur de Mont-Faron. Petit à petit, les FFI, les FTP au commandement du futur maréchal Koenig, héros de Bir-Hakeim, sont incorporés dans l'armée régulière. En devenant militaires, ils cessent de pratiquer leurs activités criminelles mais les cours de justice prennent la relève à l'automne de 1944. La présence des Américains et l'intervention du général de Gaulle enrayent la mainmise des communistes sur certaines régions. De Gaulle amnistiera leur chef, Maurice Thorez, condamné, dès 1940, pour désertion. Il obtiendra, en échange, la dissolution des Milices patriotiques. Sa situation demeure précaire et, pour la conforter, il signe un pacte de dix ans avec les Soviétiques.

Un peu comme les Allemands en 1918, les gaullistes se rapprochent des Russes mais sans obtenir le moindre avantage. Si l'épuration se poursuit, si l'administration reste déficiente, l'armée, elle, continue de se reconstituer avec méthode et s'adapte très aisément au matériel américain. Les troupes débarquées dans le Sud-Est prennent Marseille, Lyon, puis marchent vers l'est sous l'extraordinaire Patton. De la Provence à l'Alsace, la Iʳᵉ armée du général de Lattre contribue puissamment aux opérations. Les Anglo-Canadiens occupent Bruxelles, Anvers, Liège. Le 21 octobre, Patton — encore lui — tient Aix-la-Chapelle. Cependant, les forces du Reich sont victorieuses à la suite de l'imprudente action de parachutage sur Arnhem. En revanche, le futur maréchal Leclerc, en lutte depuis le Tchad, s'illustre en se rendant maître de Strasbourg et d'une partie considérable de l'Alsace. En Italie, les Alliés piétinent. Faut-il s'en remettre au talent du maréchal Kesselring, retranché derrière la ligne Gustave ? Faut-il croire que les Américains laissent aux Soviétiques la faculté de s'ouvrir la route de Vienne ? Le 16 décembre, dans l'Ardenne, le vieux feld-maréchal de Rundstedt lance une contre-offensive, conduite en réalité par son cadet Model. Ce stratège de taille délicate mais formidablement doué décide de reprendre Anvers et de couper en deux les unités britanniques. Tout irait bien pour lui si le ciel, jusque-là très sombre, ne s'éclaircissait, permettant à l'aviation US de prendre l'air et de clouer au sol les blindés adverses, dépourvus non seulement d'une couverture aérienne mais du carburant néces-saire pour manœuvrer librement. En mars, en dépit de ses prodiges, Model perd la bataille. La Ruhr encerclée, le petit maréchal à monocle mettra fin à ses jours. Strasbourg, très menacée, est tenue sur une intervention du général de Gaulle auprès du commandant en chef Eisenhower. Le 9 février 1945, la rive gauche du Rhin alsacien est aux mains des Alliés. Tandis que les bolcheviks atteignent Budapest mais échouent devant Breslau, Patton perce la ligne Siegfried. Il prend Cologne, Coblence, Mayence. Le pont de Remagen sur le Rhin est franchi (7 mars 1945). A la mi-avril, l'Elbe est atteinte. Tombent Weimar, Erfurt, Leipzig, Ratisbonne. De Lattre pousse à travers la Forêt-Noire, Leclerc plante son étendard sur le nid d'aigle de Berchtes-gaden, résidence d'été du Führer.

Le 27 avril, Américains et Soviétiques réalisent leur jonction à Torgau.

Entre-temps, s'est déroulée, en février, la conférence de Yalta. Churchill a perdu sa vitalité, quant à Roosevelt, autrefois si séduisant, il est extrêmement diminué. Staline se joue de ses partenaires et obtient pour champ d'action une zone délimitée par la ligne Stettin-Trieste. Manifestement, l'Américain est tombé dans la candeur. De Gaulle se dispense de le saluer lorsqu'il passe par Alger. Le président s'éteint le 12 avril, remplacé par Truman. Mussolini est assassiné par des partisans le 28, Hitler se donne la mort dans son bunker avec son épouse le 30, à 15 h 30, tandis que des adolescents, des vieillards et aussi des SS français défendent encore les abords de la chancellerie et le métro berlinois. Le 7 mai, le grand-amiral Dönitz, dauphin du Führer, se résout à la capitulation. La signature se déroule au quartier d'Eisenhower, à Reims, dans la rue Jolicœur. Le général Sevez représente la France. Le 8, à 23 h 16, c'est la reddition officielle dans l'école de Karlhorst, près de Berlin. La présence du général de Lattre scandalise le maréchal Keitel.

Le cauchemar est terminé, du moins en Europe, car les Japonais, en dépit de l'action menée par l'amiral Decoux, vont se conduire cruellement en Indochine. La guerre d'Extrême-Orient se terminera dans l'horreur nucléaire. Le bombardier américain *Enola Gay*, en lâchant sur Hiroshima la première bombe atomique, accélère la capitulation japonaise. Leclerc sera présent à la signature de la reddition à bord du cuirassé US *Missouri* (2 septembre 1945).

TRISTES LENDEMAINS

Si, dans l'Organisation des nations unies (ONU), la France figure parmi les cinq grands, le cinquième étant la Chine, la situation intérieure reste catastrophique. Les élévations de salaires ont provoqué, depuis l'année 1944, une terrible inflation. Les denrées de première nécessité manquent presque partout. Les communistes ont abandonné sur l'ordre de Staline et de Thorez toute idée d'insurrection mais ils contrôlent pour partie la production.

Pierre Mendès-France propose l'échange des billets et le blocage des comptes en banque. Ces mesures revêtent un caractère trop impopulaire en période électorale. On ne les prend pas.

De Gaulle, ancien chantre de la IIIe, veut modifier, on ne sait trop pourquoi, les lois de 1875 et créer une Constituante. Bref, il cherche à fabriquer une IVe République. Les Français comprennent difficilement ces manœuvres. Finalement, il l'emporte. Conseillé par le juriste Cassin, il fait inculper le maréchal pour intelligence avec l'ennemi et atteinte à la sûreté de l'État, et monte un procès à grand spectacle. L'ancien chef de l'État est condamné à mort et de Gaulle s'offre le luxe, à la demande de la Cour, d'épargner le peloton d'exécution au vainqueur de Verdun. Le maréchal trépassera en 1951, à l'île d'Yeu, béni par l'épiscopat en présence du général Weygand et de Jean Borotra.

Le procès du président Laval demeure une honte. On lui dérobe ses papiers, on l'empêche de s'exprimer. Il tente de se suicider, on le ranime et on le tue, enveloppé dans son écharpe tricolore.

Le retour des déportés fait découvrir l'horreur des camps de concentration et l'on voit rentrer des spectres, résistants et, surtout, les rares survivants juifs rescapés d'Auschwitz, de Dachau et autres lieux d'épouvante.

De Gaulle sort victorieux de sa consultation mais, à l'Assemblée, les communistes dominent avec 163 sièges devant 152 républicains populaires (démocrates chrétiens) et 142 socialistes. Des associations se réclamant de la Résistance, les radicaux et les modérés obtiennent 110 sièges. Dans cette France hier maréchaliste et aujourd'hui bien proche de Staline, les femmes ont pondéré le résultat en soutenant la démocratie chrétienne.

Le double référendum du 21 octobre 1945 ne se révèle pas moins surprenant : 18 597 000 voix se prononcent en faveur de l'élection d'une Assemblée constituante contre 699 136 non. La deuxième question est captieuse : «Si oui (à la Constituante), ses pouvoirs doivent-ils être organisés et limités selon le projet du gouvernement?» Résultats : 12 794 943 oui, 6 449 206 non. Invoquant les «75 000 communistes» morts pour la France — une légende que ces derniers tentent d'accréditer —, Thorez réclame la Guerre, l'Intérieur ou les Affaires étrangères. De Gaulle refuse, remet son mandat en jeu sans démissionner et prononce une allocution radiodiffusée. Il obtient 400 voix à la Chambre. La lutte s'engage. Les socialistes veulent un abattement de 20 % des crédits militaires, alors que l'Indochine, impressionnée par la victoire temporaire des Jaunes sur les Blancs, donne des signes inquiétants. La situation financière n'est pas plus brillante. La livre monte de 200 à 480 francs, le dollar de 40 à 119. Les Français ne mangent toujours pas à leur faim. Le textile, l'essence, le tabac, le pain même, demeurent rationnés.

A la conférence de Potsdam (17 juillet-5 août 1945), réunie pour compléter les accords de Yalta, où le major Atlee remplace Churchill et Truman Roosevelt, nous ne sommes invités qu'en cure-dent.

De Gaulle est convaincu de la nocivité des partis. Assuré que le meilleur moyen de bien tenir un gouvernement consiste à le quitter pour le reconquérir dans de meilleures conditions, il part sur un incident lui faisant honneur ; il refuse, lui, l'ancien chef de la France libre, de retirer les décorations décernées aux marins «vichyssois» de Mers el-Kébir. Le 20 janvier 1946, il annonce son départ à ses ministres. Le pays réagit peu. Les classes laborieuses vivent dans des conditions ne leur permettant guère de s'intéresser à la politique, quant aux milieux aristocratiques et bourgeois, ils regrettent de Gaulle comme ils avaient regretté Pétain. On pénètre dans une espèce de société anonyme fort capable de transformer la nation en dictature communiste. Nous sommes sauvés par les Américains. Leur extrême puissance leur permet d'empêcher une insurrection. De son côté, la nouvelle armée française n'admettrait pas l'instauration de l'un de ces partis uniques dont va souffrir l'Europe de l'Est. M. Maurice Schumann, ancien rival de Philippe Henriot, est averti. Il fera donc entrer son groupe, le Mouvement républicain populaire, dans la formation de la République provisoire. C'est un moyen d'empêcher l'avènement du bolchevisme. On se dirige vers le tripartisme — communistes, socialistes, MRP — sous l'influence, redevenue prépondérante, de Léon Blum. Son charme et ses malheurs lui confèrent une haute autorité. Il souhaiterait placer son ami Vincent Auriol à la tête de l'État, mais les réticences communistes l'amènent à se rabattre sur son ancien avocat à Riom, Félix Gouin. L'homme apparaît comme un conciliateur. Investi par 497 voix contre 55, le 23 janvier 1946, il consacre l'omnipotence des partis en mettant des portefeuilles à leur disposition tout en laissant la formation concernée désigner le titulaire. Sont vice-présidents le communiste Thorez et le démocrate chrétien Francisque Gay.

Le budget est en déficit de 60 %. En un an, l'indice des prix de gros a doublé. L'achèvement de la nationalisation de la Banque de France, des grands établissements financiers et d'assurance, des houillères, etc., n'apportera point de remède. En revanche, nous bénéficions d'une aide américaine, et l'économiste Jean Monnet restructure la production. Dans le domaine administratif, on commet l'énorme bêtise de supprimer les régions, excellente création de l'État français.

La situation en Indochine continue de se détériorer. Nous contrôlons les deux tiers de la Cochinchine. Le Cambodge obéit à son roi, notre allié, mais en Annam, nous ne sommes présents qu'à Nha Trang et Ban Mê Thuôt.

La Constitution se présente fort mal. La Déclaration des droits de l'homme est écartée pour vice de bourgeoisie. La gauche exige une Chambre unique et n'accepte un président de la République que dénué de pouvoir. Le rapporteur Menthon (MRP) démissionne ; son successeur, le crypto-communiste Cot, maintient son projet sans modifications notables. Le 19 avril, l'Assemblée adopte le texte par 309 voix contre 249. Reste à rencontrer l'agrément du pays. Une forte campagne de presse et d'affichage, mettant en relief les dangers d'une dictature d'assemblée, amène les Français à refuser ce premier projet par 10 584 359 non contre 9 454 034 oui.

Il faut élire une deuxième Constituante. Cette fois, le MRP prend la tête avec 169 sièges contre 153 aux communistes, 127 aux socialistes et 62 aux radicaux et divers. On en reste au tripartisme et Georges Bidault devient chef de l'État. Très brillant, très incisif, il n'est victime que d'une phobie, l'Espagne, et rompra les relations diplomatiques avec le Caudillo.

A Paris est invité le communiste indochinois Hô Chi Minh s'étant, à Hanoï, adjugé la direction d'un gouvernement provisoire et réclamant l'indépendance. Sur les conseils du résident général, l'amiral d'Argenlieu, le ministre des Colonies, Marius Moutet, se montre assez roide. Nous allons vers une guerre coloniale...

La hausse des prix devient vertigineuse : 80 % dans l'année 1948.

LA CONSTITUTION

On s'agite toujours autour de la Constitution. Il est prévu, élue au suffrage universel, une Assemblée nationale disposant seule du droit de modifier le «pacte social» et un chétif Conseil de la République, investi d'un vague pouvoir de contrôle mais participant à l'élection du président de la République dont les responsabilités sont plus apparentes que réelles. Chef des armées, il préside le Conseil supérieur de la défense nationale. Doté du droit de grâce, il dirige le Conseil supérieur de la magistrature. Il désigne les hauts fonctionnaires et le président du Conseil des ministres, mais le chef «pressenti» du gouvernement doit être accepté préalablement à l'investiture du ministère par l'Assemblée nationale. Autrement dit, le gouvernement dépend de la majorité qu'il peut trouver. Il est à la merci des partis. Le président possède le droit de dissolution à partir de la deuxième année de chaque législature. Somme toute, on en revient à la IIIᵉ République, mais avec une ombre de Sénat et un président diminué par l'étape du pressenti.

De Gaulle proteste contre la faiblesse de l'exécutif, et annonce qu'il entend rassembler ses partisans. Le texte est néanmoins adopté par l'Assemblée, le 29 septembre, par 440 voix contre 106. Le général a préjugé de ses forces, en dépit de son emprise sur une fraction du MRP.

Le nouveau référendum tourne à la plaisanterie: 35 % d'abstentions. Le oui passe avec 9 263 416 voix, soit 53 % des votants et 35 % des inscrits. Étrangement, les résultats législatifs ne coïncident point avec les consultations référendaires, souvent mal exprimées. Ainsi les communistes repassent-ils devant les MRP tandis que les socialistes reculent au profit des radicaux. Le 28 novembre, Georges Bidault remet sa démission. Le plus simple serait de le reconduire. Aucun candidat n'obtient la majorité pour lui succéder. Comment vivre sans gouvernement en attendant l'élection des conseillers de la République et celle d'un chef de l'État ? Auriol propose Blum pour assurer l'intérim. A la tête d'un ministère homogène, le vieux socialiste pratique successivement deux baisses autoritaires des prix de 5 % annulées par l'augmentation des tarifs de l'État. La misère de la France apparaît malaisément descriptible.

Le 14 janvier 1947, le Congrès — Assemblée et Conseil de la République — se réunit à Versailles pour procéder à l'élection du chef de l'État. Auriol, placé devant Champetier de Ribes, MRP, Gasser, radical, et Michel Clemenceau, candidat du nouveau Parti républicain de la liberté, risque de ne point passer. On envoie chercher en avion 11 députés de couleur. L'affaire est faite par 452 voix sur 894. La IVᵉ République est née.

11

LA IVe RÉPUBLIQUE

Un problème s'impose: la reconstruction. Il est encore impossible de voyager et de se loger. Les exigences syndicales, parfois justifiées, rendent la partie très dure. Le monde des sciences et des arts se trouve essentiellement sous la coupe des communistes et des crypto-communistes. A la Résistance a succédé le Résistancialisme. Journalistes et écrivains d'extrême gauche pratiquent un ostracisme, se livrent des batailles acharnées dont Jean Paulhan osera dénoncer les méfaits. L'épuration cesse d'apparaître comme l'un des faits dominants; toutefois, si l'on ne fusille presque plus, les prisons sont pleines et les Chambres civiques frappent d'indignité nationale des hommes et des femmes ayant tout simplement servi l'État français.

A l'Assemblée, Herriot préside. Le gouvernement revient au socialiste Paul Ramadier, survivant de la IIIe et fort mal vu comme ministre du Ravitaillement. Le personnage ne manque pas de pittoresque avec son teint rose et sa barbiche. Francmaçon, il cultive le grec et se passionne pour la Ruthénie. Sous de tels dehors, il dissimule une rare force de caractère. En renouvelant la baisse des prix de 5 %, il est contraint de subventionner les entreprises nationalisées. En revanche, il signe très adroitement un pacte militaire de cinquante années avec la Grande-Bretagne (4 mars 1947).

En mai 1947, les communistes s'opposent au blocage des salaires, et les ministres prosoviétiques se prononcent contre le gouvernement. Ramadier, ayant obtenu l'accord de son parti, demande et obtient le départ des «Moscoutaires». Désormais, ils entrent dans une opposition farouche mais, alors que les pays de l'Est tombent les uns après les autres dans la mouvance bolchevique, la France conserve un régime parlementaire. Le Kremlin respecte le partage du monde, et nous sommes, presque malgré nous, protégés par les stipulations de la conférence de Yalta.

Ramadier gouverne au centre gauche. C'est ce qu'on nommera la IIIe Force, à laquelle se rallie Mgr le comte de Paris. De Gaulle lance son RPF (Rassemblement du peuple français) en combattant la Constitution. Comme il demande un renforcement de l'exécutif, il est accusé d'aspirer au pouvoir personnel. Force est bien de constater que de nombreux vichyssois passent au gaullisme. Malgré ses lourdes responsabilités dans l'épuration, le général est pardonné par tout un secteur de victimes éternellement fascinées par les képis. Aux municipales d'octobre 1947, de Gaulle et les siens, faisant liste commune avec les radicaux et les modérés, emportent 45 % des sièges et Pierre de Gaulle, son frère, devient le premier magistrat de Paris.

Ramadier rencontre les pires difficultés. Il a négocié le plan Marshall ; au titre de l'assistance américaine pour la reconstruction et le redressement financier de l'Europe, la France recevra 2 815 300 000 dollars. Il se bat contre les grévistes. Il s'en va le 19 novembre 1947 pour laisser la place à Blum. L'autre refuse, il se sent trop fatigué. Arrive Robert Schuman, catholique, ancien ministre du maréchal, mais, avant tout, lotharingien. En 1950, il établit la communauté Charbon-Acier. Il ne demeurera point président du Conseil en raison de luttes ayant trait à la liberté de l'enseignement, mais il conservera le Quai d'Orsay sous le remarquable André Marie, assez courageux pour ouvrir largement les prisons. Suivent Henri Queuille, Georges Bidault et, de nouveau, Queuille. Le 26 juillet 1949, le pacte de l'Atlantique Nord (Otan) nous lie désormais aux États-Unis. Est-ce suffisant pour nous protéger d'une agression soviétique ? C'est insuffisant ; nos partenaires souhaitent maintenant la Communauté européenne de défense (CED). Le système, tout à fait judicieux, est prématuré. Il s'agit de créer une armée franco-allemande dont les frais seraient, pour les débuts au moins, à notre charge. C'est évidemment notre garantie. Un simple effort de compréhension suffirait à rallier tous les esprits un rien ouverts à cette solution ; toutefois, la guerre demeure très proche avec son concert de violences et de turpitudes, et l'antigermanisme reste prédominant. La CED se ferait trop tôt alors qu'il est déjà bien tard. De Gaulle, chantre de l'indépendance nationale, hurle et trouve naturellement pour compères les communistes. Gagnera-t-il les législatives de 1951 ? La IIIe Force invente une loi pittoresque. Il suffit que deux ou plusieurs listes s'étant apparentées obtiennent la majorité absolue pour emporter tous les sièges du département. Ainsi voit-on, en ces années lugubres, se dessiner le système majoritaire. Sa brutalité met en cause la représentation des opinions diversifiées. Puissant en voix, le RPF essuie la défaite en sièges.

La IIIe Force serait, avec ses 340 sièges, maîtresse de l'Assemblée si elle définissait un programme commun. Elle ne le peut car ses composantes participent d'origines trop diverses. MRP et socialistes s'affrontent dans l'éternelle querelle scolaire. Ne sont investis ni l'indépendant Petsche, disciple de Tardieu, ni le radical René Mayer, parlementaire de grand style. Passe finalement un radical de gauche, René Pleven. Il lui faut le concours des RPF et des MRP pour faire donner des bourses aux élèves du second degré de l'enseignement libre en attendant que la loi Barangé permette d'étendre la mesure aux établissements eux-mêmes.

Cette majorité se sépare et se reforme au fil des occasions. RPF et communistes se liguent contre les initiatives européanistes de Robert Schuman. La guerre d'Indochine coûte très cher, ainsi que l'échelle mobile, réajustement des salaires en fonction des prix. Le courageux Pleven propose un plan d'austérité. Il doit quitter la scène, le 7 janvier 1952. Le jeune Edgar Faure, radical diantrement intelligent, reconnaît le terrain, propose une augmentation de 15 % des impôts, puis s'en retourne, après quarante jours, écrire des romans policiers sous le nom d'Edgar Sanday (Edgar sans D) en attendant de s'installer aux Finances en 1953, et pour trois ans.

La vie politique devient lamentable. Les intellectuels s'en désintéressent tout comme l'ensemble du pays. Auriol penche pour Paul Reynaud comme chef de gouvernement mais ne parvient pas à faire remonter sur le podium l'homme de la défaite. Un secrétaire d'État au Trésor attire l'attention du chef de l'État. C'est M. Antoine Pinay. Ancien membre de ce Conseil national, dont le maréchal avait voulu refaire un embryon de parlement, il administre méthodiquement sa commune de Saint-Chamond et le conseil général de la Loire.

ANTOINE PINAY

De Gaulle se braque mais 27 de ses partisans accordent leur confiance à ce candidat d'une extrême finesse. Comme Doumergue, Antoine Pinay se déguise en « Monsieur Tout-le-monde », il se coiffe d'un petit chapeau, sourit au public mais — pouvait-on s'en douter? — impose ses volontés aux responsables des directions ministérielles. Il accorde une amnistie fiscale, faisant rentrer les capitaux exportés, lance un emprunt indexé sur l'or, assure des économies en réduisant les investissements, puis bloque les salaires et les prix, tout en maintenant l'échelle mobile au cas où la hausse des indices dépasserait 5 %. Ainsi met-il fin à l'inflation et rend-il confiance dans la monnaie.

A l'extérieur, le président rencontre de graves difficultés. La guerre d'Indochine se prolonge, Maroc et Tunisie s'agitent, le problème du réarmement allemand devient insoluble. N'étant pas assuré de faire passer le budget de 1953, M. Pinay prend son petit chapeau, s'en va, ayant acquis une robuste popularité.

LA FIN DU SEPTENNAT

Vincent Auriol joue patiemment son jeu constitutionnel devant cette Chambre capricieuse. En vain appelle-t-il le sombre Guy Mollet pour ouvrir à gauche, l'éminent Jacques Soustelle pour ouvrir à droite, le subtil Georges Bidault pour regagner le centre. En prenant figure de technicien, le radical René Mayer conduit la barque quatre mois mais ne peut obtenir les pleins pouvoirs financiers.

De Gaulle rend à ses parlementaires leur liberté de vote et continue de faire planer le mystère sur ses intentions. Cette fois, la crise ministérielle dure un mois. Ni Mendès ni Bidault ni le bel orateur André Marie n'entrent à l'hôtel Matignon. Le public est amusé, parfois scandalisé. Enfin, on s'accorde sur le nom de Joseph Laniel (juin 1953). Indépendant, Normand, ancien responsable du CNR, le nouveau promu ne manque pas de caractère, et il en a besoin. La proximité des présidentielles réduit sa marge de manœuvre. Une grève générale, compromettant nos opérations d'outre-mer, dure plus d'un mois. Il faut recourir aux avances de la Banque de France, augmenter le moins possible salaires et impôts. Auriol refuse de se représenter.

L'ARRIVÉE DE RENÉ COTY

Le 17 décembre 1953, le Congrès se réunit à Versailles. On monte à 13 tours. En réalité, le président socialiste André Le Troquer truque froidement le scrutin et empêche Laniel de passer. Finalement, avec 477 voix (la majorité absolue s'élevant à 436), René Coty, vice-président du Sénat, ancien et respectable parlementaire, inconnu du pays, accède à la magistrature suprême. Il reconduit Laniel dans ses fonctions. Depuis que l'on repousse les solutions par incapacité de choisir, l'heure vient de se déterminer.

Tandis que la situation se détériore en Tunisie, le général Guillaume, résident au Maroc, dépose le sultan Sidi Mohammed Ben Youssef, le fait conduire en Corse, puis à Madagascar. Le Glaoui, pacha de Marrakech, procède à la désignation d'un nouveau souverain, Ben Araffa. Le caractère religieux de la dignité chérifienne accroît les difficultés. Il ne suffit pas d'avoir installé ce prince, il faudrait le populariser en l'aidant financièrement pour accomplir quelques réformes dans un pays où la rapide urbanisation crée des disparités trop flagrantes.

Depuis que notre flotte a bombardé Haïphong (23 novembre 1946), le Viêt-minh nous livre une guerre d'une cruauté sans nom, appuyée par l'URSS et surtout, à partir de 1949, par la Chine de Mao Tsé-toung. Toutes les tentatives de formation d'un État associé à l'Union française (nouvelle appellation pour le Laos et le Cambodge) ont échoué. Notre corps expéditionnaire est passé de 50 000 à 230 000 hommes. L'affaire indochinoise sombre dans la tragédie. De Lattre, Salan, d'autres ont remporté bien des succès, toujours brillants, jamais définitifs. L'ordre n'est pas revenu. En novembre 1953, la défense du Laos est organisée par l'établissement d'un camp retranché dans la cuvette de Diên Biên Phû. C'est, pour le Viêt-minh, un point de passage obligé. Le commandant en chef, général Navarre, pense réduire son adversaire, Giap, et nous permettre enfin de reprendre le contrôle du Viêt-nam. Le coup apparaît bien préparé mais l'endroit mal choisi. Cerné de collines, il sera sous le feu d'une artillerie ennemie dont on avait mésestimé la puissance. Bientôt les avions ne pourront plus atterrir, tandis que l'effectif ennemi, ravitaillé par la Chine, devient plus important que le nôtre. Notre belle construction géométrique cède. Les points d'appui sont enlevés. Le général de Castries est fait prisonnier avec les quelques milliers de survivants encore en état de marcher. Et cela, alors que s'est ouverte, deux semaines auparavant (26 avril), la conférence de Genève pour un règlement international de la guerre d'Indochine. Laniel, en tractations avec le Viêt-minh dès avant le siège, demande à l'Assemblée des pouvoirs élargis pour proposer à l'adversaire des conditions plus satisfaisantes. L'Assemblée le renverse (12 juin 1954).

La conférence demeure ouverte à Genève. Quel homme pourrait y faire bonne contenance? Depuis un an déjà, Mendès France adjurait ses confrères de mettre fin aux opérations militaires en Extrême-Orient. Ses collègues lui remettent le pouvoir sans trop se rendre compte qu'il s'agit d'une affaire très sérieuse. Il obtient 419 voix, refuse — cela ne l'engage à rien — les 99 voix communistes mais conserve assez de mandats pour s'installer à l'hôtel Matignon.

UN HOMME À LA MODE : MENDÈS FRANCE

Il ose cette folie : « Je m'engage à remettre ma démission, si d'ici au 20 juillet, je n'ai pu obtenir un cessez-le-feu en Indochine. » Comment un garçon intelligent et réputé patriote peut-il s'engager dans cette voie? Un orgueil comparable à celui de De Gaulle amène le député de Louviers à signer, après qu'on a retardé les pendules, un traité discutable, mais que l'armée paraît accepter avec résignation et que l'Assemblée ratifie à la quasi-unanimité. A la vérité, sonnée par Diên Biên Phû, la France est soulagée de sortir du «guêpier indochinois». Peu après (31 juillet), Mendès ouvrira la voie à l'autonomie interne en Tunisie. Sous-secrétaire d'État au Trésor en 1938, pilote pendant la Seconde Guerre mondiale, commissaire des Finances dans le CFLN d'Alger, ministre de l'Économie dans le gouvernement provisoire, parlementaire instruit, il manque, au-dessus de lui, une autorité capable de diminuer une superbe mal placée.

Nous sacrifions le Tonkin. L'Indochine est divisée en deux zones d'influence séparées par le 17e parallèle. Mendès devient un homme à la mode. Toute une gauche élégante, souvent gaullo-gauchisante, se reconnaît en lui. Une presse habile le porte aux nues. La politique reprend un aspect théâtral, passionnel, inconnu depuis les heures chaudes de la IIIe. Le personnage ne se montre pas moins sérieux. Fin août, il faudrait ratifier la Communauté européenne de défense. Obtenant que l'Assemblée ne se prononce point sur la loi, Mendès substitue à la CED les accords de Paris et fait passer l'Allemagne dans notre système de défense. Il obtiendra mieux : nous sommes maintenant dans le club nucléaire en dépit des réticences anglo-américaines. Reste l'Algérie. A la Toussaint de 1954, des attentats immondes sont perpétrés un peu partout à travers la province. Dans les Aurès se déclare une rébellion ouverte. Mendès est renversé par 319 voix contre 273. Il contrevient alors aux usages, remontant à la tribune pour réclamer les pleins pouvoirs financiers. Un tel comportement est jugé scandaleux. A nouveau, il faut assister aux manèges des investitures sans lendemain. On voit défiler le sage Pflimlin, puis Christian Pineau, auteur de contes pour enfants. Finalement, le bouchon revient à Faure. Il s'accorde avec Bourguiba, donnant à la Tunisie l'autonomie interne. Au Maroc, le déplorable comportement d'un nouveau résident, Gilbert Granval, chargé de mettre en place le régime représentatif, provoque de sanglantes émeutes. S'ouvre la conférence d'Aix-les-Bains. On pratique des modifications dans le conseil du trône. Enfin, Ben Youssef est rappelé de son exil malgache cependant que son cousin et éphémère successeur Ben Araffa trouve asile en métropole. Antoine Pinay, alors au Quai, réinvestit le sultan. Ce sera la consécration de l'indépendance dans l'interdépendance, formule dont l'ambiguïté ne sera point trop préjudiciable à l'établissement des nouveaux rapports. Lyautey n'avait-il pas toujours préconisé le retour de son fief à la pleine souveraineté ?

L'Organisation des nations unies inscrit la question algérienne à l'ordre du jour. Ainsi nos alliés feignent-ils d'ignorer qu'il ne s'agit plus de territoires sous tutelle mais de départements français. A Genève, M. Pinay quitte la salle des séances en signe de protestation. En revanche, nous abandonnons nos bons vieux comptoirs de l'Inde, devenue indépendante depuis le 26 janvier 1950.

Les discussions du budget de 1955 se déroulent dans la plus grande confusion avec des dispositions provisoires jusqu'en juillet. Faure propose la reconduction dudit budget assorti de 497 milliards pour faire face à des dépassements imprévus.

Le pays est redevenu morne. La poussée de la propagande, comme de la publicité commerciale, fait monter les exigences des classes défavorisées. Nous ne sommes plus au temps du tandem cher au Front populaire. Les merveilleux appareils italiens, Vespa, Lambretta, reconstituent le marché motocycliste. Le sens civique baisse. Les grèves moins longues, il est vrai, qu'en 1947,

1951 et 1953, demeurent fréquentes. De toute évidence, la France, à peine reconstruite, n'éprouve aucun enthousiasme pour retrouver sa grandeur mais elle se montre fière, tout de même, de la mise au point de la «Caravelle», premier moyen courrier à réaction, et se passionne pour la naissance de la Citroën DS 19 qualifiée de «futuriste». Mendès cherche à constituer un Front républicain qu'il espère rendre majoritaire à travers le scrutin d'arrondissement. Mis en minorité sur une question de politique générale, Faure fait constater qu'en moins de dix-huit mois, deux gouvernements ont perdu la majorité constitutionnelle. M. Coty peut dissoudre la Chambre (2 décembre 1955).

COMMUNISTES ET POUJADISME

Les résultats des élections apparaissent des plus curieux. Les communistes s'octroient la primauté, détenant 144 sièges, la IIIe Force se coupe en deux, 200 sièges pour Mendès et les socialistes, 200 chez Faure et Pinay. On lamine par des invalidations scandaleuses le groupe des nouveaux venus, les partisans d'un papetier de Saint-Céré, Pierre Poujade, menant la lutte antifiscale, mettant en cause les prérogatives exorbitantes des polyvalents. Mal menée, n'ayant d'autre arme que la voix de son chef, «Union et Fraternité françaises», première image d'une résurrection de la droite populaire, ne sert qu'à semer l'inquiétude. Poujade, stupéfiant rhéteur, ne dirige pas son mouvement dont ne se dégagera qu'une seule personnalité exceptionnelle, Jean-Marie Le Pen. Me Tixier-Vignancourt, ancien ministre du maréchal, est aussi de la fête. La gauche fait semblant d'avoir peur, et les modérés appréhendent de se voir confisquer le pouvoir.

Le président de la République est plus que jamais esclave de la Constitution. Il s'adresse donc à Guy Mollet, chef de la SFIO et véritable vainqueur de la consultation. Le professeur d'anglais se présente avec Mendès, comme ministre d'État, l'ondoyant François Mitterrand, venu de la droite, comme garde des Sceaux. Aux Affaires étrangères, Christian Pineau, aux Finances, un socialiste de tradition jacobine, Robert Lacoste.

L'HUMILIATION DE SUEZ

En Algérie où, au départ, les fellaghas — ou coupeurs de route — ne représentaient pas une force profonde, la situation s'est aggravée. Le soutien de l'Égypte nassérienne, mais surtout l'activité terroriste jointe aux tergiversations de la politique française, ont fortifié la rébellion. Le 6 février, Guy Mollet, soupçonné de vouloir brader l'Algérie, reçoit une réception moins que cordiale d'Alger. Il comprend la leçon ; désormais, il opposera la force à la force. Bien sûr, il reste, parmi d'autres difficultés, la conciliation des régimes sociaux entre les monogames et les polygames. Sur ce point, nombre de responsables trébuchent : il ne faut pas confondre intégration et assimilation dans un pays où se rencontrent tous les régimes matrimoniaux. Mollet, séparé de Mendès, décide d'envoyer le contingent en Algérie et de rappeler les disponibles (classes 53/1 puis 52/2). C'est un acte d'un rare courage, car l'opinion n'est nullement préparée à semblable contrainte. La situation en Algérie demeure malaisément contrôlable. Elle prend une tournure de plus en plus internationale. Les vieux indépendantistes sont relayés par d'actifs soldats de la subversion. Le terrorisme sévit férocement, impressionnant la majorité demeurée francophile. Toute la propagande est assurée par l'émetteur du Caire. Depuis l'avènement du colonel Nasser, l'Égypte, dégagée de l'influence anglaise, se veut la sœur aînée des nations arabes. En pleine crise économique, elle cherche un financement tant chez les Américains que chez les Soviétiques. Les USA, ayant suspendu l'aide à la construction du barrage d'Assouan, Nasser, pourtant anticommuniste, fait la quête à Moscou, puis s'approprie le canal de Suez en 1956. Sans doute a-t-il raison de tenir pour caduc l'accord anglo-égyptien de 1936, concédant à la Grande-Bretagne le contrôle militaire du canal pour vingt ans et venant à expiration mais il omet de considérer la convention de Constantinople (29 octobre 1888) stipulant l'internationalisation de la voie d'eau. L'intervention s'impose donc, mais Français et Anglais la diffèrent face au danger que fait courir au monde la sanglante répression soviétique de la révolution hongroise.

Il importe de détourner les convois d'armes à destination du Maghreb. Sur une initiative d'Alger, les chefs rebelles, dont les fameux Ben Bella et Boudiaf, se rendent de Tunis à Rabat, sont interceptés par voie aérienne à la grande colère du sultan. Le moral des troupes françaises quadrillant l'Algérie redevient excellent. Encouragés par nos soins, les Israéliens pénètrent en Égypte et marchent vers le canal. Les Franco-Britanniques s'emparent de Port-Saïd, résolvant, avec une rare maestria, toutes les difficultés techniques. Comment les deux gouvernements se sont-ils lancés dans une semblable aventure sans s'être assuré la neutralité des Américains ou des Soviétiques? Cette légèreté va ruiner notre prestige; les «super-puissances» nous intiment l'ordre de «cesser l'action contre l'Égypte». Il ne reste qu'à s'incliner devant les deux détenteurs de l'arme atomique. Le 6 novembre 1956 est signé le cessez-le-feu. La France et la Grande-Bretagne ont fini d'apparaître comme de grandes nations. On peut toujours égrener les occasions perdues, celle-ci ne se discute pas. Il eût fallu s'y prendre dès juillet, intensifier l'offensive sur tous les fronts, mais surtout faire comprendre aux Américains qu'ils n'avaient rien à gagner en coquetant avec l'URSS. Nos ministres, plus patriotes que capables, ne comprirent rien. Notre bataille, engagée quelques jours plus tôt, la Ligue arabe s'effondrait et, peut-être avec elle, la rébellion algérienne.

Nous lâchons le Cameroun et le Togo. Nous nous rétrécissons dans l'Atlantisme, tout en entrant dans le traité de Rome (25 mars) et dans l'Euratom (11 juillet 1957). Sur un simple accord entre Paris et Bonn, nous perdons la Sarre où nous assurions, depuis son autonomie, acquise en 1947, la responsabilité de la Défense et des Affaires étrangères.

A l'intérieur, le gouvernement du Front républicain avait mieux réussi, offrant une troisième semaine de congés payés et créant un fonds vieillesse (par l'acrobatie de la vignette automobile).

Le radical Bourgès-Maunoury doit recourir aux avances de la Banque de France. Il recherche l'autonomie des territoires algériens mais ne rencontre point l'assentiment de l'Assemblée. Mollet, Pleven, Robert Schuman, lui-même, n'obtiennent pas l'investiture. Le trésorier, Pierre Pflimlin, MRP, trouve la caisse vide. Que sont devenus les temps où M. Pinay la remplissait sans effort apparent? Le président du Conseil, le jeune Félix Gaillard, se livre à des opérations de cavalerie pour masquer 700 milliards de déficit dont 275 réglables aux États-Unis. L'armée coûte cher. Elle compte, toutes catégories confondues, plus de 1 million d'hommes, du premier des généraux aux derniers des supplétifs autochtones.

Le 7 février 1958, un avion d'observation français est abattu par une pièce en batterie au village tunisien de Sakhiet. Dictées depuis Alger, sans consulter Paris, les représailles aériennes causent la mort de 100 personnes peut-être innocentes de l'attentat. La Tunisie bloque les troupes françaises encore installées sur son territoire. A Paris, les mendésistes organisent une immense campagne de presse. Gaillard accepte une offre de «bons offices» anglo-américains pour régler le différend franco-tunisien. C'est risquer l'internationalisation de l'affaire algérienne. Et c'est sur cette affaire que, le 15 avril 1958, le gouvernement est renversé par la coalition des communistes, des mendésistes, des poujadistes et des gaullistes (321 voix contre 255).

Tout cela semble banal. Le 21 avril, des élections cantonales marquent un recul des voix gaullistes; elles tombent à 6 %. Georges Bidault, chargé de former le gouvernement, adresse à l'Assemblée une déclaration vibrante de nationalisme. Les siens ne le suivent pas. Ils sont acquis au principe d'une obscure négociation avec la rébellion algérienne. René Pleven, prudent, consulte les militaires, obtient des assurances de loyalisme mais se voit lâché par les radicaux. Le président appelle le MRP Pierre Pflimlin favorable à des accords risquant bien de conduire à l'indépendance de l'Algérie. Pour cette raison, ses chances de recueillir assez de voix au Palais-Bourbon sont faibles. C'est alors qu'un événement capital va modifier la situation.

LE 13 MAI

A l'issue d'une ample manifestation populaire des Européens d'Alger organisée, le 13 mai, en l'honneur de trois soldats fusillés par les rebelles du Front de libération nationale (FLN), le futur bâtonnier Lagaillarde occupe le palais du gouvernement général et fait présider un Comité de salut public par un soldat très estimé, le parachutiste Massu. Le commandant en chef, général Salan, donne son aval.

Du même coup, la Chambre investit Pflimlin, et pour éviter une confrontation entre la métropole à demi défaitiste et l'Algérie résolument française, confie les pleins pouvoirs au général Salan, ancien collaborateur de l'amiral Platon mais détaché de Vichy pour protester contre la cession aux Japonais de la rive gauche du Mékong, héros des campagnes d'Italie, de Provence, d'Alsace, d'Indochine, fort peu porté sur le gaullisme mais entouré des partisans civils ou militaires du seigneur de

Colombey. Le président Coty, de son côté, n'est plus libre. Dès le 8 mai, il a pris contact avec de Gaulle, lequel fait des manières, soutenant qu'appelé, il ne se présentera point devant les Chambres. M. Pinay se charge d'intervenir. Non, il faudra que de Gaulle s'y prenne comme tout le monde.

Le 24 mai, la Corse est occupée par les soldats du colonel Thomazo, acquis au Comité de salut public. Dans les milieux de gauche, on appréhende une opération de style franquiste. Le général Salan calme le jeu, mais certains hommes d'envergure, tel Jacques Soustelle, fervents de l'Algérie française, souhaitent de Gaulle pour la conserver. Des journalistes pourront évoquer les treize complots du 13 mai. C'est, peut-être, un nombre inférieur à la réalité. La raison de ce recours à de Gaulle ? La peur. Dans nombre de milieux, on appréhende la guerre civile et l'on se prend à considérer ce maître de la tribune et du microphone comme un conciliateur. Il jouera d'ailleurs ce rôle comme il les interprétera tous, un jour papa gâteau, le lendemain père fouettard. Doté d'une intelligence politique supérieure, il s'est demandé s'il importait de conserver son ancienne image ou d'en adopter une autre. Depuis son départ de 1946, il a lu, écrit, médité, modifié son comportement. Lors de son premier gouvernement, racontera Philippe Erlanger, il faisait effort pour dire bonjour. En 1958, il sert lui-même les liqueurs, trouve un mot cocasse pour chacun de ses hôtes. Il a pris de la distance avec les événements, et son voyage outre-mer, en 1956, a redoré son blason. Les Européens d'Algérie ne l'ont guère apprécié du temps de la dissidence, mais, depuis lors, ils ont oublié les vieilles rivalités et ne font plus confiance aux partis pour mettre fin à l'atroce incertitude dont ils sont victimes. Travaillés par les agents gaullistes — mandatés ou non —, ils croient à l'action du général, si bien représenté par l'énergique Jacques Soustelle. Le 27 mai, de Gaulle annonce «avoir entamé le processus régulier nécessaire à l'établissement d'un gouvernement républicain». Affectant de ne pas comprendre, les parlementaires accordent, par 408 voix contre 165, l'autorisation au président du Conseil de procéder à la révision constitutionnelle. Les ministres modérés, appréhendant une réaction des militaires, donnent leur démission. Sur l'injonction du président Coty, les présidents des deux assemblées, MM. Monnerville et Le Troquer, s'entendent avec de Gaulle pour lever les difficultés relatives à son investiture. Le maître du Luxembourg se montre beaucoup plus conciliant que celui du Palais-Bourbon. Le 29 mai, le président invite, par message constitutionnel, le Parlement à suivre ses directives. Vincent Auriol intervient pour calmer les socialistes encore rétifs.

Le 1er juin, de Gaulle se présente devant l'Assemblée, prononce un discours d'une rare habileté, obtient l'investiture par 329 voix contre 224. Il ne s'arrête pas en route, réclame des pouvoirs spéciaux pour l'Algérie (322 voix contre 232) et les pleins pouvoirs pour une durée de six mois, avec possibilité de révision constitutionnelle soumise à référendum. Il faut la majorité des deux tiers. Elle est réunie sous l'empire de la crainte inspirée par les légions du général Salan.

Le coup d'État apparaît exemplaire. Aucune des règles instituées par la IVe République n'a fait l'objet d'un viol mais tout s'est déroulé de bout en bout en fonction de la pression des militaires eux-mêmes soumis à l'influence de la population algéroise. Si de Gaulle parvient au pouvoir, c'est grâce aux étudiants, aux artisans de la grande ville où s'est joué, dans les années difficiles, le destin français. Comment est-il parvenu, malgré bien des obstacles, à se servir de l'Algérie pour reconquérir son emprise sur la métropole? Le saura-t-on jamais? Il va vers les Français d'Algérie, déclare qu'il «les a compris» (4 juin), obtient un franc succès, revient en juillet, parle avec les soldats et invente une forme de Commonwealth sans grande portée, puisqu'il ne peut en république présenter le lien quasi sentimental d'une allégeance dynastique. Il offre aux territoires d'Afrique noire le choix entre l'entrée dans cette communauté d'un nouveau genre ou la sécession. Seul le chef guinéen Sékou Touré se prononce pour l'indépendance. Il en reviendra... Voici de Gaulle une troisième fois au palais du gouvernement général pour proclamer que «l'évolution générale devra s'accomplir dans le cadre français». Dans les milieux politiques, on s'inquiète peu. Seules quelques voix se font entendre, dénonçant le double jeu de l'homme du 18 juin. Le système est pourtant simple. Hors une aversion viscérale pour l'Algérie, le nouveau chef du gouvernement veut, pour l'instant, se mettre en accord avec les Soviétiques et les Américains. Il est possible qu'il ait hésité sur les moyens mais, pour lui, l'Algérie n'est pas la France. La majorité des métropolitains n'établissaient même pas de différence entre protectorats et départements d'outre-Méditerranée. Pour certains, ils doivent disparaître dans le courant de décolonisation.

ENCORE UNE CONSTITUTION

La nouvelle Constitution est mise en œuvre par deux juristes, MM. Maxime Blocq-Mascart et Michel Debré. Elle met en place une république parlementaire où le président est théoriquement arbitre. Sous son autorité, un Premier ministre «conduit et détermine la politique de la nation». Le renversement du cabinet implique la dissolution de l'Assemblée. Le Sénat retrouve son nom mais point sa puissance. Il peut seulement provoquer de secondes lectures et obtenir de nouvelles élaborations en commissions paritaires. Toute initiative de dépenses est retirée au Parlement. Le domaine réglementaire est étendu. L'article 16 permet au président d'assumer les pleins pouvoirs en cas de crise grave. Un Conseil constitutionnel, dont les membres sont désignés par les trois présidents — République, Sénat et Assemblée — est responsable de l'application de l'article 16, du contrôle des opérations électorales, de la constitutionnalité des lois. En bref, tout va dans le sens de la stabilité.

Le nouveau pacte social (référendum du 28 septembre 1958) passe avec 79,26 % de oui (95 % en Algérie). Aux élections — scrutin d'arrondissement à deux tours — le parti gaulliste, mené par Jacques Soustelle et Michel Debré, s'octroie plus de 26 % des voix avec 212 sièges. Les communistes tombent à 10. La SFIO détient 41 sièges, le MRP, 56, les divers gauche, 37, le Centre national des indépendants et paysans, 118, les élus d'Algérie, 50, les isolés, 25. Les vedettes du précédent régime sont souvent battues : Mendès, Defferre, Mitterrand, Edgar Faure, Duclos, et même Laniel. La majorité s'étend à tous les partis sauf les socialistes et les communistes. Une dévaluation de 17 % nous rend notre compétitivité sur les marchés internationaux.

Le 21 décembre 1958, de Gaulle, porté par un collège de 75 000 grands électeurs (sénateurs, députés, conseillers généraux, etc.) devient président de la Ve République.

Le 9 janvier 1959, le président Coty remet ses pouvoirs en se «félicitant que le plus illustre des Français soit désormais le premier».

12

ESQUISSE DE LA Vᵉ RÉPUBLIQUE

En créant la communauté conforme à son discours de Brazzaville, prononcé dès le 30 janvier 1944 et prônant l'assimilation,
de Gaulle entretient l'espoir de trouver une solution transaction-
nelle pour l'Algérie. Pourquoi ne s'intégrerait-elle point, sous
une forme différente, à ce Commonwealth? Las, la communauté
ne dure pas. En dix-huit mois, tous les États de l'Afrique noire
se retrouvent souverains et admis à l'ONU. Ils nous coûteront
très cher sans nous apporter leur soutien. Le 3 août 1959, à
Monrovia, au Libéria, le Gouvernement provisoire de la République algérienne (GPRA), fondé par le FLN, somme la France
de reconnaître à l'Algérie le droit à l'autodétermination. Il
obtiendra gain de cause. De Gaulle retourne en Afrique du Nord,
puis, le 16 septembre, indique trois voies: la francisation,
l'association ou la sécession. Un préalable: la pacification. Ce
discours ambigu n'est pas mal reçu par l'opinion métropoli-
taine. La pacification est une figure de style. A la vérité, le GPRA
ne se fait plus connaître que par des actions terroristes de moins
en moins nombreuses. Son armée de l'ombre, les *wilayas*
(divisions) du Front de libération nationale (FLN) a perdu sur
le terrain. Nous sommes néanmoins prêts à discuter, et Debré, le
cœur déchiré — car hier encore, il défendait passionnément
l'intégration mais se soumet par attachement à de Gaulle —,
obtient un blanc-seing de la Chambre par 443 voix contre 23.

Le 24 janvier 1960, les Algérois hérissent leur ville de barricades, mais les militaires, les yeux obstinément fermés, sauvent
le gouvernement qui obtient une année de pouvoirs spéciaux
«pour le maintien de l'ordre et la sécurité de l'État». Les
ministres nationaux démissionnent. De Gaulle entreprend la
fameuse tournée des popotes pour s'assurer la fidélité des soldats.

Saisie du procès des barricades, la justice fait preuve d'une belle
indépendance. Dans le même temps, le préfet Vidal voit envahir
l'hôtel de la préfecture de Melun. On lui confie les délégués du
GPRA. Qu'importe s'ils mangent avec les mains, ils entendent
remplir leur assiette. De Gaulle affirmait: «Il faut déposer les
couteaux au vestiaire.» Ce n'est nullement l'intention des chefs
fellaghas. Ils sont faibles mais manient encore le terrorisme. Mais
surtout depuis 1959, ils savent que de Gaulle veut se décharger
du «fardeau algérien». Le général se couvre par un référendum,
faisant approuver sa politique par 75,25 % des suffrages (8 janvier
1961). L'Algérie se montre plus réservée avec 69,09 %. Après un
contact entre M. Georges Pompidou, conseiller constitutionnel,
et les leaders du GPRA, Alger tente de se libérer de l'emprise
gaullo-FLN (22 avril 1961). L'affaire, méthodiquement montée,
depuis Madrid, par le général Salan, est mise en route un mois
trop tôt par le général Challe, qu'accompagnent dans ce directoire trop improvisé deux autres chefs prestigieux, Jouhaud et
Zeller. Si ces quatre valeureux personnages sont très estimés des
soldats de métier, ils ne recueillent pas l'adhésion du contingent,
fort pressé de retrouver en métropole les joies de la vie civile. De
Gaulle réclame et obtient l'application de l'article 16, M. Michel
Debré manifeste sa crainte de voir Paris attaqué par des comman-
dos de parachutistes, André Malraux veut armer la population
parisienne. Autrement efficace, le général s'adresse aux appelés.
Le directoire du 22 avril n'aura point duré quatre jours. Certains
officiers se livrent. Les généraux Salan et Jouhaud passent à la
clandestinité, fondant l'OAS (Organisation de l'armée secrète)
dont l'activité rencontrera l'appui de la population européenne
et parfois musulmane.

La négociation dure toujours. Un projet de partition est
abandonné. Pour le chef de l'État, rien ne compte que le Sahara
dont il veut faire un champ d'expérience nucléaire et exploiter
les ressources pétrolifères. A ce prix, il lâche tout sans même
obtenir une cession définitive. Le 18 mars, intervient la signature
des accords d'Évian, suivie du cessez-le-feu proclamé le lendemain. Le 8 avril 1962, de Gaulle triomphe par un référendum lui
donnant 90,70 % de oui. Sous le régime transitoire d'Abd al-
Rahman Fares, puis avec Ben Bella, l'Algérie connaît le martyre.
Rien n'est prêt pour assurer le transfert en métropole d'un million d'Européens. Le gouvernement français prévoit un régime
scandaleux d'indemnisations. En 1992, elles ne sont toujours pas
intégralement versées. C'est l'exode abominable de familles im-

plantées depuis plus d'un siècle dans un pays fertilisé par les Français. Environ cent mille musulmans fidèles sont abattus. Décontenancés, rançonnés par le FLN, les fellahs, privés de l'encadrement européen, ne travaillent plus ou peu. Faute d'une pièce, les tracteurs s'arrêtent, les moissonneuses-batteuses ne fonctionnent plus. La vigne périclite, les orangeraies disparaissent. Ce pays délicieux redevient un désert. La France n'a point connu selon l'expression de l'amiral de Toulouse-Lautrec, reprise par Pierre Gaxotte, pareille humiliation depuis le traité de Troyes. M. Debré ne peut que s'en aller. Il est remplacé par Georges Pompidou.

DE GAULLE TRIOMPHE

Le nouveau chef du cabinet n'appartient pas au clan gaulliste, ne procède pas de la Résistance. Il commence mal, car il s'exprime difficilement devant les vieux routiers de la Chambre, mais il apprendra vite le métier. De Gaulle annonce un nouveau référendum, qualifiant paradoxalement le 13 mai de «politique d'usurpation». Il cherche une nouvelle légalité. Le 1er juillet 1962, les Algériens, guidés par des soldats français du contingent, votent l'indépendance par 5 994 000 voix sur 6 034 000 (les Européens n'ont point accès aux urnes). Le président prend acte.

Le 22 août, au Petit-Clamart, un groupe de militaires tente d'abattre ou d'enlever le chef de l'État. Le colonel Bastien-Thiry, maître d'œuvre malchanceux de ce «coup essentiel», sera fusillé. D'autres membres de l'OAS, le lieutenant Degueldre, le sergent Dovecar, le caporal Piegt connaîtront les pelotons de la Ve République, mais leur nombre est infime au regard des centaines de victimes torturées et abattues par les «barbouzes», auxiliaires recrutés contre l'OAS, dont les gaullistes eux-mêmes devront se défaire. Le général Jouhaud est condamné à mort mais sera gracié, son supérieur, le général Salan, ayant sauvé sa tête, à la grande fureur de De Gaulle.

Le 22 septembre, le général demande la suppression du collège des grands électeurs et la désignation du président de la République au suffrage universel direct. Ce recours au système plébiscitaire conduit Gaston Monnerville à parler de forfaiture ; le Conseil constitutionnel se déclare contre ce mode de consultation. Qu'importe, le 2 octobre, le cabinet se prononce pour la loi. Il est renversé par 280 voix. La dissolution intervient. La crise revêt un aspect aigu puisqu'elle touche non plus aux hommes, mais aux institutions. De Gaulle se démène, menace de se retirer si le résultat apparaît trop chétif. Il recueille 13 150 516 oui (62,25 % des suffrages) contre 7 974 915 non (37,75 % des suffrages), mais l'on compte 6 490 915 abstentions, celles de 23 % des inscrits. La loi n'est donc approuvée que par 46 % des électeurs. Pourtant, l'Assemblée dissoute pour avoir censuré le gouvernement, ils vont soutenir l'Union pour la nouvelle République (ex-RPF) qu'est venu appuyer le ministre Valéry Giscard d'Estaing et 35 de ses amis. Le deuxième grand parti, le Centre national des indépendants et paysans, est laminé. Il avait défendu l'Algérie française et, dans sa prodigieuse ingratitude, peut-être aussi par complexe de culpabilité, le corps électoral se rallie à de Gaulle. Si le Sénat, conduit, pour la 18e fois, par Gaston Monnerville, demeure sur la réserve, la nouvelle Chambre vote la confiance à Georges Pompidou par 268 voix contre 116. Le chef de l'État, assuré d'un consensus populaire direct et d'un ministère naturellement acquis à ses vues, peut désormais faire ce qu'il veut. C'est alors que l'ancien tankiste se passionne pour la «dissuasion nucléaire». Notre première bombe atomique lancée en 1960, il veut une «force de frappe» pour assurer à la France un poids international et une sécurité indépendante. Le vieux général s'écarte de plus en plus des États-Unis. Il posséderait un contrepoids si la République fédérale allemande n'était pas interdite d'atome. Il se rapproche de la Chine et n'hésite pas, affirment certains, à lui livrer des secrets scientifiques. Que veut-il? On ne sait. Selon certaines confidences du général de Beaufort, il est persuadé de la victoire soviétique et cherche à protéger la France par un neutralisme armé. Le duc de Castries écrira:

«C'était une conception analogue à celle qu'avait soutenue Pierre Laval, croyant que l'on pouvait assurer une place honorable à la France dans une Europe soumise à l'hitlérisme.»

De Gaulle ouvre la crise du Marché commun, empêchant les Anglais d'en faire partie, sous prétexte de ne pas élargir les règles du club. Il perd progressivement le sens de ses possibilités. A l'intérieur, le poids de la fiscalité devient insupportable. L'hôte de l'Élysée, candidat à l'élection présidentielle de 1965, assez curieusement, croit la partie gagnée et mène sur les ondes sa campagne avec une rare désinvolture. Il est mis en ballottage, avec 44,5 %, par M. François Mitterrand que soutiennent les communistes.

Jean Lecanuet, excellent à la radiodiffusion comme à la télévision, rafle la clientèle de Me Tixier-Vignancourt, prenant

15,57 % et ne laissant que 5,5 % à son rival plus prestigieux dans les prétoires que dans les studios.

Seuls les deux candidats demeurés en tête pouvant affronter le second tour, de Gaulle l'emporte sur M. Mitterrand par 55,19 % des suffrages représentant 47 % des inscrits. Le second septennat, si différent du premier dans la mesure où son caractère plébiscitaire s'est affirmé par la nature de la consultation, met en relief l'étroitesse des marges.

UNE STABILITÉ SANS PROSPÉRITÉ

Le régime apparaît tout de même assez fort pour gérer le pays. Malheureusement, si l'économie est en reprise depuis 1965, la course entre les salaires et les prix gêne les affaires. Les organisations syndicales ne veulent pas de la fameuse association capital-travail en un moment où les marges bénéficiaires sont de plus en plus étroites.

La politique d'indépendance nationale doit être à la fois stratégique et monétaire. De Gaulle, sans quitter le pacte atlantique, réclame le retrait de la France de son organisation militaire (OTAN). Le commandement interallié ne stationnera plus chez nous (7 mars 1966). Un voyage spectaculaire en Amérique latine ne nous apporte pas d'alliés nouveaux, mais nous conservons une couverture stratégique en Allemagne. Un grave risque dans tout cela : nous désarmons une partie de nos forces conventionnelles sans avoir atteint un niveau nucléaire suffisant.

En janvier 1967, Michel Debré, en charge des Finances, réclame une réévaluation du prix de l'or. L'attitude anti-américaine des dirigeants gaullistes se radicalise. Nombre de militants et de sympathisants s'en affectent, ce dont ne s'aperçoit point leur chef. Dès septembre 1966, il annonce que l'Assemblée n'ira point à son terme. Elle ne se montre point assez dévote. L'opposition, de l'extrême gauche au plus paisible centre droit, trouve le temps de se mettre en batterie. Après un joli premier tour aux élections législatives (43 %), les gaullistes et leurs alliés se retrouvent avec un siège de majorité. La Constitution est bonne fille. En s'appuyant sur son article 38, Georges Pompidou se fait déférer les pouvoirs spéciaux lui permettant de gouverner par ordonnances. Le Premier ministre, en charge pour la quatrième fois, bénéficie, malgré tout, d'une relative popularité. Son mélange de bonhomie et d'autorité lui confère un indéniable prestige. Cet Auvergnat, devenu très parisien, donne à son gouvernement, pourtant impérieux, une allure indulgente. La diffusion de l'information et son commentaire font l'objet d'un contrôle de plus en plus étroit. La majeure partie de la presse s'autocensure et l'audiovisuel est pratiquement sous l'uniforme. Les tribunaux sanctionnent les prétendus délits de presse sur citation directe du parquet.

Le 5 juin 1967, éclate une guerre entre l'Égypte et Israël; l'État hébreu remporte, en six jours, une éclatante victoire, occupant le Sinaï, installant ses forces le long du canal, provoquant au Caire une crise que ne surmonte pas sans mal le colonel Nasser. De Gaulle froisse le sentiment général en décrétant l'embargo sur nos livraisons, déjà payées, à destination de Tel-Aviv. Le général est-il antisémite? Non, mais il se plaît à mettre en difficulté des protégés de l'Amérique.

Dans la même perspective, le président se rend au Canada. Le 24 juillet, à Montréal, il s'écrie: «Vive le Québec libre!» S'agit-il d'une fantaisie, d'une réminiscence historique? On ne sait. Le voyage est interrompu. Ottawa, devant cet appel à la dissidence, ferme ses portes à l'étrange orateur.

Du 6 au 12 septembre 1967, le chef de l'État se rend en Pologne, reparlant «d'une Europe allant de l'Atlantique à l'Oural». Ce langage poétique recouvre-t-il une profonde pensée? Quel moyen possédons-nous pour fléchir la dictature de l'Union soviétique sur les pays à souveraineté limitée? A l'intérieur, ces déclarations ne ramènent pas une adhésion totale de la gauche et continuent d'en faire perdre à droite. Les parlementaires reflètent mal l'image du pays; le 9 octobre, une nouvelle motion de censure ne recueille que 207 voix.

Le dollar ne s'incline pas devant le franc. La Bourse de Paris se révèle médiocre, le cours de l'or ne cesse de monter. De Gaulle, dans son message de nouvel an, exalte notre grandeur et notre puissance. Il parle toujours fort mais il est devenu sourd.

DRAPEAUX ROUGES ET DRAPEAUX NOIRS

Toute une fraction de la jeunesse estudiantine se tient pour brimée. Les réformes successives n'ont pas été, il est vrai, très heureuses. On a créé, sur le modèle américain, des *campus* coupés des villes. De nombreux jeunes gens s'inquiètent d'un avenir dont les portes leur sont toutefois ouvertes. Dans les universités, la droite a perdu presque toute son influence depuis la déroute de l'Algérie française. La gauche ne se donne même plus la peine d'être communiste. Une infinité de groupuscules se voue à l'anarchie, ou bien au maoïsme. Des incidents éclatent à Nanterre, le 22 mars 1968. On n'y prend pas garde. Ces troubles atteignent la Sorbonne, et la vieille faculté, contrairement à la tradition, est fermée. De retour d'un voyage en Orient, Georges Pompidou la fait rouvrir. Elle est immédiatement occupée par les rebelles, en même temps que le théâtre de l'Odéon, et une partie du quartier Latin se hérisse de barricades. Il faudra toute l'adresse du ministre de l'Intérieur, M. Raymond Marcellin, pour empêcher l'effusion de sang. En province, la vie universitaire s'interrompt d'une manière aussi brutale. De Gaulle, en visite en Roumanie, se décide à la quitter lorsque les syndicats, peut-être débordés par leur base, paralysent le pays, ordonnant à leurs adhérents grèves et occupations d'usines. Les consignes sont suivies presque partout sans préavis. Le spectacle de la rue devient lamentable. Au cours de défilés sans objet, se mêlent, pour une fois, drapeaux rouges et drapeaux noirs. Les radiodiffusions et la télévision (celle-ci dans les débuts) assurent aux meneurs une extraordinaire publicité. Certaines denrées commencent de manquer et, singulièrement, le carburant. Les étudiants — vrais ou faux — incendient les automobiles.

A la Chambre, la gauche défend, avec fureur, une motion de censure. Pompidou se montre étourdissant de compétence et d'autorité. L'hostilité des modérés ne suffit pas. Le gouvernement garde la confiance, la motion obtenant 233 voix et non les 244 requises. Le 24 mai, le chef de l'État, dans un discours télévisé d'une rare pâleur, annonce pour juin un référendum vague d'où sortiraient à son profit les pleins pouvoirs. Georges Pompidou montre un dynamisme contrastant avec l'apathie du président. C'est avec une forte puissance de conviction qu'il négocie en face de syndicats chauffés à blanc par leur troupe. Enfin, on augmente le salaire minimum industriel garanti (SMIG) de 35 %, et le salaire minimum agricole garanti (SMAG) de 59 %. C'est souligner combien le gouvernement s'est montré peu social en pratiquant un blocage de cinq années. Une montée aussi brusque nous place dans une situation très périlleuse à cinq semaines de l'ouverture du Marché commun. En dépit des concessions, les syndicats s'abstiennent de faire voter la reprise du travail. François Mitterrand, poussant Mendès, réclame la formation d'un gouvernement provisoire. De Gaulle crée le vide, laisse ses adversaires se placer en contradiction avec leurs propres principes et, le 29 mai, quitte Paris pour une destination inconnue. Au vrai, il se rend à Baden où le général Massu commande nos unités stationnées en Allemagne. Toute l'habileté consiste à reprendre l'armée en main. Elle manifestera son loyalisme si ses anciens chefs, encore internés depuis la guerre d'Algérie, retrouvent leur liberté, si l'avancement devient régulier, si cesse le noyautage des services secrets. De Gaulle accepte. Il semble qu'il entre en contact avec les Soviétiques et, arguant de ses démêlés avec les États-Unis, obtienne la bienveillante neutralité du Kremlin. De fait, les communistes français vont se montrer bien sages. On les verra bientôt apaiser les grévistes et prendre ouvertement parti contre le reste de la gauche et de ses leaders. Le 30 mai, de Gaulle, ayant retrouvé son *self-control*, rentre à Paris et, suprême habileté, s'exprime, non plus à la télévision, renvoyant d'ailleurs une image déformée par l'insuffisance d'énergie, mais sur les chaînes de radiodiffusion. C'est la répétition du 18 juin. La voix compte plus que la personne. Le chef de l'État tient, cette fois, un langage ferme, annonçant non plus un référendum mais de nouvelles élections destinées à remplacer l'Assemblée dissoute. Une manifestation en faveur du régime, subtilement préparée, amène près d'un million de gens sur les Champs-Élysées.

LA PEUR ET LE FARNIENTE

Le 23 juin, déferle le raz-de-marée de la peur : 142 sièges vont aux gaullistes dès le premier tour. Au second, le 30, ils se comptent 358 avec leurs alliés. La majorité gouvernementale s'élève à près des trois quarts avec 485 sièges. Les dernières grèves s'éteignent. Le pays respire de nouveau.

Que signifie la comédie insurrectionnelle de mai 1968 ? Elle révèle une absence de confiance de la jeunesse, une situation médiocre des classes ouvrières, une passivité des bourgeois. De Gaulle, redevenu maître de l'armée, n'a pas voulu de la guerre civile. C'est vrai, mais personne n'en voulait. La France conciliatrice, parce que devenue paresseuse, ne retient du bailli de Suffren que le bronzage dispensé sous le soleil de son fief de Saint-Tropez. Jamais été ne fut plus amusant que celui de 1968 à l'heure où les tanks frappés de l'étoile rouge éventraient la Tchécoslovaquie. Le 24 août, notre première bombe à hydrogène éclate dans le Pacifique. Cette excellente initiative est destinée à conforter notre indépendance sans provoquer de retombées. En revanche, interviennent de graves désagréments : augmentation des tarifs d'État et renforcement du contrôle des changes consécutifs à l'évasion accélérée des capitaux pendant la crise de mai.

De Gaulle s'est privé, en juillet 1968, des services de Georges Pompidou, le réputant, non sans humour «en réserve de la

République», et l'a remplacé par Maurice Couve de Murville, en charge du Quai d'Orsay depuis une décennie. Courtois et discret, ce grand commis n'applique pas de politique personnelle. Matignon devient le reflet de l'Élysée. Les impôts et autres charges pleuvent pour réparer les dégâts de mai 68. Dans un climat détestable, de Gaulle annonce un référendum et prévient qu'en cas d'échec, il se retirera. Le projet, œuvre de M. Jean-Marcel Jeanneney, fils du dernier président du Sénat de la IIIe République, apparaît d'une confusion volontaire. Il s'agit de participation, de régionalisation et de «rénovation» de la haute Assemblée, en fait de la suppression de son existence législative par une fusion avec le Conseil économique.

On comprend mal cette initiative. Elle ne peut être qu'un règlement de comptes et l'élimination d'une opposition. Gaston Monnerville, à la tête du Sénat depuis vingt et un ans, ne veut pas donner l'impression de vider une querelle et, après un renouvellement triennal favorable, laisse son fauteuil au centriste Alain Poher. Cet ancien président de l'Assemblée européenne — ébauche de l'actuel Parlement européen —, personnage d'une grande mesure, prend parti pour le non, suivi par les républicains indépendants de M. Valéry Giscard d'Estaing. Georges Pompidou se montre élégamment fidèle. Le projet est repoussé par 53,15 % des votants.

Le 28 avril 1969, à 0 h 10, de Gaulle déclare: «Je cesse d'exercer mes fonctions de président de la République. Cette décision prend effet aujourd'hui à midi.»

M. Alain Poher, constitutionnellement en charge de l'intérim, trouve l'Élysée vide. Pas un collaborateur en place. Pas un papier dans un classeur. Il parvient, toutefois, à rassembler les cadres nécessaires pour assurer la continuité de l'État. Il paraît le candidat le mieux placé. Sa modération systématique, sa prise de position en faveur du non, sa place sur l'échiquier militent en sa faveur mais son programme paraît un peu flou. En outre, le courage de Georges Pompidou durant les événements de 1968 demeure gravé dans les mémoires, et son propos politique est plus net, comme sa présence radiophonique et télévisuelle apparaît plus forte. Le parti socialiste en ruine donne 5 % au «ticket» Mendès-Defferre, le communiste Duclos s'agrippe assez fort avec 4 808 245 voix. M. Poher arrive second avec 5 268 561 voix mais Pompidou s'adjuge 10 051 816 voix. A noter la présence honorable du jeune M. Rocard (plus de 800 000 voix). Pompidou, fort de ses 44,46 %, demande officieusement à Poher de se retirer.

L'autre refuse ; ce serait abandonner la seconde place au communiste. Finalement, l'ancien Premier ministre l'emporte par 11 064 371 voix, soit 58,21 % des votants (37,5 % des inscrits) contre 7 943 118 à Poher. La campagne n'a point été très méchante, et il serait temps d'élargir le cercle des gouvernants. Le nouveau président paraît le souhaiter, mais il appréhende peut-être quelque remontrance publique de l'ancien. Le gaullisme ne disparaît pas avec la démission de De Gaulle. Cantonné sur sa terre de Colombey, le vieil homme peut bénir ou menacer.

GEORGES POMPIDOU

Georges Pompidou choisit, pour Premier ministre, M. Jacques Chaban-Delmas, maintient M. Raymond Marcellin, reprend M. Valéry Giscard d'Estaing. Les blessures économiques sont loin d'être pansées. Il faut dévaluer de 12,50 % au moment où le mark est réévalué. Pompidou donne la priorité à l'« industrialisation » de la France. Aux Affaires étrangères, M. Maurice Schumann remet quelque liant dans nos relations, tant avec l'Espagne qu'avec le Maroc. Pompidou reçoit un accueil à peine courtois aux États-Unis. (Il fait même l'objet à Chicago de manifestations hostiles.) Il se rendra bientôt en Union soviétique, affirmant cette manière de neutralisme armé mis en mode par de Gaulle et souligné par nos nouvelles expériences nucléaires de Mururoa (15 août 1970).

L'héritage du président se révèle extrêmement lourd. Les gauchistes continuent leur sarabande, les industries tournent médiocrement. Les socialistes, au congrès d'Épinay, paraissent se rassembler sans se donner encore à M. Mitterrand. Le 21 juillet, l'Algérie, dirigée par le trouble Boumediene, renie tous ses serments, majorant son gaz de 40 %. Pourtant, notre position financière n'est point mauvaise, et nous remboursons à l'avance 608 millions au Fonds monétaire international. Le règne de Pompidou sera marqué par une forte croissance économique et par des difficultés sociales croissantes. Le décès de Charles de Gaulle (9 novembre 1970, à 19 h 30) n'a rien changé. Il n'exerçait que peu d'influence sur les Noirs et les musulmans, se contentant de les flatter et de leur consentir des abandons. Pompidou, par quelques voyages, essaie de redresser la position. L'Algérie se donne 73 % d'un pétrole dont elle ignorait l'existence avant l'arrivée de nos techniciens.

Le président recherche un succès intérieur. Il demande par un référendum, rien ne l'y contraint, l'acceptation de l'entrée dans l'Europe de la Grande-Bretagne, du Danemark, de l'Irlande et de la Norvège. Par rapport aux votants, le chef de l'État obtient un résultat honorable mais il faut noter 39,76 % d'abstentions.

Le 27 juin, les socialistes créent le programme commun, pas tellement éloigné de la nouvelle société promue par le Premier ministre M. Chaban-Delmas, dont M. Pompidou se sépare (juillet 1972) pour confier la houlette à M. Pierre Messmer, soldat valeureux et conservateur lucide. Les partisans de l'Algérie française sont amnistiés. Tandis que la droite traditionnelle et populaire se redonne une place encore très modeste avec la fondation du Front national, commence la grande querelle sur l'interruption volontaire de grossesse. Le débat prend très vite un tour désagréable, voire impudique. Les partisans de l'IVG sont d'autant plus mal fondés à témoigner une telle hargne que la loi sur la contraception est déjà votée (1967). Les décrets d'application ne seront pris, il est vrai, que dix ans plus tard. Outre le grave problème moral («Tu ne tueras point»), se pose la question démographique. Non seulement la natalité française baisse, mais encore les étrangers, en particulier musulmans, commencent de s'implanter dans des conditions salariales interdisant l'espoir d'une rapide assimilation. Ils envoient jusqu'à 70 % de leur paie à leur famille et, partant, vivent de façon très précaire. Certains, encadrés par les anciens du FLN, peuvent constituer une menace sérieuse pour l'ordre public.

Le 13 décembre, passe une loi des plus logiques reconnaissant enfin un droit élémentaire de la femme : à travail égal salaire égal.

Le 23 décembre, nous perdons les Comores.

LE SEPTENNAT INTERROMPU

En dépit de grèves et de manifestations, les plaies de 1968 commencent de se cicatriser. Aux élections des 4 et 11 mai 1973, la majorité tombe de 376 à 272 sièges. Socialistes et radicaux de gauche totalisent 101 sièges. Nombre de votants, s'ils répudient le drapeau noir, n'éprouvent plus une grande peur devant le drapeau rouge. Le jeu désormais faussé par les sondages, les dirigeants se trouvent dépossédés de leur *self-control*, et le public ne se reconnaît pas. Le suffrage universel perd ses qualités de spontanéité. Georges Pompidou ne constitue pas une majorité pour ramener le septennat au quinquennat. S'inspirant quelque peu du modèle américain, il cherchait à doubler un mandat de cinq ans, assez accessible, plutôt que deux périodes de sept ans jamais atteintes. Au vrai, le président se savait malade et voulait durer assez longtemps pour accéder deux fois à la magistrature suprême. Étranger aux vieilles factions, ni résistantialiste ni collaborationniste, il cherche passionnément la réconciliation des Français comme en témoigne son admirable discours prononcé pour le centenaire des Sciences politiques. Ne se laissant pas plus que de Gaulle impressionner par les protestations de la Nouvelle-Zélande, et ses alliés, il continue de pourvoir à notre armement atomique. Il maintient un équilibre savant entre nos relations américaines et nos rapports avec l'Union soviétique et la république de Pankow, qu'il reconnaît. Un défaut : son absence de goût. Après la disparition de ce petit paysan d'Auvergne, on croira honorer sa mémoire en édifiant ce centre *Georges Pompidou*, édifice métallique dont la construction défigure le vieux quartier des Halles. Le président ne manque pas d'un sens certain de la grandeur, mais dispose-t-il des moyens de l'honorer ? Comme le soutient Mendès, la France ne détient plus les ressources d'une grande puissance. Déjà, l'Allemagne fédérale nous a distancés. S'instaurer l'arbitre de l'Europe devient impossible. Comme de Gaulle, Pompidou rêve de dépasser notre continent pour nous conférer une influence mondiale. Y parvenir nécessiterait beaucoup d'argent, beaucoup de soldats, ne possédant pas l'un, nous ne disposons pas des autres. Le président se fait l'organisateur d'une simulation. Servi par son physique, par sa voix, il parle en maître même lorsqu'il n'obtient pas ce qu'il veut. Il combat la maladie. Elle le tient et ne le lâchera pas. Lorsqu'il meurt, le 2 avril 1974 à 21 heures, il laisse une France en progrès mais encore très vulnérable. Les accords d'Évian sont loin (dénoncés depuis 1972), et le Maroc lui-même procède à des nationalisations. La pesanteur fiscale se fait de plus en plus rude. Les vitrines sont éteintes, les automobiles doivent se traîner à 90 km à l'heure. Ce régime voisin du temps de guerre en temps de paix ne réjouit guère les Français, plutôt portés vers le gaspillage.

Après la passe d'armes du premier tour des élections présidentielles où M. Chaban-Delmas, maladroitement chapeauté par Malraux, se défend mal, restent en lice MM. Giscard et Mitterrand. Le premier n'est pas gaulliste, le second n'est pas réellement socialiste, mais l'un comme l'autre présentent mille et une habiletés. Le candidat de la gauche (venu de la droite) se fait apaisant. Le candidat libéral se montre généreux mais énigmatique. Il l'emporte d'une courte tête (13 396 203 voix contre 12 971 604).

A nouveau, la France est coupée en deux parties presque égales.

REGARDS SUR LA FRANCE DE DEMAIN

Désormais, les événements sont trop proches et les acteurs toujours en scène. Il serait malaisé de hiérarchiser les faits. La Ve République, édifiée à l'usage d'une majorité centriste et droitière, a tout aussi bien servi la gauche. Mieux, elle a, contre toute attente, permis la cohabitation des pouvoirs législatif et exécutif procédant tous deux du suffrage universel. Cette parenthèse, profitable à l'économie, a montré que les programmes sont moins qu'autrefois éloignés les uns des autres. Plus exactement, ils sont différents dans l'énoncé mais relativement proches dans l'application. Hors les communistes perdus dans leur rêve et une poignée de gauchistes, les Français admettent l'alternance entre la social-démocratie et les libéraux. La monarchie présidentielle peut se targuer d'une légitimité créée par de Gaulle et les siens. La stabilité n'engendre plus, depuis 1978, pour autant, la prospérité. Les «chocs pétroliers» à partir de 1973 ont freiné la croissance. Le pouvoir d'achat ne progresse pas, régresse même dans certaines catégories. La décentralisation, attendue comme un miracle, produit peu d'effets; les responsables locaux manquent souvent d'expérience et poursuivent à tort et à travers leur travail d'équipement. Entre les pouvoirs régionaux et l'administration centrale, l'harmonie s'instaure malaisément. La balance pourra s'équilibrer si l'on ne tombe pas dans la «politique politicienne». Plus graves sont les déchirures nationales. Si les troubles autonomistes de Bretagne semblent s'apaiser faute de combattants, les convulsions du Pays basque réclament l'attention conjuguée de Paris et de Madrid. L'affaire corse se présente plus mal. Elle est marquée par la violence d'un petit groupe déterminé, faisant volontiers parler la poudre, se livrant à des attentats contre les continentaux et, surtout, les pieds-noirs, le plus souvent originaires de Cyrnos. La Roumanie de feu

Ceaucescu, la Libye de Kadhafi ne sont pas allées sans pousser à la roue. Qu'importe, pour désarmer les terroristes, il faut les détacher de la population et, pour ce faire, octroyer de larges moyens d'équipement à l'une des contrées les plus éprouvées — avec la Bretagne — par la Première Guerre mondiale. La Corse, sans la métropole, ne présente aucun avenir, sauf si l'Italie la prenait en charge, mais il existe entre les deux terres latines une incompatibilité d'humeur.

Infiniment plus préoccupant demeure le problème des immigrés. La France est traditionnellement un champ d'asile. Elle a, de tout temps, accueilli les étrangers. Elle est, nul ne pourrait en disconvenir, le résultat d'une superposition allant des Celto-Ibères aux Germains parfois venus d'Asie. Plus tard, des populations d'outre-Rhin devaient encore s'installer chez nous. Dès avant la Seconde Guerre mondiale vinrent des Italiens. Après le conflit, des Russes travailleront très dur. En 1945, Polonais et Yougoslaves se compteront nombreux dans nos mines. Depuis les années 1965-1970, 400 000 Portugais se sont établis chez nous. Les musulmans, eux, se contentaient de razzier le littoral méditerranéen mais, remontant sur leurs navires, s'en retournaient avec leur butin vers les ports d'Alger ou de Tunis pour vendre leurs esclaves.

Espagnols et Portugais ne vinrent chez nous qu'après les disgrâces qu'ils connurent au xxᵉ siècle. Qu'ils fussent blancs ou rouges, ils demeuraient, en majorité, catholiques, s'exprimaient dans un langage voisin du nôtre et, tout doucement, remplissaient leur bissac, soit pour vivre chez nous, soit pour rentrer chez eux. L'union des sœurs latines ne se dément pas.

Il devait en être autrement avec les Noirs et les mahométans. Les premiers, forts des stipulations de l'éphémère Communauté, acquirent des droits. Il est difficile de connaître les résultats et de comptabiliser les professeurs de sociologie et les balayeurs des rues. Pour les seconds, l'épreuve demeure plus rude. Ils exercent les emplois mal rétribués, deviennent ouvriers à la chaîne ou bien employés de la voirie. Tout ce que dédaignent les jeunes Français est accepté par ces hôtes dépaysés. Certains se rangent, achètent un petit commerce, le font fructifier au prix d'un effort soutenu. Un gouvernement digne de ce nom réglementerait l'immigration. M. Giscard d'Estaing essaie, M. Mitterrand laisse courir... ou presque. Les conflits sociaux prennent parfois des dimensions inquiétantes dès que les musulmans se trouvent en cause. Les dirigeants, au demi-million près, ne connaissent pas le nombre d'immigrés. Dans bien des écoles, la majorité maghrébine, peu habituée au langage conceptuel, fait chuter la moyenne générale. La question religieuse revêt, elle aussi, un caractère de gravité ; il semble que certains Algériens soient sujets à l'infiltration chiite, et l'on sait combien l'intégrisme musulman se montre hostile à la pensée occidentale.

Parallèlement, la spiritualité des Français ne cesse de se dégrader, et les tensions internes de l'Église n'y sont pas pour rien. Les vocations sont rares, le jeune clergé manque d'instruction ; en revanche, l'attachement à l'enseignement libre constitue une force traditionnelle et permet d'augurer des jours meilleurs pour la catholicité. Loin d'être opposée à l'Islam, elle apparaît seulement comme un garant de notre identité.

Non moins préoccupante est notre position dans la nouvelle Europe. Réunifiée, l'Allemagne devient le plus puissant producteur. L'harmonie régnant entre patrons et syndicats ne compte pas médiocrement dans les résultats obtenus par la RFA. Nous devrons modifier notre conception des rapports sociaux en un temps où tous les Occidentaux abandonnent la lutte des classes. Notre manque de ressources naturelles rendra la compétition très difficile. En outre, notre admirable situation géographique ne nous mettra, pas plus que nos partenaires, à l'abri des convoitises. La paix n'est jamais assurée, et certains pays, hier communistes, se déchirent. Après l'éclatement de l'URSS et la guerre serbo-croate, les ethnies priment les idéologies. Nous aurons à faire face à des crises. Aussi bien, notre diplomatie devra, plus que jamais, savoir écouter et intervenir.

Notre force de dissuasion nous met à l'abri d'éventuels agresseurs. Cependant, il importe de maintenir notre avance car de jeunes nations tentent de se donner un arsenal nucléaire. Contrairement à certaines assertions partisanes, nous n'avons pas laissé que de mauvais souvenirs dans nos anciennes possessions, gouvernements généraux, protectorats et territoires sous mandat. Nous pouvons, sans esprit de reconquête, puisque, en cette fin de siècle, est rejeté le colonialisme, aider matériellement (un peu) et intellectuellement (beaucoup) les Maghrébins, les gens d'Afrique noire, et même les Asiatiques. Pourquoi ne point faire partager les richesses de notre langue et, à bon escient, les ressources de notre technique ? Pareil travail nécessite encore plus de bonne volonté que d'argent. Il en va de même pour les organisations humanitaires, et ce pour tous les pays. On pratiquera, toutefois, un contrôle afin d'éviter le détournement et le gaspillage des tyrans locaux. La France demeure une grande dame et, comme telle, accomplira ses bonnes œuvres. Pour autant, il faut se garder de ruiner nos concitoyens par des rêveries mondialistes au-dessus de nos moyens. De la même manière, on oubliera la «réduction des inégalités» pour favoriser l'émulation et non pas les dons ruineux d'un État-providence. C'est en cela que les tentatives socialistes, même limitées, demeurent discutables.

Si la France ne s'est jamais remise du régicide, elle a toujours recherché la légitimité. Elle demeure, à bien des égards, profondément capétienne par sa nostalgie de l'unité, sa volonté de progrès. Une Constitution défectueuse nous donne pour chef d'État un leader de parti. L'emprunt aux Anglo-Saxons est d'autant plus regrettable que les Anglais bénéficient de la continuité dynastique et les Américains de structures fédérales empêchant la dictature du pouvoir central. Tôt ou tard, le pacte social sera révisé dans un sens favorable à l'arbitrage du premier magistrat, et non plus à sa fantaisie. Tôt ou tard, les minorités retrouveront leur place au Parlement comme il en est dans les instances européennes. La brutalité du scrutin majoritaire, même à deux tours, offense la dignité des citoyens.

A relire notre histoire, nous trouvons mille raisons d'espérer. N'allons pas, cependant, verser dans la naïveté. Des nations sont mortes de leur aveuglement. La nôtre a bien failli périr, notamment lorsqu'elle fut livrée à l'Angleterre par le traité de Troyes. Bien souvent, l'opinion s'est révélée contraire aux intérêts du pays. Combien de fois nous sommes-nous fourvoyés... La monarchie, elle-même, s'est parfois trompée. Nous n'avions pas besoin des guerres d'Italie pour découvrir la Renaissance. De même, nous avons poursuivi, contre tout bon sens, notre querelle avec la maison d'Autriche. Les erreurs de la royauté sont rares. Elle possédait, malgré ces fautes vénielles, un sens aigu de la continuité. On a tout dit de la mort de Louis XVI. Le parricide ne porte pas chance. Les armées de la République ont défendu le territoire mais nous ont fait haïr de nos voisins. Le matériel humain, comme le nommera Staline, ne compte plus. Le génie de Napoléon Ier nous assure un prodigieux capital de gloire mais nous vaut une occupation quasi totale. La grande victoire du XXe siècle, c'est la prise d'Alger. La Ve République nous fera perdre cette conquête et tous les départements dans sa dépendance. Napoléon III mènera des campagnes inutiles, nous conduisant à la Commune. Plus honorable sera la politique étrangère de la IIIe République, mais incapable de maîtriser sa victoire de 1918, elle sombrera lamentablement en 1940. Ainsi, la France s'est trouvée dans des positions plus que périlleuses. Elle demeure fragile parce qu'elle n'a jamais, depuis la Révolution, retrouvé le sens de l'unité, sauf pendant la Première Guerre mondiale. Notre pire défaut consiste à nous croire malheureux. Assurément, certains de nos compatriotes ne bénéficient pas de tous les bienfaits de la civilisation mais le confort tend à se généraliser en un temps où de grands pays connaissent de graves récessions. Quel que soit le bien-fondé des revendications, elles revêtent rarement un caractère dramatique. Nous sommes un pays envié, convoité même, par de jeunes nations à la démographie galopante. Comment échapper à ces grandes invasions d'un style nouveau ? D'abord, en nous repeuplant, ensuite, en combattant une idéologie internationaliste. L'Europe confédérale a besoin d'un guide. Cela n'implique pas la suprématie mais une sagesse dont la France peut témoigner. A cet égard, le catholicisme nous aidera par son refus du racisme et de la xénophobie, et par son enracinement dans le respect du prochain, le prochain le plus proche, donc le plus français. Reste un malheur, les immigrés rencontrent un soutien des partis de gauche. La France, ne possédant plus de prolétariat, ou bien peu, les agitateurs s'en inventent un autre avec les Maghrébins et les naturels de passablement de contrées. C'est une mauvaise action, contraire aux intérêts mêmes des nouveaux résidents. Pas un gouvernement ne met de l'ordre dans cette folie. Il n'est pas sot de conférer des lieux cultuels aux Arabes. Ils prieront dans la dignité mais risqueront, on l'a dit, de passer à la subversion chiite. Assez curieusement, les socialistes encouragent ces dérèglements. Ils se servent de «légendes», à leurs yeux périmées, pour retrouver des voix. Ce grand parti s'effritera, victime des luttes intestines et de l'incapacité de ses ministres à résorber le chômage. Il est numériquement trop considérable pour subsister. Ses chefs attendent la succession de M. François Mitterrand.

Très supérieur à ses auxiliaires, il appréhende avec difficulté les problèmes posés par les anciens satellites d'une URSS en pleine mutation et éprouve de la peine à saisir les avantages et les périls de la réunification d'une Allemagne libérale. M. Giscard d'Estaing semble plus à l'aise et aspire à la présidence de l'Europe occidentale. Il faut prendre garde. L'Europe n'est pas une patrie mais une organisation confédérale construite pour renforcer un potentiel économique et militaire profitable à la communauté.

Nos partenaires ne manquent pas de qualités mais, hors la Grande-Bretagne, ils apparaissent tous comme nos cadets et sont moins attachés que nous à leur histoire. Ce n'est pas une raison pour que la nôtre cesse d'être vivante.

Voilà pourquoi ce récit ne comporte pas le mot

FIN.

LISTE DES SOUVERAINS CHEFS D'ÉTAT
OU PRÉSIDENTS DE LA RÉPUBLIQUE

CAPÉTIENS DIRECTS

Sauf indication contraire, les rois se succèdent de père en fils.

Hugues Capet, petit-fils de Robert Ier	987-996
Robert II, le Pieux	996-1031
Henri Ier	1031-1060
Philippe Ier	1060-1108
Louis VI, le Gros	1108-1137
Louis VII, le Jeune	1137-1180
Philippe II, Auguste	1180-1223
Louis VIII, le Lion	1223-1226
Louis IX (Saint Louis)	1226-1270
Philippe III, le Hardi	1270-1285
Philippe IV, le Bel	1285-1314
Louis X, le Hutin	1314-1316
Jean Ier, fils posthume de Louis X	4 jours en 1316
Philippe V, le Long, frère de Louis X	1316-1322
Charles IV, le Bel, frère du précédent	1322-1328

LES VALOIS

Philippe VI, fils de Charles de Valois, frère de Philippe le Bel	1328-1350
Jean II, le Bon	1350-1364
Charles V, le Sage	1364-1380
Charles VI, le Fou	1380-1422
Charles VII	1422-1461
Louis XI	1461-1483
Charles VIII (début des guerres d'Italie)	1483-1498
Louis XII (petit-neveu de Charles VI)	1498-1515

LES VALOIS-ANGOULÊME

François Ier	1515-1547
Henri II	1547-1559
François II	1559-1560
Charles IX, son frère	1560-1574
Henri III, son frère	1574-1589

LES BOURBONS

Henri IV	1589-1610
Louis XIII	1610-1643

Louis XIV	1643-1715
Louis XV	1715-1774
Louis XVI	1774-1792

Iᵉʳ RÉPUBLIQUE (1792-1804)

Convention nationale	septembre 1792-1795
Directoire	1795-1799
Consulat	1799-1804

Iᵉʳ EMPIRE (1804-1815)

Napoléon Iᵉʳ, empereur	1804-1814
Napoléon II (proclamé, ne règne pas)	1814

RESTAURATION (1815-1830)

Louis XVIII, frère de Louis XVI	1814-1824
Charles X, son frère	1824-1830

MONARCHIE DE JUILLET (1830-1848)

Louis-Philippe Iᵉʳ, cousin des précédents	1830-1848

IIᵉ RÉPUBLIQUE (1848-1851)

Louis-Napoléon Bonaparte	1848-1851

IIᵉ EMPIRE

Napoléon III, empereur	1852-1870

LA IIIᵉ RÉPUBLIQUE

Adolphe Thiers	1871-1873
Patrice de Mac-Mahon	1873-1879
Jules Grévy	1879-1887
Sadi Carnot	1887-1894
Jean Casimir-Perier	1894-1895

Félix Faure	1895-1899
Émile Loubet	1899-1906
Armand Fallières	1906-1913
Raymond Poincaré	1913-1920
Paul Deschanel	1920
Alexandre Millerand	1920-1924
Gaston Doumergue	1924-1931
Paul Doumer	1931-1932
Albert Lebrun	1932-1940

L'ÉTAT FRANÇAIS

Philippe Pétain	1940-1944

LE GOUVERNEMENT PROVISOIRE

Charles de Gaulle	1944-1946
Félix Gouin	1946
Georges Bidault	1946
Léon Blum	1946-1947

LA IVᵉ RÉPUBLIQUE

Vincent Auriol	1947-1954
René Coty	1954-1958

LA Vᵉ RÉPUBLIQUE

Charles de Gaulle	1958-1969
Georges Pompidou	1969-1974
Valéry Giscard d'Estaing	1974-1981
François Mitterrand	1981-

TABLEAUX GÉNÉALOGIQUES

MÉROVINGIENS

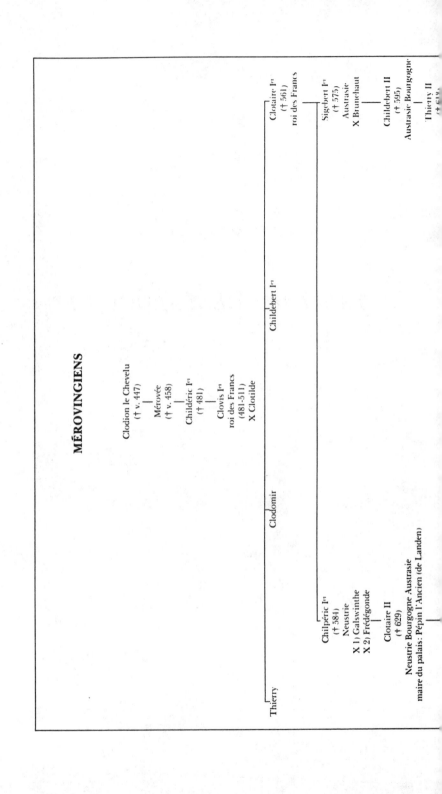

Clodion le Chevelu
(† v. 447)

Mérovée
(† v. 458)

Childéric Ier
(† 481)

Clovis Ier
roi des Francs
(481-511)
X Clotilde

Thierry Clodomir Childebert Ier Clotaire Ier
(† 561)
roi des Francs

Chilpéric Ier
(† 584)
Neustrie
X 1) Galswinthe
X 2) Frédégonde

Sigebert Ier
(† 575)
Austrasie
X Brunehaut

Clotaire II
(† 629)

Childebert II
(† 595)
Austrasie Bourgogne

Neustrie Bourgogne Austrasie
maire du palais : Pépin l'Ancien (de Landen)

Thierry II
(† 613)

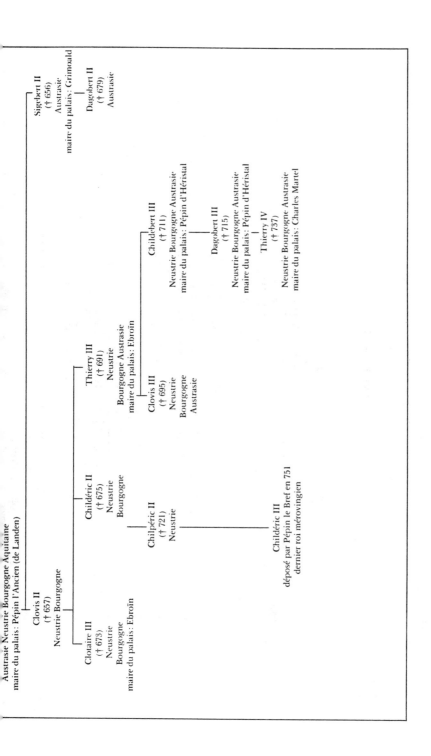

Austrasie Neustrie Bourgogne Aquitaine
maire du palais: Pépin l'Ancien (de Landen)

Clovis II
(† 657)
Neustrie Bourgogne

Siegbert II
(† 656)
Austrasie
maire du palais: Grimoald

Dagobert II
(† 679)
Austrasie

Clotaire III
(† 673)
Neustrie
Bourgogne
maire du palais: Ebroïn

Childéric II
(† 675)
Neustrie
Bourgogne

Thierry III
(† 691)
Neustrie
Bourgogne Austrasie
maire du palais: Ebroïn

Chilpéric II
(† 721)
Neustrie

Clovis III
(† 695)
Neustrie
Bourgogne
Austrasie

Childebert III
(† 711)
Neustrie Bourgogne Austrasie
maire du palais: Pépin d'Héristal

Childéric III
déposé par Pépin le Bref en 751
dernier roi mérovingien

Dagobert III
(† 715)
Neustrie Bourgogne Austrasie
maire du palais: Pépin d'Héristal

Thierry IV
(† 737)
Neustrie Bourgogne Austrasie
maire du palais: Charles Martel

CAROLINGIENS

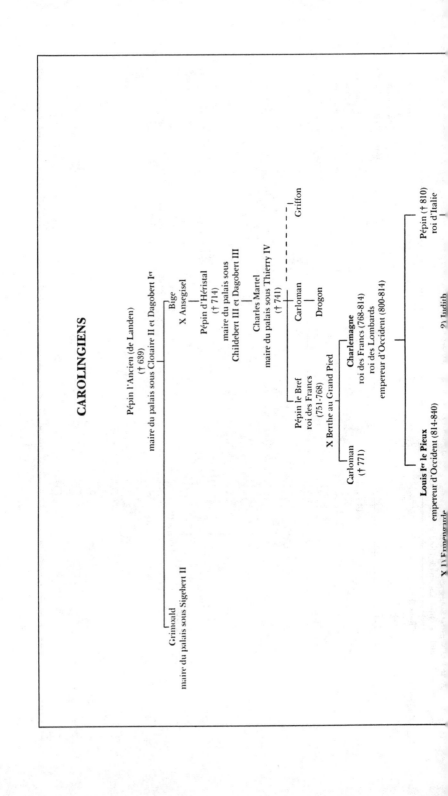

Pépin l'Ancien (de Landen)
(† 639)
maire du palais sous Clotaire II et Dagobert Iᵉʳ

Grimoald
maire du palais sous Sigebert II

Bige
X Ansegisel

Pépin d'Héristal
(† 714)
maire du palais sous
Childebert III et Dagobert III

Charles Martel
maire du palais sous Thierry IV
(† 741)

Carloman   Griffon

Drogon

Pépin le Bref
roi des Francs
(751-768)
X Berthe au Grand Pied

Charlemagne
roi des Francs (768-814)
roi des Lombards
empereur d'Occident (800-814)

Carloman
(† 771)

Louis Iᵉʳ le Pieux
empereur d'Occident (814-840)
X 1) Ermengarde
        2) Judith

Pépin († 810)
roi d'Italie

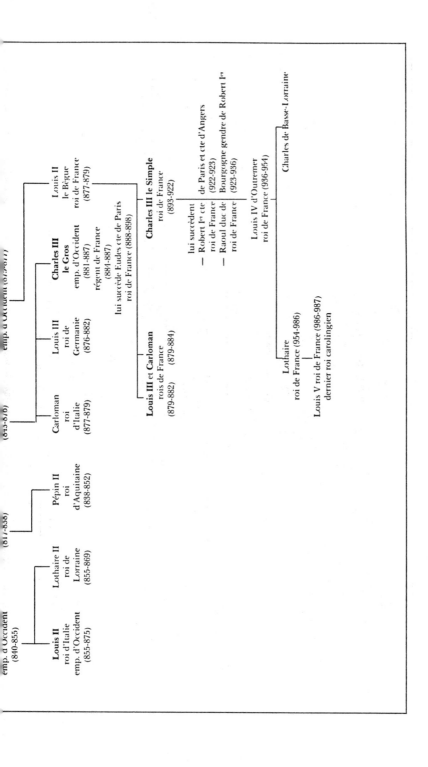

CAPÉTIENS DIRECTS

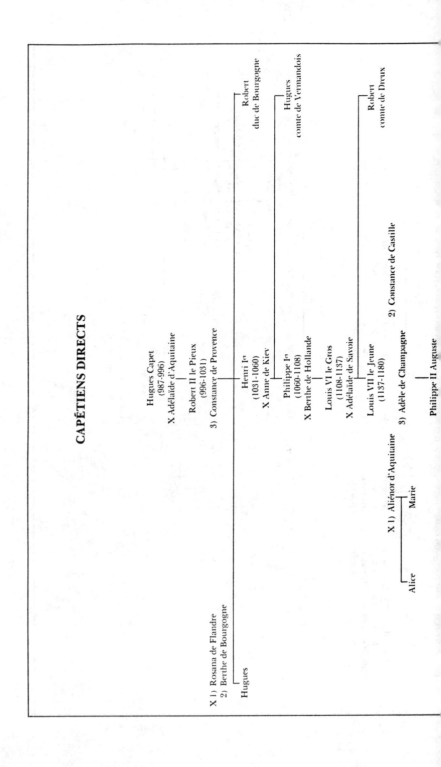

Hugues Capet
(987-996)
X Adélaïde d'Aquitaine

Robert II le Pieux
(996-1031)
3) Constance de Provence

Henri Iᵉʳ
(1031-1060)
X Anne de Kiev

Robert
duc de Bourgogne

Philippe Iᵉʳ
(1060-1108)
X Berthe de Hollande

Hugues
comte de Vermandois

Louis VI le Gros
(1108-1137)
X Adélaïde de Savoie

Louis VII le Jeune
(1137-1180)

X 1) Aliénor d'Aquitaine   3) Adèle de Champagne   2) Constance de Castille

Robert
comte de Dreux

Philippe II Auguste

Marie

Alice

X 1) Rosana de Flandre
2) Berthe de Bourgogne

Hugues

Philippe Hurepel — Marie

Louis VIII le Lion (1223-1226) X Blanche de Castille
- Louis IX (Saint Louis) (1226-1270) X Marguerite de Provence
- Robert d'Artois
- Alphonse de Poitiers
- Charles d'Anjou roi de Sicile

Louis IX (Saint Louis)
- Philippe III le Hardi (1270-1285) X 1) Isabelle d'Aragon — 2) Marie de Brabant
- Tristan
- Pierre
- Robert

Philippe III le Hardi
- Philippe IV le Bel (1285-1314) X Jeanne de Navarre
- Charles de Valois
- Louis comte d'Évreux

Louis comte d'Évreux
- Philippe d'Évreux X Jeanne de Navarre sa cousine

Philippe IV le Bel
- Louis X le Hutin (1314-1316)
- Philippe V le Long (1316-1322) X Jeanne de Bourgogne
- Charles IV le Bel (1322-1328) X 1) Blanche de Bourgogne 2) Marie de Luxembourg 3) Jeanne d'Évreux
- Isabelle X Édouard II d'Angleterre

Louis X le Hutin (1314-1316)
X 1) Marguerite de Bourgogne — 2) Clémence de Hongrie
- Jeanne reine de Navarre X Philippe d'Évreux son cousin
- Jean Ier le Posthume († 1316)

Philippe d'Évreux X Jeanne de Navarre
- Charles le Mauvais roi de Navarre X Jeanne de France

VALOIS

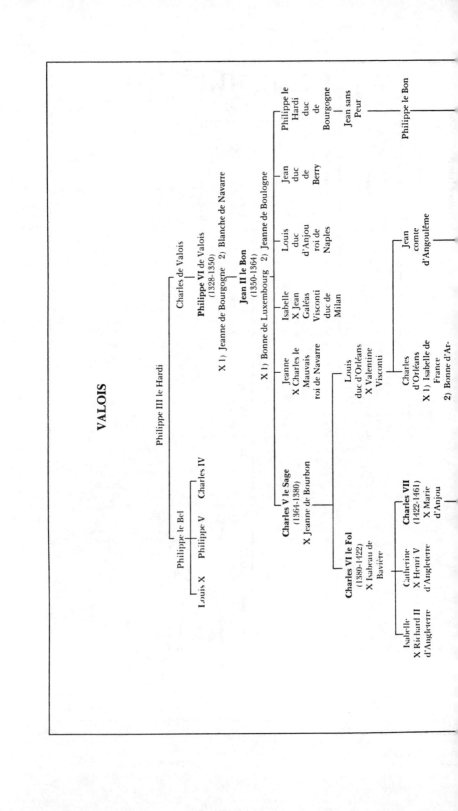

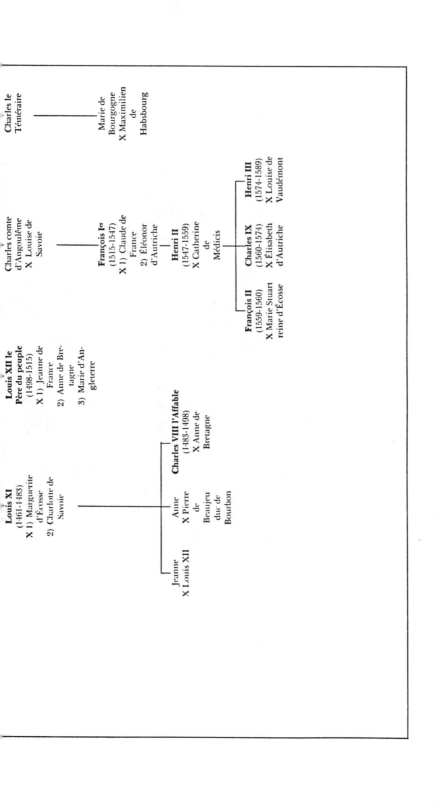

Louis XI
(1461-1483)
X 1) Marguerite
d'Écosse
2) Charlotte de
Savoie

**Louis XII le
Père du peuple**
(1498-1515)
X 1) Jeanne de
France
2) Anne de Bre-
tagne
3) Marie d'An-
gleterre

**Charles comte
d'Angoulême**
X Louise de
Savoie

Charles le
Téméraire

Marie de
Bourgogne
X Maximilien
de
Habsbourg

Jeanne
X Louis XII

Anne
X Pierre
de
Beaujeu
duc de
Bourbon

Charles VIII l'Affable
(1483-1498)
X Anne de
Bretagne

François Ier
(1515-1547)
X 1) Claude de
France
2) Éléonor
d'Autriche

Henri II
(1547-1559)
X Catherine
de
Médicis

François II
(1559-1560)
X Marie Stuart
reine d'Écosse

Charles IX
(1560-1574)
X Élisabeth
d'Autriche

Henri III
(1574-1589)
X Louise de
Vaudémont

BOURBONS

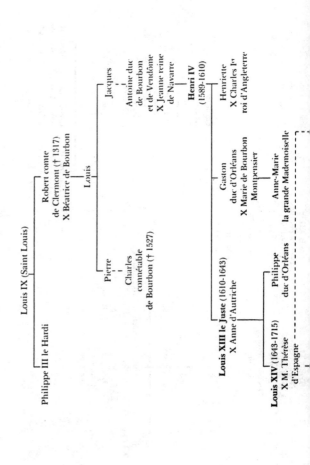

Louis IX (Saint Louis)

Philippe III le Hardi

Robert comte
de Clermont († 1317)
X Béatrice de Bourbon

Louis

Pierre

Charles
connétable
de Bourbon († 1527)

Jacques

Antoine duc
de Bourbon
et de Vendôme
X Jeanne reine
de Navarre

Henri IV
(1589-1610)

Henriette
X Charles I⁻ᵉ
roi d'Angleterre

Gaston
duc d'Orléans
X Marie de Bourbon
Montpensier

Anne-Marie
la grande Mademoiselle

Louis XIII le Juste (1610-1643)
X Anne d'Autriche

Philippe
duc d'Orléans

Louis XIV (1643-1715)
X M. Thérèse
d'Espagne

le Grand Dauphin
X Marie-Anne de Bavière

Louis
duc de Bourgogne
(† 1712)
X Adélaïde de Savoie

Louis
duc de Bretagne
(† 1712)

Philippe
duc d'Anjou
roi d'Espagne
Philippe V

Charles
duc de Berry
(† 1714)
X Élisabeth d'Orléans

Louis
du du Maine
X Anne de Bourbon Condé

Louis-Alexandre
comte de Toulouse
X Victoire de Noailles

duc de Penthièvre

Marie Adélaïde
X duc de Chartres
Philippe Égalité

Louis XV le Bien-Aimé
(1715-1774)
X Marie Leszczynska

Louis
Dauphin
X Marie-Josèphe de Saxe

Louis
duc de Bourgogne

Louis XVI
(1774-† 1793)
X Marie-Antoinette d'Autriche

Louis XVIII
(1814-1824)
X Marie-Joséphine de Savoie

Charles X
(1824-1830)
X Thérèse de Savoie

Madame Élisabeth

Thérèse
Madame Royale
X duc d'Angoulême

Louis XVII
(† 1795)

Louis
duc d'Angoulême
X Madame Royale

Charles
duc de Berry
X Caroline de Bourbon-Sicile

Henri
comte de Chambord
(† 1883)

ORLÉANS

Louis XIII

Louis XIV

Philippe († 1701)
duc d'Orléans

X 1) Henriette   2) Charlotte-Élisabeth
d'Angleterre   de Bavière
                          princesse palatine

Philippe († 1723)
duc d'Orléans
le Régent
X Mlle de Blois

Élisabeth   Louis duc d'Orléans le
                   Génovéfain
                   († 1752)

                   Louis-Philippe († 1785)
                   le Gros
                   duc d'Orléans
                   X Henriette
                   de Bourbon-Conti

Louis-Philippe († 1793)
Philippe-Égalité
X Adélaïde
de Bourbon-Penthièvre

Louis-Philippe Iᵉʳ
roi des Français
(1830-1848-† 1850)
X Marie-Amélie de
Bourbon-Sicile

| Ferdinand († 1842) duc d'Orléans | Louise X Léopold Iᵉʳ roi des Belges | Louis duc de Nemours | François prince de Joinville | Henri duc d'Aumale | Antoine duc de Montpensier |

Robert († 1910)
duc de Chartres
X Françoise d'Orléans-
Joinville

Jean (III)
(† 1940)
duc de Guise

Henri (VI),
comte de Paris
X Isabelle d'Orléans-
Bragance

Philippe (VII)
(† 1894)
comte de Paris
X Isabelle
de Bourbon-Orléans

Isabelle X

Philippe (VIII)
(† 1926)
duc d'Orléans
X Dorothée
de
Habsbourg

CARTES

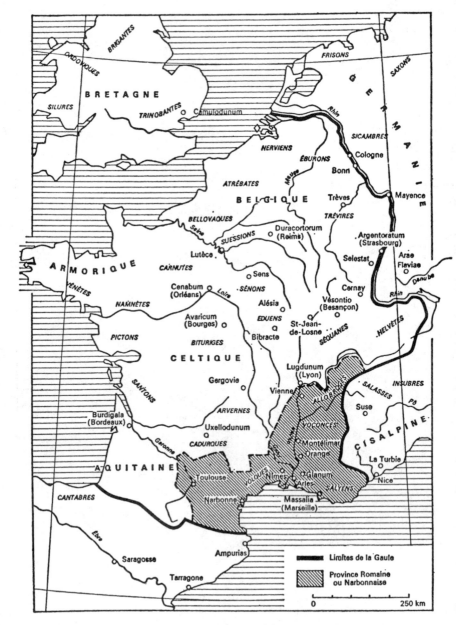

La Gaule avant César

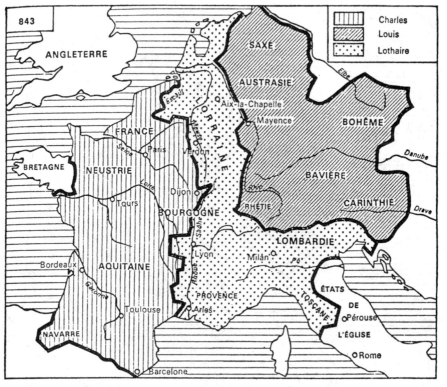

Traité de Verdun (843): division de l'empire de Charlemagne

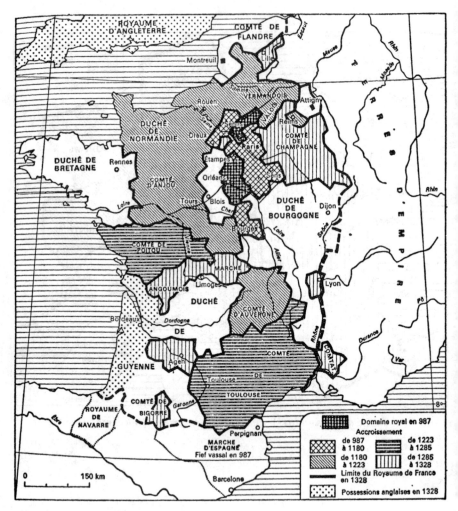

La France sous les Capétiens

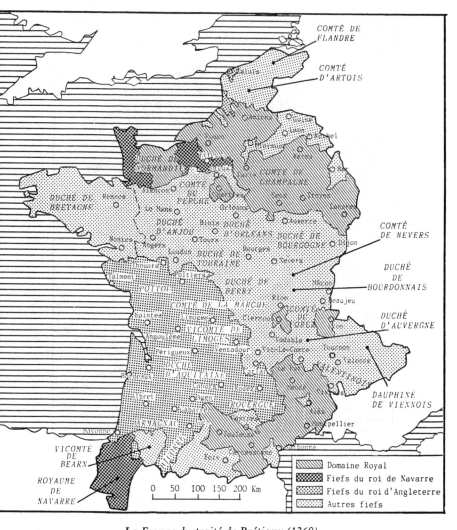

La France du traité de Brétigny (1360)

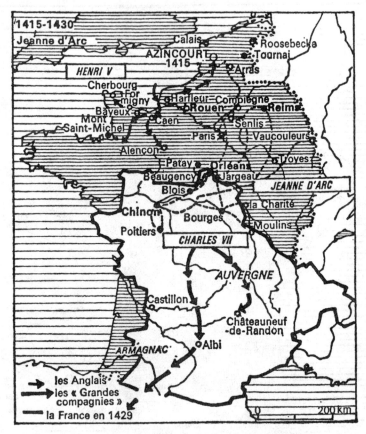

La guerre de Cent Ans

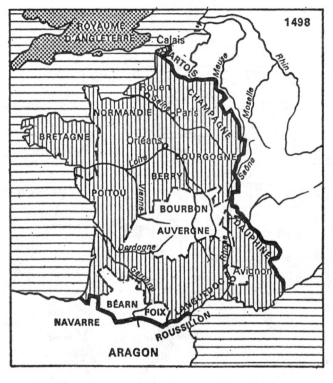

ROYAUME
D'ANGLETERRE · Calais

ARTOIS

1498

Rhin

Meuse

CHAMPAGNE

Rouen

Oise

Seine · Paris

NORMANDIE

Moselle

BRETAGNE

Orléans

BOURGOGNE

Loire

Saône

BERRY

POITOU

Vienne

BOURBON

AUVERGNE

DAUPHINÉ

Dordogne

Rhône

Avignon

Garonne

LANGUEDOC

BÉARN

FOIX

NAVARRE

ROUSSILLON

ARAGON

 Possessions
anglaises

  Domaine
royal

Limites du
Royaume de France

La France à la mort de Charles VIII (1498)

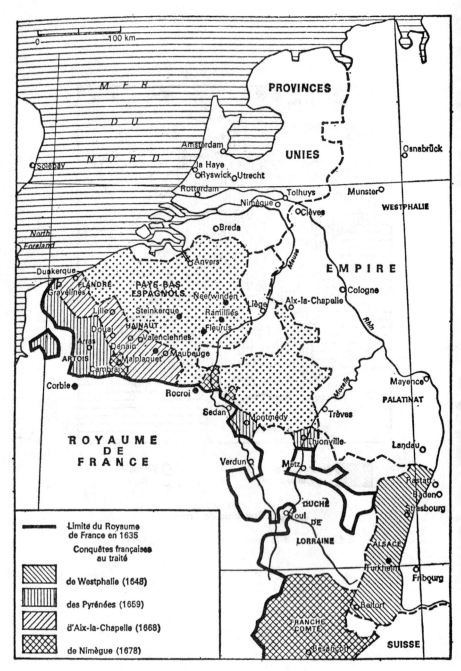

Les guerres de Louis XIV

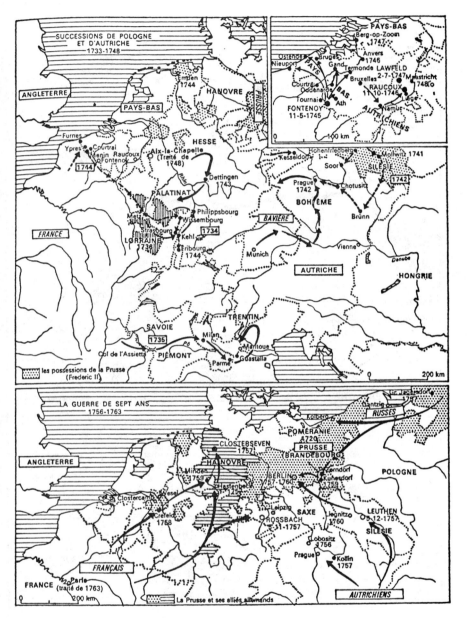

Les guerres de Louis XV

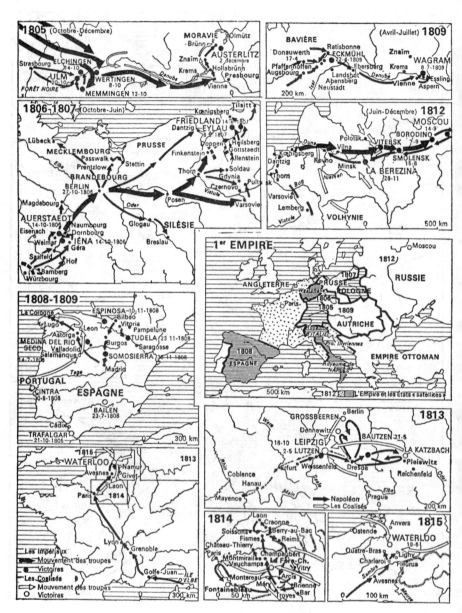

Les campagnes de Napoléon

L'expansion coloniale sous la Troisième République (1870-1914)

L'Afrique noire

Légende :

- Zones occupées en 1870
- Zones occupées de 1870 à 1888
- Zones occupées de 1888 à 1914
- Territoires cédés par la France (1911)
- Territoires acquis par la France (1911)
- Voie ferrée en 1914

Échelle : 0 — 500 — 1000 Km

Lieux et régions indiqués :

St-Louis, Dakar, SÉNÉGAL, Kayes, Bamako, GUINÉE FR, Konakri, CÔTE D'IVOIRE, LIBERIA, Bingerville, Gd Bassam, GOLD COAST, TOGO, DAHOMEY, Savé, Tombouctou, SOUDAN, MAURITANIE, SAHARA, AFRIQUE OCCIDENTALE FRANÇAISE, Barroua, Lac Tchad, NIGERIA, BORKOU, OUADAÏ, BAGUIRMI, CAMEROUN, CONGO FR, GABON, AFRIQUE ÉQUATORIALE FRANÇAISE, Libreville, Brazzaville, CONGO BELGE, OCÉAN ATLANTIQUE

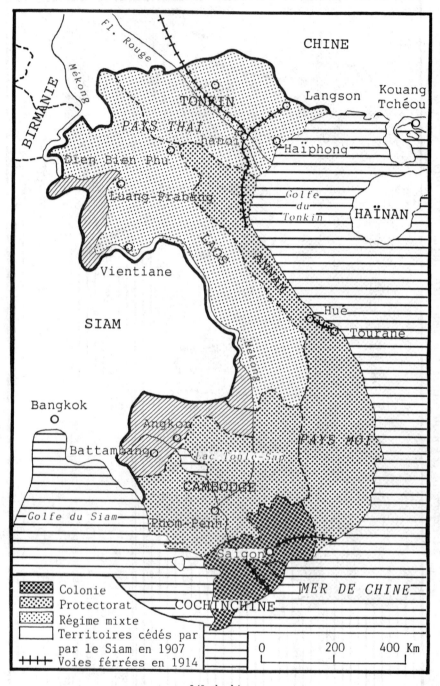

L'Indochine

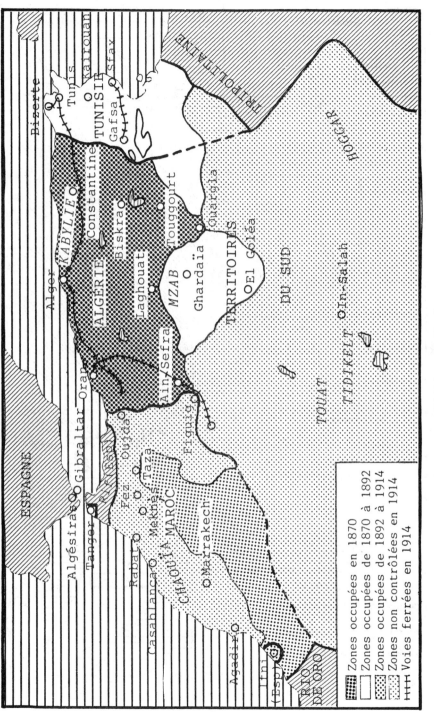

L'Afrique du Nord

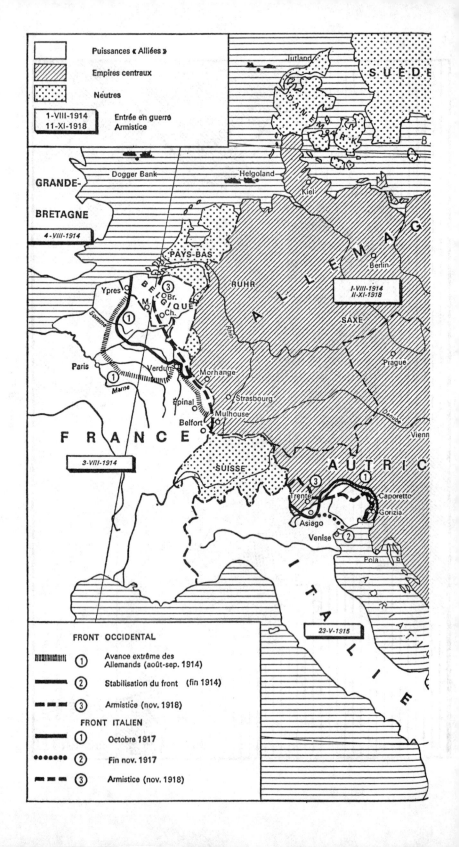

Puissances « Alliées »

Empires centraux

Neutres

1-VIII-1914
11-XI-1918
Entrée en guerre
Armistice

SUÈDE

Jutland

GRANDE-
BRETAGNE
4-VIII-1914

Dogger Bank

Helgoland

Kiel

Berlin

PAYS-BAS

RUHR

A L L E M A G

Ypres
BELGIQUE
Br.
Ch.

SAXE

I-VIII-1914
II-XI-1918

Prague

Somme

Paris
Verdun
Morhange

Strasbourg

Marne
Épinal
Mulhouse

Belfort

F R A N C E

SUISSE

AUTRIC

Vienn

3-VIII-1914

Trente
Caporetto
Gorizia

Asiago
Venise

I T A L I E

Pola

23-V-1915

FRONT OCCIDENTAL

① Avance extrême des
  Allemands (août-sep. 1914)

② Stabilisation du front (fin 1914)

③ Armistice (nov. 1918)

FRONT ITALIEN

① Octobre 1917

② Fin nov. 1917

③ Armistice (nov. 1918)

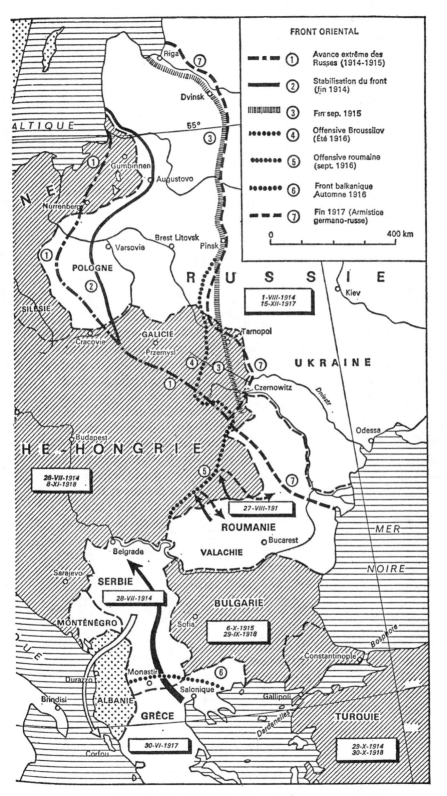

La *Première Guerre mondiale*

INDEX

TABLE

TROISIÈME PARTIE

L'APPRENTISSAGE DE LA LIBERTÉ

TABLE DES CARTES

Les cartes ont été réalisées d'après *Histoire de France des origines à 1970* par le duc de Castries (Laffont, 1971).

La photocomposition de cet ouvrage
a été réalisée par
GRAPHIC HAINAUT
59690 Vieux-Condé

Achevé d'imprimer en mars 1995
sur presse CAMERON,
dans les ateliers de B.C.I.
à Saint-Amand-Montrond (Cher)
pour le compte des éditions Perrin

– N° d'édit. 1034. – N° d'imp. 1/636. –
Dépôt légal : avril 1992.

Imprimé en France